ISBN 978-0-266-69870-8
PIBN 10987085

This book is a reproduction of an important historical work. Forgotten Books uses
state-of-the-art technology to digitally reconstruct the work, preserving the original format
whilst repairing imperfections present in the aged copy. In rare cases, an imperfection in
the original, such as a blemish or missing page, may be replicated in our edition. We do,
however, repair the vast majority of imperfections successfully; any imperfections that
remain are intentionally left to preserve the state of such historical works.

1 MONTH OF
FREE
READING

at
www.ForgottenBooks.com

By purchasing this book you are eligible for one month membership to ForgottenBooks.com, giving you unlimited access to our entire collection of over 1,000,000 titles via our web site and mobile apps.

To claim your free month visit:
www.forgottenbooks.com/free987085

Hermes

ober

kritisches Jahrbuch der Literatur.

Viertes Stück

für

das Jahr 1823.

Nr. XX der ganzen Folge.

Preis des Jahrgangs von 4 Stücken 10 Thlr. und eines einzelnen Stücks 3 Thlr.

Leipzig:
F. A. Brockhaus.

1823.

Printed in Germany

Inhalt.

Nr. XX.
der ganzen Folge.

I.

Motenebbi, der größte arabische Dichter. Zum erstenmahle ganz übersetzt von Joseph von Hammer. Wien, Heubner. 1824. 8.

Ehe wir uns zur näheren Betrachtung des Dichters Motenebbi
und der vorliegenden Uebersetzung seiner Lieder wenden, müssen wir
über die wenig bekannte Geschichte der arabischen Dichtkunst einiges
voransenden, welches wir soviel möglich aus den Schriften der Araber unmittelbar zu entlehnen suchen werden. In früheren und späteren Zeitaltern, unter den verschiedenartigsten Verhältnissen haben
die Araber für die Dichtkunst, den Gesang und das Saitenspiel eine
ganz vorzügliche Vorliebe mit fast stets gleicher Stärke bewahrt, und
diese Vorliebe bewiesen theils durch die Beschützung und Ermunterung, theils durch die Ausübung jener Künste. Nicht nur anfangs,
als das Volk noch Sterne und Bilder verehrte, in den Sandgefil-
den und Felsenklüften des Vaterlandes, und an den Höfen der Könige in Jemen, in Hira und Gassan erklangen die arabischen Lieder, und brachten neben der Tapferkeit dem Manne den höchsten
Ruhm, den er erwerben konnte, sondern auch in den Tagen Mohammeds, als der Islam verkündigt ward, wurden nach wie vor
in den heimatlichen Fluren Liebe, Treue und Muth durch Gesänge
verherrlichet; und späterhin auf gleiche Weise in den Ländern Sy-
riens, als das Geschlecht Omajja den Sitz der arabischen Herrschaft
nach Damascus verlegt hatte, und als die Abbassiden von Bagdad
aus das Chalifat verwalteten, auch in den Städten und Gefilden
von Irak, Chorassan, Aegypten, Mauritanien, Andalusien und Lu-
sitanien, auch bis in die späteren Zeiten, wo an die Stelle der arabischen Fürstenhäuser türkische und mogolische traten. Eine lange
Reihe von Dichtern und Dichterinnen und berühmten Sängerinnen
zieht sich hin durch die ganze Geschichte der arabischen Literatur;

1

nicht nur ihre Namen sind uns aufbewahrt worden, sondern auch ihre Lieder und ihre Geschichten, theils in großen allgemeinen Sammlungen, theils in speciellen, die nur mit einzelnen Männern sich beschäftigen; auch sind die meisten dieser Lieder durch arabische Philologen commentirt worden. Fast alle diese Bücher aber sind bis jetzt nur noch handschriftlich vorhanden.

So blüheten in den Tagen der Unwissenheit, wie die späteren Araber die Zeit vor dem Islam nennen, die Dichter Aus ben hobschr, Alkama el fachl, El aswad ben jafur, Doreid ben essamma, Haretha el ejâdi, Soheir ben habbâb, Urwa ben el warb, Meimun el ascha, Lebîd ben rebîa, Amriulkais ben hobschr, Soheir ben solma, Hadsches el esbi, die Dichterin Umm hakim bint jachja, und eine Menge anderer, deren Lieder nicht verloren gegangen sind. Von der Art und Weise, wie Gesang und Saitenspiel damals üblich gewesen, erzählt uns El isfahani, im Leben der berühmten Sängerin Iffa el meila, mit folgenden Worten: „Als einstens Hassan von dem Gastmale der Kinder Nebith in seine Wohnung heimgekehrt war, warf er sich auf das Lager, legte den einen seiner Füße über den andern und sprach: die Sängerin Raïka und ihre Freundin haben mich an etwas gedenken lassen, welches stattfand bei dem Könige Dschabala ben el aihem, dergleichen ich nicht gehört habe, seitdem die lange Nacht unsres Heidenthums verschwunden ist. Da sprach Châredscha ben seîd: O Abul walîd, waren denn Sängerinnen bei Dschabala ben el aihem? Da lächelte jener, richtete sich auf und sprach: Ich habe selbst zehn Sängerinnen dort gesehen, fünf griechische, welche griechisch zu der Laute sangen, und fünf, welche den Gesang der Leute von Hira sangen. Ejas ben kabîsa hatte sie ihm geschenkt. Es kamen auch zu ihm gezogen solche, die vor ihm sangen von den Arabern von Mekka und andern Orten. Wenn er sich zum Trinkgelage setzte, wurden Myrten und Jasmin unter ihm gestreut, und allerlei Arten von Blumen; Ambra und Muskus wurden in silbernen und goldenen Schalen dargeboten; auch ward ächter Muskus in silbernen Gefäßen gebracht; es ward Aloeholz aus der Stadt Mendel gebrannt, wenn er im Winterlager war. Befand er sich aber im Sommerlager, so umgab er sich mit Schnee, und es wurden ihm und seinen Gefährten Sommerkleider gebracht, dergleichen er mit seinen Gefährten in der heißen Jahrszeit täglich trug; im Winter nahmen sie Pelzgewänder, und was dem gleich ist. Und, bei Gott, nie habe ich bei ihm gesessen, daß er nicht mich und andre seiner Genossen mit den Kleidern beschenkt hätte, welche er an diesem Tage trug. Es geschah dieses mit Leutseligkeit gegen den Unwissenden, und mit Lachen, mit Schenken ehe denn gebeten worden, mit freundlichem Antlitz und mit freundlicher Rede. Nie habe ich Ungezogenheit oder Zänkerei gesehen, obschon wir uns damals in dem heidni-

schen Glauben befanden. Darnach hat nun Gott den Islam ge=
bracht und durch denselben allen Unglauben verscheucht, und wir
haben fahren lassen den Wein und was mißfällig ist. Also seyd
ihr nun heutiges Tages Moslemen, und trinket diesen Trank von
Datteln, und den Palmensaft von den Blüthen und jungen Früch=
ten; aber keiner ist unter euch, der drei Becher tränke, ohne daß er
an seinen Freund sich machte und von ihm sich trennte; und ihr
schlaget euch unter einander dabei, wie die wilden Kamele sich schla=
gen, und entsehet euch nicht." Der Dschabala ben el aihem, von
welchem hier erzählt wird, war arabischer König von Gassan kurz
vor der Verkündigung des Islam.

Als nun Mohammed ben abdalla an die Stelle des Aberglau=
bens und der Verehrung der Bilder und der Dämonen den Glau=
ben an den einigen, geistigen und allbarmherzigen Gott, Schöpfer
Himmels und der Erden und Richter am jüngsten Tage, zu setzen
mit Feuereifer bemüht war, da stand auch die Dichtkunst seines
Volkes in voller Blüthe, und eine große Schaar von Dichtern sei=
ner Zeit ist uns bekannt geworden, zu welcher z. B. Hassan ben
thabet und Hassan ennâbega gehören, Ibrahim ben harama, Aschhab
ben domeila, Arbed ben kais, Omajja ben el eschker, El aglab el
idschli, El dschaad el ubsri, Harmala abu sobeid, Choweiled abu
dsoweib, Dscharul ben aus, die Sängerinnen Dschoweirijje und Cho=
leibe, und viele andere. Mehrere der Verfasser derjenigen Gedichte,
welche unter dem Namen der Moallakat bekannt sind, lebten in die=
ser Zeit. Die Dichter, welche die Zeiten des Heidenthumes und die
des Islam erlebten, wurden bei den Arabern mit dem Namen El
mochadramûna bezeichnet, die berühmtesten unter ihnen mit dem
Namen El fuchûl, d. i. die Hengste. Wie in den ersten Zeiten
des Islams Dichtkunst und Gesang in Arabien beliebt gewesen, da=
von erzählt El isfahani in dem schon gedachten Leben der medini=
schen Sängerin Issa el meila unter anderm folgendes: „Issa war
eine Freigelassene der Ansâr, und ihr Wohnort war Medina; sie
sang zuerst unter den Frauen von Hedschas die Art des Gesanges,
welche man El muwakka nennt, und starb vor der Sängerin Dsche=
mile. Sie war eine der reizendsten Frauen von Antlitz, und eine
der schönsten von Leib. Man nannte sie El meila, d. i die
schwankende, weil sie beim Gehen zierlich schwankte. Doch wird
auch gesagt: nein; sie trug die Schleier Mula und stellte sich
den Männern gleich; darum ward sie so genannt. Andre sagen:
nein; sie liebte den Wein und pflegte zu sagen: nimm volle Becher,
Mila, und gib zurück den leeren. Dieses erzählt Hammâd ben
ishak, welcher es von seinem Vater gehört hatte; aber das Wahre
ist, daß sie El meila genannt ward wegen des Schwankens beim
Gehen. Ishak sagt: mir erzählte Ebn dschame, der es von Junis

1 *

dem Schreiber gehört hatte, welchem es von Mobed berichtet wor=
den, und sprach: Sie liebte nicht Gesänge zu verfassen und zu
componiren, sondern sang die Lieder der Sängerinnen aus der alten
Zeit, wie Sirin, Sernab und Chula, und Errebâb, und Sulma,
und Raïka; Raïka, ihre Lehrerin, hatte ihnen beiden ihre Weisen
vorgesungen und ihr bewundernswürdige Melodien mitgetheilt; diese
war die erste, welche das Volk Medinas durch den Gesang veredelte
und seine Frauen und Männer begierig nach demselben machte.
Jshak sagt: Essobeir hat mir erzählt, daß die Scheiche des Volkes
Medinas, wenn sie Jssas gedachten, entzückt wurden und sprachen:
O Gott, wie vortrefflich war diese! Wie schön war ihr Gesang,
und wie klingend ihre Stimme; und wie edel ihr Sinn! Wie schön
ihr Spielen auf der Laute, auf der Cither und den andern Instru=
menten! Wie lieblich war ihr Antlitz, wie witzig ihre Zunge, wie
freundlich ihr Betragen, wie großmüthig ihr Sinn, wie freigebig
ihre Seele, und wie schön ihr Hülfeleisten! Jshak sagt: mein Va=
ter erzählte mir auch, was er von Sabbat vernommen hatte, der
es durch Mobed und Dschemîle erfahren, welches mit jenem Ur=
theile über Jssa übereinkam. Jshak sagt: Mein Vater, welcher es
von Junis gehört hatte, erzählte mir und sprach: Ebn scherîch
pflegte in der Jugend seiner Jahre nach Medina zu kommen und
Jssa zu hören; er lernte von ihrem Gesange und ward durch sie
unterrichtet; wenn er gefragt ward, wer unter den Menschen am
schönsten singe, sagte er: die Freigelassene der Ansâr, welche alle, die
da singen und spielen auf Cithern=und Lauten, von Männern und
Frauen, übertrifft. Er sagt ferner: Hescham ben el marijja hat
mir erzählt, daß Ebn muchris zu Mekka drei Monate verweilte,
dann nach Medina kam, und dort auch drei Monate verweilte, we=
gen Jssa, von welcher er lernte. Jshak sagt: El dschemchi, wel=
cher es von Dschorair, dem medinischen Sänger gehört hatte, er=
zählte mir einst und sprach: Thawis kehrte oft ein in der Woh=
nung der Jssa el meila, denn er war ihr Gastfreund; wenn er
ihrer erwähnte, pflegte er zu sagen: diese war die Fürstin derer un=
ter den Frauen, welche gesungen haben, und war dabei begabt mit
herrlicher Schönheit, trefflichem Gemüthe und mit einem Jslam,
den nichts unreines trübte; sie gebot Tugend und übte sie, warnete
vor dem Schlechten und mied es. Wahrlich, nichts war geistrei=
cher als sie, nichts geistreicher als ihre Gesellschaft; wer redete oder
sich bewegte, strengte das Haupt an. Ebn selâm sagt: Was meinst
du wohl zu einem, über den Thawis mit solchen Worten urtheilt?
Ein welcher muß der seyn, dem Thawis den Vorrang einräumt!
Jshak sagt: Abu abdalla el aslami, welcher es von Mobed gehört
hatte, hat mir erzählt, daß er eines Tages zu Jssa kam, als sie

sich bei Dschemîle befand und schon betagt war; da sang sie zur Laute aus einem Liede des Ebn el ithnâbe:

Erquicket mich! Erquicket meinen Freund!
Tränkt mich mit einem Trunk krystallnen Weins!

Und nie hörten die Zuhörer etwas, welches schöner gewesen wäre denn dieses. Mobed setzte hinzu: So war ihr Gesang, als sie schon betagt geworden; wie muß sie gewesen seyn, als sie ein junges Mädchen war! Ishak sagt: es ist mir von Salech ben haffan, dem Ansâri, berichtet worden, daß er erzählte: Issa war eine unserer Freigelassenen; sie war züchtig und anmuthig. Des Abends besuchten sie in ihrer Wohnung Abdalla ben dschafar, und Ebn abi atik, und Omar ben abi rebia, und sie sang ihnen dann vor. Einstens sang sie dem Omar ben abi rebia eine ihrer Melodien zu einem Liede von ihm; da zerriß er sein Gewand, stieß einen lauten Schrei aus und stürzte mit demselben ohnmächtig nieder. Als er wieder zu sich gekommen war, sagten die Leute zu ihm: Thorheit geziemt anderen denn dir, o Abul chattâb! Er antwortete: Aber, bei Gott, ich hörte etwas, wobei ich meiner Seele und meines Verstandes nicht mehr mächtig blieb."

Während das Geschlecht der Omajjiden, in den Jahren der Hedschra 40 bis 130, die Heirschaft des arabischen Reiches führte, zu Damascus in Syrien den Hof haltend, waren sowohl in Arabien wie in Syrien die Dichter der Araber eben so zahlreich, eben so groß wie vorher. Zwar hat Johann David Michaelis in der Vorrede zur ersten Ausgabe seiner arabischen Grammatik, in welcher Vorrede, wie er sagt, vom arabischen Geschmacke gehandelt wird, behauptet: nur bis zu Mohammeds Zeit habe die arabische Dichtkunst ihr goldenes Zeitalter gehabt, der Koran habe diese Dichtkunst erstickt, es sey aus religiöser Ehrfurcht von nun an der Koran für die vortrefflichste Poesie erklärt worden, es hätten von nun an die Dichter und überhaupt die Schriftsteller nur in dem Style des Koran schreiben dürfen, der berühmte Dichter Lebîd ben rebia sey „der Mörder des guten Geschmacks" unter den Arabern geworden, weil er sein Gedicht Moallaka für übertroffen durch den Koran erklärt habe. Alle diese Dinge sind seitdem fast überall wiederholt worden, wo über arabische Dichtkunst und Literatur etwas gesagt worden ist. Dennoch kann nichts ungegründeter als diese Behauptung seyn: sie ist aus Unkunde der Geschichte der arabischen Literatur hervorgegangen; Johann David Michaelis ist nicht der Mann, von dem man eine genaue und selbstständige Kenntniß der arabischen Literatur, am wenigsten der Dichtkunst, verlangen muß. Schreiber dieses, welcher sich mit den arabischen Dichtern aus mehrern Ursachen viel beschäftiget, kann mit Wahrheit behaupten, daß ihm noch kein einziges Gedicht vorgekommen, welches im Style des Koran geschrieben wäre, und daß die Lieder aus den ersten hundert Jahren nach der Predigt des Islam von den älteren sehr wenig oder gar nicht in der Art verschieden sind. Ueberhaupt hat man den Einfluß des Koran auf die Sprache der arabischen Schriftsteller viel zu groß vorgestellt; wo wäre denn ein arabisches Buch, welches im Style dem Koran gliche? Uns ist keines bekannt. Wenn von religiösen Dingen die Rede ist, so werden, wie natürlich, einzelne Ausdrücke des Koran gebraucht, da dieser die religiösen Angelegenheiten ordnet; sonst aber schreibt niemand wie der Koran, in so kurzen, abgerissenen Sätzen, in welche oft nur durch Annahme der stärksten Ellipsen ein Zusammenhang gebracht werden kann. Eine große Anzahl gerade der berühmtesten und vorzüglichsten Dichter lebten unter der Herrschaft der Omajjiden, z. B. Dschemil ben memar, der klagende Sänger der Liebe, der arabische Petrarka, welcher seine theure Botheina bint jachja bis an seinen Tod besang, zwanzig Jahre lang, Urwa ben hisam, genannt Katil el hawa, das ist; der durch die Liebe getödtete, weil die Liebe zu Afra bint hasr ihm den Tod brachte; Amer oder Kais ben mulawwich, genannt Medschnûn, das ist, der Wahnsinnige, weil die Liebe zu Leila bint mahdi ihn des Verstandes beraubte; Kotheir ben abd errachman, der seine Geliebte Affa bint dschemil besang; Kais ben doraidsch, dessen Geliebte Lubna bint el habbab war; Dscherir ben athijje, Hemmâm ben galeb genannt El farasdak, El achthal, Abu temmâm habib ben aus, Isa thawis, Gailan ben okba, El komeit ben seid, und so viele andere. Ebn challekan erzählt im Leben des Dscherîr, daß, als der Omajjide Omar ben abd el asîs die Führung des Chalifates übernommen hatte, vor der Thüre seiner Gemächer folgende Dichter zugleich erschienen: Omar ben abdalla el machsumi, Hemmâm ben galeb, El achthal, El achwas, Dschemil ben memar, Dscherîr ben athijje; inzwischen war der Chalife Omar ben abd el asîs zu sehr der Andacht ergeben, um den Dichtern viele Zeit zu schenken, wiewohl er mit ihren Liedern wohl bekannt war. Die drei Dichter Dscherîr, El achthal und Farasdak gehören zu den allerberühmtesten. Ebn challekan sagt im Leben des Dscherîr: „die Gelehrten kommen darin überein, daß unter den Dichtern des Islam keiner ist, welcher einem dieser drei gleich käme, dem Dscherîr, oder dem Farasdak, oder dem El achthal. Es erzählt Mohammed ben selâm: ich habe den Jûnis sagen hören: Nie habe ich einer Versammlung beigewohnt, daß nicht, wenn die Rede auf Dscherîr und Farasdak fiel, für einen dieser beiden die Leute sich entschieden hätten. Auch sagte er: Farasdak ist dichterischer im Einzelnen, aber Dscherîr dichterischer im Ganzen.“ Die meisten Fürsten aus dem Geschlechte Omajja liebten die Dichter, zogen sie an ihren Hof, belohnten sie reichlich,

und ließen auch die alten Dichtungen der früheren Zeit nicht in
Vergeſſenheit gerathen.   Ebn challekan ſagt in der Lebensbeſchrei-
bung des Hammâd ben abi leila, welcher den Beinamen Errâwije,
das iſt, der Ueberlieferer, führte, unter anderem folgendes: „Dieſer
war der größte unter den Menſchen in der Kunde von den Schlachten der Araber und ihren alten Geſchichten, ihren Liedern, ihren
Geſchlechtern und ihren Redensarten.   Die Könige unter den Kindern Omajja zogen ihn zu ſich, und befragten ihn über die Schlachten
der Araber und ihre Wiſſenſchaften; und er empfing Belohnungen von
ihnen.   Der Chalife El walid ben jeſid ſprach zu ihm: Wodurch biſt
du denn deſſen würdig geworden, daß ſie dich Errâwije, das iſt, den
Ueberlieferer, nennen? Er antwortete: Weil ich überliefere von jedem
Dichter, den du kennſt, oder von dem du gehört haſt, und alsdann auch
noch überliefere von ſolchen, die zwar gekannt werden, die aber du weder kennſt, noch von denen du gehört haſt.   Ferner darf mir niemand
ein Lied recitiren, es ſey alt oder neu, daß ich nicht ſofort das alte
von dem neuen ſchiede.: Der Chalife ſprach: Wie viel iſt es denn,
was du auswendig weißt von Liedern? Jener antwortete: Es iſt
viel; jedoch will ich dir recitiren für jeden Buchſtaben aus den Buchſtaben des Alphabetes hundert große Lieder, außer den Bruchſtücken,
und bloß Lieder aus der Heidenzeit, mit Ausſchluß aller in den
Tagen des Islam gedichteten.   Der Chalife ſprach: ich werde dich
auf die Probe ſtellen.   Alſo ließ El walid ihn die Lieder auffagen,
bis daß er, der Chalife, es nicht mehr aushalten konnte; dann über-
trug er es einem anderen, ſeine Stelle im Anhören zu vertreten
und ihm die Wahrheit über jenen zu berichten.   Demnach recitirte
Hammâd ihm zweitauſend und ſechshundert Lieder aus der Heidenzeit; und der Mann berichtete es dem El walid, welcher Befehl gab,
dem Hammâd hunderttauſend Dirhem auszuzahlen.   Etthirrimach
ſagt: Einſtens recitirte ich dem Hammâd errâwije eines meiner Gedichte, welches ſechzig Verſe enthielt.   Da ſchwieg er eine Weile;
dann ſprach er zu mir: Iſt das dein Lied? Ich ſprach: Ja.   Er
antwortete: Dem iſt nicht alſo.   Hierauf wiederholte er das Gedicht
ganz und gar, nebſt einem Zuſatze von zwanzig Verſen, die er auf
der Stelle hinzugefügt hatte.‟   Dieſem großen Ueberlieferer Hammâd
verdanken wir die Aufbewahrung eines großen Theiles der noch vorhandenen alten arabiſchen Lieder; überall wird er als Gewährsmann
citirt.   Die Urſache, warum er ſich gegen den Chalifen erbietet, für
jeden Buchſtaben des Alphabetes hundert Lieder zu recitiren, liegt
darin, daß die arabiſchen Lieder, welche Kaſſide heißen, von Anfang
bis zu Ende, wenn auch die Zahl der Verſe über hundert ſteigt,
einen und denſelben Reim haben, folglich auch nur einen Reimſchlußbuchſtaben.   Nach dieſem Reimſchlußbuchſtaben werden nun die
Lieder häufig benannt und eingetheilt, und es gibt folglich Lieder

in A, Lieder in B, Lieder in D, und sofort. Hammâd will also
sagen: Ich will hundert Lieder recitiren, deren Reimschlußbuchstaben
A ist, hundert, in welchen er B ist, und so durch das ganze Alpha-
bet. Hieraus sieht man, daß die Zahl der Lieder, welche Hammâd
wußte, viel größer seyn mußte, als die der wirklich recitirten zweitausend sechshundert; denn er wählte von jedem Buchstaben gerade
nur hundert aus. Wer die großen noch vorhandenen Sammlungen der alten arabischen Gedichte gesehen hat, den wird diese Angabe nicht unwahrscheinlich dünken.

Eine noch größere Kenntniß der Lieder aber soll der berühmte
Dichter Abu temmâm habîb ben aus besessen haben, von welchem
die auf uns gekommene, unter dem Namen der großen Hamâsa bekannte Anthologie gesammlet ward. Ebn challekan sagt in der Lebensbeschreibung desselben: „Er war in seinem Zeitalter einzig in
dem Schmucke der Sprache, in der Lebendigkeit der Dichtung, in der
Schönheit seiner Weise. Von ihm ist das Buch El hammâsa,
welches die Trefflichkeit seines Geistes, und die Schärfe seiner Kenntniß in der Auswahl beweiset. Auch ist von ihm eine Sammlung,
genannt Fuchûl eschschoara, das ist, die Hengste unter den Dichtern, in welcher er vereiniget hat eine große Anzahl von den Dichtern des Heidenthums, und von denen, welche beide Zeiten, die des
Heidenthumes und die des Islam erlebten, und von denen aus den
Tagen des Islam. Auswendig aber wußte er von den Liedern so
viel, daß kein anderer ihn hierin erreicht hat. Es wird gesagt, daß
er auswendig wußte vierzehntausend solche Lieder der Araber, welche
man Urdschûse nennt, ungerechnet die Lieder Kaßide und die Bruchstücke. Er pries die Chalifen, und empfing ihre Belohnungen.“
In Betreff dieses Abu temmâm sagte einst ein Weiser zu dem Chalifen, von welchem jener etwas bat: diesem Manne gib, was er begehrt; denn seines Lebens wird wenig seyn. Sein Geist verzehrt
seinen Leib, wie die indische Klinge die Scheide frißt.

Das Chalifat des Geschlechtes Abbâs zu Bagdad, welches an
die Stelle der Omajjiden trat, dauerte durch einen Zeitraum von
fünf Jahrhunderten, vom Jahr 132 bis 656 der Hedschra, welcher
in der äußeren Lage und in der geistigen Bildung der Araber große
Veränderungen und Wechsel herbeiführte. Es ist bekannt genug,
daß an den glänzenden Höfen der ersten abbassidischen Chalifen, z. B.
des El mahdi, El hadi, Harûn erraschîd, El amîn, El mamûn,
El motassem, El wathek, El motewakkel auch die Dichtkunst ge-
pflegt und geehrt glänzte. Aus dieser Zeit sind die berühmten Dichter Abul atâhije, Abu dulâma, Abu nawâs, Aschdscha essilmi, El
bochtari, Essobeir ben dachman, Ebn rumi; und die Dichterinnen und Sängerinnen Enân ennatefânijje, Abîde ettunburijje, Fadl
eschschaëre, Kalam essalechijje, Metim elhaschemijje, Machbube, Arîb,

Feride, Basbas, Badsl, Chenth, nebſt anderen. Der Geiſt der
Dichtkunſt fing an ſich etwas zu verändern; die Araber in den
Sitzen der arabiſchen Cultur ſtanden nicht mehr in ſo häufigem Verkehr mit den Arabern der Wüſte; ihr Leben war verfeinerter und
künſtlicher geworden, und äußerte ſeinen Einfluß auf die Lieder der
unter ihnen aufſtehenden Dichter. Es herrſchte im Allgemeinen in
den Liedern jetzt mehr Kunſt, und weniger unmittelbares und na-
türliches Gefühl; es ward nach mancherlei Arten Künſtlichkeit in
der Form und im Ausdrucke geſtrebt, nach Witzworten, Wortſpie-
len, überraſchenden Gegenſätzen, ähnlich ohngefähr wie in manchen
ſpaniſchen Schauſpielen und den jüngeren indiſchen Dichtungen, wie
Nalodaja, Siſupala badha, und den meiſten perſiſchen Gaſellendich-
tern. Wir wollen damit nicht behaupten, daß hiebei die Wahrheit
des Gefühles verſchwunden ſey; auch dieſe kann in künſtlicheren Formen ſich ausſprechen; auch kamen einzelne Dichter in der Art den
älteren mehr gleich, in Kraft und Lebendigkeit; dafür finden ſich
Beiſpiele genug. Später wurden auch die Höfe der Dynaſtien, welche neben der Abbaſſidiſchen ſich erhoben und an Macht dieſe bald
übertrafen, häufig die Heimath der Dichter ſo wie der Gelehrten.
In dieſe Zeit fällt Motenebbi, welcher von 303 bis 354 lebte, an
dem Hofe der Hambaniden zu Haleb in Syrien, an dem der Jch-
ſchiden zu Kahira, und dem der Buwaihiden in Perſien. Etwas
ſpäter als er lebte der berühmte blinde Dichter Abul ola el maarri,
noch ſpäter Tantarani, Tograï, Ebn el fardh, Safi eddin el hilli.
Doch wird es Zeit, dieſe hiſtoriſchen Bemerkungen zu ſchließen, um
einige Proben arabiſcher Lieder aus verſchiedenen Zeitaltern anzuführen, deren Vergleichung mit den Liedern Motenebbis den Leſer zu
einem Urtheile über Motenebbi geſchickter machen kann. Wir wollen dieſe Proben nach den arabiſchen Originälen, ſo treu uns immer möglich, überſetzen.

Wir wählen zuvörderſt einige Proben von Gedichten aus der
früheren Zeit, oder den Tagen des Heidenthums, und zwar zuerſt
den Anfang eines Liedes des Dichters Meimun ben kais, genannt
El aſcha, das iſt, der in der Dämmerung nicht gut ſehende. Er
erlebte noch die Predigt des Jslam, und gehört zu den berühmteren
ſeiner Zeit, ſo daß ein arabiſcher Gelehrter, als er gefragt ward,
welcher der beſte der arabiſchen Dichter ſey, antwortete: Amrialkais
wenn er zürnet, Nabega wenn er fürchtet, Soheir wenn er ſchmach-
tet, El aſcha wenn er frohlocket. In den folgenden Verſen indeß
finden wir den El aſcha nicht als einen frohlockenden, ſondern nur
als einen klagenden. Er ſchildert ſeine Gefühle für Horaïra, die er
liebte, eine Sklavin des Haſſan ben amru, die er im 19ten Verſe
auch mit dem Namen Umm chalid anredet. Der arabiſche Text
dieſes Gedichtes iſt mit franzöſiſcher Ueberſetzung durch Herrn Sil-

vestre de Sacy herausgegeben worden, im fünften Bande der Fundgruben des Orients. Das Gedicht beginnt also:

1. Die Schaar bricht auf; sag' Lebewohl Horairen!
   Vermagst du's, Mann, das Lebewohl zu sagen?

2. Schön, vollgelockt, mit weißer Perlenreihe,
   Tritt leise sie, wie scheue Renner, hin.

3. Sie schreitet aus der Freundin Zelt hervor;
   So schwebt Gewölk, nicht langsam, nicht geschwinde.

4. So oft sie geht, hörst du den Schmuck erklingen,
   Wie wenn im Wind' die Ischrifstaube tönt.

5. So ist sie nicht, daß Freund' ihr Antliz fürchten,
   Du siehst sie nie der Freunde Rath erspähen.

6. Sie macht sich stark, wenn sie die Freundin sucht,
   Es sänke nieder sonst der zarte Leib;

7. Und hat sie mit der Lieben dann gescherzt,
   Ermattet sie, es beben Hüft' und Seiten;

8. Leer ist der Gurt, gefüllt des Busens Hülle;
   Umarmst du sie, so bricht die Seite fast.

9. Beglückt, wer sie an trübem Tag' umschlinget!
   Heil ihm, dem sanften, lieblich athmenden!

10. Gerundet sind der zarten Holden Arme;
    Ihr Fuß schwebt leicht, wie über Dornen, hin.

11. Erhebt sie sich, strömt Muskusduft von ihr,
    Und rothen Sandak hauchet das Gewand.

12. Die grüne Au, auf sand'ger Höh' gelegen,
    Die blüh'nde, die ein reicher Schauer netzte,

13. Wo frische Blum' der Sonn' entgegenblizt,
    Und die mit Kräutern rings geschmückt, bekränzt,

14. Ist duft'ger als Horaira dennoch nicht,
    Noch schöner je, wenn Abenddämmrung naht.

15. Ich liebe sie, und sie liebt einen andren,
    Und eine andre liebet dieser Mann;

16. Ihn liebt die Maid, die er noch nie begehrt,
    Indeß ein Jüngling stirbt aus Lieb' zu ihr.

17. Auch mich liebt die, die reizend mir nicht scheint;
    So gleicht sich unsre Liebe voll Verderben.

18. Wir schmachten all', sind Opfer der Geliebten,
    Nah' oder fern, gleich fangend und gefangen.

19. Horaira flieht, spricht nicht mit mir, verblendet;
    O Umm chaltb, zu wem denn neigst du dich?

20. Siehst du in mir den Ascha nur, den armen,
    Den bittre Zeit und herbes Schicksal beugen?

Das folgende Gedicht iſt von Thabet ben dſchaber, genannt Taabbata ſcharran, einem alten arabiſchen Helden; ſein Beiname Taabbata ſcharran bedeutet: „unter der Achſel führt er ein Unheil;" er erhielt ihn, als er einſtens ein Meſſer unter die Achſel geborgen hatte. Er warb um die Hand eines Mädchens aus dem Stamme Abs, welche ihm auch geneigt war; aber ihre Verwandten riethen ihr von dem rauhen Krieger ab, indem ſie ſprachen: Was willſt du mit einem Manne, den an einem der beiden Tage, das iſt heute oder morgen, die Lanze niederſtrecken wird? Da dichtete Thabet folgende Verſe, die das Leben des arabiſchen Helden ſchil=dern, welcher das Gebot der Blutrache unermüdlich zu vollziehen bedacht iſt, wiewohl er auch ſich ſelber früh oder ſpät den Tod dadurch bereitet.

1. „Frei' ihn nicht!" So ſprachen ſie zu ihr;
   „Denn dem erſten Speer iſt er beſchieden."

2. Nicht gerathen hält ſie's; Wittwe, bangt ihr,
   Werde ſie von kühnem Nachtdurchwandrer,

3. Der nur ſelten ſchlummert, der nur trachtet
   Blut zu rächen, Feind' im Stahl zu treffen.

4. Ihn greift an, wer edel werden will;
   Er fällt Häupter, nicht mehr ſich zu adeln.

5. Wenig Habe häuft er, nur davon zu ſpenden,
   Zeigt die Rippe gleich der leere Leib,

6. Bleibt zu Nacht beim Wilde, das ihm freund iſt,
   Weil er nimmer ihm die Speiſe raubt;

7. Einen Mann ſieht's, der nie Thiere jagt;
   Wenn es Menſchen grüßte, würd's ihn grüßen.

8. Ueberfallend, oder Zeit erlauernd,
   Schlug er lang' die Leute, bis er grau ward.

9. Wer ſich drängt zu Feinden, dem fehlt's nicht,
   Daß ihm Bett des Todes durch ſie werde;

10. Dennoch ängſtigt er den Herrn der Heerde,
    Einſam oder zahlreich ihn ereilend,

11. Leb' ich lang' auch, weiß ich doch, daß meiner
    Harrt der Speer des Todes, der hell blinket.

Der arabiſche Text des Gedichtes iſt durch Schultens herausgege=ben, in den von ihm bekannt gemachten Proben der Hamâſa.

Der Dichter Lebîd ben rebîa, als er hochbejahrt war und ſei=nen Freund Arbed verloren hatte, dichtete folgende Verſe, welche in Silveſtre de Sacys Ausgabe des Buches Kelîla we dimna gedruckt ſind:

1. Wir vergeh'n, doch nicht vergeh'n Gestirne,
   Nach uns dauern Berge und Paläste.

2. Schatten schenkte mir ein theurer Freund;
   Werthen Freund verlor in Arbed ich.

3. Härme nicht dich, wenn Geschick uns trennte!
   Jeden Mann schlägt einstens das Geschick.

4. Menschen sind wie Lager nur, und Leute;
   Wandern diese, so veröden jene;

5. Häuflein ziehen, und das Lager bleibet,
   Wie wenn eine Hand entfaltet wird.

6. Und ein Blitz, ein Glanz nur ist der Mann,
   Asche wird er, wenn er aufgeflammt;

7. Nur wie frommer Vorsatz ist der Mann,
   Nur geborgt und anvertraut ist Habe.

8. Fass' ich jetzo, wenn mein Tod noch zaudert,
   Meinen Stab nicht, den die Hand umklammert?

9. Sage der vergang'nen Zeiten sag' ich
   Schleichend; richt' ich mich, so sinkt das Haupt.

10. Gleich' dem Schwerdte, dessen Scheide morsch ward;
    Lang' schon schwand der Schmidt, doch sticht der Stahl noch.

11. Fliehe nicht! der Tod ist uns beschieden,
    Naht dem Aufgang, und geht endlich auf.

12. Tadler! was denn, außer Meinen, lehrt dich,
    Wer, wenn starb der Mann, ihn neu belebt?

13. Schreckt dich, was das Schicksal bringt dem Mann?
    Welchen Edlen träf' die Trübsal nicht!

14. Wahrlich! nicht der Steinewerfer weiß,
    Noch der Vogelseher, das was Gott thut.

Das Werfen mit Steinen und das Sehen nach dem Fluge der Vögel waren zwei Arten der Wahrsagerei bei den alten Arabern.

Endlich lassen wir noch das, in Silvestre de Sacys arabischer Chrestomathie gedruckte, Gedicht des Schanfari ben el aus, aus dem Stamme Esd, folgen. Schanfari war ein arabischer Held und Renner, so daß er das Sprüchwort veranlaßte: schneller als Schanfari. Ein arabischer Geschichtschreiber erzählt von ihm folgendes: „Der Name Eschschanfari bedeutet einen Mann, der dicke Lippen hat. Es ist dies ein Dichter von Esd und einer von den Rennern: denn es waren unter den Arabern Renner, welche kein Roß einholte; von diesen war jener, und Soleik ben salaka, und Omar ben barrak, und Asir ben bschaber, und Taabbata scharran. Schanfari hatte geschworen, daß er von den Kindern Salaman hundert Männer erschlagen wolle; und er erschlug von ihnen neun und neunzig,

und ſo oft er einen Mann von ihnen antraf, ſprach er zu ihm:
dein Auge! ſchoß dann, und durchbohrte ſein Auge. Da lauerten
ſie ihm auf und fingen ihn; und der ihn fing, war Aſir ben
dſchaber, einer von den Rennern. Dieſer ſpähte ihm nach, bis daß
Schanfari einſt in eine Schlucht herabſtieg, um Waſſer zu trinken;
da überfiel jener ihn und fing ihn bei der Nacht; darnach tödteten
ſie ihn. Einſt aber ging ein Mann von ihnen an ſeinem Schädel
vorüber und ſtieß ihn mit dem Fuß: da fuhr ein Splitter aus dem
Schädel in denſelben, und der Mann ſtarb; alſo ward das Hundert
Erſchlagener voll. Gott aber weiß dieſes am beſten.“ In dem nach=
ſtehenden Gedichte Schanfaris ſpricht ſich lebhaft der Geiſt der alten
arabiſchen Lieder aus, der ernſte, düſtre Sinn des Sohnes der Wüſte,
welcher unter ſteten Entbehrungen ein flüchtiges Leben dürftig friſtet,
zu jeder Stunde vom Tode bedroht, durch den Hunger und durch
das Schwerdt des Bluträchers; der daher das Leben und ſeine Freu=
den nicht achtet, nur Ruhm der Tapferkeit und des Edelmuthes
zu erwerben und den Söhnen als Erbe zu hinterlaſſen ſtrebt.
    Wir finden hier den Dichter Abſchied nehmend von den Brü=
dern; er ſcheint etwas begangen zu haben, worüber er von ihnen
Vorwürfe hören mußte, die er nicht länger dulden mochte. Er
ſcheidet daher von ihnen, in einer mondhellen Nacht, um in die
Einſamkeit zu gehen, und freut ſich auf ſeine künftige Geſellſchaft,
die Wölfe in der Wüſte, die ſein Ehrgefühl ungekränkt laſſen wer=
den. Er ſchildert ſeinen eigenen unbeugſamen Sinn, die ihm ähn=
lichen Thiere und Vögel der Wüſte, und ſchließt mit einem Ge=
mälde ſeines rauhen und unſtäten Lebens.

1. Vorwärts ſpornt, o Brüder, nun die Roſſe!
    Euch verlaſſ' ich, zieh zu andrem Volk;

2. Fertig iſt die Rüſtung; Mondnacht glänzt;
    Schon ruht Gurt und Sattel auf den Thieren.

3. Zuflucht gibt's für Edle wider Scheelſucht,
    Und für den, der Neid haßt, Einſamkeit.

4. Wahrlich! nichts bedrängt den Mann auf Erden,
    Der die Nacht durch ſtrebt und flieht geſchmeidig.

5. Freund wird mir, ſtatt eurer, ſchneller Wolf,
    Glatter Panther, zottige Hyäne;

6. Dies Volk ſchwatzt nicht Heimlichkeiten aus,
    Schmäht den Sünder nicht ob ſeiner That;

7. Alle ſind ſie trotzig, tapfer; ich nur
    Bin noch tapfrer, wenn die Heerſchaar naht.

8. Wenn zum Brot die Hände greifen, bin ich
    Nicht ſchnell; denn der Gier'ge iſt dann ſchnell

9. Dies geschieht allein aus Ehrbegierde;
   Edelster ist Ehrbegierdevollster.

10. Mir ersetzen den, den nicht die Großmuth
    Beuget, dessen Nähe nicht erquickt,

11. Meine drei Gefährten, Herz voll Muth,
    Funkelnd Schwerdt, und brauner, langer Bogen,

12. Welcher hell tönt, glatt und hart; ihn ziert
    Band, an dem er niederhängt, und Riemen;

13. Fleucht von ihm Geschoß, so ächzt er, wie die
    Arme Kindberaubte stöhnt und seufzet.

14.   Nicht bin ich ein Hirte, der aus Durst
    Von den Müttern geizig trennt die Jungen;

15. Feig' und schwach nicht, bei der Frau stets weilend,
    Meldend ihr das Werk, das nun beginnt.

16. Banger Strauß nicht, dem in seinem Herzen
    Stets ein Sperling auf und ab scheu flattert;

17. Kein verworfner, träger Schäkerer,
    Welcher früh und spat sich salbt und schminkt;

18. Kein Wurm, dessen Schlechtheit ohne Tugend;
    Blöde, wenn du bräuest, bebt er, wehrlos.

19. Nicht scheu' ich das Dunkel, wenn sich aufthut
    Wackrem Saumthier Wildniß ohne Bahn;

20. Trifft der Kies, der Felsblock meine Sohlen,
    So entfahren Funken ihm und Splitter.

21. Langen Hunger duld' ich, lügend ihm;
    Wende die Gedanken ab, vergeß' ihn.

22. Dürren Staub verzehr' ich, daß kein Tapfrer
    Jemals wähn', er habe mich bezwungen.

23. Haßt' ich Tadel nicht, so fändest du
    Labetrunk und Speise nur bei mir;

24. Doch die tapfre Seele bliebe nimmer
    Mir bei Schmähung, flöh' ich nicht sofort.

25. Drum verflicht der Hunger mein Gedärme,
    Wie der Seiler Fäden schlingt und flicht.

Schanfari sagt im sechszehnten Verse, er sey kein banger Strauß, in dessen Herzen immerwährend ein Sperling auf und ab flattere, weil der Strauß bei den Arabern für ein sehr furchtsames Thier gilt, dessen vor Angst pochendes Herz mit einem Sperling verglichen wird, der mit den Flügeln schlägt.

Der Dichter schildert nun die Thiere der Wüste, mit denen er verkehrt: nämlich erst die Wölfe, welche, hungernd wie er, heulend und pfeilschnell durch die Flächen und Schluchten stürzen; dann die

Vögel Kata, welche ohne ſich zu verirren, zehn bis zwanzig Tage-
reiſen weit fliegen, um Waſſer für ihre Jungen im Kropfe zu holen,
und daher wegen ihrer Geſchwindigkeit und ihrer ſicheren Kenntniß
der Waſſerorte in den Steppen berühmt ſind. Schanfari, der Renner, behauptet, auch dieſe Vögel noch an Schnelligkeit zu übertreffen.

26. Frühe renn' ich, karg geſpeiſt, ein hagrer
      Grauer Wolf, der durch die Wüſten eilt;

27. Frühe rennt er, wie der Wind geſchwinde,
      Stürzt ſich hurtig in der Schluchten Grund;

28. Keine Speiſ' erſpäht er, wo er ſucht,
      Heult, und dürre Brüder geben Antwort,

29. Abgezehrt, mit greiſem Antlitz, ähnlich
      Pfeilen, die des Loſers Hand bewegt,

30. Raſchem Bienenkönig, der den Schwarm
      Treibt zum hohen Stock des Honigſammlers;

31. Er ſperrt auf den Rachen, deſſen Winkel
      Gleicht geſpaltnem Holzſcheit, ſchrecklich, grauſig.

32. Er heult, und ſie heulen durch die Oede,
      Wie Verwaiſte, die vom Hügel ſchreien;

33. Schweigt er, ſchweigen ſie, und ruht er, ruh'n ſie;
      Ob des Hungers tröſtet er ſie hungernd.

34. Aechzt er, ächzen ſie, verſtummen endlich.
      Schön iſt Dulden, wo kein Aechzen nützt!

35. Drauf zurück entflieh'n ſie eilig alle,
      Hungerspein im Innern ſich bezwingend.

36.   Trübes trinken, was ich ließ, die Katas,
      Die Nachts Waſſer ſuchen flügelſchwirrend.

37. Gierig eilen wir; ſie ſchießen fort,
      Leicht renn' ich voran mit Muße.

38. Schon kehr' ich zurück, da ſtürzen ſie
      Auf den Rand, eintauchend Bart und Kropf.

39. Rings umher dort lärmen ſie dann, ähnlich
      Haufen Wandrer, die das Lager ſchlagen;

40. Zum Quell hüpfen alle; ſie vereint er,
      Wie der Teich vereint der Zelte Heerden.

41. Haſtig ſchlürfen ſie, und fliegen fort
      Morgens, gleich Dhabas hurt'ger Schaar.

Im neun und zwanzigſten Verſe vergleicht der Dichter die
ſchnell hin und her ſchießenden Wölfe mit den Pfeilen des Loſers,
das iſt, eines Arabers, welcher nach der alten Sitte mit Pfeilen
loſet, die in einen Beutel geſteckt ſind, und hin und her gerüttelt

werden. Endlich schildert Schanfari, wie er, durch leibliche und geistige Leiden nicht bezwungen, dem Schicksal trotzend, in Arbeit und Entbehrung seine Tage hinbringe.

42. Auf die Erde streck' ich, mich dort bettend,
    Krummen Rückgrat, der voll dürrer Wirbel,

43. Hagren Arm, wo die Gelenke gleich sind
    Würfeln, die der Mann warf, daß sie fest steh'n.

44. Klagt jetzt über Schanfari die Trübsal —
    Lange hat sie sich an ihm ergötzt;

45. Raub der Qualen, die sein Fleisch zerstückten,
    Ward er Opfer, dem was kam, zuerst stets;

46. Schläft einmal ihr waches Auge, dennoch
    Schlummern sie nur Pein für ihn ersinnend.

47. Ihn sucht heim allzeit, als Freund, der Gram,
    Wie das Fieber heimsucht, oder sichrer;

48. Als er kam, da bannt' ich ihn; doch darnach
    Kam er wieder, rückte ringsum an.

49. Sahst du wie den Sandsohn wandern mich,
    Mittags, schwach, doch barfuß, ohne Sohlen?

50. Wohl Geduld besitz' ich; deren Panzer
    Deckt mir Pardelherz, und Muth ist Schuh mir.

51. Ich bin arm bald, und bald reich; den Reichthum
    Findet nur, wer einsam, todverachtend;

52. Keine Schmähung preßt mir Armuth aus,
    Kein Frohlocken weckt der Reichthum mir;

53. Mir spielt Thorheit mit dem Geiste nicht,
    Nimmer such' ich schnödes Wort, verleumdend.

54.   Manche Frostnacht, da der Mann den Bogen
    Und die Pfeil' anzündet, die er hoch schätzt,

55. Zog durch dunkle Schauer ich, begleitet
    Nur von Hunger, Reif, und Furcht, und Angst;

56. Machte Frauen Wittwen, Kindlein Waisen,
    Kehrte heim dann durch die schwarze Nacht.

57. Morgens, als ich zu Gomeissa saß,
    Fragten wechselnd sich nach mir zwei Schaaren,

58. Sagend: „Unsre Hunde bellten Nachts,
    Und wir sprachen: Schleicht Wolf, oder Schakal?

59. Doch nur einmal schrie'n sie, schliefen darnach,
    Und wir sprachen: Specht floh, oder Habicht;

60. War's ein Geist, so bringt sein Wandern Unheil;
    War's ein Mensch — doch Menschen thun nicht also."

61. Manchem Hundstag, da der Sandschein leuchtet,
    Und die Natter zuckt auf glüh'ndem Sande,

62. Gab ich preis mein Antlitz ohne Schleier,
    Nur geschützet von zerfetztem Tuch,

63. Langem Haar, das flattern läßt im Winde
    Locken von den Flechten, ungekämmt,

64. Nicht gesalbt und nicht geschmückt seit langem;
    Kruste deckt sie, ungewaschen, jährig.

65. Hin durch Flächen, nackt wie Schildesrücken,
    Zog ich, welche sonst kein Fuß betritt;

66. Bis an's Ende lief ich und erklomm
    Gipfel, kletternd jetzt, und aufrecht dann.

67. Um mich irrten braune Gemsen, die wie
    Mägdlein, angethan mit langen Kleibern;

68. Um mich lagern sie sich Nachts, als wär' ich
    Bunter Steinbock, der bergan klimmt flüchtig.

Der im neunundvierzigsten Verse erwähnte Sandsohn ist ein Thier, welches im Sande wohnt, nach einigen Auslegern eine Schlange. Der Sandschein im einundsechzigsten Verse ist der Seráb, das gefährliche Wasserbild, welches bei glühender Hitze in den morgenländischen Wüsten durch die Brechung der Sonnenstrahlen auf den Sand gezaubert wird, und den schon durch Durst erschöpften, und nun aufs neue getäuschten Wanderer oft ins Verderben stürzt.

Aus dem Zeitalter der Omajjiden wollen wir ein Gedicht des Dschemil ben memar anführen, der durch Edelmuth und Freigebigkeit und durch seine treue Liebe zu Botheina berühmt worden ist. Den Charakter seiner Liebe zeigen die Worte, welche er auf dem Todbette sprach, von denen der Verfasser des Buches Eswâk el eschwâk folgendes erzählt: „Abu taher achmed ben ali essewwâk sagt: Sahal ben saad der Saadite berichtete mir und sprach: Als ich in Aegypten war, begegnete mir ein Mann von meinen Freunden und sagte zu mir: Gefällt es dir, daß wir den Dschemil besuchen? denn er ist sehr krank. Ich sprach: Ja; und wir gingen hinein zu ihm. Und siehe, er lag im Todeskampfe, und es dünkte mich nicht anders, denn daß der Tod ihn schmerzte. Da blickte er mich an und sprach; O Ebn saad, was hältst du von einem Manne, welcher niemals unkeusch gewesen, niemals Wein getrunken und niemals unerlaubtes Blut vergossen hat? der da bekennet, daß kein Gott sey, außer Gott allein, und daß Mohammed sein Knecht und sein Gesandter sey; dieses alles seit funfzig Jahren? Ich antwortete: Wer ist dieser Mann? Ich aber glaube, bei Gott, er werde selig werden; denn Gott, welcher gepriesen sey, hat gesagt: „so ihr euch enthaltet der schweren Sünden, die euch verboten

2

worden, so wollen wir eure Missethaten euch vergeben und euch
in eine edle Wohnung führen." Da sprach Dschemîl: Dieser Mann
bin ich. Ich erwiederte: Fürwahr, nie habe ich etwas seltsameres
gehört, denn heute dieses; hast du denn nicht die Botheina heiß ge-
liebet und besungen seit zwanzig Jahren? Er sprach: Siehe! dieser Tag ist für mich der letzte unter den Tagen dieser Welt, und
der erste unter den Tagen der Ewigkeit; aber es möge mich nicht
erreichen die Fürsprache Mohammeds, welchem Gott gnädig und
barmherzig seyn wolle, wenn ich je die Hand an Botheina geleget
zu irgend einer Schlechtigkeit; wenn ich je mehr gethan, als daß
ich ihre Hand an mein Herz gedrückt, auf daß es ein wenig durch
sie ruhen möchte. Als Dschemîl dieses gesprochen hatte, ward er
ohnmächtig. Darnach erwachte er wieder und sprach:

> Deutlich ruft „Dschemîl!" der Todtenbote;
> In Aegypten weilt er, kehrt nicht wieder.
> Einst durchzog er Wadilkuras Thal,
> Zwischen Saat und Palmhain trunken wandelnd.
> Stehe auf, Botheina! klage schluchzend!
> Deinen Freund bewein' vor allen Freunden!

Darnach ward er wieder ohnmächtig und verschied. Es erbarme
sich seiner Gott und vergebe ihm!" Wadilkura hieß die Landschaft
Arabiens, in welcher Botheina wohnte. Mohammed ben abb errachman, welcher es von seinem Vater gehört hatte, erzählt also:
„Als die Todesstunde für Dschemîl in Aegypten gekommen war,
sprach er: Wer will mein Todtenbote bei Botheina seyn? Ein Mann
sprach: Ich. Da gab Dschemîl ihm sein Gewand; und der Mann
ging darnach, als Dschemîl gestorben war, bis er zu dem Stamme
Botheinas kam, und sprach dort diese Verse:

> Früh ruft laut „Dschemîl!" der Todtenbote;
> In Aegypten weilt er, kehrt nicht wieder.
> Einen Helden ruft der Todtenbote,
> Einen Tapfern, der in Schlachten half.

Als Botheina dieses hörte, lief sie hervor mit entblößtem Antlitz,
ähnlich dem bleichen Monde; strauchelnd über dem Saume ihres
Gewandes, eilte sie zu dem Manne hin, und sprach: O du! wenn
du wahr geredet, so hast du mich getödtet; und wenn du gelogen,
so hast du mich beschimpft (weil sie ohne Schleier hervorgestürzt
war). Der Mann sagt: Da sprach ich zu ihr: Bei Gott! ich sage
die Wahrheit; und zog sein Gewand hervor, welches er mir gegeben hatte, auf daß ich es mit den Versen ihr überbrächte. Als sie
dieses erblickte, schrie sie laut auf und schlug ihr Angesicht. Da
versammelten sich die Frauen des Stammes zu ihr, und weinten

mit ihr, und verrichteten die Todtenklage über Dschemil. Botheina sank ohnmächtig nieder, dann erwachte sie und sprach:

> Wegen deiner tröst' ich mich, Dschemil,
> Nur zu einer Stunde, die nie nahet.
> Gleich ist nun mir, o Dschemil ben memar,
> Seit du todt bist, Glück und Leid des Lebens.

Diese Verse sind die einzigen, welche von Botheina aufbewahrt worden. Gott, welcher gepriesen sey, erbarme sich ihrer."

Die meisten Lieder Dschemils, welche uns bekannt geworden sind, betreffen seine Liebe zu Botheina, und eines ist glühender als das andre. Das folgende übersetzen wir nach einem handschriftlichen Texte des Buches Tesjin el eswaf, in welchem mehrere der Gedichte Dschemils gesammelt sind. Der Dichter redet zuerst seine, ihn auf der Wanderung begleitenden, Gefährten an.

1. O Freunde, weilt! die Theure zu begrüßen;
   Sie duftet süß, sie athmet Lieblichkeit.

2. Verzieht ihr eine Weile mir zu Liebe,
   So dank' ich euch, bis mich mein Grab umfänget;

3. Und weilt ihr nicht, so wend' ich ab mein Sehnen;
   Doch laßt mich scheiden heute dann von euch.

4. Es klagt im Hain; und ich sollt' weinen nicht?
   Ich, der nun fern vom schlanken Mägdlein weile?

5. Der Täuber weint im Hain um seine Traute,
   Und ich, Botheina sollt' ich schweigend missen?

6. Bezaubert sey ich, sagen sie, und rasend;
   Ich schwör's, nicht Rasen bannt mich, und nicht Zauber.

7. Ich denke dein, so lang' der Osten strahlt,
   Und in der Wüste blinkt der Wasserschein;

8. So lange hoch am Himmel Sterne funkeln,
   Und junges Laub am Lotosaste sproßt.

9. Gedenkend dein, Botheina, flammt mein Herz,
   So wie der Wein den trunknen Mann entflammt.

10. Der Nacht der Palme denk' ich, da ich küßte
    Die Hand der Holden mit dem schwarzen Auge;

11. Ich kann nicht mehr! Die Sehnsucht reißt mich fort!
    Ich stürze hin! Die Thräne netzt die Brust!

12. O wüßt' ich, ob noch eine Nacht mir würde,
    Wie jene Nacht, bis daß der Morgen glüht!

13. Ihr ward von mir manch süßes Wort gegeben,
    Sie schenkte mir den Kuß von ihrer Lippe.

14. O wenn mein Gott noch einmal dies beschiede!
    Es sollte dann mein Herr den Dank erfahren;

2*

15. Das Leben gäb' ich, heischtest du's von mir;
Gern gäb' ich's hin, wär' dieses mir vergonnt!

Doch es wird Zeit, daß wir uns zu Motenebbi selbst und seinem Bearbeiter wenden. Hr. von Hammer beginnt seine Aeußerungen über jenen, sowohl auf dem Titelblatte, wie in der Vorrede, mit dem vielsagenden Urtheile: Motenebbi sey der größte der arabischen Dichter, einem Urtheile, welches wir durchaus nicht unterschreiben können. Da die Sache für die Geschichte der arabischen Literatur von einiger Wichtigkeit ist, so müssen wir darüber noch etwas weiteres bemerken. Wir protestiren gegen jenes Urtheil, nicht um Motenebbi, den auch wir für einen gewandten, beredten und feurigen Dichter halten, herabzusetzen, sondern nur um anderen arabischen Dichtern die ihnen, unsrer Meinung nach, gebührende Ehre zu bewahren. Das Fällen eines so allgemeinen Urtheiles ist schon an und für sich überall eine sehr mißliche Sache, vorzüglich aber in der arabischen Literatur, wo die Zahl der berühmten Dichter sehr groß ist, eben so auch die Zahl ihrer noch vorhandenen Lieder sehr groß, ferner die Anschaffung dieser fast nur handschriftlich vorhandenen Lieder=Sammlungen sehr schwierig, und endlich das Studium dieser Dichtungen den größten philologischen Schwierigkeiten unterworfen ist. Der Vfr. scheint bei diesem Urtheile einen sehr beschränkten Theil der arabischen Dichtkunst ins Auge gefaßt zu haben: denn neben Motenebbi nennt er Anfangs nur den Abu temmâm, und nachher die Moallakat, und die diesen ähnlichen Gedichte von Schanfari, Ascha, Nabega, Thograji, Kaab ben soheir. Aber, einen wie kleinen Theil der arabischen Poesie machen diese, durch den Druck uns bekannter gewordenen, Gedichte aus! um so mehr, als sie einer und derselben Gattung angehören, während es viele andre Gattungen arabischer Lieder gibt. Wer über das Ganze der arabischen Dichtkunst urtheilen will, muß das große Buch der Lieder, Kitâb el aghâni, von Isfahani, die große Hammâsa, die kleine Hammâsa, den Diwan Hudseili, die Fochûl eschschoara von Ebn Koteiba, die Hadîke von Abussalt el andalusi, die Jetîmet eddahr von Eththaalebi, die Cherîde von El amâd el kateb, die Kalâid el ekjân, die Diwâne des Dscherîr, des Hatem taji, des Abu temmâm, des Amriulkais, des Abul ola, des Abu nowâs, durchstudiren und vergleichen, welches nicht leicht zu thun ist. Wir sind weit entfernt, behaupten zu wollen, daß wir dieses alles gelesen hätten, wagen darum aber auch nicht zu sagen, welcher arabische Dichter der größte sey; dagegen haben wir so viel gelesen, daß wir manche gefunden haben, die wir neben und über Motenebbi stellen zu müssen glauben. Da nun die europäischen Gelehrten, welche sich vor dem Vf. mit Motenebbi beschäftigten, Reiske, freilich ein Muster von

Ungeschmack, Sacy, De la Grange, Horst, demselben keineswegs die
erste Stelle einräumen wollen, so hat Hr. v. Hammer Motenebbis
Supremat durch mehrere Bemerkungen zu begründen gesucht. Zuerst
führt er an, Motenebbis Lieder seyen durch eine so große Anzahl
von Commentatoren erläutert worden, wie die fast keines anderen
Dichters. Dieser Umstand scheint uns unter den angeführten noch
das meiste Gewicht zu haben; gleichwohl kann ein großer Theil
dieser Commentationen auch in der Künstlichkeit der Verse des Witz-
spiele liebenden Motenebbi seine Veranlassung gefunden haben: denn
aus gleichem Grunde sind auch die von Sprachwitz und Gedanken-
witz sprudelnden Mekâmât des Harîri so oft commentirt worden;
man bedurfte eines kundigen Führers, um alles das zu erkennen,
was in des Dichters Worten verborgen war. Ferner sagt Hr.
v. H. S. XV: dem Motenebbi gebühre der Titel des größten arabischen Dichters, nach dem Urtheile der größten arabischen
und persischen Kunstrichter. Allein welche Gewährsmänner
führt er uns hier denn auf? Zwei Perser, den Watwat und
den Dewletschah, welcher letztere, in der Einleitung zu seiner Geschichte der persischen Dichter, ganz kurz ein paar arabische Dichter
erwähnt, und dabei von Motenebbi sagt: „Er ist der Vorsteher des
Volkes der Dichter, und besaß Geist und Beredsamkeit mehr als
man sich vorstellen kann. Raschid Watwat, welchem Gott Barm-
herzigkeit schenke, sagt: Alle Dichter des Islam sind seine Unter-
gebenen in منبّات Tropen, معارف Feinheiten, اقتباس Festigkeit.“ Aber Perser können wir schon an und für sich nicht
als entscheidende Richter über arabische Poesie anerkennen, so wenig
wie französische Kunstrichter über deutsche Poesie; zwischen Persern
und Arabern ist ein großer Unterschied, ein so großer, daß die Araber das Sprichwort haben: der Unterschied zwischen den Arabern
und den Persern ist wie der Unterschied zwischen der Dattel und
ihrem Stein. Dazu kommt, daß jene Ausdrücke des Dewletschah
so strenge gar nicht genommen werden dürfen, indem er ganz ähnliche von vielen Dichtern gebraucht, wie dieses überhaupt der orientalischen Höflichkeit gemäß ist. Derselbe Dewletschah sagt von dem
arabischen Dichter Lebîd, den er auch anführt: „Er war einer der
großen unter den Dichtern und beredten Männern der Araber,
und alle behaupten und bekennen, daß er in dieser Kunst voran zu
stellen sey: ان اكابر شعرا وفصحاي عرب بوده است

وهمكنان بر تقديم او درين فن مقرّ ومعترفند.

Und von Dibil el chosâï sagt Dewletschah, wie von Motenebbi:
„Geist und Beredsamkeit besaß er mehr als beschrieben werden kann;

فضلي وبلاغتني نزياده أن وصف دأشنته ". ٠" Urtheile
von Arabern, die doch vor allen Dingen zu hören sind, führt
Hr. v. H. hier nicht an; inzwischen kann er sich auf einige, weiter
unten von ihm angeführte, Aeußerungen des Ebn challekân und des
von diesem citirten Ennâmi, und des Scholiasten Wahedi berufen,
in denen es z. B. heißt: „Seine Gedichte sind die Vollendung selbst;"
und: „Es ist kein Zweifel, daß er ein sehr beglückter Mann war,
und daß seinen Gedichten das Siegel vollendeter Glückseligkeit aufge-
drückt ist;" oder, wie die Worte Ebn challekâns genauer zu übersetzen sind: „daß er ein glückseliger Mann war, und in seiner Dichtkunst mit vollkommner Glückseligkeit begabt worden, انه كان ".

رجلا مسعودا ورزق في شعره السعادة التامة . Allein
diesen Ausdrücken Ebn challekâns stehen viele andre Urtheile anderer
Araber, besonders der Biographen und Scholiasten entgegen, und
man findet bald diesem, bald jenem Dichter den Preiß zuerkannt, je
nachdem der Geschmack und die Laune des Urtheilenden grade war.
Schon Ebn challekân bemerkt im Leben Motenebbis, daß einige den
Abu temmâm dem Motenebbi vorzögen.   Im Leben des Dscherîr
sagt derselbe Ebn challekân, der den Motenebbi so erhebt: „Die Gelehrten sind darin einig, daß unter den moslemischen Dichtern nie-
mand dem Dscherîr, dem Farasbak, und dem El achthal gleich komme."
Ein von El isfahâni angeführter Kunstrichter erklärt unter den älteren den Amriulkais, den Nabega, den Soheir und den Ascha
für die vier vorzüglichsten Dichter der Araber; Fundgruben des
Orients, B. 5. S. 1. Abu obeida erklärte, in Absicht auf größere
Gedichte, den Amru ben kelthum, den Hareth ben hillesa, und den
Tarafa ben el abd für die vorzüglichsten; Reiske Tarafah. S. XVII.
Kurz, Urtheile dieser Art lassen sich aus den arabischen Schriftstellern sehr viele ziehen, und es kann, unsrer Meinung nach, nicht behauptet werden, daß die Araber selbst einmüthig dem Motenebbi den
Preiß zuerkennen.   S. L. führt der Vrf. selbst ein orientalisches
Urtheil an, in welchem es heißt: „Andre wollen den Motenebbi gar
nicht unter die Dichter zählen, und werfen ihm vor, daß er nur in
gezwungenen und schiefen Worten spreche."   Aber wenn jenes auch
wäre, so wäre die Sache damit nicht entschieden, weil die späteren
orientalischen Kunstrichter gewöhnlich Künstlichkeit höher schätzen als
Wahrheit.   Endlich will Hr. v. Hammer S. XVII. ein „noch
größeres und unverwerflicheres Zeugniß, als das doppelte Watwat's
und Dewletschah's" in dem Beinamen des Dichters finden, indem
dieser Beiname, Motenebbi, bedeutet: Der Prophet seyn
wollende. Allein, wie Ebn challekân ausdrücklich sagt, erhielt
der Dichter den Beinamen Motenebbi, nicht weil man ihn für ei-

nen ·großen Dichter hielt, ſondern weil er ſich in der Wüſte Semâwa für einen Propheten ausgab und einen Anhang zu verſchaffen wußte, وانما قيل له المتنبي لانه ادعي النبوة في
بادية السماوة.   Wollte auch Motenebbi durch ſeine Poeſien
ſein Prophetenthum bewähren, ſo folgt daraus noch nicht, daß ſie
die vortrefflichſten geweſen; mancher Dichter ·wird ſich in dieſer Art
für einen Propheten halten, der es nicht iſt.   Auch erinnern wir
uns, in einem Anhange zu Wahedis Commentar, welcher viele
ſpecielle Nachrichten von Motenebbis Leben enthielt, geleſen zu haben, daß Motenebbi ſein Prophetenamt durch angebliche Wunder-
thaten zu erweiſen ſuchte.   Was aber uns vorzüglich bewegt, dem
Motenebbi andre arabiſche Dichter gleich zu ſtellen oder vorzuziehen,
liegt nicht in ſolchen äußeren Gründen, wie wir eben berührt haben,
ſondern in inneren, das iſt, in der Beſchaffenheit. ſeiner Gedichte.
Nicht nach Autoritäten, am wenigſten nach arabiſchen, ſondern nach
unſrem eigenen Gefühle beurtheilen wir den Werth des Dichters.
Wir finden bei älteren arabiſchen Dichtern ungekünſtelte Gefühle,
und ſolche die das Herz des Menſchen am lebendigſten ergreifen, in
einfachen und ungeſuchten, aber dennoch treffenden, kräftigen und
oft .brennenden Ausdrücken und Bildern ausgeſprochen; und dieſes
halten wir, vorzüglich in der lyriſchen Dichtkunſt, zu welcher alle
arabiſche Poeſie gehört, für das Aechtere und Edlere.   Motenebbis
Gedichte gehen großentheils von dem Zwecke aus, Fürſten und Miniſter ſo zu loben, wie Motenebbi ſelbſt ſchwerlich für ſie fühlte;
er ſucht nicht ſelten überraſchende Antitheſen, Wortſpiele, künſtliche
Beziehungen, Anſpielungen auf grammatiſche Kunſtwörter, und
andren gelehrten Schmuck; dieſes halten wir für einen geringeren
Grad der Dichtkunſt.   Nehmen wir z. B. das oben S. 19 von uns
überſetzte Liebeslied des Dſchemîl, ſo finden wir darin ein einfaches
Gefühl wahr und lebhaft ausgeſprochen, und es wird ſich kaum ein
Ausdruck darin nachweiſen laſſen, der etwas geſuchtes. und künſtli-
ches hätte.   Nicht ſo bei Motenebbi, wo das Gegentheil faſt in
jedem Gedichte ſich zeigt, ſo daß beſondre Beiſpiele anzuführen,
nicht nöthig ſeyn wird.   Wenn der Vf. S. XIX. ſagt: „Konnte
Motenebbi als Prophet mit Mohammed nicht wetteifern, ſo übertraf er ihn .und alle anderen (den Mohammed kann Rec. ſeiner
Ueberzeugung nach nicht unter die Poeten rechnen) großen Poeten
ſeines Volkes als Dichter, und iſt er gleich vorzugsweiſe nur
Panegyriker und Schlachtenſänger, ſo ſteht er doch keinem der
anderen arabiſchen Dichter im Ausdrucke gnomiſcher Weisheit und
elegiſcher Empfindung nach, und kann als wahres Standbild der ganzen arabiſchen Poeſie gelten,“ — ſo können

wir daher diesen Ausspruch uns nicht gefallen lassen, insbesondre auch in Hinsicht des Gedankens, Motenebbi sey das Standbild der ganzen arabischen Poesie. Es gibt eine Menge Gegenstände, Empfindungen, Gedanken und Ausdrücke in der arabischen Poesie, von denen bei Motenebbi nichts vorkommt, und man würde daher sehr unrecht thun, von ihm allein auf das Wesen der gesammten arabischen Dichtkunst schließen zu wollen.

Hr. v. H. hat in der Vorrede auch manche Ansichten und Urtheile über die arabische Dichtkunst überhaupt vorgetragen. Einigen derselben stimmen wir bei; gegen andre aber müssen wir manches einwenden. Völlig stimmen wir mit dem überein, was S. XXI zunächst von Hafis und Motenebbi gesagt ist, aber ziemlich auch von dem Unterschiede persischer und arabischer Dichtkunst überhaupt gelten kann: „Bei Hafis nichts als Rosen und Nachtigallen, nichts als Genuß von Schönen und Wein (sey es nun erotisch und bacchantisch, oder wirklich mystisch), nichts als lachende Bilder, selbst wenn er Schmerzen der Liebe klagt; bei Motenebbi nichts als Waffen und Blut, nichts als Preiß der Tapferkeit und Freigebigkeit, welche den Adel des Arabers ausmacht, nichts als elegische Hauche, selbst wenn der Wind des größten Glückes die Segel des Liedes schwellt." Das Ernste und Wehmüthige sind Hauptcharaktere der arabischen Dichtkunst. Aber nicht unterschreiben können wir, was Hr. v. H. über die Beschaffenheit der arabischen Dichtungsart Kasside sagt, vorzüglich in folgenden zwei Stellen: „Die Kasside (Zweckgedicht) hat (wie ebenfalls schon durch den Wurzelsinn ihrer Benennung angedeutet wird) immer das Lob eines bestimmten Gegenstandes zum Zwecke, nämlich: das Lob des Pferdes, das des Kameles, des Schwerdtes, des Mädchens, oder der drei Cardinaltugenden des Arabers, nämlich der Beredsamkeit, Tapferkeit und Freigebigkeit, sey es im Helden des Liedes, sey es im Dichten selbst. Aus dieser, seit mehr als einem Jahrtausend unverändert erhaltenen einzigen Form arabischer Poesie, welche auch Motenebbi abzuändern nicht den Muth hatte, geht schon die Nothwendigkeit hervor, daß die Hauptbestimmung derselben panegyrisch ist, und daß sich alles immer und ewig um das Lob der genannten Zwecke dreht, deren bald alle, bald einige, gewöhnlich ohne merklichen Uebergang auf einander folgen, und mit Sprüchen von Lebensweisheit untermischet sind"; und S. XXIII: „Außer dem, daß Motenebbi gegen Reiskes Anklage wegen der Beobachtung einer herkömmlichen Dichtersitte des Morgenlandes gewiß keiner Vertheidigung bedarf, so läßt sich dieses Herkommen selbst, besonders in der Kasside um so mehr rechtfertigen, als dieselbe ursprünglich nichts als ein beschreibendes Lobgedicht ist und seyn soll, und als der Uebersprung vom Objectiven zum Subjectiven, von dem Helden auf den Dichter, bloß als ein poetiſcher Kunſtgriff gelten kann, um die Eintönigkeit des Lobes der drei arabiſchen Tugenden, der Tapferkeit, Freigebigkeit und Wohlredenheit wenigſtens durch den Wechſel der Perſon, welcher ſie beigelegt werden, zu unterbrechen." Wir heben aus dieſen Behauptungen drei Sätze hervor, gegen die wir etwas erinnern müſſen, nämlich: 1) die Kaſſide enthält im= mer das Lob eines Gegenſtandes, vorzüglich der vom Vf. ange= führten Gegenſtände; 2) der Ueberſprung vom Objectiven zum Sub= jectiven darin iſt nur poetiſcher Kunſtgriff; 3) das Wort Kaſſide bedeutet Zweckgedicht.

Es gibt eine ſehr große Anzahl arabiſcher Lieder und Kaſſiden, die keinesweges das Lob eines beſtimmten Gegenſtandes zum Zwecke haben, ſondern anderen, mannichfaltigen Inhaltes ſind und ſub= jective Empfindungen ausſprechen, die wir für nichts weniger als für bloße poetiſche Kunſtgriffe halten können. Der arabiſchen Dicht= kunſt einen faſt nur panegyriſchen Inhalt zuſchreiben, heißt ihr Ge= biet viel zu beſchränkt darſtellen. Aus der Menge größerer und kleinerer Gedichte, auf die wir, als auf Beweiſe hiefür, verweiſen dürfen, können wir hier nur weniges anführen; wollen jedoch fol= gende Gedichte mittheilen, in welchen weder das Pferd, noch das Kamel, noch das Schwerdt, noch das Mädchen, noch die Bered= ſamkeit, noch die Tapferkeit, noch die Freigebigkeit, noch ſonſt ir= gend etwas ſo gelobt wird, daß man dieſes Lob für den Zweck des Gedichtes halten könnte, und in welchen eben ſo wenig das ſub= jective Gefühl als poetiſcher Kunſtgriff betrachtet werden kann. Der Dichter Abul haſſan el basri ſpricht alſo, das Trachten der Men= ſchen auf Erden erwägend:

1. Wir ſeh'n die Welt, und ihre Pracht, und lieben,
   Kein Herz bleibt frei von ſehnlichem Verlangen;
2. Doch ſtörriſch ſtets iſt ihre Sinnesart,
   Und ohne Glück iſt's ſchwer ſie zu erwerben.
3. Doch ſchmähen wir das Schickſal unſrer Tage
   In manchem, was das Schickſal nicht verbrach;
4. Wir ſchelten uns; doch wäre nur uns nicht
   Ein Wunſch verſagt, ſo wär' das Schelten nicht.
5. Des Lebens Gut iſt meiſt Bekümmerniß;
   Was ſchädlich dir, iſt meiſt nur was du liebſt.
6. Dich blende nicht ein Schimmern, das du ſiehſt,
   Ein Leben voller Gunſt und Lieblichkeit;
7. Es trägt der Mann, bei dem du harmlos weilſt,
   Oft unter'm Kleid' ein Uebel, das nie heilt.
8. Ward was genügt freiwillig dir zu Theil,
   So nimm's, denn Reichthum iſt uns Speiſ' und Trank;

9. Ward wenig nur, doch Friede, dir beschieden,
   So suche nicht das Viele, das voll Krieg!

Das Gedicht steht im letzten Capitel der Anthologie, betitelt: El mardsch ennabhir, die grüne Wiese, von Usjuthi. Ein andrer Dichter, dessen Name uns unbekannt ist, spricht von dem Schicksale des Menschen also:

1. Zween Tage hat die Zeit nur, Ruh' und Angst,
   Zween Seiten hat das Leben, Licht und Nacht.

2. Sag' dem, der uns nach Schicksalswechseln mißt,
   Haßt nicht Geschick nur den, der Werth besitzt?

3. Und sahst du nicht, daß, wenn die Winde sausen,
   Der Sturm zerknickt die hohen Stämme nur?

4. Viel Grünes und viel Dürres gibt's auf Erden,
   Doch Steinwurf trifft nur das, was Früchte trägt.

5. Am Himmel flammen Sterne sonder Zahl,
   Verfinstert werden Mond und Sonne nur.

6. Du warst getrost, als hold noch deine Tage,
   Dich schreckte nicht das, was Verhängniß bringt;

7. Wohl freundlich war die Nacht; doch log sie dir:
   Aus heitrer Nacht steigt düstre Wolk' empor.

Das Gedicht steht in der zu Paris befindlichen Gallandschen Handschrift der Tausend und einen Nacht, in der ersten Nacht. Von dem ehemaligen Fürsten Andalusiens, El motamed ben ebâd, welcher im Jahr der Hedschra 488 im Kerker zu Agmat starb, erzählt uns Abulfeda folgendes: „Als El motamed ben ebâd zu Agmat gefangen lag, traten an einem Festtage einige seiner Kinder zu ihm hinein, um ihn zu begrüßen und ihm Glück zu wünschen. Unter diesen waren auch seine Töchter in zerrissenen Kleidern; sie glichen verfinsterten Monden, sie die sonst strahlende Monde gewesen; ihre Füße waren entblößt, und die Spuren ihrer Herrlichkeit verschwunden. Da sprach El motamed:

1. Einst bin ich am Feste froh gewesen,
   Das mich nun in Agmats Kerker findet.

2. Deine Töchter siehst du nackt und hungernd,
   Dienstbar andern, keiner Dattel Herr.

3. Diese treten barfuß auf den Schlamm,
   Die auf Muskus sonst und Kampfer traten;

4. Laut verräth das Darben jede Wange,
   Unter Seufzern wird genetzt jede.

5. Sonst vollzog das Schicksal dein Gebot,
   Jetzt gibt's dir Verbot bald, bald Gebot;

6. Wer an Herrschaft ferner sich erfreuet,
   Wird vom Traume nur umgaukelt hier.

Und dieſe Gefühle des gebeugten Vaters und Fürſten ſollten wir für bloßen poetiſchen Kunſtgriff halten? Nimmermehr wird uns dieſes jemand glauben machen. Und wo ſind denn in dieſen Gedichten die Kamele, und Pferde, und Schwerdter, oder die geprieſenen Tugenden der Freigebigkeit, und Beredſamkeit, und Tapferkeit?

Noch wollen wir ein Paar Gedichte mittheilen, welche von den eben angeführten dem Inhalte nach ſehr verſchieden ſind, aber eben ſo wenig wie dieſe zu der von Hn. v. H. gegebenen Beſchreibung der arabiſchen Dichtkunſt paſſen. Als im Jahr der Hedſchra 492 das Kreuzheer Jeruſalem erobert hatte, und die ſelbſchukiſchen Sultane wegen ihrer inneren Zwiſtigkeiten den Moslemen in Syrien nicht hinreichend Hülfe leiſteten, dichtete El mobhaffer el abiwerdi ein Lied, welches alſo beginnt:

1. Wir miſchen Blut mit Thränen, welche ſtrömen,
   Und hierin mag uns niemand überwinden;
2. Doch ſchlechte Wehr ſind Thränen dann dem Mann,
   Wenn Feuer aus den Klingen ſprüht im Streit.
3. Wie mag das Aug' mit ſchwerem Wimper ſchlummern,
   Bei ſchnöder That, die jeden Schläfer weckt?
4. Es ſchlummern jetzt in Syrien eure Brüder
   Auf flücht'gem Roß und in des Geiers Leibe.
5. Schmach zwingt der Franke jenen auf, und ihr
   Schwelgt ruhig fort, gleichwie in tiefem Frieden.
6. Wie manches Blut ward preis gegeben dort,
   Wie manche Maid barg ihre Zucht in Mauern!
7. Iſt ſüß Arabiens Helden denn die Schmach?
   Und ſchweigt zur Schande Perſiens Kriegerſchaar?
8. O möchte, wenn kein Glaube dieſen theuer,
   Der Eifer für die Gattin ſie entzünden!

Meiſun bint bachbal, die Mutter des omajjidiſchen Chalifen Jeſid, ſang, als ſie ſich nach ihrer Heimath in der Wüſte, zu dem Stamme der Benu kelb, zurückſehnte, folgende Verſe:

1. Das här'ne Kleid, bei dem das Auge heiter,
   Iſt lieber mir denn ſeidenes Gewand.
2. Das Zelt, durch das die Winde rauſchend ſauſen,
   Iſt lieber mir denn hochgethürmte Burg.
3. Ein wild Kamel, das ſeine Herrin ſchüttelt,
   Iſt lieber mir denn ſanften Maulthiers Schritt.
4. Ein Biſſen dort im Winkel meines Zeltes,
   Iſt lieber mir, als ganze Kuchen hier.
5. Der Hund, der dort dem Gaſt entgegenbellt,
   Iſt lieber mir als hier der Pauke Klang.

6. Der arme Tropf aus meiner Vetterschaft
   Ist lieber mir denn hier der feiste Fremde.

Auch das oben angeführte Gedicht des Lebîd ben rebîa, über das menschliche Leben, zeigt, daß die arabischen Dichter nicht immer und ewig von Schwerdt und Kamel reden. Wir haben hier des beschränkten Raumes wegen nur kleinere Gedichte, oder Bruchstücke von größeren Gedichten geben können, und wollen daher noch auf einige größere kurz verweisen; z. B. auf das, fünf und achtzig Beit oder Doppelverse, enthaltende schöne und berühmte Gedicht des Amer ben mulawwich, welches von Anfang bis zu Ende nur die innigsten Gefühle seiner schwärmerischen Liebe für Leila ausspricht und mit den Worten beginnt:

Ich denk' an Leila und vergang'ne Jahre,
An Tage, da ich nicht dem Schicksal Feind.

تذكرت ليلي والسنين الخواليا

وايام لا اعدي علي الدهر عاديا

Es steht z. B. in dem Leben des Amer, in der Anthologie Tesjîn el eswâk. Ferner auf das, einen ähnlichen Inhalt habende, Gedicht des Dschemîl ben memar, welches mit den Worten beginnt:

O würden neu die heitren Tage wieder!
Botheina! kehrte alte Zeit zurück!

الا ليت ايام الصغا جديد

ودهرا تولي يا بنين يعود

Es steht in dem Leben des Dschemîl, in der Anthologie Tesjîn el eswâk, und hat acht und dreißig Beit. Ferner auf das Gedicht des Jesîd ben mofrig, in welchem er die wider ihn verübten Verfolgungen beschreibt, und welches mit den Worten beginnt:

O theures Haus, in jener Flur voll Trümmer,
Wie mag in Banden der Gefang'ne schlummern?

دار سلمي بالخمت ني الاطلال

كيف نوم الاسير في الاغلال

Es steht in dem Leben des Jesîb, in der Anthologie Kitâb el agâni el kebîr, und hat zwei und dreißig Beit. Und historische Lieder dieser Art, in welchen die Dichter und Helden denkwürdige Ereignisse ihres Lebens besingen, und die mit den spanischen Romanzen Aehnlichkeit haben, gibt es in großer Anzahl. Ferner gibt es moralische und religiöse Gedichte, welche Tugendgefühl und Empfin-

dungen der Andacht ausſprechen, Satyren, welche die Schwächen ein=
zelner, oder der Menſchen überhaupt angreifen, Trauerlieder über
den Tod edler oder geliebter Menſchen, Epigramme auf Blumen,
Früchte, Inſtrumente, auf Schönheiten des Leibes und der Seele,
Begrüßungen der Jahreszeiten, Trinklieder, Räthſel, und vielfache
andre Arten Gedichte. Daher iſt unſre Meinung, daß man nicht
ſagen könne, die arabiſche Poeſie ſey einzig und allein panegyriſcher
Natur, ſondern daß man ſagen müſſe, ſie enthalte ſehr mannichfal=
tige Gattungen lyriſcher Poeſie, die ſich ſowohl durch das Objective,
als durch das Subjective des Inhaltes von einander unterſcheiden.
Und ſehen wir auf die panegyriſchen Gedichte insbeſondere, ſo darf
auch deren Inhalt nicht ſo beſchränkt dargeſtellt werden, wie ihn
der Vf. angibt, indem in ihnen nicht bloß die von ihm angeführten
ſieben Gegenſtände, Pferd, Kamel, Schwerdt, Mädchen, Bered=
ſamkeit, Tapferkeit, Freigebigkeit, ſondern eine viel größere Anzahl
von Gegenſtänden aus der geiſtigen und aus der ſinnlichen Natur
gefeiert werden.

Ferner meint Hr. v. H.; ſchon das Wort Kaſſide bedeute
Zweckgedicht, und deute damit darauf hin, daß es ein Lobgedicht
ſeyn ſolle; er erklärt ſich hierüber, außer in der oben angeführten
Stelle, noch in einer Anmerkung, S. XX, alſo: „Kaßaba heißt,
er hat ſich etwas vorgenommen, er hat etwas bezweckt. Kaßid,
d. i. der Bezweckende, iſt der Sänger; Makßud, der Bezweckte, der
Beſungene, und Kaßidet, das Zweckgedicht, iſt das Lob ſelbſt."
Allerdings bedeutet das Verbum Kaſſaba قصد ſtreben nach etwas:
allein es hat auch noch eine andere Bedeutung, und von dieſer iſt,
unſrer Meinung zufolge, der Begriff der Wörter Kaſſid قصيد,
und Kaſſide قصيدة, welche ein Gedicht bezeichnen, abzuleiten. Es
bedeutet nämlich Kaſſaba قصد: richtig abgemeſſen ſeyn, wohl
proportionirt ſeyn; und davon Kaſſid und Kaſſide: etwas richtig
Abgemeſſenes. Golius gibt dieſe Bedeutungen an, und Firuſabâdi
ebenſo. Jener ſagt unter der Wurzel: medio modo se habuit,
non crassus, non gracilis; modum rectum tenuit; unter
قصيد: poema justo versuum numero constans; unter
مقتصد: qui medio modo se habet. Firuſabâdi ſagt, in
dem zu Calcutta erſchienenen arabiſchen Originaltexte des Kamûs,
S. 406. 407: قصد bedeute in der erſten und achten Conjuga=
tion: ضد الافراط, d. i. das Gegentheil des Uebermaßes; Kaß=
dun قصد bedeute: رجل ليس بالجسيم ولا بالضئيل

d. i. einen Mann der nicht dick und nicht dünn; قصيد Kassid, bedeute: ما تم شطر ابياته d. i. dasjenige, deffen Verse richtig abgemessen sind; und Kassibe قصيدة, bedeute: من الشعر المنقح المسجون, d. i. unter den Gedichten das sorgfältig gearbeitete, vortreffliche. Diese Etymologie „abgemessen" scheint uns die natürlichste zu seyn. Wollte man aber dabei bleiben, der Grundbegriff des Wortes Kassibe gehe von dem Begriffe „streben, arbeiten" aus, so müßten wir immer noch sagen, das Streben nach einem Lobe sey nicht gemeint, sondern Kassibe bedeute etwas Erstrebtes, mit Sorgfalt und Mühe zu Stande Gebrachtes, nicht aber: Zweckgedicht, oder: Lobgedicht. Es mag seyn, daß orientalische Schriftsteller bei Erwähnung des Wortes Kassibe auch auf andre Bedeutungen der Wurzel anspielen; solche Wortspiele sind bei ihnen sehr häufig, können aber als zuverläßige Etymologien nicht betrachtet werden.

Wir kommen nun zu den Lebensverhältnissen Motenebbis. Hr. v. H. erzählt sie in der Vorrede, und gibt dann noch die Uebersetzung der biographischen und bibliographischen Artikel, welche sich über den Dichter bei Ebn challekan, Lari und Hadschi Chalfa finden. Motenebbi lebte in Syrien, Aegypten und Persien, im vierten Jahrhundert der Hedschra, zu einer Zeit, wo die abbassidischen Chalifen zu Bagdad nur noch ein beschränktes Ansehn im arabischen Reiche behaupteten, und die eigentliche Herrschaft jener Länder sich vorzüglich in den Händen der buwaihidischen Dynastie in Irak, der hambanidischen in Syrien, und der ichschidischen in Aegypten befand. An den Höfen dieser Fürsten war es denn auch, wo Motenebbi seine Kunst übte. Er ward geboren zu Kufa, im Jahr 303 Mohammeds, 915 Christi, und sein eigentlicher Name ist Abuttajjib achmed ben el hoffein; der Name El motenebbi ist nur ein Beiname, den er später erhielt. Sein Vater soll ein Wasserträger gewesen seyn. Motenebbi zeichnete sich frühzeitig aus durch eine große Kenntniß der arabischen Grammatik und Rhetorik, und trat auch schon in seiner Jugend als Dichter auf. Seine früheren Gedichte begreift man unter dem Namen Schamijjât, d. i. syrische, oder in Syrien verfaßte, und sie bilden, 289 an der Zahl; die erste Classe in dem Diwan, oder der Sammlung seiner Lieder. Motenebbi begab sich in die Wüste Semâwa, welche nicht weit von Kufa liegt, und gab sich, wahrscheinlich von Eitelkeit getrieben, unter den dortigen Arabern für einen Propheten aus, indem er seine göttliche Sendung theils durch dichterische Sprüche, theils durch Wunder zu beweisen suchte. Unter dem Stamme Benu kelb fand er

auch zahlreiche Anhänger.   Hievon erhielt er den Beinamen El
motenebbi, d. i. der Prophetisirende, oder: der Prophet seyn
wollende.   Inzwischen fand die Staatsgewalt doch nicht für gut,
diesen neuen Propheten ungestört sein Wesen treiben zu lassen. Lulu,
der Statthalter der Ichschiden zu Hims in Syrien, ward mit ei=
nem Heerhaufen wider ihn abgesendet, zerstreute seine Anhänger,
nahm den Dichter gefangen und warf ihn in den Kerker.   Eine
der uns vorliegenden Handschriften des Ebn challekan enthält ein
paar Verse, welche Motenebbi in dieser Gefangenschaft dichtete, und
die seinen stolzen und trotzigen Sinn zeigen.   Sie lauten nach un=
serer Uebersetzung also:

> Sei immerhin, o Kerker, wie du willst!
> Ein heller Geist tritt selbst den Tod mit Füßen.
> Wär' meines Bleibens jetzt nicht mehr in dir,
> Umschlöß' die Muschel nicht die Perle mehr!

Nachdem er wieder aus dem Kerker entlassen worden, ging er im
Jahr 337 M. 948 C. an den Hof des hambanidischen Fürsten Seif
eddaula zu Haleb, eines kriegerischen, aber auch den Künsten und
Wissenschaften sehr gewogenen Mannes.   Motenebbi blieb drei Jahre
bei ihm, begleitete ihn auf seinen Feldzügen gegen die byzantini=
schen Heere, und besang seine Thaten in denselben.   Die in dieser
Zeit verfaßten Gedichte Motenebbis heißen Seifijjât, d. i. Seifische,
oder den Seif eddaula preisende.   Sie werden zu den vorzüglichsten
gerechnet, sind auch in historischer Hinsicht interessant, und bilden,
82 an der Zahl, die zweite Classe des Diwan.   Wegen einer
an Seif eddaulas Hofe erlittenen Beleidigung wanderte Mote=
nebbi im Jahr 340 M. nach Kahira, an den Hof der Ichschiden,
und blieb daselbst zehn Jahre.   Hier war der Fürst minderjährig,
und die Regierung in den Händen des schwarzen Verschnittenen
Kafur.   Diesen besang daher Motenebbi, in der Hoffnung, reich=
lichen Unterhalt bei ihm zu finden; auch einen andern Großen des
Hofes, Fatik, verherrlichte er durch Lieder, und so entstanden die
zwei folgenden Classen des Diwan, nämlich die 28 Kafurijjat,
oder Kafurischen, und die 6 Fatikijjat, oder Fatikischen Lieder.   In=
zwischen zeigte sich Kafur nicht freigebig genug; Motenebbi dichtete
Spottlieder auf ihn, und eine heftige Feindschaft wurzelte zwischen
beiden.   Der Dichter hielt sich zuletzt nicht mehr sicher in Kahira,
und begab sich nun, im Jahr 350 M. zu dem buwaihidischen Für=
sten Adhad eddaula, welcher bald zu Bagdad, bald zu Schiras in
Persien seinen Hof hielt.   Vier Jahre verweilte Motenebbi in der
Nähe dieses edlen Fürsten, und besang seine Tugenden, und die
Schönheiten Persiens, und die lobenswerthen Eigenschaften des We=
sires Ebn el amid.   Es entstanden hier die zwei noch übrigen Clas=

sen der Gedichte des Diwan, nämlich die 5 Amidijjat, oder Ami-
dischen, und die 8 Adhadijjat, oder Adhadischen Lieder. Im Jahr
354 M. 965 E. unternahm Motenebbi eine Reise nach Kufa, wie
einige sagen, um seine Familie nach Persien zu holen. In der
Wüste ward er von einem Haufen Araber aus dem Stamme Asad
angegriffen, und wandte, da er den Feind an Zahl überlegen sah,
das Pferd zur Flucht. Da rief ihm sein Knecht Moflich zu: „Was
werden die Leute sagen, daß du geflohen, du, der du sprachst?

> Mich kennt das Roß, die Nacht, das Schlachtrevier,
> Der Hieb, der Stoß, die Feder, das Papier.

Motenebbi kehrte sogleich wieder um, stürzte sich in den Feind und
focht, bis er fiel und neben ihm auch sein Sohn und sein Knecht
erschlagen wurden. So ward, wie Ebn challekan bemerkt, jener
Vers die Ursache des Todes des ritterlichen Dichters.

Die Nachrichten über Motenebbis Leben werden sich aus arabischen Geschichtschreibern, Commentatoren und den Gedichten Motenebbis noch sehr vervollständigen lassen. Der längste unter den
vom Vf. aus orientalischen Schriftstellern übersetzten Artikeln über
Motenebbi ist der des Ebn challekan. Wir lassen einige Bemerkungen über die Uebersetzung dieses Artikels folgen, weil Hr. v. H.
öfter den arabischen Text nicht genug beachtet hat, besonders da,
wo Verse citirt werden. S. XXXIX und XL wird ein Beispiel von Motenebbis großer Kenntniß der arabischen Sprache erzählt, nämlich daß er die beiden seltenen Plurale Hidschla und
Sirba gekannt habe, welche in ihrer Art einzig sind; dann werden diese beiden Worte erklärt, und Hr. v. H. übersetzt die Stelle
also: „Hidschla ist der Plural von Hadschal, d. i. der Vogel, der
sonst unter dem Namen Al-kajadsch, d. i. das Repphuhn, bekannt
ist; und Sirba ist der Plural von Sirban (nach der Form Kitran)
d. i. eine sehr stinkende Eidechse." Hierin ist mehreres zu
berichtigen. Nicht Al-kajadsch muß es heißen, sondern Al kabbsch
الكَبْج; siehe Kamus Calc. pag. 252. 1421, wo der Name
dieses Vogels erklärt wird. Nicht Sirban und Kitran müssen die
beiden folgenden arabischen Formen heißen, sondern Sariban und
Katiran; siehe Kamus Calc. pag. 121. 638, wo beide Formen
angeführt sind. Das Thier selbst nun, welches Sariban, oder nach
richtigerer Aussprache Dhariban ظربان heißt, ist nach Hrn. v. H.
eine stinkende Eidechse; inzwischen so viel wir nachgeschlagen,
haben wir nur finden können, daß es ein Thier sey, ähnlich einer Katze, welches Eidechsen tödtet. Bei Ebn challekan
selbst steht, nach unsern beiden Handschriften, nichts als: وهي

دويبة منتنة الرايحة d. i. „und dieses ist ein Thierchen
stinkend von Geruch." Aber der Kamûs Calc. pag. 121. erklärt
sich über das Thier folgendermaßen: „Dhariban, wie das Wort Katiran, ist ein Thierchen wie die Kaze, und stinkend. Man sagt
auch Dharibau, im Plural Dharabinu, und Dharabijju. Ferner
sind Dhirba, und Dhirbau, beide mit dem Vocal Kesre, zwei Ausdrücke für den Plural. Man sagt (sprüchwörtlich): der Dhariban
hat seinen Wind gelassen zwischen ihnen; das bedeutet: sie haben
sich von einander getrennt; denn wenn das Thier seinen Wind gelassen hat in ein Kleid, so vergeht der Geruch nicht, bis daß das
Kleid vergangen. Und es wird erzählt, daß das Thier seinen Wind
läßt in das Loch der Eidechse; dann wird diese betäubt von seinem
üblen Geruche, und dann frißt das Thier sie auf." Es wird also
bei diesem Thiere zwar etwas von der Eidechse gesagt, aber doch
nicht, daß das Thier selbst eine Eidechse sey. Von dem Stinkthiere
erzählen unsre neuesten Naturforscher ganz ähnliche Dinge.

S. XL wird erzählt, ein Freund habe öfter den kranken Motenebbi besucht, und sey nachher, als Motenebbi genesen, weggeblie-
ben; darauf habe Motenebbi an ihn folgendes geschrieben: „Du
kamst zu mir, (Gott komme dafür zu dir) als ich krank war, du
bliebst aus', als ich genaß; wenn du darauf sahest, mir die Krankheit zu erheitern, so sehe nun auch darauf, mir die Gesundheit
nicht zu trüben." Allein die sogenannte Pointe dieses Wizes, ist
hier gar nicht ausgedrückt. Der Schlußsaz nämlich lautet im Originale so: فان رايتني ان لا تجيب العلة الي
فتنكدم الصحة علي, d. h. „daher wenn du beschlossen, daß
du mir die Krankheit nicht wiederbringest, so wird mir meine Gesundheit zerrüttet." Das Verbum رأي bedeutet auch: für gut
ansehen, beschließen. Die Pointe liegt darin, daß er sagt, ohne
Krankheit (die ihm den Freund zuführe) müsse er seine Gesundheit
verlieren. So dünkt uns wenigstens, seyen diese Worte zu verstehen.

Eben daselbst heißt es, der Dichter Ennâmi habe von Motenebbi gesagt: „Motenebbi ist in eine Zelle der Dichtkunst eingegangen, von der vor ihm noch keiner Besiz genommen hatte.
Gerne möchte ich zwei Gedanken gesagt haben, die niemand vor
ihm ausgesprochen; das eine dieser beiden Worte ist das folgende
u. s. w." Die Worte des Originals aber lauten genauer also:
„Es war übrig gelassen worden von der Dichtkunst ein Winkel, in
welchen eingegangen ist Motenebbi; gerne wäre ich ihm zuvorgekommen in zwei Gedanken, welche er gesagt hat, und in denen
ihm niemand zuvorgekommen. Diese sind u. s. w."

3

كان قد ابغي من الشعر زراوية بخلها المتذنبي

وكنت اشتهي ان اكون قد سبقته الي معنيين

قالهما ما سبق اليهما احد هما

S. XLV wird ein Vers des Dichters Ettabsi auf Motenebbi angeführt, welchen Hr. v. Hammer so übersetzt:

> Er war in dem Heer durch Seelengröße der Größte,
> War durch Größe fürwahr Herrscher und großer Sultan.

Allein das Original sagt etwas ganz andres; es lautet so:

كان من نغسه الكبيرة في جيش

وفي كبريا ني سلطان

d. i. wörtlich:

> Er war vermöge seiner großen Seele in einem Heere,
> Und in der Herrlichkeit eines mit Herrschaft begabten.

das heißt: Motenebbi besaß eine so große Seele, so viel Muth, daß es war, als wäre er mit einem Heere begleitet, und mit einer Herrlichkeit, welche nur Fürsten besitzen.

Eben daselbst wird ein Vers des Ebn Wehbun auf Motenebbi citirt; er ist so übersetzt:

> Er war Prophet im Lobgedicht; denn wußt er nicht,
> Daß lesend du veredeln würdest sein Gedicht?

Er bezieht sich darauf, daß El motamed, der Fürst von Sevilla, Motenebbis Gedichte fleißig studirte. Aber der Text ist dieser:

تنبا عجيبا بالتغريض ولو دري

بانك تروي شعرها لنالها

das heißt: „Prophet wollte er seyn wunderbar in der Dichtkunst; und wenn er gewußt hätte, daß du lesen würdest ihre Lieder, so hätte er Gott seyn wollen."

Die beiden Ausdrücke تنبا Prophet seyn wollen, und نالج Gott seyn wollen, stehen hier in Beziehung auf einander, als Steigerung vom Geringeren zum Höheren. Die Partikel لو drückt immer eine Bedingung aus, oder unser wenn, mit dem Conjunctiv, „wenn dieses wäre." Eine Frage, wie Hr. v. H. ausdrückt, ist in den Worten nicht zu finden.

Der erste Vers der oben erwähnten, von Ettabsi bei Motenebbis Tode verfaßten Wehklage, ist von Hrn. v. H. übersetzt:

> Nie hat bitterer noch der Herr die Zeiten getränket,
> Als, indem er in ihm Zunge des Liedes geraubt.

Der Text unsrer Handschriften lautet so:

$$\text{لا رعي الله سرب هذا الزمان}$$
$$\text{ان دهانا في مثل هذا اللسان}$$

Das heißt:

> Nicht hüte Gott die Heerde dieser Zeit,
> Da sie uns betrübt hat in Ansehung einer solchen Zunge.

Anstatt سرب Serb, die Heerde, könnte man aussprechen Sirb;
dann wäre der Sinn: den Geist. In einer Handschrift steht
شرب, Scherb, welches bedeuten würde: den Trunk. Die Worte
لا رعي الله „nicht möge weiden, oder hüten, Gott!" sind eine
öfter vorkommende Verwünschungsformel, in welcher das Präteri-
tum Bedeutung des Optatives hat, wie gewöhnlich in Wünschen
und Verwünschungen.

Bisweilen drückt der Vf. ohngefähr den Sinn des Originals
aus, jedoch so frei, daß von dem, was im Originale steht, kein
richtiger Begriff gewährt wird. Z. B. S. XLI ist ein Vers Motenebbis so übersetzt:

> Wenn tapfre Kämpen sich das Aug' umfloren,
> So ist es weil sie sehen mit den Ohren.

Welche Bewandtniß es hier eigentlich mit dem: umfloren
habe, bleibt ziemlich dunkel. Das Original sagt ganz einfach und
vollkommen deutlich, und mit einer ganz anderen Verbindung der
beiden Zeilen:

$$\text{في جحفل ستر العيون غبارة}$$
$$\text{فكانما يبصرن بالاذان}$$

das ist:

> In einem Heere, dessen Staub die Augen verhüllt
> Dergestalt, daß es ist, als wenn sie sähen mit den Ohren.

Gleich nachher sagt Hr. v. H.: „die größten Männer haben sich
mit seinem Diwan abgegeben und denselben erläutert." In unsren

3*

Handschriften finden wir anstatt der: größten Männer, blos العلما, d. i.: „die Gelehrten;" wodurch die Stelle für Motenebbis Ansehen weniger Gewicht erhält.

Die Namen der orientalischen Personen schreibt der Vf. öfter nicht mit den richtigen Vocalen. So ist S. XXXIX der Name مرة geschrieben: Mere; aber es muß heißen Morra, mit Dhamma über Mim und Teschdid über Re, wie man sich aus Kamûs Calc. pag. 655 überzeugen kann. Den Namen خالويه schreibt der Vf. S. XLIII Chalujeh; aber es muß heißen Chalawaih. Ebn challekan hat einen Artikel über den Grammatiker Ebn chalawaih, und am Ende des Artikels buchstabirt er, nach Art der Araber, den Namen ausführlich, indem er sagt: „Chalawaih wird geschrieben mit Fatcha über dem Cha; auf das Elif folgt ein Lam mit Fatcha, und ein Waw gleichfalls mit Fatcha; hierauf folgt ein quiescirendes Je." Es gibt im Arabischen eine Menge Namen, welche mit ويه schließen; man hat diese Endung gewöhnlich uje ausgesprochen, aber ganz falsch. Sie lautet waih, und mit der Nunnation Waihi, wie die Artikel des Ebn challekan, der jene Endung öfter buchstabirt, und die Punctationen des Kamûs beweisen. Im Kamûs findet man z. B. punctirt: Hamdawaihi حمدويه pag. 359; Bischrawaihi بشرويه pag. 463; Abdawaihi عبدويه pag. 514. Amruwaihi عمرويه pag. 609; Sibawaihi سيبويه pag. 668. Hajjawaihi حبويه pag. 1870 *).
Ferner schreibt Hr. v. H. den Namen der bekannten Dynastie: Bujiden, und ihren Stifter Buje بويه, anstatt daß es heißen muß: Buwaihiden und Buwaih. Er sagt auch noch in einer Anmerkung S. XXIX, man müsse Buje schreiben, weil das Wort in persischen Gedichten auf Chuje reime. Inzwischen Ebn challekan buchstabirt uns den Namen am Schlusse des Artikels über Achmed ben buwaih, und zwar mit folgenden Worten: „Buwaih wird geschrieben mit Dhamma über Be, und Fatcha über Waw, und einem quiescirenden Je, und einem quiescirenden He." Den Namen أبد schreibt Hr. v. H. S. XLIV Ebed, und doch gleich darauf in der Anmerkung wieder Obod; man kann nur schreiben Obod

---

*) So sind vermuthlich auch خمارويه und قرغويه nicht Chumarujja und Karguja, sondern Chomarawaih und Kargawaih zu lesen.

oder Obed, wie der Kamûs Calc. pag. 339. lehrt. Die Aus=
sprache der Namen halten wir aus mehreren Gründen nicht für
gleichgültig; gewiß würde man es im Lateinischen wenigstens für
einen Uebelstand halten, wenn man Remelus und Mircus statt Ro=
mulus und Marcus geschrieben fände. Das Wort Abu oder Ebu,
welches bekanntlich einen Theil fast aller männlichen arabischen Zu=
namen, oder Kunje, ausmacht, schreibt der Vf. bald Ebu, bald
Ebi, balb Eba, und gebraucht noch dazu alle diese Formen im Deut=
schen als Nominativ, dagegen im Arabischen Ebu nur Nominativ,
Ebi nur Genitiv, Eba nur Accusativ ist. So steht S. XL als
Nominativ: „Abul abbas;" und S. L als Nominativ: „Ebi ali;"
und S. XXXIX als Nominativ: „der Scheich Eba ali." Das ist
wie wenn man im Deutschen Quintus, Quinti, Quintum als No=
minative gebrauchte, und schriebe: „Gestern kam Quintus zu mir;
nach einer Weile ging Quinti wieder fort; ich hatte bemerkt, daß
Quintum vollkommen wohl war." Unsrer Meinung nach ist es
am besten im Deutschen für jeden Casus den arabischen Nomina=
tiv zu gebrauchen, und überall zu schreiben der Abu, des Abu, den
Abu, so wie wir schreiben der Quintus, des Quintus, den Quin=
tus. Will man aber durchaus die arabischen Casus anbringen, so
darf man sie wenigstens nur in dem richtigen Casusverhältniß ge=
brauchen; dies ist dann wie wenn man im Deutschen schreibt: der
Quintus, des Quinti, den Quintum. Ferner schreibt Hr. v. H.
die Namen der arabischen Stämme mit Beni, anstatt mit Benu,
welches Filii bedeutet und im Deutschen als Nominativ nothwen=
dig erfordert wird, da Beni nur Filiorum oder Filios bedeutet.
So finden wir z. B. S. 277 zweimal als Nominativ: „die Beni
kelab;" dies ist wie wenn man im Deutschen schriebe: die Latino=
rum, für: die Latini. Es muß also heißen: die Benu kelab. Der
Name einer bekannten Stadt in Syrien ﺣﻤﺺ ist S. XLI
Homs geschrieben; nach Kamûs Calc. pag. 862 muß er Kesre
haben, und Hims lauten.

Den Charakter Motenebbis, so wie er sich in seinen Gedich=
ten zeigt, beschreibt Hr. v. H. ziemlich richtig, wie uns dünkt, mit
den Worten: „Auch als Mensch flößt Motenebbi ein weit höheres
Interesse als Hafis ein, durch den edlen Stolz, den beduinischen
Hang zur Unabhängigkeit, und die eiserne Tapferkeit, womit er seine
Worte in Thaten bewährte. Es ist unmöglich sich mit seinen Ge=
dichten, ohne zugleich mit dem Dichter, zu befreunden, welcher,
ungeachtet der ihm als Schwäche anklebenden Ueberschätzung der
Freigebigkeit, in Bezug auf seine eigene Person, und einiger saty=
rischen, nicht zu rechtfertigenden Ausbrüche von Leidenschaftlichkeit
gegen einen vormals hochgelobten Gönner, Kiafur, sonst durchaus

als ein wackerer Geselle der Wüste, als ein tapfrer Kämpe des Schlachtfeldes, als ein edler Ritter in Verehrung der Frauen auftritt." Hr. v. H. gesteht ein, daß von den kleinen, in den Diwan aufgenommenen, aus dem Stegereif hergesagten Gelegenheitsgedichten und Trinksprüchen die meisten ziemlich matt und unbedeutend erscheinen; fügt aber hinzu, man müsse auch berücksichtigen, daß diese Stücke größtentheils aus den frühesten Jahren Motenebbis seyen, und sein Dichtergenius von Jahren zu Jahren immer leuchtender aufgeflammt, und zuletzt ein fast ununterbrochen schimmernder Blitz und rollender Donner geworden sey. Bei manchen jener kleinen Gedichte liegt der wenige Eindruck, den sie machen, auch wohl etwas an der Uebersetzung; bei solchen epigrammatischen Sätzen kommt auf die Wahl und die Stellung der Worte fast alles an. Auch räumt der Vf. ein, daß Motenebbi sich häufig kühler Wortspiele und Buchstabenwitze befleißige. Ferner gebraucht dieser nicht selten Beziehungen auf die technischen Ausdrücke der Grammatik. Die ganze Sammlung der Gedichte ist in dem Diwan in die oben erwähnten, in chronologischer Ordnung an einander gereihten sechs Classen getheilt, welche verschiedene Perioden des Lebens Motenebbis bezeichnen. Die erste und stärkste Classe, oder die syrischen Lieder, enthält theils kleine Gelegenheitsgedichte, theils Lobgesänge auf verschiedene frühere Gönner des Dichters, welche geschichtlich nicht sehr bekannt sind, theils an ihn selbst gerichtete Gedichte. In den übrigen Classen spielen die Helden, nach denen sie benannt worden, die Hauptrollen; sie enthalten panegyrische, historische, elegische Lieder, und auch kleinere Gelegenheitsgedichte. Unter den adhadischen Liedern befinden sich einige schöne Naturschilderungen; nämlich ein Gedicht, welches das wegen seiner Reize berühmte persische Thal Schaab bewwan beschreibt, und ein andres, welches eine auf der Ebene Descht ersen gehaltene Gemsenjagd erzählt. Sehr berühmt ist in dieser Gattung auch seine Schilderung des Seees von Tiberias.

Ueber die Grundsätze, welche der Vf. im Allgemeinen bei Abfassung der Uebersetzung befolgte, erklärt er sich in der Vorrede. Er bemerkt zuvörderst, daß er den Reim, als Hauptschmuck aller arabischen Gedichte, beibehalten; freilich nicht den arabischen Reim, welcher in jedem Gedichte (wenige ausgenommen) von Anfange bis zu Ende derselbe ist, und am Ende jedes Beit steht, oder, wie wir etwa sagen könnten, am Ende jeder zweiten Zeile, sondern einen bei uns üblichen, wechselnden Reim. Rec. kann zwar den Reim für den Hauptschmuck der arabischen Gedichte nicht halten, sondern findet diesen mehr in der Kraft und Mannichfaltigkeit des Ausdruckes, und den ernsten und edlen Gedanken; inzwischen da jene Gedichte den Reim einmal haben, so wird allerdings eine

Uebersetzung um so vollkommener, wenn sie auch diese Eigenheit des Originales so viel möglich wiedergibt. Nur muß der Gebrauch des Reimes nicht dem treuen und ungezwungenen Ausdrucke des Sinnes des Originales schaden. Zunächst scheint uns ein Uebersetzer arabischer Gedichte, der gewiß eine der schwierigsten philologischen Aufgaben zu lösen hat, darauf sehn zu müssen, daß er den Inhalt und den Geist dieser Gedichte in einer einfachen, nicht zurückschreckenden Sprache möglichst unverändert darstelle, und die zwischen den Versen stattfindende Verbindung, welche im Arabischen bei weitem nicht so lose ist wie im Persischen, gehörig hervorhebe. Geschieht dies nicht, so steht alles abgerissen und lückenhaft neben einander; diesen großen Fehler mancher bisherigen Uebersetzer aus dem Arabischen hat Sacy in mehreren seinen Recensionen im Journal des savans mit Recht gerügt. Das Wiedergeben des äußeren Schmuckes der arabischen Gedichte scheint uns vor der Hand noch minder nothwendig, als die befriedigende Darstellung des Sinnes. Das Sylbenmaaß der Gedichte, sagt der Vf., habe er nicht nachgebildet, da er die Bildung desselben im Deutschen für unmöglich gehalten; hierin ist er unsrer Meinung nach auch keinesweges zu tadeln, da die Nachbildung wenigstens die allergrößten Schwierigkeiten gehabt haben würde. Er fügt hinzu, er habe bald Pentameter, bald trochäische, bald jambische, bald daktylische Versmaaße für die Uebersetzung gewählt, je nachdem er den Hauptcharakter jedes einzelnen Liedes aufgefaßt. Den Pentameter halten wir eigentlich nicht für recht passend, weil er eine zu sehr griechische Form ist, die zu stark an ganz anders gebildete und fühlende Völker erinnert. Ganz einfache Versmaaße scheinen uns die passendsten zu seyn; sie lassen den Inhalt des Originales am deutlichsten durchschimmern. Seine deutschen Verse aber, sowohl die Pentameter, als die jambischen, macht der Vf. häufig sehr leicht und nachlässig; wenigstens unsre Metriker würden viel an ihnen auszusetzen haben. Noch bemerkt der Vf., er habe strenge das Gesetz beobachtet, daß die Verszahl im Deutschen der des Originales genau entspreche. Dies ist sehr gut, muß aber auch wohl von jedem Uebersetzer gefordert werden.

In Ansehung der Wiedergebung des Sinnes, oder der Treue der Uebersetzung sagt der Vf.: „das erste Augenmerk blieb die Treue des Sinnes, nicht des buchstäblichen und wörtlichen in derselben Folge und Zahl der Wörter, wodurch die Uebersetzung für deutsche Leser ganz unverständlich geworden wäre, sondern des poetischen, daß der Gedanke des Verses von dem Leser so verstanden werde, wie er nach dem durch die Commentare erläuterten Sinne des Dichters gefaßt werden soll." Gegen diesen Grundsatz läßt sich wohl nichts einwenden; es kommt blos darauf an, wie er befolgt worden.

Der Vf. fügt hinzu: „Es ist so viel als möglich die Erläuterung, welche der Klarheit des arabischen Textes fehlt, in den deutschen verschmolzen worden." Diese Verschmelzung der Erläuterung, wahrscheinlich der im Commentare geschriebenen Erläuterung, halten wir für bedenklich; höchstens darf sie mit der größten Vorsicht angewendet werden. Der Commentar ist dazu da, anzuzeigen, in welchem Sinne die Worte des Textes genommen werden sollen, nicht aber dazu, daß seine Worte denen des Textes substituirt oder beigemischt werden sollen. Wir haben, besonders lateinische, Uebersetzungen arabischer Gedichte genug, in denen mehr Commentar als Text übersetzt worden. Der Vf. fährt fort: „Nur wo das Sylbenmaaß oder die Wortstellung solche Verschmelzung unmöglich machten, und die deutsche Uebersetzung dunkel geblieben wäre, ist die nöthige Erläuterung in den Noten gegeben worden. Diese enthalten also bald die Umschreibung des in der Uebersetzung wörtlich gegebenen Sinnes, und bald, wenn die Uebersetzung sich zu sehr von dem wörtlichen Sinne des Originales entfernt, die philologisch getreue Uebersetzung desselben mit dem vorausgeschickten Beisatze: wörtlich. Diese zweite Classe von Noten, welche selten zur näheren Verständlichkeit der Uebersetzung beitragen, waren, wenn nicht für den Leser, doch ein Bedürfniß für den Uebersetzer, um sich gegen die Angriffe buchstabenklaubender und poesieraubender Kritiker zu verwahren, denen es ein leichtes ist, in solchen Fällen hinzuschreiben, daß der Uebersetzer den Sinn des Originals nicht gefaßt habe. Die dritte Classe von Noten gibt die nöthigsten historischen oder geographischen Erläuterungen so kurz als möglich." Wir werden einige Erinnerungen gegen die Treue und Genauigkeit der Uebersetzung machen müssen, hoffen aber dessen ungeachtet nicht in die Schuld buchstabenklaubender und poesieraubender Kritiker zu verfallen; werden auch zu unsrer Entschuldigung den Originaltext mit wörtlichen Uebersetzungen anführen, so daß die Leser möglichst selbst urtheilen können.

　　Wir wollen nun die Uebersetzung, durch deren Abfassung Hr. v. H. eine große und schwere Arbeit ausgeführt hat, mit dem Originale etwas näher vergleichen, und wählen dazu Gedichte, deren Text gedruckt und allgemeiner zugänglich ist. Zuvörderst bemerken wir, daß die Uebersetzung sich häufig von dem Originale so weit entfernt, daß die Leser von den Gedanken und Ausdrücken Motenebbis keine genaue Vorstellung gewinnen können. Eine größere Treue würde den Sinn nicht allein nicht unverständlich, sondern in den meisten Fällen noch deutlicher gemacht haben, als er in Hrn. v. H̊s. Worten erscheint. Wir entlehnen einige Belege für diese Behauptung zuerst aus einem der syrischen Lieder, welches an einen Gönner Motenebbis, Namens Hossein ben ishâk ettenûchi, gerichtet ist, und bei Hrn. v. H. S. 52 steht. Der Text ist mit dem Commentare des Wahedi, und lateinischer Uebersetzung durch Hrn. Horst herausgegeben worden.

Im 18ten Verse will Motenebbi das tapfre Schwerdt des Hossein loben, welches den Muth seines Herrn laut verkündet. Er sagt daher:

يحاجي به ما ناطق وهو ساكن
يري ساكنا والسيف عن فيه ناطق

Das bedeutet wörtlich:

Man gibt zu rathen in Hinsicht seiner: „Was redet, wenn es schweigt?"
Ihn sieht man schweigen, während das Schwerdt statt seines Mundes redet.

Die beiden Verba zu Anfange der Sätze sind im Passiv auszusprechen. Hr. v. H. nun hat dies übersetzt:

Die Jungen stammelten, um ihn zu loben;
Er schweigt, doch desto lauter spricht sein Degen.

Hier findet, dünkt uns, ein ziemlicher Unterschied zwischen Original und Uebersetzung statt. Zur Rechtfertigung der von uns gegebnen Uebersetzung wollen wir nun noch die Worte des Commentars anführen, welcher sich über den Vers also erklärt: „Die Worte Juhadscha bihi bedeuten: er wird in Irrthum geführt; von dem Worte Uhdschijje. Dieses bezeichnet nämlich einen Ausdruck, in welchem die Worte verschieden sind von dem Sinne, wie etwas in ein Räthsel gekleidetes, welches dem Menschen vorgelegt wird, damit er dessen Sinn ausfindig mache. Wie zum Beispiel Abu therwan sagt:

Was ist das, welches drei Ohren hat
Und zuvoreilt dem Rosse im Laufen?

Er meint damit den Pfeil, und die Ohren desselben sind seine Schwingen. Die Wurzel des Ausdruckes liegt in dem Verbo Hadscha, Futurum jahdschu, welches bedeutet: Er stand still, er hielt sich auf; denn man hat jenen Ausdruck Uhdschijje genannt, weil derjenige, welchem er vorgelegt wird, sich dabei aufhalten und nachdenken muß. Der Sinn Motenebbis ist also: die Leute geben sich einander etwas zu rathen auf, in Betreff jenes gelobten Mannes, indem sie sprechen: Was ist das, welches redet, während es schweigt? Darnach erklärt er dieses in der zweiten Vershälfte und sagt: Ihn sieht man schweigen; das ist, der gelobte Mann rühmt sich nicht und erwähnt nicht seiner Tapferkeit. Aber das Schwerdt redet für seinen Mund, durch das was es von seinen Thaten zeigt. Folglich verkündiget es seine Tapferkeit und meldet, wie er schön zu besingen und wie er wohl bewährt sey." Das Wort: Jungen, welches uns in Hrn. v. Hs. Uebersetzung ziemlich unerklärlich erscheint, ist vielleicht ein Druckfehler für: Zungen; jedoch als solcher nicht angegeben. Wenn wir aber auch dort Zungen statt Jungen lesen, so bleibt sein erster Satz von dem des Originals noch immer eben so entfernt.

Auch in dem vorhergehenden 17ten Verse ist von Hosseins Schwerdtern die Rede, welche hier als Entscheider über Tod und Leben der Menschen erscheinen. Der Text ist:

$$ يجنبها من حتفه عنه غافل $$
$$ ويصلي بها من نفسه منه طالق $$

Das heißt wörtlich:

Fern bleibt von ihnen der, welchen sein Lebensende noch nicht verfolgt; Aber getroffen wird durch sie der, von dem seine Seele scheidet.

Hr. v. H. übersetzt:

Der Tod, der nicht gewaltsam, däucht Ihm eitel,
Er trennt den Geist vom Leib, den Mann vom Weibe.

Die Worte des Commentares sind: „Man sagt: dschannabtuhu eschschaia, das ist: ich habe ihn entfernt von derselben. Der Dichter sagt: Derjenige, welchen sein Lebensende noch nicht verfolgt, und dessen Ziel noch nicht vorhanden, bleibt fern von den Schwerdtern jenes Mannes und wird nicht getödtet durch sie. Aber es empfindet ihren Grimm derjenige, von dem seine Seele scheidet, das ist, wen sie verläßt, wie die Frau, welche entlassen ist von dem Mann, diesen verläßt.“ Man sieht unter anderm hieraus, woher Hr. v. H. den Mann und das Weib genommen, die in seinem Verse stehen, von denen im Originale aber nichts vorkommt. Auch der in den beiden Sätzen des Originals angebrachte Gegensatz ist in der Uebersetzung gar nicht zu spüren.

Im 19ten Verse will Motenebbi sagen, er habe es anfangs gar nicht glauben wollen, daß es einen so vortrefflichen Mann auf der Welt gäbe, wie Hossein sey. Er sagt daher:

$$ نكرتك حتى طال منك تعجبي $$
$$ ولا عجب من حسن ما الله خالق $$

Das ist:

Ich hatte dich geläugnet, so daß ich mich lange über dich verwunderte;
Doch nicht geziemt Verwunderung über die Schönheit dessen, was Gott schafft.

Der Commentator sagt: „Man sagt: Nakitta eschschaia und Ankartahu, wenn du eine Sache nicht kanntest. Es wird von dem Verbo

Nakira nur dieſe Form, die Form des Präteriti, gebraucht. Sie kommt vor z. B. in dem Verſe des El aſcha:

We ankaratni wema kanalladsi nakirat
Minal hawddethi Villaschschaiba wassalaa.

Der Dichter ſagt: Ich läugnete, daß es einen Mann wie dich gäbe, in Anſehung deiner Vortrefflichkeit, und hielt dies für etwas äußerſt ungewöhnliches, daher denn meine Verwunderung auch lange dauerte. Darnach nahm ich wahr, daß Gottes Schöpferkraft zu ſchaffen vermag, was ihr beliebt." Hr. v. H. hat den Vers überſetzt:

Was Wunder, daß dich Gott ſo ſehr erhoben,
Denn er verleihet wem er will den Segen.

Im 23ſten Verſe will der Dichter zu Hoſſein ſagen: Dein Lob wird ewig leben. Die Worte des Originals ſind:

سيحيي بك السمار ما لاح كوكب
ويحدو بك السغار ما نر شارق

Das iſt:

Es leben durch dich die nächtlichen Erzähler, ſo lange flammt ein Stern,
Es treiben an durch dich die Reiter, ſo lange glüht ein Oſten.

Der Commentator ſagt: „Das bedeutet, ſie werden hinbringen die Nacht, gedenkend deiner und erzählend von dir, und die Reiſenden werden ſingen die Loblieder auf dich, und durch dieſe die Kamele antreiben. Des Dichters Worte: ſo lange flammt ein Stern, und: ſo lange glüht ein Oſten, gehören zu den Ausdrücken, welche eine ewige Dauer bezeichnen. Der Sinn iſt alſo: ewig; das iſt: Du wirſt ewig erwähnt werden in den nächtlichen Erzählungen, und ewig wird man durch die Loblieder auf dich während des Reiſens die Saumthiere antreiben. Dies iſt das einleuchtendſte. Jedoch gibt es einige, welche ſagen, die Worte: So lange flammt ein Stern, bedeuteten: So lange noch etwas übrig iſt von der Nacht; und die Worte: So lange glüht ein Oſten, bedeuteten: So lange noch etwas übrig iſt vom Tage, während deſſen die Sonne geſehen wird. Nach dieſer Erklärung ſagt Ebn Dſchinni: der Sinn iſt: ſie ziehen zu dir bei Tage, ſingend dein Lob, und wenn die Nacht kommt, machen ſie nächtliche Erzählungen von dir. Aber die beſte Erklärung iſt die erſte; denn das Antreiben der Kamele durch Geſang iſt nicht dem Tage eigen, ſondern geſchieht in der Nacht meiſtens und gewöhnlich." Wir fügen hinzu, daß wir den Ausdruck: ſo lange der Oſten glüht (durch die aufgehende Sonne) öfter in dem Sinne: ewig, gefunden haben. So ſagt

Dſchemil, in dem oben von ihm angeführten Gedichte, zu Botheina:
Dein gedenke ich; ſo lange der Oſten glüht, das iſt: Ewig denk
ich dein.   Hr. v. H. läßt von jenen beiden ſchönen Bezeichnungen
gar nichts übrig und überſetzt:

> Die Nacht durchtönet deines Lobes Feier,
> Und treibet die Kamele an bei Tage.

Hier verſchwindet alles charakteriſtiſche und kräftige des Originales.
    Im 26ſten Verſe ſagt Motenebbi zu Hoſſein, deſſen Wohnort
Laodicea erwähnend und beide als das einzige Ziel ſeiner Wünſche
bezeichnend:

لك التحيـيـر غيري رام من غيرك الغني
وغيري بغير اللاذقية لاحق

Das iſt:

> Dir ſey Heil! ein andrer als ich ſuche von einem andren als dir den
> Reichthum!
> Ein andrer als ich möge nach etwas anderem als Laodicea ſtreben!

Hr. v. H. überſetzt:

> Heil dir! nach welchem die Geſänge ſtreben,
> Laodicea mir für alles lohnet.

Für dieſen zweiten Satz iſt unten die Anmerkung beigefügt: „Wörtlich: Andere mögen anderes ſuchen.“
    Im ſiebenten Verſe ſagt Motenebbi, er habe, durch das ihm
von Hoſſeins Antlitz ſtrahlende Licht geleitet, manche Wüſten durchzogen in dunkler Nacht. Auf dieſe Nacht und jene Wüſten ſich
beziehend, ſagt er hierauf im achten und neunten Verſe wörtlich
folgendes:

> 8. Nicht wäre gewichen, wenn nicht das Licht deines Antlitzes geweſen,
> ihr Dunkel;
> Nicht hätten jene durchzogen die Reiter, wenn nicht geweſen die Kamele,
> 9. Und ein Rütteln, welches verjagte den Schlaf, dergeſtalt daß ich gleich-
> ſam war,
> Von der Trunkenheit, in den Steigbügeln, ein abgenutztes Kleid.

Der Commentator bemerkt zu dem neunten Verſe: „Man ſagt:
thaubun ſchubârikun, wenn ein Kleid zerriſſen iſt; dies iſt der Sin-
gular, und der Plural iſt: ſchabâriku. Das Wort Heſſun bedeutet
das Bewegen, nämlich wenn das Kamel ſeine Reiter bewegt bei
ſchnellem Gehen; und dieſes hindert den Schlaf, ſo daß der Menſch
von der Schlaftrunkenheit ſchwankt zwiſchen den Steigbügeln, ähnlich dem abgenutzten Kleide, weil er ſo viel hin und her geworfen

wird." Hr. v. H. hat die zwischen beiden Versen stattfindende enge Verbindung aufgehoben, die Verse durch ein Punctum von einander getrennt und so übersetzt:

> 8. Die Nächte werden durch dein Antlitz helle,
> Indeß die Reiter auf Kamehlen wetzen.
> 9. Es flieht der Schlaf vom Rütteln der Kamehle,
> Die ihre Reiter wie ein Tuch zerfetzen.

Ganz neu ist uns der Ausdruck: Reiter wetzen auf Kamelen; er scheint uns ein sehr unedles Bild zu geben.

Im 4ten und 5ten Verse sagt Motenebbi, auf Veranlassung der Trennung von seinen Freunden, der wechselnden Schicksale gedenkend, wörtlich folgendes:

> 4. So lebten schon vor uns die Menschen; Vereinigung und Trennung,
> Ein Todter und ein Geborener, ein Hassender und ein Liebender;
> 5. Verändert werden mein Zustand, und die Nächte mit ihrem Zustand;
> Ich werde grau, doch nicht wird grau die Zeit, die jugendliche.

Hr. v. H. hat statt dessen:

> 4. Die Menschen sich bald trennen, bald vereinen,
> Geboren werden die, und jene sterben.

Die Hälfte des Originals ist weggelassen. Der 5te Vers fehlt ganz.

Wir wenden uns nun zu einem anderen Gedichte, welches gleichfalls aus der Zahl der syrischen Lieder ist, und bei Hrn. v. H. S. 47. steht. Es ist ein Loblied auf den Kriegsbefehlshaber Musawir ben mohammed, gedichtet zum Andenken eines Sieges, welchen dieser über den Ebn jesbads erfochten hatte. Den Originaltext hat Hr. Prof. Freytag mit Uebersetzung und Erläuterungen, in seinen Selectis ex historia Halebi, pag. 131 — 134. herausgegeben.

Im 6ten Verse will Motenebbi das Blutbad bezeichnen, welches Musawir unter den Feinden anrichtete, und sagt:

جمدت نغوسهم فلما جيتنها

اجريتنها وسقيتنها الغولادا

Das heißt:

> Erstarrt waren ihre Seelen; doch als du sie erreicht hattest,
> Machtest du sie flüssig, und gabst sie zu trinken dem Stahl.

Hr. v. H. übersetzt so:

> Die Seelen standen hart und überdrüssig;
> Du kamst, da ward der Stahl im Feuer flüssig.

In den Versen 11—13 will Motenebbi sagen: jener besiegte
Mann wollte sich die Herrschaft über die Gränzgegenden anmaßen,
wo beständige Kriege mit den Griechen zu führen sind, und folglich nur ein sehr tapfrer Krieger sich halten kann; und doch war
er aus der Gegend von Karchâja und Kelwads in Irak gebürtig,
wo man nur an den Frieden gewöhnt ist, und besonders seine Arten von Datteln zu speisen pflegt. Er sagt daher:

11. Es verschlossen ihm die Meschrefitischen Klingen seine Wege,
    Daher entfloh er weder nach Haleb, noch nach Bagdad.
12. Er suchte die Herrschaft in den Gränzen, obgleich er aufgewachsen
    In dem Lande zwischen Karchâja und Kelwads;
13. Es ist als wenn er die Speere für süße Datteln gehalten,
    Oder geglaubt hätte, sie seyen Berni und Esads.

Berni und Esads sind zwei gute Arten Datteln. Hr. v. H. übersetzt diese Stelle:

11. Arab'sche Schwerdter stecktest du als Maß
    Von Jemen, nicht von Haleb und Bagdas.
12. Der Gränze Obhuth ist des Herrn der Starken,
    Bis an den Rain von Karch und Suwads Marken.
13. Die Schwerdter nahmest du als leckern Fraß,
    Als süße Datteln Berni und Esas.

Der leckere Fraß, ist einer der vielen unedlen Ausdrücke, die wir
aus Hrn. v. Hs. Dichtersprache hinwegwünschten. Der Zusammenhang der drei Verse ist bei Hrn. v. H., dünkt uns, so dunkel geworden, daß der Leser, der das Original nicht vergleicht, ihn
nicht errathen kann.

    Im 14ten und 15ten Verse redet Motenebbi wieder den Mu-
sawir an, und sagt zu ihm wörtlich:

14. Nicht ward gefunden vor dir jemand, welcher, wenn die Speere streiten,
    Den Stoß zum Zufluchtsorte vor dem Stoße machte,
15. Noch jemand, welchem mißfiel das Leben und seine Lust,
    Bis daß übereinstimmte sein Vorhaben mit dem Erfolge.

Hr. v. H. hebt den Zusammenhang auf, ändert den Sinn und
verwandelt den 15ten Vers in eine allgemeine Sentenz, anstatt daß
er im Originale eine Eigenthümlichkeit des Helden bezeichnet. Seine
Uebersetzung ist:

14. Wer kann, wenn du die Lanze schwingst, bestehen?
    Dem Stoße kann der Stoß nur widerstehen. —
15. Es weiß nicht, wie das Leben schön und süß,
    Wer durch Erfolg sich niemals glücklich pries.

Im 16ten Verſe geht der Zuſammenhang noch fort; dieſer Vers aber, und der 17te, welcher das Gedicht beſchließt, fehlen bei Hrn. v. H.

Wir gehen zu einem anderen Gedichte über, nämlich dem erſten der Kaſuriſchen Lieder, welches bei Hrn. v. H. S. 326 ſteht. Es iſt von Hrn. Prof. Freytag, in deſſen oben erwähntem Werke, S. 141—146 mit Ueberſetzung und Anmerkungen herausgegeben worden. Der Dichter redet ſich hier zuerſt ſelbſt an und gedenkt eines ſehr verzweifelten Zuſtandes, in welchem er ſich befunden; er vergleicht dieſen Zuſtand mit einer ſchweren Krankheit, in der er ſich den Tod wünſchte, und ſagt:

$$\text{كفي بك داءً ان تري الموت شافيا}$$

$$\text{وحسب المنايا ان يكنّ امانيا}$$

Das iſt:

Genug Krankheit war es für dich, daß du den Tod als Arzt betrachteteſt;
Hinreichendes Verderben iſt es, wenn es ſelber zum Wunſche wird.

Die Ausdrücke كفي بك, es genüget dir, und حسب, hinlänglich, ſtehen häufig zur Bezeichnung eines hohen Grades; daher man hier auch überſetzen kann:

So ſchwer warſt du erkrankt, daß du den Tod als Arzt betrachteteſt;
Das iſt eine ſchwere Trübſal, wenn ſie wird zum Gegenſtande des Wunſches.

In dieſem Sinne hat Hr. Freytag überſetzt:

Morbo gravissimo languisti, cui praeter mortem non erat medicus;
Et maximum est malum, quum mors desideranda est.

Man bemerkt leicht die von Motenebbi beabſichtigten zwei ſchneidenden Gegenſätze: der Tod wird zum Arzte, das Verderben wird zum Gegenſtande des Wunſches. Die zweite Zeile enthält einen allgemeinen Satz: Wenn Trübſal zum Gegenſtande des Wunſches wird, das iſt fürwahr eine ſchwere Trübſal. Hr. v. H. hat dieſe Zeile aber auch auf die angeredete Perſon allein bezogen, und überſetzt ſo:

Schauſt du den Tod als Arzt, biſt du zufrieden der Krankheit,
Denn die Sicherheit findeſt du nur in dem Tod.

Auch erſcheint hier dieſe zweite Zeile als den Grund der in der erſten enthaltenen Aeußerung angebend.

Im 6ten und 7ten Verse zürnt der Dichter mit feinem eige=
nen Herzen darüber, daß diefes Herz noch den treulofen Seif eb=
daula liebe, ohngeachtet doch Seif ebbaula den Dichter ungerecht
behandelt habe.   Motenebbi fagt:

حبوتك قلبي قبل حبك من ناي
وقد كان غدارا فكن لي وافيا
واعلم ان البين يشكيك بعده
فلست فوادي ان راينتك شاكيا

Das ift:

, 6. Ich liebte dich, o mein Herz, ehe du liebteft ben, welcher abfiel;
    Er war ein Verräther; brum fey du mir treu!

  7. Ich weiß, daß die Trennung dich klagen macht, ba er nun fern ift;
    Aber du bift nicht mein Herz, wenn ich dich noch klagend fehe.

Hr. v. H. läßt die erfte Zeile des 7ten Verfes weg, und überfetzt:

  6. Herz! du liebteft Ihn, eh' du noch geliebt ben Entfernten,
    Unrecht that Er mir; wäge gerechter uns zu!

  7. Wiffe, mein Herz! daß, wenn bu fortfährft Ihn zu beklagen,
    Ich dich für mein Herz länger erkennen nicht will.

Im 14ten Verfe erwähnt Motenebbi unter ben Dingen, die
er nach Egypten gebracht habe, auch feine Roffe und befchreibt diefe,
unfrer Meinung nach, alfo:

14. Und glatte Roffe, zwifchen deren Ohren wir vorwärts ftrecken die
                                                        Lanzen,
    Und die dann die Nacht hindurch hurtig folgen den Spitzen.

Hr. Freytag hat:

  14. Et equos glabros, inter quorum aures hastam extendimus,
    Et illi nocte agili cursu cuspidum nutum sequuntur.

Hr. v. H. überfetzt::

  14. Und die glatten Roffe, mit Speeren zwifchen ben Ohren,
    Die nur leife ruh'n, wenn fie die Lanze verfolgt.

Im 19ten Verfe will Motenebbi recht eifrig vorwärts eilende
Reiter bezeichnen und fagt daher: fie haben folche Ungeduld, daß
der Leib auf dem Sattel vorwärts marfchiren, und das Herz im Leibe
vorwärts marfchiren möchte.   Die Worte find:

بعزم يسير الجسم في السرج راكبا
به ويسير القلب في الجسم ماشيا

Das bedeutet, wie uns dünkt:

 Eifrig rückt vor der Leib in dem Sattel, reitend
 Darauf, und es rückt vor das Herz im Leibe marschirend.

Hr. v. H. übersetzt:

 Deren Reitern das Herz steht unbeweglich in Schlachten,
 Die im Körper als Herz gehen aus Stärke des Muths.

und macht die Anmerkung dazu: „als Herz, d. i. als Mittelpunct des Treffens."

  Im 24sten und 25sten Verse preiset Motenebbi die Freigebigkeit des Kafur. Sie sind, dünkt uns, so zu übersetzen:

 24. Erhaben ist über die späteren Wohlthaten seine Macht,
  Er verrichtet von edlen Thaten nur immer die ersten.
 25. Er vertilget die Feindschaften der Hasser durch seine Milde,
  Und wenn sie nicht weichen von ihnen, vertilgt er die Feinde.

Hr. v. H. drückt dieses so aus:

 24. Seine Würde bedarf nicht der Hülfe des Beispiels von Tugend;
  Was er unternimmt, hat er geschöpfet aus sich.
 25. Feindesempörung zerstört er bloß mit Hülfe der Gnaden,
  Er verlangt deshalb nicht zu zerstören den Feind.

  Im 28sten und 29sten Verse spielt der Dichter darauf an, daß Kafur den Beinamen Abul misk, d. i. Vater des Moschus, führte und die Wolke das Bild der Freigebigkeit ist, und sagt:

 28. O Vater jeglichen Wohlgeruches, nicht Vater des Moschus allein,
  Und jeglicher Wolke, nicht meine ich allein die Morgenwolke;
 29. Es verkündigt nur einen Begriff jeder Edle,
  Aber in dir hat der Barmherzige alle Begriffe vereint.

Das heißt, alle Begriffe von Tugenden. Bei Hrn. v. H. heißt es:

 28. Vater des Moschus und Guten! Der Einzige bist du,
  Morgenregen gewährt jegliche Wolke nur dir.
 29. Deines Lob's freut sich der Rühmer als einzigen Lobspruchs,
  Denn es ward in dir jegliche Tugend vereint.

  In den Versen 34—37 sagt Motenebbi zu Kafur folgendes:

34. Du bist nicht von denen, welche durch Wünsche die Herrschaft erlangten,
 Sondern durch Schlachten, welche zu Greisen machten die Fürsten;
35. Deine Feinde betrachten sie als Heldenthaten im Lande,
 Du aber betrachtest sie als Stufen im Himmel;
36. Du hülltest in ihnen dich in den düsteren Staub,
 Als wenn du die Luft, wenn du sie hell siehst, für trübe hieltest;
37. Du triebst in sie hinein die glatten, rennenden Rosse,
 Welche dich hinbrachten als zürnenden und dich heimführten als be-
          sänftigten.

Es herrscht in diesen vier Versen ein ununterbrochener Zusammenhang, indem in jedem derselben die in dem ersten erwähnten Schlachten, durch darauf sich beziehende Pronomina, wieder angeführt werden, und das Ganze nur eine Beschreibung dieser Schlachten ist. Dieser Zusammenhang wird auch noch in den beiden folgenden Versen fortgesetzt; im 38sten heißt es: Und schneidende Schwerdter, u. s. w.; im 39sten: Und braune Lanzen, u. s. w. nämlich: Führtest du in jene Schlachten. Hr. v. H. macht diesen Zusammenhang in seiner Uebersetzung gar nicht fühlbar, sondern stellt die von einander getrennten Verse wie lauter lose, abgerissene Glieder an einander. Es heißt bei ihm:

34. Du erwarbst nicht durch Gunst das Reich, erwarbst es durch Thaten,
      Die das Stirnenhaar färben vom Schwarzen ins Weiß.
35. Deine Feinde schau'n das Große nur auf der Erde,
      Während vor Dir es schwebt, wenn in den Himmel Du blickst.
36. Immer kleidest Du Dich in schwarze Wolken von Staube;
      Unrein scheint Dir die Luft nur, wenn am reinsten sie ist.
37. In den Staub führst Du den glatten, schwimmenden Hengst hin,
      Zornig greifest Du an, kehrest befriedigt zurück.

Diese Zerstörung des Zusammenhanges bringt, unsrer Meinung nach, der Kraft und Schönheit des Originales großen Nachtheil, und gerade in diesen Fehler sind Uebersetzer arabischer Gedichte häufig verfallen, wiewohl ganz mit Unrecht; denn es herrscht in den arabischen Gedichten keinesweges ein so loser Zusammenhang, wie in den meisten persischen. Hebt man den Zusammenhang auf, so muß natürlich alles zerrissen und zerstückelt erscheinen. Es liegt in der Natur der Sache, daß der Zusammenhang der Sätze gewöhnlich nur durch sehr kleine Redetheile bezeichnet wird, durch ein Pronomen, oder durch eine Präposition, die aber dann besto weniger in der Uebersetzung übergangen werden dürfen.

Im 47sten Verse bezeichnet Motenebbi Kafurs Erhabenheit mit den Worten:

47. Er verweilt hoch über den Menschen; sie sehen ihn,
      Wenn auch seine Güte ihn nähert, als einen entfernten.

H. v. H. übersetzt:

47. Ueber den Welten wachet er auf, und fliehet die Menschen,
      Fliehet selbst, wenn sie nahen verehrend sich ihm.

Für den Satz: „und fliehet die Menschen" findet sich im Originale nichts; und in der zweiten Zeile ist der Satz des Originales: „Kafur nähert sich den Menschen aus Güte" umgekehrt worden in den Satz: „die Menschen nähern sich dem Kafur aus Ehrfurcht."

In dem ersten Gedichte des ganzen Diwan, einem kleinen Lie=
beßliede, welches bei Hrn. v. H. S. 3 steht, lautet der dritte Vers,
in welchem der Dichter beschreibt, wie die Liebe seinen Leib verzehrt
habe, also:

3. So sehr ist abgezehrt mein Leib, daß ich ein Mann bin,
    Welchen du, wenn ich nicht redete zu dir, gar nicht erblicktest.

كفي بجسمي نحولا انني رجل

لو لا مخاطبتني اياك لم ترني

Hr. v. H. überseßt undeutlich, wie uns dünkt:

3. Mir genügt ein magerer Leib, indem ich ein Mann bin:
    Wenn Du nicht sprächest mit mir, wüßtest Du nicht wer ich bin.

Im Originale steht nicht: du wüßtest nicht wer ich' bin, sondern
das viel stärkere: Du sähest mich gar nicht; weil nämlich der Leib
so dünn geworden. Auch steht nicht: Du sprächest mit mir, son=
dern umgekehrt: ich spräche zu dir, welches passender ist; denn wenn
der vorher nicht Gesehene zu sprechen beginnt, so merkt man an
seiner Stimme, daß er da ist.

Der erste Vers des zweiten Gedichtes lautet im Originale:

اهلا بدار سباك اغيدها

ابعد ما بان عنك خردها

Das heißt:

Gegrüßt sey das Haus, dessen schlankes Mägdlein dich fing;
    Das Fernste dessen, was von dir getrennt, waren seine Jungfrauen.

Der Commentator Wahebi erklärt die Ausdrücke des Verses aus=
führlich, und sagt zuleßt noch folgendes: „Der Dichter sagt: es
fing dich das, was am fernsten von dir war; und dies ist etwas
ungewöhnliches, daß der Fangende aus der Ferne fängt. Der Sinn
ist aber: er fing dich durch die Liebe, während er ferne von dir war."
Hr. v. H. hat diesen Vers überseßt:

Wiederbewohnt sey das Haus, das deine Liebe geleert hat
    Von der Mädchenschaar und von der weiblichen Welt.

Bei der Ueberseßung einiger Gedichte Motenebbis, welche Sil=
vestre de Sacy in seiner arabischen Chrestomathie herausgegeben und
überseßt hat, macht Hr. v. H. eine Bemerkung über die Verschie=
denheit der französischen Ueberseßung von der seinigen, thut aber
dabei Hrn. Sacy doch etwas Unrecht. Er sagt nämlich S. 282:
„Wie sehr den Franzosen seine Sprache zu umschreiben zwinge, be=

4 *

zeugt am besten des Freiherrn Silvestre de Sacy's eigenes in der Note seiner Uebersetzung niedergelegtes Geständniß: J'ai été obligé de paraphraser un peu ces deux vers, pour développer la pensée du poëte, aussi peu naturelle, qu'elle est exprimée d'une manière concise.   Demnach lautet das obige Distichon auf Französisch: Hadeth, teinte de sang, pourroit-elle aujourd-hui reconnoître la couleur de ses murs? Inondée tour-à-tour d'eau et de sang, comment distingueroit-elle à qui convient mieux le nom de nuages, ou des nuées blanchâtres qui, avant l'arrivée de son libérateur, déchargoient leurs eaux sur ses murailles renversées, ou des crânes brisés de ses cruels ennemis qui ont versé sur elle les flots de leur sang? In sieben Zeilen, was der Deutsche wie der Araber in zwei sagen kann, und mit dem Dichter es dem Leser überläßt, unter der Fluth sowohl die des Regens, als die des Blutes hinzu zu denken."

Allein die hier von Hrn. v. H. aus der französischen Uebersetzung citirte Stelle haben ja der Araber und der Deutsche nicht durch zwei, sondern durch vier Zeilen, oder halbe Beit ausgedrückt, welche bei Hrn. v. H. also lauten:

> Wer kennet Hades noch? Al=Hamra ist voll Blut;
> Kennt es die Wolke noch, die es getränkt mit Fluth?
> Sie tränkte einst das Land, eh' Er noch eingebrochen,
> Seitdem er sich genäht, tränkt sie nur Schedelknochen.

Die französische Uebersetzung ist freilich etwas paraphrastisch, allein sie drückt doch den Sinn des Originales vollständig und deutlich aus, welches uns die deutsche nicht zu thun scheint. Zu dem in der deutschen Uebersetzung vorkommenden Worte Al=hamra macht Hr. v. H. die Anmerkung: „Al=hamra, die rothe Burg, wie die zu Granada." Hiernach muß der Leser glauben, daß in der Stadt Hadeth auch eine Burg, genannt Al=hamra, vorhanden gewesen, so wie zu Granada, und daß der Dichter diese in dem Verse erwähne. Allein die in dem Originale stehenden Worte الحدث الحمرا el hadeth el hamra, bedeuten ja: Das rothe Hadeth, die von Blut geröthete Stadt Hadeth, daher auch Sacy gesagt hat: Hadeth, teinte de sang. Das Wort: el hamra, das rothe, ist hier also bloß ein Adjectiv und Prädicat des Städtenamens Hadeth und hat mit der rothen Burg zu Granada weiter nichts gemein.

Wir wollen nun das oben erwähnte Gedicht Motenebbi's an seinen Freund Hossein ben ishak, welcher zu Laodicea wohnte, ganz zu übersetzen und den Sinn und die Worte des Originales so genau wir können, wiederzugeben versuchen. Bei der Kürze und

Gedrängtheit der arabischen Sprache bleibt es im Deutschen immer sehr schwer, in Zeiten, welche mit denen des Originales ohngefähr gleiche Länge haben, auch alle Gedanken des Originales wieder auszudrücken; daher die Uebersetzer gewöhnlich vom Originale vieles weglassen, oder zu weitläuftigen Paraphrasen ihre Zuflucht nehmen. Wir wollen beide Mängel möglichst zu vermeiden uns bemühn und nach unsrer Uebersetzung die des Herrn von Hammer zur Vergleichung folgen lassen. Der Dichter beginnt V. 1—5 mit einer wehmüthigen Erinnerung an die Trennung von dem Geliebten und den Wechsel der menschlichen Schicksale; schildert dann V. 6—10, wie er, im frohen Andenken an den Theuren, muthig Wüsten durchzogen sey, knüpft hieran V. 11—27 das Lob der einzelnen edeln Eigenschaften Hosseins und drückt zuletzt den sehnlichen Wunsch aus, wieder zu ihm zu gelangen. Wir übersetzen so:

1. Trennung heißt es, daß die Schaar nicht zaudre,
   Daß ich selbst von dir, o Herz, muß scheiden!

2. Als wir weilten, wuchs nur drum der Gram,
   Weil getrennt nun Freund und Theure weilten.

3. Wund vom Weinen sind die Augenlieder,
   Anemon' der Wang' erblich zum Krokos.

4. Sonst schon ward Vereinigung und Trennung,
   Tod, Geburt, und Haß und Lieb' den Menschen;

5. Mein Seyn wechselt, und der Nächte Seyn;
   Ich ergrau', doch nicht die Zeit, die junge.

6. Frag' die Wüst', ob Elfen uns erreichen,
   Ob der Strauß wie unser Saumthier eilt!

7. In der düstren Nacht wies uns die Wüste
   Oft dein Antlitz als das Leitungszeichen;

8. Nur dein Antlitz scheuchte fort das Dunkel,
   Nur das Saumthier trug hindurch den Reiter,

9. Und das Rütteln, das den Schlaf verjagte,
   Daß ich müd' im Bügel mürbem Kleid glich.

10. Hossein wird besungen, und das Thier hebt
    Froh das Haupt empor zu Deck' und Sattel,

11. Er, bei dessen Tritt die Erd' erzittert,
    Und die hohen Berge rings erbeben;

12. Der wie schwarz Gewölk ist lieb und furchtbar;
    Lieb sind Schauer, furchtbar sind die Blitze;

13. Doch Gewölk entfleucht, und Hossein bleibet,
    Jenes lügt auch, dieser ist stets treu.

14. Floh er gleich, und wollt' vergessen seyn,
    Sind doch Ost und West voll seines Lobes.

15. Er speist ind'sche Kling' mit Haupt und Hälsen,
    Als wenn Kamm sie wär', und Halsband ihnen;

16. Kleider macht sie, wenn er kriegt, zerreissen,
    Färbt die Bärte und die Scheitel roth;

17. Ihr entkommt, wen nicht sein Tod verfolget,
    Ihr erliegt, wen seine Seele flieht.

18. „Was spricht schweigend?" wird bei ihm gerathen;
    Denn er schweigt, doch für ihn spricht das Schwerdt.

19. Dich hab' ich geläugnet, lang' mich wundernd;
    Doch wen wundert Schönheit des was Gott schafft!

20. In dem Spenden hassest du die Güter,
    In dem Streite liebest du den Tod;

21. Wenig bleibt nach dem, was du verwendet,
    Abgenutzt hast, noch von Speer und Rossen.

22. Fürchte Gott! verschleire diese Schönheit;
    Denn, erscheinst du, pocht der Maid das Blut.

23. Dich preis't Sag', so lange Sterne blitzen,
    Dich singt Lied, so lang' der Osten flammt.

24. Wem du wehrst, dem schenkt das Schicksal nicht,
    Nicht wehrt dem das Schicksal, dem dy schenkst;

25. Nicht zerreißt die Zeit, was du verbindest,
    Nicht verbindet Zeit, was du zerreißest.

26. Heil dir! andrer such' bei andrem Güter!
    Andrer suche nicht Laobicea!

27. Sie ist Ziel mir, Wunsch dein Antlitz mir,
    Welt dein Haus, und du der Schöpfung Heer!

Herrn von Hammers Uebersetzung ist diese:

1. Die Trennung riß uns von der Freunde Schaaren,
    O Herz, du folgest denen, die sich trennten!

2. Wir standen still, mehr ward der Schmerz, es waren
    Getrennt die Sehnenden und die Ersehnten.

3. Die Augenlieder werden roth vom Weinen,
    Die Wangen sich als Anemonen färben.

4. Die Menschen sich bald trennen, bald vereinen,
    Geboren werden die, und jene sterben.

5. Fehlt.

6. Die Wüsten frag', ob so die Dschinnen rennen,
    Kamehle frag', ob Strauße sie erreichen.

7. Ich sah' ein Licht in Nächten brennen,
    Dein Antlitz war's, des Weges Leitungszeichen.

8. Die Nächte werden durch dein Antlitz helle,
    Indeß die Reiter auf Kamehlen wetzen.

9. Es flieht der Schlaf vom Rütteln der Kamehle,
   Die ihre Reiter wie ein Tuch zerfetzen.

10. Sobald Gesang das Lob Ishak's erhebet,
    Springt das Kamehl mit freudiger Geberde.

11. Aus Furcht vor seines Trittes Macht erbebet
    Des Berges Gipfel und der Grund der Erde.

12. Wie Wolken, voll von Regen und von Donner,
    Ward Er gefürchtet und zugleich geliebet.

13. Doch Wolken lügen Regen oft und Donner,
    Indeß Er wahr, was Er verheißt, auch giebet.

14. Er hat der Welt entsagt und ihrem Segen,
    Indeß der West und Ost voll seiner Ehre.

15. Mit Kopf und Hälsen ist vertraut sein Degen,
    Als ob er dorten Kamm, hier Halsband wäre.

16. Er färbt mit Blut die Bärte und die Scheitel,
    Die Waisen reißen sich das Kleid vom Leibe.

17. Der Tod, der nicht gewaltsam, däucht ihm eitel,
    Er trennt den Geist vom Leib, den Mann vom Weibe.

18. Die Jungen stammelten um Ihn zu loben,
    Er schweigt, doch besto lauter spricht sein Degen.

19. Was Wunder, daß Dich Gott so sehr erhoben,
    Denn er verleihet, wem Er will, den Segen.

20. Dem Golde feind, liebt er es auszuspenden,
    Er liebt den Tod, wie er in Schlachten leibet.

21. Das Roß, den Speer weiß Er so zu verwenden,
    Daß andren Roß und Speer nicht übrig bleibet.

22. Bedecke Deine Schönheit mit dem Schleyer,
    Daß nicht das Blut auf Wangen Wogen schlage.

23. Die Nacht durchtönet Deines Lobes Feyer,
    Und treibet die Kamehle an bei Tage.

24. Das Loos raubt nicht, was Du dem Freund gegeben,
    Es gibt nicht dem, den Du beraubt als Feind.

25. Was Du getrennt, vereinet nicht das Leben,
    Es trennet nicht die Zeit, was du vereint.

26. Heil Dir! nach welchem die Gesänge streben,
    Laodicea mir für alles lohnet;

27. Sie ist das Ziel von meinem ganzen Leben,
    Sie ist die Welt, und wer in selber wohnt.

Ueber die Abweichungen unsrer Uebersetzung von der Hammer-
schen bemerken wir noch kurz einiges. Im 1sten B. scheinen uns
Hrn. v. Hs. Worte: O Herz, du folgest denen die sich
trennten, nicht deutlich und richtig genug zu seyn; denn bei den

Worten: die sich trennten, denkt man sich zwei von einander
gehende Schaaren; zwei Schaaren zugleich aber konnte das Herz
nicht folgen, sondern nur einer. Daher sagt das Original auch
ganz deutlich: O mein Herz, selbst du gehörst zu denjenigen, von
welchen ich jetzt scheide; weil nämlich sein liebendes Herz gleich=
sam mit dem geliebten Gegenstande fortzog. Im 3ten V. hat Hr.
v. H. im zweiten Satze nur eine Blume ausgedrückt: die Wan=
gen sich als Anemonen färben; allein das Original hat zwei
Blumen, und sagt: die (ehemaligen) Anemonen der Wangen sind
geworden zu Krokos; das heißt: die ehemals rothen Wangen sind
gelb geworden und blaß, durch Gram über die Trennung. Natür=
lich sind erst rothe, hernach gelbe Blumen gemeint, wie auch der
Commentator sagt; ob aber unsre Wörter Anemone und Krokos
gerade die den arabischen Schakâik und Behâr naturhistorisch genau
entsprechenden seyen, ist eine andre Frage, da die Bestimmung
der einzelnen Blumen in unseren Wörterbüchern oft nicht genau
ist. Im 4ten V. hat Hr. v. H. den dritten Gegensatz: Haß und
Liebe, weggelassen. Im 6ten müßte man nach der Wortstellung:
Kamehle frag', wohl glauben, die Kamele selbst sollten ge=
fragt werden; allein der Sinn des Originals ist nur, daß nach
den Kamelen gefragt werden soll, nämlich die Wüste, ob ihre
Strauße wohl so schnell laufen könnten wie Motenebbis Kamele;
wie auch Hr. v. H. in der Anmerkung anführt. Aber wenn gleich
die Anmerkung dieses Verhältniß aufklärt, so durften in der Ueber=
setzung doch wohl keine Worte gebraucht werden, welche eine ent=
gegengesetzte Vorstellung erzeugen. Im 8ten und 9ten V. hat Hr.
v. H. die im Originale stattfindende Bedingung und Verbindung der
Sätze: Nur durch dein Antlitz, nur das Kamel und das Rütteln
bewirkten, daß der Reiter, wiewohl matt und schlaftrunken, den Weg
durch die Wüste zurücklegte, zerstört; über das von Hrn. v. H.
gebrauchte: Wetzen des Reiters auf dem Kamel, haben wir schon
oben etwas bemerkt. Im 10ten V. setzt Hr. v. H.: das Lob
Jshaks; aber das Original hat: das Lob des Hossein des
Sohnes des Jshak; Jshak ist nicht der gelobte Mann, son=
dern nur Vater des gelobten; soll einer der beiden Namen, der Kürze
der Zeile wegen, wegbleiben, so muß wohl nicht Hossein, sondern
Jshak weggelassen werden. Sonst wird ja die Person verändert.
Im 13ten V. hat Hr. v. H. den ganzen ersten Satz: „doch jene
(die Wolken) verschwinden, und dieser (Hossein) blei=
bet, weggelassen; dagegen die Worte: Regen oft und Donner,
die das Original nicht hat, zugesetzt. Dieser Zusatz ist auch nicht
ganz richtig; denn, wie der Commentator auch bemerkt, wenn der
Araber sagt: die Wolke lügt, welches allein im Texte steht, so
meint er damit, daß die Wolke zwar blitzt und donnert; aber

nicht regnet; folglich lügt sie nur den Regen, nicht aber den Donner.   Im 14ten V. hat Hr. v. H. die Worte: und ihrem Segen, zugesetzt, dagegen aber den Ausdruck des Originals: damit
er vergessen werden möchte, weggelassen.   Im 16ten V.
haben wir die zwei Sätze gestellt, wie sie im Originale aufeinander
folgen; Hr. v. H. hat sie umgestellt.   In den Versen 17. 18. 19.
ist Hr. v. H. vom Originale sehr abgewichen, wie wir oben aus-
einandergesetzt haben.   Im 20sten V. hat Hr. v. H. den Ausdruck:
wie er leibet, nämlich: der Tod in Schlachten, hinzugefügt.
Im 22sten hat er den im Originale stehenden Anruf: Fürchte
Gott! weggelassen.   Ueber die Uebersetzung des 23sten und des 26sten
haben wir schon oben etwas bemerkt.   Den 27sten hat Hr. v. H.
sehr unvollständig ausgedrückt, und alle Prädicate darin auf ein
Subject, nämlich die Stadt Laodicea bezogen, indem er sagt:

> Sie ist das Ziel von meinem ganzen Leben,
> Sie ist die Welt, und wer in selber wohnet;

anstatt daß das Original vier Subjecte, und für jedes Subject
ein besonderes Prädicat hat, indem es sagt:

> Sie ist das höchste Ziel, dein Anblick ist der Wunsch,
> Dein Haus ist die Welt, du selbst bist die Creaturenschaar.

Hr. v. H. bemerkt dies in der Note; aber deswegen ist doch die
Uebersetzung wohl noch nicht genügend.

Was die Sprache und die Verse des Vfs. betrifft, so wünschten
wir diesen mitunter mehr edlen Ausdruck und Wohlklang.   Hr. v.
H. macht seine Verse, wie uns dünkt, häufig nachlässig; im Hexameter und Pentameter stehen überall die schwächsten Trochäen statt
der Spondäen; in den jambischen Versen wird der Rhythmus durch
unpassende Sylben gelähmt; die deutsche Sprache muß sich auch
manches gefallen lassen; Wörter werden verlängert, verkürzt, mit
unrechten Vocalen versehen, unentbehrliche Sprachtheile weggelassen,
neue grammatische Formen gemacht, dem Reime und der Länge der
Zeile zu Gefallen.   Wir wissen wohl, daß viele Versemacher unsrer
Zeit alle diese Dinge für gar keine Mängel halten, sondern, wie
es ihrer Trägheit grade bequem ist, die Wörter recken und verrecken,
aussprechen und betonen, und dadurch zwar Zeilen zu Stande bringen, die sie für Verse ausgeben, an denen aber schwerlich jemand
Gefallen finden kann.   Wer wünscht, daß seine Verse gelesen und
mit Vergnügen gelesen werden, muß jene Uebelstände gewiß vermeiden.   Einige Beispiele ähnlicher Mängel in der Uebersetzung
Motenebbis wollen wir anführen:

S. 265.   Wer kann gen dich die Pflichten all' erfüllen?
> Wer ist genau zu thuen deinen Willen?

In der erften Zeile muß, damit nur die Zeile die gehörige Länge erhalte, das zweifylbige gegen fich in ein einfylbiges gen verfürzen und in der zweiten Zeile das einfylbige thun fich in ein zweifylbiges thuen ausrecken laffen, welches übelklingende Laute gibt. Uns ift zwar bekannt, daß man fagt: gen Rom reifen; aber: gen jemand die Pflichten erfüllen, halten wir für ungebräuchlich.

S. 269.   Ein jeder thut was er gewohnt,
          Den Stoß und Schlag hat Er gewohnt.

So viel uns bekannt, fagt man: ich bin die Sache gewohnt; aber nicht: ich habe fie gewohnt.

S. 243.   Er hebt zugleich den Vor= und Hinterfuß.
S. 230.   Im Früh= und Spätjahr geh'ft auf ihren Auen.

Diefe compendiarifchen Formen: Vor= und Hinterfuß, ftatt: Vorderfuß und Hinterfuß, Früh= und Spätjahr, ftatt: Frühjahr und Spätjahr, werden wohl in der niederen Sprache des gemeinen Lebens gebraucht; aber in der reinen Sprache und für den dichterifchen Ausdruck halten wir fie für unzuläffig.   In der zweiten Zeile bringt Hr. v. H. uns auch um das Pronomen: du, hinter dem Verbo: geh'ft, welches Pronomen wir doch nicht wohl entbehren können.   Im naiven und fcherzhaften Style wird es wohl bisweislen weggelaffen; hier aber bildet das Fehlen deffelben eine Härte.

S. 243.   Wenn euch erfreuet, was mein Neider fagt,
          Fühl' ich die Wunde nicht, die er mir fchlagt.

Dem Reime zu Gefallen muß das Verbum: fchlägt, feinen ihm zukommenden Vocal gegen einen anderen vertaufchen.

S. 154.   Ich feh', daß auf dem Schlachtfeld an dem Euphrat
          Das Roß auf Schedeln gehet an der Kiefel Statt.

Aus dem Zufammenhange läßt fich fchließen, daß der Sinn fey: anftatt daß fonft Kiefel am Boden lagen, liegen jetzt Schädel dort; oder: das Roß geht auf Schädeln anftatt auf Kiefeln.   Allein fo wie Hr. v. H. die Worte geftellt hat, ergibt fich der Sinn: anftatt daß fonft die Kiefel gingen, gehet jetzt das Roß.   Die Construction: an der Kiefel Statt gehet das Roß, muß, grammatifch erklärt, bedeuten: fonft gingen die Kiefel, jetzt geht das Roß.   Wir können demnach hier bei den Kiefeln die Präpofition: auf, nicht entbehren.

S. 228.   Mit ftähl'nem Zaum und fchnell, wenn auch im Schritte.

Aus dem ftählernen Zaum ift hier ein ftähl'ner geworden.

S. 150.   Wär't ihr von ftarkem Stamm', ich bräche euch.

Die Worte: bräche euch, geben einen üblen Hiatus.

S. 55. Zauber hab' ich gesaugt aus ihrem zaubrischen Munde.
Das richtige Participium ist doch wohl: gesogen.

Als einige Beispiele nicht wohlklingender jambischer Verse füh=
ren wir an:

S. 150. So hieltet ihr euch von Stammlosen weit.
    154. So wie sie kehren stets zu der Wohlthätigkeit.
    172. Wie eine Feder, die der Wind vor sich her treibt.
    228. Ein Streifzug hindert nicht den andern Streifzug.
    228. Sie müßten ihm nach dem Gesetz beifallen.
    230. Denn oft gilt auch für tapfer, wer nur rauh ist.
    230. Verstellung ist erlaubet gegen die, so
        Durch ihr Betragen selbst die Wahrheit stören.
    259. Undankbar wäre ich für Deine Gnaden.
    259. Der Gram ließ mich auch schlafen nicht.
    261. Ist's, weil ich trage der Unbilden Frost.
    XLV. Zu jedem Ding' kehrt man nicht in der Welt zurück.
    154. Er, der Gefang'ne löst, und der die Feinde spaltet,
        Der alle Klagen stillt, und Dränger niederhaltet.

Hier hat der Reim dem Verbo: niederhalten, ein neues Prä=
sens gegeben.

    154. Wo sie vom Schwerterrand nicht Scheu zurücke hält.

Hier hat der Jambus dem Worte: zurück, noch eine Sylbe ver=
liehen.

Die erklärenden Anmerkungen hätte der Vf. noch sehr vermeh=
ren sollen; wenigstens wir finden nicht selten Verse, die uns gänz=
lich unverständlich sind, und dies stört das Interesse natürlich sehr.
Z. B. S. 64. beginnt ein Gedicht also:

    Vor Allem heischt der Aufschwung Thränen,
    Der vorhergehende bewährt den neuen.

Was hier der Dichter unter dem „Aufschwunge" sich eigentlich ge=
dacht habe, und was er damit sagen wolle, der vorhergehende be=
währe den neuen, davon vermögen wir uns keine deutliche Vorstel=
lung zu machen. S. 154. heißt es:

    Der Schlaf entfloh von mir, er floh in den Pallast,
    Zu Ihm, deß Kunstgebild' die Schläfer all' umfaßt.

Was hier die Worte: deß Kunstgebild' die Schläfer all' umfaßt,
bedeuten sollen, wissen wir nicht aufzufinden. In der Prosa ge=
braucht der Vf. bisweilen Ausdrücke, die wir nicht für richtiges
Deutsch halten; z. B. S. XXXIV: alle anderte Verse, für:

jeden zweiten Vers, oder wie man auch sagt: einen Vers um den andern. S. XXXIX: er verlegte sich auf die Sprachwissenschaften, anstatt: er legte sich darauf. Ebendaselbst: er beschäftigte sich häufig mit Uebertragungen der Sprache; was das Wort: Uebertragungen, hier bedeuten solle, wissen wir nicht recht. S. XXXVIII: die sehr beschwerliche Roboth dieser Uebersetzung, anstatt: die sehr beschwerliche Arbeit, oder Frohne dieser Uebersetzung.

Die von uns bemerkten Mängel bewirken denn freilich, wie uns dünkt, daß in Hrn. v. H. Uebersetzung die Verse und Lieder Motenebbis dem deutschen Leser nicht selten in einem minder vortheilhaften Lichte erscheinen, als in welchem sie zu erscheinen wirklich verdienen. Inzwischen ist es dessen ungeachtet natürlich keinesweges unsre Meinung, daß das Werk ohne Verdienste sey. Die von Hrn. v. H. darin bewiesene Ausdauer und Liebe für die Sache müssen von jedem billigen und gerechten Leser gebührend und mit Dank anerkannt werden. Die vollständige Uebersetzung eines ganzen arabischen Diwan, von dem Umfange des Diwan des Motenebbi, ist ein Unternehmen, an welches sich wenige unster Orientalisten wagen werden. Die einen möchten die Mühe und die Arbeit scheuen, und zum Theil ihre Kräfte zur Ausführung des Unternehmens gar nicht hinreichend halten; die anderen möchten in dem Wahne stehen, der Diwan eines arabischen Dichters verdiene gar nicht übersetzt zu werden. Hr. v. H. hat gezeigt, nicht nur, daß er in beiden Puncten entgegengesetzter Meinung sey, sondern auch, daß er mit Recht in beiden anders denke, daß die Sache für einen kenntnißreichen und fleißigen Mann ausführbar sey, und daß die Ausführung auch die Mühe lohne. In mehr als einer Beziehung kann es unmöglich gleichgültig und uninteressant seyn, den ganzen Ideenkreis des Lebens eines arabischen Dichters kennen zu lernen, und die Originalität der Gedanken und der Ausdrücke muß jedem regen Gemüthe Vergnügen gewähren. Am meisten, glauben wir, werden den Leser die im elegischen Versmaaße übersetzten Lieder, in welchen die Sprache am würdigsten und edelsten ist, ansprechen. Wir geben noch einige Proben derselben nach Hrn. v. H. Uebersetzung, ohne durch kritische Bemerkungen den Eindruck zu stören. Eines der Lieder an Seif eddaula beginnt S. 304 mit folgenden Versen, in welchen der Dichter das Entfliehen der Jugend beklagt:

Ach! die Erinn'rung an Jugend und an die Stätte der Freunde
  Zieht mir zu den Tod lange vor wirklichem Tod.
Wolken, die donnernd vorüber zieh'n, vermehren den Gram mir,
· Als ob mehrte sich Tadlergemurmel durch sie.
Gleich Irwet, dem Sohne Hofam's, dem traurig Verliebten,
  Weint im Vorüberzieh'n jegliche Wolke mit Schmerz.

O wie vor langem hat hier der Mund gewässert dem Mädchen,
　　Das mit scheltendem Wort oft in die Rede mir fiel!
Damals kümmerte dich, o Seele! nur wenig die Trennung,
　　Denn den Uebermuth schlepptest du boshaft nach dir.
Was ich dort ziehen sah, sind nicht die Sänften der Mädchen,
　　Sondern des Lebens Kraft, welche sich trennet von mir.
O wer die Trennung erschuf! hätt' er den schmächtigen Pferden
　　Untergestreuet statt Kies meine Gelenk' und Gebein'!
Weinend schau' ich auf sie, und weinend schau'n sie herüber,
　　Als ob nähmen wir uns vor den Spähern in Acht.
Unsere Geister zerflossen in Wasser, dann unsere Leben,
　　Als der Thränenstrom floß zu den Füßen hinab.
Flössen die Thränen nur so wenig, als unsre Geduld ist,
　　Flössen dieselben nicht ununterbrochenen Stroms.
Als Gefährten ließen sie mir zurücke den Schmerz nur,
　　Und das schnelle Kamehl, schwankenden Gang's wie der Strauß.

Eines der Jugendgedichte beginnt S. 15 mit folgenden Betrachtungen über Liebe und Schicksal:

Wachend verleb' ich Nacht auf Nacht; wie sollt' ich nicht wachen?
　　Meine Sehnsucht wächst, Thränen entströmen dem Aug'.
Wie ich sehe, ist dies das Thun und Streben der Liebe,
　　Ein aufklopfendes Herz, Augen, die wachen bei Nacht.
Niemals leuchtet der Blitz, und niemals girret die Taube,
　　Ohne daß sich regt Sehnsucht des Herzens in mir.
Von dem Brande der Lust bin ich so heftig entflammet,
　　Daß das Ghabhaholz würde verglimmen zuvor.
Ehemals tadelte ich die Liebenden, bis ich's verkostet,
　　Und jetzt wundert mich ohne die Liebe der Tod.
Ich entschuldige sie und habe den Fehler erkennet,
　　Denn zur Strafe ward mir jetzt dasselbe Geschick.

　　Adamskinder! wir sind die Bewohner von solchen Gebäuden,
　　　Wo in einem fort krächzet der Rabe der Flucht.
Sieh, wir weinen über die Welt, wo ist die Versammlung,
　　Welche die Welt vereint und sie nicht wieder zertrennt?
Wo sind die Dränger der Welt, die Kaiser und Chosroen alle?
　　Schätze sammelten sie, alle mit ihnen dahin!
Ihren Heeren war zu eng' das Gebiethe der Erde,
　　Bis sie All' einschloß, Alle! die Enge des Grab's.
Wenn die Hahnen kräh'n, so weckt sie der Ruf nicht vom Schlummer,
　　Und sie verstummen nun, sie, die Gebieter des Worts.
Sicher kommt der Tod, und schont nicht der köstlichsten Seelen;
　　Wer auf sein Inneres stolz, ist daher wahrlich ein Thor!

Immer hoffet der Mensch, das Leben hat süße Genüsse,
  Ernst und finster der Greis, Jünglinge munter und leicht.
Ueber meine Jugend vergoß ich damals schon Thränen,
  Als die Locke noch schwarz, und als noch hell das Gesicht.
Weinte aus Furcht vor dem Tag, wo entfliehen würde die Jugend,
  Weinte der Thränen so viel, daß mir das Schlafen verging.

Aber die Söhne von Aus ben maan, des Sohnes von Risa,
  Sind der edelste Stamm, welcher Kamehle besitzt.
Ich pries Gott, als ich sie sah aufgehen wie Sonnen,
  In dem Lande, wo Aufgang der Sonne nicht ist.
Ich verwundere mich, wo ihre Großmuth das Land tränkt,
  Daß nicht Blumen und Laub sprossen aus Felsen hervor.

Eines der kleinen Gelegenheitsgedichte ist folgendes. Mote=
nebbi schrieb auf ein Glas:

  Hör' auf! du kannst nicht mehren meine Liebe;
  Sie ist am Ziel, und kennet keine Schranken.
  Du sandtest mir das Glas, gefüllt mit Huld,
  Ich send' es dir, gefüllt mit Lieb' zurück.
  Es überfließet, und es faßt nicht mehr;
  Gedoppelt ist's, da du es einfach wähnst.
  Natur gab Dir die edelste der Gaben,
  Nicht zu erinnern Freunde an ihr Wort.
  Der Jahreszeit verglichen bist du Frühling,
  Und deine Eigenschaften sind die Rose.

Schließlich bemerkt Rec., daß die kurze Anzeige des Werkes,
welche im literarischen Conversationsblatte Nr. 16. 1824. erschienen
ist, gleichfalls von ihm geschrieben worden.

                              J. G. L. Kosegarten.

II.

Neue Prüfung der holländischen Ansprüche auf die Erfindung der Buchdruckerkunst.

Auf Veranlassung der haarlemer Jubelfeier und mit Bezug auf folgende Schriften:

1) Rapport, door de Comissie tot Onderzoek naar het Jaar der Uitvinding van de Boekdrukkunst en ter Ontwerping van een Plan voor de Viering van het aanstaande Eeuwfeest, gedaan aan Heeren Burgemeesteren en Raden der Stad Haarlem, den 8. Aug. 1822. Haarlem, Enschedé 1822. 8.

2) Verhandeling over den Oorsprong, de Uitvinding, Verbetering en Volmaking der Boekdrukkunst. Door *Jacobus Koning*. (Auch mit dem Titel: Verhandelingen van de Maatschappy der Wetenschappen te Haarlem. Tweede Deel.) Haarlem, Loosjes, 1816. 8. Mit Kupfern u. Holzschnitten.

3) Dissertation sur l'origine, l'invention et le perfectionnement de l'imprimerie. Par *Jacques Koning*. Traduite du hollandois. Amsterdam, Delachaux, 1819. 8. Mit Kupfern und Holzschnitten.

4) Bydragen tot de Geschiedenis der Boekdrukkunst. Door *Jacobus Koning*. Haarlem, Loosjes, 1818—23. 8. Drei Stücke mit Kupfern und Holzschnitten.

5) Algemeene Konst en Letterbode. 1822. Deel II. num. 39. p. 195. — 1823. Deel I. p. 354. Deel II. num. 29. p. 33—40. num. 30. p. 49—51.

6) Twaalf Volks-liedekens, op bekende wyzen, ter vervrolyking van Lourens Janszoon Kosters vierde Eeuwfeest; door *Democriet*. Haarlem, Loosjes, 1823. 8. Mit Holzschnitten.

7) *J. S. van Staveren* Redevoering voor de Kinderen der Stads Armenscholen, by gelegenheid van het vierde Eeuwgetyde van de Uitvinding der Boekdrukkunst door Laurens Janszoon Koster. Haarlem, Bohn, 1823. 8.

8) Note sur Laurent Coster, in: (Renouard) catalogue de la bibliothèque d'un amateur. T. II. Par, 1819. 8. p. 152—158.

Es ist eine ernste Sache um das Erfinden. Die Erfindung begräbt ihren Erfinder, und je einflußreicher und zeitgemäßer sie ist, desto schneller verschwindet aus der Reihe der angeregten Kräfte diejenige, welche zuerst anregte. In der geistigen Thätigkeit giebt es kein Monopol. Die Idee ist von dem Augenblicke an, wo sie hell und klar die Seele erfüllt, ein gemeinsames Gut: was der Eine gefunden und gewonnen, wird durch den Zweiten geläutert und gefördert, und strömt dann in unendlichen Verzweigungen durch alle Pulsadern des Lebens. Was aber dem Einzelnen nicht verstattet ist, das wird der dankbaren Nachwelt ein schönes menschliches Bedürfniß. Früher oder später strebt sie, die Actieninhaber ausfindig zu machen, um ihnen ihre Dividende zuzutheilen. Und dieses Bestreben gewinnt an Reiz und Interesse, wenn dabei mehrere Nationen betheiligt sind und Liebe zum theuern heimischen Boden der Anerkennung des Verdienstes eine höhere und zartere Bedeutung giebt.

Seit mehr denn zweihundert Jahren sind zwei achtbare Nationen in einer Untersuchung ihrer gegenseitigen Ansprüche an die Erfindung einer der edelsten Künste begriffen. Die eine, vom Schicksal begünstigtere, hat sichere Verbriefungen über ihren Antheil aufzuweisen und würde auch, ohne dieselben in dem wesentlichen und allgemein verbreiteten Einflusse, welchen sie nach der übereinstimmendsten Anerkennung selbst ihrer Gegner auf diese Kunst geübt hat, diejenigen Ansprüche begründen können, welche sie zu machen berechtigt ist. Die andere Nation, welche eines solchen Einflusses auf diese Kunst sich nicht zu erfreuen und daher zu einer frühern Beglaubigung ihrer ersten Thätigkeit in derselben weniger Veranlassung und Gelegenheit hatte, führt ihren Beweis aus zwei Privatzeugnissen, von welchen das eine erst spät niedergeschrieben worden, aus einigen alten Drucken, welche wenigstens die Deutschen sich nicht zueignen können, die aber zugleich ohne Orts = und Jahresbestimmung sind, und aus Combinationen, welche sich auf beide gründen. Diese Ungleichheit der beiderseitigen Beweisgründe hat einen wesentlichen Einfluß auf die Untersuchung selbst, wenn letztere eine redliche und zum Zweck führende seyn soll. Selbst bei gleichen Vortheilen würde ein juristisches Zeugenverhör hier nicht an seiner Stelle seyn, sondern die Hauptbeweise würden durch rein historische Forschung aus der Sache selbst gewonnen werden müssen; doppelte Pflicht aber ist dies in einem Falle, wo die eine Partei durch äußere Beweise weniger begünstigt ist. Es gilt hier nicht den Schein und die Form des Rechts, sondern das Recht selbst; und der Mangel oder der Besitz äußerer Beweise ist, vorzüglich bei Erfindungen, lediglich ein Werk des Zufalls, von welchem in unserm Falle zwar ein subsidiarischer Gebrauch gemacht werden darf, der aber nicht selbst und für sich als Rechtsgrund dienen kann. Die bisherigen Untersuchungen scheinen eben hieran gescheitert zu seyn: der Deutsche hat seine Pflicht, der Holländer seinen Vortheil verkannt. Der erstere freue sich seiner Documente und sey stolz auf sie *); aber er unternehme nicht, ihre Beweiskraft über die Gebühr auszudehnen und sie feindlich gegen eine Nation zu richten, gegen welche sie nichts beweisen. Sie beschränken sich lediglich auf Gutenbergs eigne Thätigkeit, und was sie über diese berichten, ist bloß Einzelnes und geht nicht bis zu den ersten Anfängen zurück. Daß Gutenberg in der Periode, in welcher sie uns ihn zeigen, selbstständig thätig war, zeugt doch darum nicht allein und für sich gegen die vielleicht eben so selbstständige Thätigkeit eines Ausländers, und noch weniger entscheidet es, welchem von beiden die Priorität gebühre. Die Holländer dagegen haben ihre Untersuchung zu sehr von Zeugnissen abhängig gemacht, welche selbst erst der Bestätigung bedürfen; sie haben ihrer Deduction offenbar dadurch geschadet, daß sie diese Zeugnisse an die Spitze ihrer Untersuchung stellten, ohne letztere vorher auf sicherem Wege einzuleiten, und sie haben ihre Documente so sehr verkannt, daß sie dieselben sogar zur directen Befehdung der gegenseitigen Ansprüche, wozu sie noch weniger ausreichen, zu brauchen versucht haben. Hätten sie dieselben als Schutz=, nicht als Trutzwaffen betrachtet **), so würden sie vielleicht einen weniger leidenschaftlichen und weniger einseitigen Widerspruch gefunden haben. Man weiß, welche Aufnahme Meermann's gelehrtes Werk in Deutschland gefunden hat. Die meisten behandelten es bloß wie einen Roman, einige widerlegten dasjenige, was die Ehre der deutschen Erfindung gefährdete und bemühten sich, letztere sicher zu stellen; aber niemand unterwarf das, was von der holländischen Erfindung gesagt worden war, einer unparteiischen Prüfung. Und doch hatte er, wie sehr man ihm, selbst in seinem Vaterlande, die Verkennung der utrechter Officin zum Vorwurf gemacht hat, gewiß so unrichtig nicht gesehen, als einige glauben und andre wiederholen. Seitdem hat Herr Koning mit rühmlichem Fleiße und großer Genauigkeit die Untersuchung aufs neue begonnen. Es ist ihm nicht nur gelungen, neue urkundliche Nachrichten zu entdecken, sondern er hat auch die ganze Untersuchung neu basirt, indem er von der Beurtheilung der Drucke ausgeht, welche Coster beigelegt werden. Von Meermann's Ansichten weicht er, eigner Forschung folgend, in mehrern wichtigen Puncten ab, von welchen einer der wichtigsten der

---

*) Anfechtungen, wie sie sich der nach seinem eignen Geständniß kein Wort deutsch verstehende Herr Dibbin im decam. I, 328 und in der tour III, 53 erlaubt hat, verdienen keine Widerlegung. Die Holländer selbst erkennen jene Documente als echt und gültig an.

**) Vielleicht will dies der Titel einer Schrift gegen die holländischen Ansprüche sagen, die ich eben im Meßkatalog angekündigt finde. Ohne eine solche Annahme dürfte er etwas unartig scheinen.

ist, daß bereits Coster bis zu gegoßnen beweglichen Typen vorge=
schritten und der Spegel onzer behoudenis mit diesen, nicht (wie
Meermann glaubte) mit hölzernen Typen gedruckt sey *). Indessen
möchten wir zweifeln, ob mit diesem Beweise die Untersuchung so
begründet sey, als der Verfasser zu glauben scheint, der mit dem=
selben sein Werk eröffnet. Der Beweis selbst ist gut geführt und
überzeugend; aber er steht zu Anfange der Deduction so vereinzelt
und ohne Zusammenhang mit dem Ganzen da, daß die Sache selbst
durch diese Stellung nichts gewinnt. Und dies ist ein durchgängiger
Fehler des sonst schätzbaren und wichtigen Werks, welcher im etwas
weitläufig geschriebnen holländischen Originale noch merklicher ist**).
Wir möchten es lieber einen Codex diplomaticus zu einer voll=
ständigen Deduction, als selbst eine solche, nennen. Aber auch so
betrachten wir es als eine neue und wichtige Bereicherung der
Kunst= und Literargeschichte, und wünschen angelegentlich, daß es
eine Forschung, welche gewiß noch zu sehr wichtigen Entdeckungen
führen wird, aufs neue wecken und aufregen möge. Wir sind mit
Breitkopf ***) der Meinung, daß es deutscher Seits sehr unbillig
seyn würde, über Ansprüche, welche doch immer eine sehr alte Sage
für sich haben, ins Leere hinein abzusprechen, und wir hoffen mit
ihm, daß sich wohl noch mit der Zeit bestimmtere Beweise für die=
selben finden werden, wie sie sich eben so spät für unsern Guten=
berg gefunden haben. Freilich ist es nach den emsigen Forschungen,
welche Herr Koning in den haarlemer Stadt= und Kirchenarchiven
angestellt hat, kaum zu erwarten, daß diese entscheidenden Entdek=
kungen sich an dem Orte der Erfindung darbieten werden. Viel=
leicht aber, daß ein andrer, bis jetzt in dieser Untersuchung zu we=
nig beachteter Ort zu weitern Ahnungen und durch diese zu bestimm=
tern Aufschlüssen führt. Was uns zu dieser Hoffnung veranlasse,
wird aus dem folgenden Versuche einer neuen Anordnung und eig=
nen Entwicklung der fraglichen Puncte hervorgehen. Die Grenzen
dieser Blätter gestatten nur eine kurze Andeutung.

---

*) Daß auch das Horarium und der Donatus mit beweglichen Let=
tern gedruckt sind, zeigen einzelne verkehrte Buchstaben, s. Koning S.
119 u. 121.

**) Die von einem Andern gearbeitete französische Uebersetzung ist
über die Gebühr und mit Weglassung sehr wesentlicher Dinge abgekürzt,
aber mit einigen Bemerkungen des Verf. bereichert, daher man sie neben
dem Originale haben muß. Die Bydragen, welche Zusätze zu dem Haupt=
werke und weitere Ausführungen enthalten, sind bei beiden Ausgaben un=
entbehrlich. Die hier vorkommenden Citate beziehen sich auf die hollän=
dische Ausgabe.

***) Ueber die Geschichte der Erfindung der Buchdruckerk. Leipzig
1779. 4. S. 42.

I.

Die gothische Type in Holland war von ihrem ersten Erscheinen an durchaus und in ihren Grundzügen verschieden von der in Deutschland üblichen, wie sie noch jetzt es ist. Sie ist ·in der Regel unverhältnißmäßig fett, liebt scharfe, in Spitzen hervortretende Ecken, verziert die Initialen durch feine Neben= oder Querstriche, und endigt die in Spitzen auslaufenden Buchstaben gern in einen geschweiften Zug. Eine oder die andre dieser Eigenschaften findet sich in jedem Facsimile des meermann'schen Werks, in jeder ältern oder neuern holländischen Druckschrift, selbst in der neuern englischen, völlig der holländischen Type nachgebildeten black letter. Aber alle diese Eigenheiten sind zugleich ein unverkennbares Unterscheidungszeichen der in Holland bis zu Ende des 15. Jahrhunderts gefertigten Handschriften. Die holländische Type erscheint also gleich anfangs als treue Nachbildung der Handschrift, welche vor Erfindung der Buchdruckerei im Lande üblich war; sie ist rein national. Ist sie aber dies, so mußte sie ja wohl auch im Lande selbst und von einem Eingebornen erfunden und gearbeitet seyn. — Der Einwurf, daß in Italien die erste römische Type eben so national und doch das Werk ausländischer Künstler gewesen sey, ist nicht zu fürchten. Dort kennen wir die Namen der eingewanderten deutschen Typographen, wie wir die in Holland eingewanderten kennen würden, hätten sie jenes Land betreten. Wir werden unten sehen, daß und warum dies nicht der Fall war.

II.

Auch die holländische und niederländische Type unterscheiden sich gegenseitig bis etwa zum Jahr 1480. Der letztern liegt die holländische zum Grunde, aber sie ist durch deutschen, nicht nur äußerlich sichtbaren, sondern auch urkundlich constatirten Einfluß vervollkommnet, zierlicher, reiner und schärfer, und hat zwar scharfe, aber nicht in Spitzen hervorragende Ecken. Sie bildet ein Mittel zwischen der holländischen und deutschen Type. Selbst noch die delfter Bibel von 1477 unterscheidet sich wesentlich von einem westphal'schen oder leeu'schen Drucke.

III.

Die Jahre, in welchen sich von den verschiednen holländischen und niederländischen Officinen des 15. Jahrhunderts zuerst bestimmte Nachricht findet, sind folgende: A) in Holland: 1473 Utrecht (also nordwärts). 1477 Delft, Deventer und Gouda. 1479 Zwoll und Niemegen. 1483 Schiedam, Culenborch, Haarlem und Leiden. 1495 Schoonhoven. B) In den Niederlanden: 1473 Aloſt. 1474 Löwen. 1476 Antwerpen, Brügge und Brüs=

ſel. 1480 Audenarde und Haſſelt. 1483 Gand. 1484 Herzogenbuſch.

IV.

Die Anfänge der Buchdruckerkunſt in den Niederlanden ſind mit einer ſolchen Beſtimmtheit bekannt, daß ſie keine Vermuthung eines höhern Alters, als des bekannten, zulaſſen; denn was von des 1312 verſtorbenen Lodewyc van Vaelbeke angeblicher Erfindung vorgebracht worden, iſt von Breitkopf (über die Geſchichte der Erfindung der Buchdr. Kunſt, S. 36—39) und von Koning S. 458 ff. genügend widerlegt. An der Spitze der niederländiſchen Drucker ſteht Dierick Martenz aus Aloſt, über deſſen Leben wir genauere Nachrichten haben. Sein im Lambiert (recherches sur l'origine de l'impr. S. 326) abgebildeter Leichenſtein beſagt, daß er 1534 geſtorben, und zwar nach Erasmus Nachricht (ib. S. 323), über achtzig Jahr alt. Mithin war er, als er zu drucken begann, kaum zwanzig Jahr alt, und konnte ſchwerlich ſchon frühere Verſuche in ſeiner Kunſt gemacht haben. Von ſeinen älteſten Drucken, die wir nicht ſahen, verſichert Lambiert S. 321, daß ſie gleich vom Anfange an mit den Typen des Joh. de Weſtphalia gedruckt ſeyen, und zieht daraus den Schluß, er möge wohl bloß des letztern Schüler geweſen ſeyn. Santander (dictionnaire bibliogr. T. I, p. 296) hält dieſen Schluß mit Recht für zu voreilig; aber er hätte ſeine Widerlegung beſſer begründen können. Wie hätte denn der deutſche Weſtphalia, der aus Aken bei Paderborn gebürtig war und wahrſcheinlich in Cöln gelernt hatte, den holländiſchen Typenſchnitt aus ſeinem Vaterlande mitbringen können, als er mit Martenz in Geſellſchaft trat? Iſt es nicht wahrſcheinlicher, daß er bei letzterm ſchon etwas Inländiſches vorfand, welches er nur vervollkommnete und nach deutſcher Art verfeinerte? Dieſes vorhandene Inländiſche aber, welches über die Entſtehungszeit der niederländiſchen Buchdruckerei hinausreichen mußte, wo konnte es anders herſtammen, als aus Nordholland?

V.

Denn hier finden wir eine gleichzeitige Officin, welche zwar ebenfalls erſt im Jahr 1473 namentlich erſcheint, deren frühere Thätigkeit aber nicht nur möglich, ſondern ſelbſt wahrſcheinlich iſt. Es iſt bekannt, daß Nicolaus Ketelaer und Gerard van Leempt zu Utrecht ſich zuerſt auf Petri Comestoris historia scholastica super novum testamentum 1473 nennen, und daß außerdem nur noch Ein datirter Druck aus derſelben Officin vorkommt (Eusebii historia ecclesiastica von 1474), auf welchem letztern aber weder der Name des Orts noch der Drucker genannt ſind. Gleichwohl aber ſind genau mit derſelben Type ſo viele andre undatirte Werke gedruckt, daß man nicht annehmen darf, die Officin habe alles dieses in den genannten zwei Jahren liefern können. Wir sind überzeugt, daß folgende Liste ihrer undatirten Drucke noch bei weitem nicht vollständig ist:

1. Augustinus de mirabilibus scripturae, f. (Bibliogr. Lexikon n. 1384.)
2. Claudianus de raptu Proserpinae, f. (ebendas. 4763.)
3. Defensorium fidei contra Judaeos, haereticos et Saracenos, f. (Dibdin bibl. Spenc. I, 190. Koning p. 161 not.)
4. Hieronymus de viris illustribus, f. (Meermann I, 145 und Tab. 7.)
5. Historiae notabiles ex gestis Romanorum, f. (Lexikon 8446.)
6. Liber Alexandri M., f. (ebendas. 411.)
7. Maximiani ethica, f. (ebendas. 8120.)
8. Petrarcha de vera sapientia, f. (Dibd. bibl. Sp. III, 454.)
9. Plutarchi dicteriae, f. (Lexikon 17475.)
10. Sedulius, f. (Dibd. bibl. Sp. II, 336.)
11. Sidonii Apollinaris opera, f. (Lexikon 796.)
12. Thomae a Kempis opera, f. (Lexikon 11329.)
13. Vedatus (Vegetius) de re militari, f. (Dibd. bibl. Sp. II, 455.)

Es wäre gegen die Wahrscheinlichkeit, wenn wir diejenige Thätigkeit dieser Officin, welche sich nicht in die Jahre 1473 und 1474 einzwängen läßt, sehr weit ab- und herunterwärts datiren wollten; denn da schon 1479 Velbener mit seiner ungleich vorzüglichern Officin in Utrecht auftrat, so konnte die frühere unvollkommene, wenn sie wirklich damals noch bestand, auf keine Weise diese Concurrenz aushalten, zumal da, wie wir unten sehen werden, in Nordholland damals das Bedürfniß der Buchdruckerei gar nicht groß war. Auf diese Art aber würde wenigstens ein Theil jener Drucke vor das Jahr 1473 zu setzen und mithin die holländische Buchdruckerkunst älter seyn, als die niederländische. Die nähere Untersuchung kann bei der großen Seltenheit der Ketelaer'schen Drucke nur in Holland angestellt werden. Es würde dabei vorzüglich auf eine Vergleichung ankommen, aus welcher hervorginge, in welchen dieser Drucke die Typen abgenutzt und in welchen sie noch neu und rein erscheinen; und vielleicht gelingt es dem emsigen Nachforschen, Exemplare zu finden, welche durch das eingeschriebene Jahr des Kaufs (Exemplare mit Handrubriken erwarten wir aus jener Gegend nicht) etwas zur nähern chronologischen Bestimmung beitragen können. Möge der hier ausgesprochene Wunsch dahin gelangen, wo allein er

genügend befriedigt werden kann, und möchten auch deutsche Bibliothekare mit edler Unpartheilichkeit zu einer Untersuchung die Hand
bieten, welche so wichtig in ihren Folgen werden kann! Die Liebe
zum theuern Vaterlande ist eine hohe und schöne Pflicht; aber die
Liebe zur Wahrheit geht über alles. Wie die Sachen jetzt stehen,
ist Utrecht gewiß ein sehr wichtiger Ort für die Aufhellung der
haarlemer Erfindungsgeschichte. Dies wird sich deutlicher zeigen,
wenn wir die dortigen Drucke näher ins Auge fassen und auf sie
weitere Schlüsse gründen.

VI.

Die utrechter Erstlingsdrucke haben eine ohne Widerspruch völlig eigenthümliche, der niederländischen, deutschen und selbst auch
der spätern holländischen durchaus fremde und doch dabei echt nationale Type. Sie erscheint abwärts nirgends wieder, aufwärts ist
eben die ketelaer'sche Officin die älteste holländische, welche man mit
Bestimmtheit kennt. . Diese Type muß also Holland und zwar
Nordholland eigenthümlich angehören.

VII.

Diese Type (wir wollen sie der Kürze wegen die utrechter nennen) ist roh, mangelhaft und ungeschickt, das Preßwerk ist in hohem Grade unvollkommen, die Druckerfarbe, mit einem Uebermaß
von Oel versetzt, hat weder die Schwärze noch den Glanz ander-
weiter gleichzeitiger Drucke und ist sichtbar mit sehr unvollkomme-
nen Werkzeugen aufgetragen. Alles dies ist in den gleichzeitigen
Drucken der benachbarten Niederlande, und noch mehr in den deutschen, gleich von Anfang herein anders und besser. Ein neuer
Grund, daß sich die Nordholländer ohne Einfluß und Beihülfe von
außenher versuchten. Auf höheres Alter läßt sich aus dieser Ungeschicklichkeit zwar noch nicht schließen, wie die Holländer öfters gethan haben: denn es giebt auch eine Ungeschicklichkeit von neuem
Datum; und wir kennen Officinen neuerer Zeit, welche, wenn jene
einen titulus juris abgäbe, mit Coster und den Utrechtern um
den Preis ringen dürften. Aber Kindheit in allem und jedem Einzelnen der Kunst wie im Ganzen, während rings umher die Leistungen gegenseitig sich überbieten, ist doch gewiß, verbunden mit
jener Nationalität der Type, ein unverdächtiges und nicht sogleich
von der Hand zu weisendes Zeugniß für eine von der Nachbarwelt
abgeschlossene und selbständige Thätigkeit. — Man wende uns
nicht die Unförmlichkeit des carton'schen Drucks ein, der dessenun-
geachtet aus dem kunstfertigeren Auslande entlehnt war. Denn
theils war er doch nicht so eigenthümlich und originell, als es der
holländische in seiner Art war, theils trug bei Carton die Entfernung und natürliche Abgeschlossenheit seines Vaterlandes, innerhalb

deſſen er keine erfahrnere Beihülfe finden konnte, zu jener Unförm=
lichkeit bei. Das war aber in Holland anders; denn

VIII.

Holland hatte das Beſſere weit näher, und hätte es in dem zu=
nächſt angrenzenden und mit ihm durch Sprache und Regierung
verbundnen Lande finden können, wenn es nur ſein Wille geweſen
wäre. Stand es doch mit demſelben in andern Dingen in näherm
Verkehr. Es bezog, wie Herr Koning S. 75 zu anderm Zweck
urkundlich dargethan hat, ſeinen ganzen Papierbedarf aus den Nie=
derlanden. Wie leicht hätte es alſo nicht von daher auch eine Ver=
vollkommnung ſeines Druckerapparats ſich verſchaffen oder ein nie=
derländiſcher Drucker auf die Idee gerathen können, ſein Glück im
Nachbarlande zu verſuchen? Und doch geſchah keins von beiden. —
Deutſche Drucker trugen die neue Kunſt in alle Lande. In Frank=
reich, in Italien, in Spanien, in Polen, ſelbſt in den Niederlan=
den war durch ſie der Ruhm des deutſchen Namens verbreitet wor=
den; nur in Holland findet ſich während des ganzen 15. Jahrhun=
derts auch nicht die leiſeſte Spur eines Deutſchen. Wie iſt dieſe
Erſcheinung zu erklären? Etwa, weil ſie dort keinen großen Gewinn
hoffen durften? Aber ſie drangen ja in Länder, wo ihnen der Ge=
winn eben ſo ungewiß war, und ſiedelten ſich oft an ſo kleinen und
unbedeutenden Orten an, daß man kaum begreift, wie ſie daſelbſt
ihre Subſiſtenz gewinnen konnten. Wenn wir uns bei dieſen That=
ſachen des Verdachts nicht enthalten können, daß dieſes Ausbleiben
der ausländiſchen Künſtler ein unfreiwilliges geweſen ſeyn möge, ſo
ſehen wir nicht, was uns darauf entgegnet werden könnte, und wir
glauben nicht, das bezweifelte Zeugniß des Atkyns (Meermann II,
210.) zu Hülfe nehmen zu müſſen, welcher von einer förmlich ver=
pönten und ſtreng beobachteten Ausſchließung aller Ausländer ſpricht,
die typographiſches Intereſſe nach Haarlem führte. Dieſes Aus=
ſchließen aber ſichert den Holländern ſo ſehr das Eigenthumsrecht
an ihren frühern typographiſchen Leiſtungen, daß wir nicht einſehen,
wie Meermann und Koning dieſe Thatſache unbeachtet und unbe=
nutzt laſſen konnten. Die Namen der erſten mit Beſtimmtheit be=
kannten holländiſchen Buchdrucker, Ketelaer und van Leempt, deuten
auf inländiſche Abkunft, und es wäre wichtig, nachzuforſchen, ob
darüber die Bürgerliſten zu Utrecht nichts Näheres beſagen. Nur
dem eingebornen Niederländer Veldener konnte man ſpäter den Ein=
tritt nicht verſagen.

IX.

Daß aber die Holländer dieſe auswärtige Beihülfe nicht nur
entbehrten, ſondern ſogar verſchmähten, führt noch weiter. Was
konnte der Grund dieſer Ablehnung ſeyn? Warum hätten ſie, wenn

sie einmal die Erfindung selbst dem Auslande verdankten, nicht auch
die Vervollkommnung derselben von dem Auslande annehmen sollen?
Warum Mühe und Zeit und Kosten erfolglos verschwenden, da sie
doch Erfahrung und ihr gesundes Auge lehren mußte, daß sie die
schnellen Fortschritte des Auslandes nicht aus eigner Kraft erreichen,
geschweige denn ihnen den Vorrang abgewinnen konnten. Hier sind
nur zwei Fälle denkbar: entweder sie waren kindisch eigensinnig (und
was berechtigt uns zu einer solchen Annahme?), oder sie waren eifersüchtig. Worüber konnten sie aber wohl eifersüchtig seyn, wenn
sie durch Annahme der ausländischen Erfindung die Superiorität des
Auslands schon so unzweideutig anerkannt hatten, als die deutschen
Gegner wollen? — Und hier sind wir an einen, wie uns scheint,
sehr wichtigen Punct gekommen. Sie erkannten (das zeigt ihr ganzes Benehmen) diese Superiorität nicht an, sie wußten sich dem
Auslande für nichts verpflichtet, sie hatten, mit einem Worte,
die feste Ueberzeugung, daß die Erfindung ihr Eigenthum sey. Und
eine Ueberzeugung, welche sich in so allgemeinen Maaßregeln gegen
die Ausländer offenbarte, konnte nicht der Wahn einiger wenigen
Neidischen, sondern sie mußte nothwendig Ueberzeugung der gesammten Nation seyn. Eine ganze Nation aber giebt sich nicht so leicht
einem leeren Wahne hin; und überdies war die ganze Sache damals noch so neu, daß die meisten noch Zeitgenossen der Erfindung
und des Erfinders gewesen, und also über alle einzelnen Umstände
genau unterrichtet seyn konnten.

X.

Daß die utrechter Type mit denjenigen Drucken, welche die
Holländer Coster beilegen, eine sehr nahe Verwandtschaft hat, zeigen die Tafeln bei Meermann (welche nur den Fehler haben, daß
der Nachstich zu scharf und rein ist) so deutlich, daß es keines, durch
Worte schwer zu gebenden, Beweises bedarf. Man muß dabei die
genauern koning'schen Untersuchungen über die Aufeinanderfolge der
coster'schen Drucke berücksichtigen. Bedürfte es bei einer Sache,
welche für sich selbst spricht, noch eines Berufens auf andere Beweise, so würde allein schon Meermann's Verwechselung der utrechter Drucke mit den coster'schen dafür zeugen. Er hatte ein geübtes
Auge, und seine Verwechselung war gar nicht so grundlos und willkürlich, als man sie immer hat finden wollen *). Auf diese Weise
aber reiht sich unmittelbar an die utrechter Drucke eine frühere Zeit,
die Periode der ersten Versuche.

---

*) Hatte man doch bereits in der Mitte des 16. Jahrh. in Holland
selbst dieselbe Verwechselung begangen, s. Meermann I, 144.

XI.

Und selbst hier sind wieder die Uebergänge nachzuweisen. Ohne uns in ein Detail einzulassen, welches hier. nicht statt finden kann, begnügen wir uns nur, den undatirten Druck anzuführen, welchen Herr Renouard als einen der wichtigsten Beweise gegen die co- ster'sche Erfindungsgeschichte betrachtet (Catal. II, 152—158 vgl. Koning Verhandeling S. 166 ff. und Bydragen II, 143, ff.) Er enthält auf 23 Folioblättern Guil. de Saliceto de salute corporis, J. de Turrecremata de salute animae et Pium II de amore. Herr Renouard selbst versichert, daß die Typen die größte Aehnlichkeit mit dem Doctrinale und andern Drucken ha- ben, welche Coster beigelegt werden; auch giebt er zu, daß das Werk ein holländischer Druck sey. Aber er wendet ein, da Pius II hier bereits als Papst erscheine, was er von 1458 bis 1464 war, und da die ersten Drucke des Cardinal Turrecremata zu Rom in den Jahren 1467 und 1470 herausgekommen seyen, so könne man diesen Druck nicht früher als 1466—1470 ansetzen, und auf diese Art falle zugleich das hohe Alter weg, welches man den angeblichen coster'schen Drucken bisher beigelegt habe *). Uns genügt es hier, von einem entschiedenen, aber dabei redlichen und sehr einsichtsvollen Gegner der coster'schen Geschichte den Druck als einen echt = hollän- dischen anerkannt und in diese Zeit versetzt zu sehen, wodurch wir wieder einige Jahre über die utrechter Drucke hinauf gewinnen. Herr Koning, welcher diese Zeitbestimmung ebenfalls zugiebt, hatte den Druck schon vor Erscheinung des renouard'schen Katalogs als eins der letzten Erzeugnisse der von den coster'schen Nachkommen fortgeführten Officin charakterisirt, so daß er gegen das Alter der übrigen nichts beweiset. Auf diese Weise aber stößt jene holländische Urofficin, ihr Begründer heiße wie er wolle, mit der utrechter der Zeit nach zusammen.

XII.

Jene Periode der frühern Versuche aber konnte ihrer Natur nach keine kurze seyn. Der, welcher sie anstellte, fand in Nord- holland, wie es damals war, weder die Beihülfe noch die Aufmun- terung, welche Gutenberg zu Theil wurde. In Deutschland luden die Menge öffentlicher Bildungsanstalten, das regere literarische In- teresse und die vielfachen commercialen Verbindungen, welche auch einen baaren Gewinn verbürgten, zum Weiterstreben ein. Das al- les fand in Nordholland nicht statt. Die Buchdruckerei scheint da-

---

*) Dibdin aed. Althorp. II, 256 giebt eine trockne und kurze ma- terielle Beschreibung dieses Drucks, ohne seine Wichtigkeit zu ahnen.

mals dort kein großes Bedürfniß gewesen zu seyn: denn noch spä=
terhin mehrten sich die dasigen Officinen bei weitem nicht so schnell,
als in andern Ländern. Veldener verweilte nur drei Jahre in
Utrecht (1479—81), und nach seinem Weggange ersetzte niemand
seine Stelle. In Delft wurde zwar 1477 eine Bibel gedruckt, aber
damit war vor der Hand die Thätigkeit dieser Officin auch wieder
beendigt, und erst 1495 finden wir daselbst wieder einen Drucker.
In Leiden, wo die Druckerei erst 1483 beginnt, finden sich doch
im ganzen 15. Jahrhundert nur zwei Drucker, und Amsterdam er=
hielt erst im folgenden Jahrh. eine Officin. Unter diesen Verhält=
nissen hatte der Erfinder keinen andern Antrieb, als das reine In=
teresse für die Kunst, konnte sich also ganz nach seiner jedesmaligen
Neigung und Muße (denn auch seine obrigkeitlichen Aemter nahmen
seine Thätigkeit und Zeit sehr in Anspruch) mit seiner Arbeit be=
schäftigen oder sie aussetzen, und dies um so mehr, da der, den
man als Erfinder nennt, ein begüterter Mann war. Daß er aber
wirklich frühzeitig angefangen, sich mit der Erfindung zu beschäfti=
gen, geht aus den sehr interessanten Untersuchungen hervor, welche
Herr Koning S. 72 ff. über die Wasserzeichen des damals zu Haar=
lem gebrauchten Papiers angestellt hat. Die Stadtrechnungen .be=
weisen, daß man damals in Haarlem altes Papier aus Antwerpen
bezog. Die dortigen Papierfabrikanten pflegten außer andern Zei=
chen auch die Anfangsbuchstaben des Namens der Regenten, zu
deren Zeit das Papier gemacht wurde, oder andre ihre Zeit anzei=
gende Merkmale im Papiere anzubringen. So gehört brabantisches
Papier mit dem baierschen Wapen in die Regierung der Jacoba
von Baiern, mit dem P in die Zeit Philipps von Brabant u. s. w.
Auf diese Weise hat es sich ergeben, daß die Coster beigelegten und
auf solches Papier gedruckten Werke in die Jahre 1420—40 fallen.

XIII.

Es ist nun noch näher zu erforschen, welchem Orte diese er=
sten Drucke angehören. Die innern Zeichen geben darüber nichts
näheres an, als daß Holland das wahre Vaterland derselben sey,
wie die Papierzeichen und eine sorgfältige Sprachuntersuchung
des im rein holländischen, nicht flandrischen, Dialekte geschriebnen
Spiegel onzer behoudenisse ergeben (Koning S. 68 ff. Bydra=
gen I, 1 ff.). Weiter aber führt, daß mehrere Fragmente eben der
kleinsten und nur local interessanten coster'schen Drucke (des Ho=
rarium und der Donate) in Haarlem gefunden worden sind (s.
Koning S. 112, 119, 121, 125). Der bedeutsamste Fund war
der eines Donatfragments (mit beweglichen Typen in Quart, 28
Zeilen auf der Seite), welches zu Einbänden von Rechnungsbüchern
der großen Kirche zu Haarlem in der zweiten Hälfte des 15. Jahrh.

verbraucht worden war.   (Meermann II, 218 not. *h.*   Koning
Verhandeling S. 123.   Bydragen II, 140.).   Der Einband
dieser Bücher ist in ihnen selbst in Rechnung gebracht und dabei
bemerkt, daß er vom Buchbinder Cornelis gefertigt sey.   Der In=
halt des einen Rechnungsbuchs beweist, daß es spätstens im Jahr
1474 gebunden worden; Cornelis erscheint urkundlich im Dienste
dieser Kirche (Bydragen I, 83), an welcher Lorenz Janßon Küster
war; er ist endlich, wie aus seiner fortlaufenden Erwähnung in
diesen Registern bis zum Jahre 1515 ersichtlich, derselbe, von wel=
chem Junius seinen Bericht über Coster's Erfindung hatte. — Ein
solches beglaubigtes Zusammentreffen berechtigt zu Ahnungen, welche
man nicht als leichtgläubig schelten darf.   Daß übrigens Haarlem
damals eine kunsterfahrne Stadt war, zeigen die von Herrn Koning
aus den Stadtrechnungen ausgezognen Verzeichnisse der Maler, Gold=
schmiede und Bildhauer, welche daselbst von 1412 bis 1468 gelebt
haben (Verhandeling S. 358 ff.   Bydragen I, 88.).

XIV.

So weisen uns denn Thatsachen immer weiter nordwärts, nach
Haarlem.   Und von dort aus kommt uns eine Sage entgegen,
welche vorhanden war, noch ehe man diese Thatsachen gefunden
hatte, eine Sage, herrührend von dem Manne, welchen wir bereits
nach seiner Lebenszeit und seinen Verhältnissen mit Gewißheit ken=
nen, eine Sage endlich, welche im Ganzen genommen gar nicht
mit den Thatsachen streitet, welche wir hier auf einem ganz andern
Wege in rückgängiger Forschung gewonnen haben und die im In=
nern nichts unwahrscheinliches hat.   Sollten wir sie darum als der
Beachtung unwerth verdammen, weil nicht alle einzelne Nebenum=
stände buchstäblich zutreffen, weil sie lange Zeit hindurch sich nur
mündlich fortgepflanzt hat und erst späterhin schriftlich mitgetheilt
worden ist (hatte sie doch der Mittheiler schon aus der zweiten Hand!),
weil sie noch einige Zwischenräume unerörtert läßt — dann wäre
wahrlich die Kritik das trostloseste und unnützeste Geschäft.   Bei
der Bekanntheit jenes Berichts bemerken wir hier nur Einzelnes
über denselben.

Der Inhalt desselben gründet sich nicht bloß auf den einzigen
Cornelis; es war eine unter dem Volke treu erhaltne Sage, daß
die Buchdruckerei zu Haarlem erfunden worden sey.   Dafür bürgt
die aus der Mitte des 16. Jahrhunderts stammende handschriftliche
Note in dem Exemplar des Liber Alexandri auf der haarlemer
Bibliothek *), die leider verloren gegangene Schrift des haarlemer
Schöppen und nachherigen Burgemeisters Jan van Zuren, die er

---

*) Meermann I, 144.

zwischen 1549 und 1561 zur Vertheidigung der haarlemer Erfin=
dung schrieb, und das Zeugniß, welches Koornheert in der an den
haarlemer Stadtrath gerichteten Dedication seiner Uebersetzung des
Cicero von den Pflichten im Jahr 1561 ablegt *). Erinnern wir
uns überdies, daß Holland dabei auch das zwar nur allgemeine,
aber über jeden Verdacht erhabene Zeugniß des gleichzeitigen deut=
schen Druckers Ulrich Zell in Cöln für sich hat, so steht es nicht
mehr in unserm Willen, ob wir von jenem ganzen Sagenkreise No=
tiz nehmen wollen oder nicht.

Der Cornelis, von welchem der ausführlichste Bericht her=
stammt, ist nach seinen Lebens= und persönlichen Verhältnissen ge=
nau und urkundlich bekannt. Aus den Rechnungsbüchern der gro=
ßen Kirche zu Haarlem ergiebt sich, daß er in den Jahren 1474
—1515 für sie band; und 1507—1510 ist bemerkt, daß er die
Initialen in die Ablaßbriefe malte, welche von gedachter Kirche aus=
getheilt wurden. Nach 1515 erscheint er, wahrscheinlich wegen sei=
nes hohen Alters, nicht mehr thätig, und 1517 findet man einen
andern Buchbinder im Dienste der Kirche. Doch starb er erst im
Jahr 1522, und seine Wittwe folgte ihm 1525 im Tode nach.
Beide wurden in der Kirche beerdigt, für welche er so lange gear=
beitet hatte und an welcher (es ist nicht überflüssig, daran zu erin=
nern) jener Lorenz Jansson einst Küster gewesen war. Da aus sei=
nem Berichte hervorgeht, daß er bei Coster selbst, welcher 1439 oder
1440 starb, und zwar zur Zeit des Diebstahls, in Diensten war,
so muß er 1426 oder 1428 geboren gewesen seyn **). Der Ta=
lesius, welchem er die Erfindungsgeschichte persönlich erzählte und
aus dessen Munde sie Junius wieder berichtete, war 1505 geboren.
Nehmen wir nun an, daß er sie dem Talesius im Jahr 1520 er=
zählte, so war Cornelis damals 94 Jahr (ein eben nicht so ganz
ungewöhnliches Alter, daß man darum die Wahrscheinlichkeit des
ganzen Berichts bestreiten könnte) und Talesius 15 Jahre alt. Und
eben so, wie er dem Talesius die Sache erzählte, hatte er sie auch
dem Lehrer des Junius, Nicolaus Gale, erzählt.

Der Mann, den jener Bericht als Erfinder nennt, hat wirk=
lich existirt, bekleidete wirklich das Amt, welches die Sage ihm bei=
legt, und seine Lebenszeit ist genau bekannt. Auch dies ist urkund=
lich erwiesen. Den rastlosen Forschungen des Herrn Koning verdan=
ken wir folgende Zusammenstellung der in den Stadtbüchern zer=
streuten Nachrichten. Er stammte, wie sein Wapen zeigt, aus einem
angesehenen adlichen Geschlechte und scheint um das Jahr 1370 ge=
boren zu seyn. Sein Vater, Jan Laurenszoon, kommt 1380 und

---

*) Meermann II, 190, 193.
**) Verhandeling S. 347. Bydragen I, 83—87.

1408 in Urkunden vor, und muß 1420 schon todt gewesen seyn, weil in diesem Jahre seine Witwe erscheint. Lorenz erhielt das ehrenvolle und einträgliche Küsteramt an der großen Parochialkirche zu Haarlem, welches damals nur an angesehene Leute verliehen wurde, die den Dienst nicht selbst versahen, sondern ihn durch Unterbeamte verrichten ließen. Dies scheint 1399 geschehen zu seyn, als Handrik van Lunen sich dieses Amts gegen eine Leibrente begab. Aus den Stadtrechnungen von 1428, wo Lorenz in der Schatzung den reichsten Einwohnern der Stadt gleichgestellt ist, ergiebt sich, daß er sehr begütert war. Seit 1417 erscheint er in mehrern obrigkeitlichen Aemtern, nämlich 1417, 1418, 1423, 1429 und 1432 als Mitglied des großen Raths (Vroedschap), 1422, 1423, 1428, 1429 und 1431 als Schöppe, 1431 als erster der vorsitzenden Schöppen, 1421, 1426, 1430 und 1434 als städtischer Schatzmeister. Seit 1435 geschieht in den Stadtbüchern keine Meldung mehr von ihm; doch scheint er noch einige Jahre (vielleicht in der Stille und ganz mit seiner Erfindung sich beschäftigend) gelebt zu haben und erst 1439 oder 1440 an der damals zu Haarlem grassirenden Pest gestorben zu seyn. Bereits 1440 kommt seine Witwe Ymme vor, welche noch bis 1451 erwähnt wird und seine zweite Gattin gewesen zu seyn scheint. Seine erste war Catharina, Andreas Tochter, mit welcher er eine Tochter, Lucie, zeugte, die nachher mit Thomas Pieterszoon verheirathet wurde. Durch diese erhielt Lorenz folgende Enkel: Catharina, Margaretha, Peter (erscheint seit 1447 in den Stadtbüchern; bekleidete 1458—92 mehrere obrigkeitliche Würden in Haarlem, und wurde nebst seinem folgenden Bruder Andreas bei einem dasigen Aufstande 1492 vom wüthenden Pöbel ermordet), Andreas (1473—1490 mehrere obrigkeitliche Aemter verwaltend) und Thomas, der 1462—1482 in den Listen der dasigen Magistratspersonen erscheint. Das ganze Geschlecht starb 1724 mit Willem Korneliszoon Kroon aus*). Keiner dieser, unmittelbar aus gleichzeitigen Documenten gezogenen, Nachrichten widerspricht der cornelis'sche Bericht im geringsten.

Die Resultate jener Erfindungsversuche, deren der Bericht gedenkt, sind wirklich vorhanden und von den redlichen Gegnern selbst als holländische Erzeugnisse anerkannt. Eben diejenigen, welche zu den ersten Anfängen gehören, sind namentlich in Haarlem selbst wieder aufgefunden worden. Herr Koning hat die Reihefolge der coster'schen Drucke so bestimmt: A) **Xylographische.** 1) Historia S. Johannis evangelistae. 2) Biblia pauperum. 3) Ars moriendi. 4) Historia seu providentia virginis Mariae. 5) Speculum humanae salvationis. 6) Donatus.

---

*) Verhandeling S. 139—155. Bydragen I, 27—79.

7) Horarium.   B) Mit beweglichen Typen: 8) Horarium.
9) Donatus.   10) Spiegel onzer Behoudenis.   11) Deffel=
ben zweite Ausgabe.   12) Speculum humanae salvationis.   13)
Deffelben zweite Ausgabe.   14) Catonis disticha.   C) Von Co=
fters Erben gedruckt: 15) Laur. Vallae facetiae morales.
16) Lud. de Roma singularia.   17) Saliceto de salute corporis etc.   Selbft von den beiden Büchern, welche nach dem
Diebftahle anderwärts mit cofter'fchen Typen gedruckt worden feyn
follen, ift in ganz neuer Zeit wenigftens das eine, Alexandri de
Villa Dei doctrinale, wieder aufgefunden (Koning S. 179. Renouard catal. II, 28), und als wirklich mit den Typen des Sa=
liceto gedruckt, anerkannt worden.   Und fo ift zu hoffen, daß auch
des Petri Hispani tractatus, welche noch vermißt werden, wieder
zum Vorfchein kommen.   Man weiß, wie bisher die Gegner auf
die Herbeifchaffung jenes Doctrinale gedrungen haben.   Nun ift
es vorhanden, und doch wird es, wie wir glauben, weiter keinen
wefentlichen Einfluß haben, als daß es ein neues Zeugniß für die
Wahrhaftigkeit des Berichterftatters ablegt.   Wenigftens fehen wir
nicht, was es bei der Identität der Typen vor der Hand und ohne
das Dazukommen befonderer Documente über den Diebftahl, Nähe=
res beweifen könnte.

So find alfo die Hauptfacta, welche Cornelis berichtet, auf
alle Weife verbürgt.   Lorenz Janffon, Küfter an der gro=
ßen Kirche zu Haarlem, hat fich zu einer Zeit, welche
mit der der deutfchen Documente wenigftens überein=
trifft, mit Verfuchen befchäftigt, welche die Erfindung
der Buchdruckerkunft zur Abficht und zur Folge hat=
ten, und er hat mehrere Leiftungen diefer Art hinter=
laffen.   Laffen fich an dem übrigen Inhalte feines Berichts Aus=
ftellungen machen, fo bedenke man, daß der Referent über einiges
als Augenzeuge fehr gut unterrichtet feyn konnte, während er das,
was weniger in die Augen fiel, weniger genau wußte, ohne daß
dies feinem Erfindungsberichte im Ganzen nachtheilig feyn könnte.
Cornelis war ein gemeiner Mann, ein Handwerker, der im cofter'=
fchen Haufe wahrfcheinlich ein fehr untergeordneter Gehülfe und nicht
interioris admissionis war.   Sein ganzes Leben hatte er in
Haarlem zugebracht, und fein Wohnort war ihm die Welt.   Ihm
war es gewiß, daß der Küfter und niemand anders die Kunft er=
funden habe, und daß, wer fie anderwärts ausübte, fie diefem ent=
wendet haben müffe.

XV.

Und doch können wir den Diebftahl in der cofter'fchen Offi=
cin, den auch van Zuren und Coornheert erwähnen, nicht fo ganz
für eine Unwahrheit halten.   Eben hier ift die Erzählung des Cor-

nelis, obgleich von einem Dritten berichtet, so umständlich und so
charakteristisch, daß wir den ehrlichen Mann selbst erzählen zu hören glauben. Er weint, er flucht, er möchte den ruchlosen Dieb
gleich lieber selbst an den Galgen knüpfen, er verwünscht die paar
Monate, während deren er mit demselben in einer Kammer ge-
schlafen hat. Zeit und Umstände des Diebstahls werden übrigens
ganz genau bestimmt. Nun ist es doch wirklich auffallend, daß,
da nach Cornelis Erzählung der Diebstahl in der Christnacht 1439
statt fand, in den haarlemer Stadtrechnungen aus diesem Jahre
die kurz hinter einander geschehene neunmalige Absendung eines
haarlemer Stadtboten an die Justiz zu Amsterdam angemerkt ist,
und noch auffallender, daß die erste Absendung am dritten Weih-
nachtsfeiertage statt fand (Koning S. 184 ff.). Leider besagen die
Rechnungen nicht, was der Grund dieser Absendung gewesen sey;
und in Amsterdam ist auch keine Aufklärung darüber zu erwarten,
da bei dem Brande des alten Rathhauses zu Amsterdam im Jahr
1652 ein großer Theil des dasigen Stadtarchivs vernichtet worden
ist. Aber Herr Koning versichert, daß in jenen ganzen Rechnungen
nie wieder ein Beispiel einer so häufigen Absendung in einem aus
demselben Jahre vorkomme. Meermann findet es (1, 85) unwahrscheinlich, daß der Stadtrath davon Notiz genommen. Wir sehen
nicht, warum dieser nicht nach Rechten, die in solchen Fällen wohl
überall dieselben seyn werden, dabei hätte einschreiten können, zumal
da Coster ein angesehener Mann und selbst Mitglied des Raths
war, und das Entwendete für jene Zeit immer von einem Geld-
werthe gewesen seyn muß, welcher einer ernstern Nachforschung nicht
unwerth war. Hatte man vielleicht gar eine Vermuthung über den
Weg, welchen der Dieb eingeschlagen haben könne, so ist es doch
gar nicht undenkbar, daß der haarlemer Rath an den zu Amster-
stam Requisitoriales erlassen hätte. Wir verweisen wegen des Be-
denkens, wie der Dieb alles in einer Nacht habe fortbringen können, auf die unsers Erachtens genügende Erläuterung, welche Herr
Koning S. 186 ff. gegeben hat. Junius hat hier mit seinem rhetorischen Floskelwerk einer an sich gewiß richtigen Erzählung Schaden gethan. Der Dieb hatte nicht nöthig alles zu stehlen, und er
kann dies auch nicht gethan haben; woher wäre sonst viele Jahre
später der Saliceto gekommen, den man doch nicht füglich einer
andern, als dieser holländischen Urofficin zuschreiben kann? — Dun-
kelheiten bleiben übrigens bei diesem Ereigniß immer übrig; aber ist
man darum berechtigt, auch das zu bezweifeln, was nicht dunkel
ist? Die vorhandnen Fragmente des Doctrinale, welches nach
Cornelis der Dieb im Jahre 1442 mit den gestohlnen coster'schen
Typen druckte, sind leider auf Pergament. Wären sie auf Papier,
so würde vielleicht das Papierzeichen einen Wink geben, wohin er

sich mit seiner Beute gewendet habe. Wer und woher nun aber
jener Johannes gewesen sey, das ist mit den vorhandenen Nachrich=
ten so wenig auszumachen, daß kaum eine Vermuthung frei steht.
Und hier ists, wo wir die an Lieblosigkeit grenzende Voreiligkeit der
bisherigen Vertheidiger der coster'schen Sache offen tadeln müssen.
Wir wollen für Deutschland nicht alte Membranen, sondern die
Sache selbst sprechen lassen. Wo findet man in den bis jetzt be=
kannten deutschen Erfindungsversuchen auch nur die geringste Spur
von einer innern Verwandtschaft mit denen, die zu Haarlem ge=
macht wurden? Unsre ältesten Donatfragmente, unsre Ablaßbriefe,
unsre 42zeilige Bibel, unsern Hermannus de Saldis — wie kann
man sie der geringsten Aehnlichkeit mit den Erzeugnissen der hollän=
dischen Uroffiein zeihen? Und wie sollte ein Deutscher nach Haar=
lem, ja in Costers eigne Officin kommen, wenn, wie wir oben sa=
hen, keinem Fremden der Zutritt verstattet wurde? Ist es denn
auch nur wahrscheinlich, daß Coster zu einer Sache, die er, wie
Gutenberg, als tiefes Geheimniß behandelte, einen Ausländer zuge=
lassen haben sollte? Und wenn jene Annahmen durch diese sicheren
und auf Thatsachen gegründeten Schlüsse als Unwahrscheinlichkeiten
erscheinen, dürfen wir dann nicht auch fragen, ob wohl Cornelis,
dessen Glaubwürdigkeit wir bisher selbst in Schutz genommen ha=
ben, eben in dieser Sache ein so competenter Richter war, daß wir
hier seinen Worten buchstäblich folgen können? Was er bisher be=
richtete, war vor seinen Augen geschehen, und dies konnte er genau
wissen; was er aber nun von Verbreitung der Kunst sagt, konnte
er nur vom Hörensagen haben, und hier hatte er, ein gemeiner
Mann, gewiß nichts als die Volkssage in sich aufgenommen. Viel=
leicht daß der holländische Erfinder, als die Nachricht von den deut=
schen Leistungen nach Holland kam, in seiner Eifersucht sie als
bloße Nachahmer betrachtete, vielleicht, daß das Volk von selbst auf
diese Vorstellung gerieth, und die deutschen Versuche (man weiß ja,
wie geneigt das Volk in solchen Dingen zu Combinationen ist) mit
jenem Diebstahle in Verbindung brachte; so bildete sich allmählich
aus einzelnen wahren Bestandtheilen eine im Ganzen unwahre Sage,
an der ein Mann von Cornelis Stande am wenigsten zu zweifeln
geneigt war. Auch die genaue Angabe des Wegs, den der Dieb
nach Deutschland genommen haben sollte, ist nichts bedenkliches.
Der gewöhnliche Handelsweg nach Deutschland ging über Cöln.

XVI.

Der Einwurf, welcher von dem Mangel inländischer und von
dem Widerspruche ausländischer gleichzeitiger Zeugnisse entlehnt wird,
ist von den holländischen Vertheidigern schon öfter beantwortet wor=
den, und wir beschränken uns daher nur auf diejenigen Gegengründe,

welche wir von jenen noch nicht gebraucht sehen. Im allgemeinen könnte man dabei an die Geschichte der Stereotypie erinnern, deren Erfindung erst in das vorige Jahrhundert fällt und deren Erforschung doch ungeachtet des jetzigen ungleich allgemeinern und lebendigern literarischen Verkehrs, und ungeachtet der Sorgfalt, mit welcher jetzt unzählige Zeitschriften die Erscheinungen des Tags festhalten, dem wackern Camus so große Mühe machte. Und wird einst die Geschichte des Steindrucks nicht eben so schwierig seyn?

Die Leistungen der frühesten Drucker lagen dem Gebiete der schon länger bekannten Formschneidekunst so nahe, und die Uebergänge geschahen so allmählich, daß die Zeitgenossen schon darum sie anfangs vielleicht mit jener verwechseln, und auch später die Bedeutsamkeit des Fortschritts nicht sogleich ahnen konnten. Gilt diese Bemerkung selbst bei Deutschland, so ist sie doch ganz vorzüglich auf Holland anwendbar. Wir zeigten oben, daß wenigstens in Nordholland das wissenschaftliche Bedürfniß und die Liebe zur Lectüre nicht groß gewesen zu seyn scheine. So hatte freilich Coster auch nicht Veranlassung, sich an Drucke zu wagen, welche für die Classe von Lesern geeignet waren, die eine solche Erfindung am richtigsten zu würdigen wissen. Die frommen Seelen, welche seine ascetischen Bilderbücher zerblätterten, und die Schulknaben, welche sich mit seinen Donaten schlugen, waren freilich nicht das Publicum, welches die welthistorische Wichtigkeit dieser Erfindung zu ahnen vermochte. Und wer sollte von seinen Versuchen schriftliche Zeugnisse hinterlassen? Wir gestehen, keinen Schriftsteller aus jener Gegend während des ganzen 15. Jahrhunderts zu kennen. Andre Inländer, z. B. Veldener und alle übrigen niederländischen Drucker, mochten vielleicht, wenn es hoch kam, ihn für einen ehrlichen Mann halten, der es herzlich gut gemeint habe, aber dessen Versuche nicht der Rede werth seyen. Die Kunst war viel zu jung und mit ihrem raschen Weiterstreben zu sehr beschäftigt, als daß sie schon jetzt Blicke auf die durchlaufene Bahn rückwärts gewendet hätte. Die Officin selbst hatte sich durch ihr Ausschließen der Ausländer alle Mittel benommen, nach außen zu wirken, und blieb so auf ihren Bezirk beschränkt. Man weiß, wie selten die frühern holländischen Drucke noch jetzt außer ihrem Vaterlande sind. Wie anders in Deutschland, wo, durch locale Begünstigungen unterstützt, die Officinen täglich sich mehrten, wißbegierige Fremde als Lehrlinge zuströmten und junge kunstreiche Männer für alle Länder von Europa gesucht und gefunden wurden. In diesem thätigen und fröhlichen Gewühle wurde dann leicht der gute Coster vergessen und übersehen, dessen Officin vergebens sich in ihrer Entlegenheit und Hülflosigkeit abmühte. Aus dem Standpuncte des Geschäfts betrachtet, bot sie nichts der Erwähnung Werthes dar, und viele Aus-

länder, z. B. der Abt Tritheim, mochten sie vielleicht wirklich nicht
einmal dem Namen nach kennen. Nannte sie Veldener in seiner
Ausgabe des Fasciculus temporum nicht, so dürfen wir uns
nicht wundern, daß auch Caxton und die St. Albans Chronik ihrer
nicht gedachten. Dem einzigen Erasmus, einem Eingebornen und
zugleich für typographische Technik Sinn habenden Mann, könnte
man sein Zeugniß für Mainz verdenken. Aber theils mochte auch
er jene Versuche für zu unbedeutend halten, theils war ihm all=
mählich sein Vaterland ganz fremd geworden, theils schrieb er ja
im Hause des Frobenius, der einen Widerspruch gegen die mainzer
Ansprüche sonderbar gefunden haben würde. Das Eine ausländische
Zeugniß in der Chronik der Gränzstadt Cöln ersetzt alles jenes
Schweigen reichlich. Und überdieß war ja, wie wir sogleich sehen
werden, längstens im Jahr 1479 die ganze coster'sche Typographie
wieder verschwunden.

XVII.

Daß Coster's Officin noch nach seinem Tode ihre Thätigkeit
fortgesetzt habe, ergiebt sich am gewissesten aus dem Werke des Sa=
liceto, welches mit der Type des Doctrinale gedruckt ist und, wie
oben (num. XI) bemerkt worden, nicht vor 1466—1470 erschie=
nen seyn kann. Außer ihr giebt es keine Officin, deren Typen mit
ihr nur einigermaßen verglichen werden können, als die utrecht'sche
von Ketelaer und Leempt. Diese aber hat eine so große Familien=
ähnlichkeit mit der haarlemer, daß, wenn ihre Typen auch nicht
völlig dieselben sind, doch das Einzelne wie das Ganze ihrer Erzeug=
nisse sichtbar beweist, daß diese beiden Künstler coster'sche Lehrlinge
gewesen waren (vergl. oben num. VII u. X.). Ihren Schicksalen
nach sind sie, wie bereits erwähnt, gänzlich unbekannt, und vielleicht
endete ihre Thätigkeit schon mit dem Jahre 1474. Denn auf der
herzoglichen Bibliothek zu Wolfenbüttel befindet sich ein bisher völlig
unbekannt gebliebener Druck: Eruditissimi in primis ac Reue-
rēdi viri dni et mgri anthonij haneron de colorib9 verbo4
sentenciarumq; cū figuris gramaticalib9 tractatus Incipit
feliciter (18 Blätter in 4. mit gothischer Schrift und 22 Zeilen,
ohne Signatur, Custos und Seitenzahl), welcher die Schlußschrift
hat: Finitū p manus vuilhelmi hees anno lxxv. Die Type,
ob sie wohl nicht ganz dieselbe ist, hat doch viele Aehnlichkeit mit
der ketelaer'schen, der Druck ist etwas reiner, und die Seiten bes=
ser angeordnet. Das Papierzeichen aber ist dasselbe, welches bei
Santander (catalogue, T. 5. Tab. 3. num. 88) abgebildet ist
und nur in ketelaer'schen Drucken vorkommt. Der anderweit völlig
unerwähnt gebliebene Drucker scheint also zu Utrecht gearbeitet, und
da damals an diesem Orte schwerlich zwei Officinen neben einander

beſtehen konnten und Ketelaer und Leempt nach 1474 nicht weiter
erſcheinen, ihre Officin übernommen zu haben. Von 1476 bis
1478 kennen wir bis jetzt keinen utrechter Druck, und 1479 tritt
daſelbſt Veldener mit ſeiner auf niederländiſche Art eingerichteten
Officin auf und verdrängte dadurch wahrſcheinlich die nach coſter-
ſcher Art eingerichteten völlig. Daß er, nachdem er Utrecht wieder
verlaſſen, ſeinen Auftritt zu Eulenborch in Flandern 1483 mit einem Drucke des Speculum humanae salvationis bezeichnete, zu
welchem offenbar die echten coſter'ſchen Platten gedient haben, läßt
die Frage entſtehen, wie er zu dieſen Platten gekommen ſeyn möge. In Flandern hatte er ſie ſchwerlich gefunden: denn es iſt gewiß, daß ſie ein nordholländiſches Erzeugniß waren. Im Gegentheil iſt es das Wahrſcheinlichſte, zu vermuthen, daß er ſie während
ſeines Aufenthalts in Utrecht *) an ſich gebracht und ſie dann in
Eulenborch ſeinen erſten Druck habe ſeyn laſſen, bevor er ſeine trans-
locirte Officin wieder vollſtändig aufgeſtellt hatte. Die Erſcheinung
der coſter'ſchen Platten in Utrecht würde aber dann faſt auf einen
Uebergang der haarlemer Officin in die utrechter ſchließen laſſen, ſo
wie darauf, daß Veldener die utrechter Officin käuflich möge erworben haben. So ließe ſich denn erklären, wie bereits nach vierzig
Jahren die ganze coſter'ſche Officin ſpurlos verſchwinden konnte.
Alle diejenigen Drucke, welche von nun an in Holland erſcheinen,
zeugen davon, daß die niederländiſche Drucktechnik über die altholländiſche, deren Geſchichte hier endet, den Sieg davongetragen hatte.
Nicht Deutſchland, ſondern zunächſt das Nachbarland verdunkelte
Coſter's Ruhm und verdrängte ſein Andenken.

So ginge denn aus dieſer Darſtellung hervor, daß Holland
mit vollem Rechte auf eigenthümliche Erfindung der Buchdruckerkunſt Anſpruch mache, und daß ſeine Thätigkeit ſich keineswegs auf
bloß xylographiſche Leiſtungen beſchränkt habe. Daß die Leiſtungen
dem Beſtreben nicht entſprachen, und daß die altholländiſche Buchdruckerei keinen Einfluß auf Wiſſenſchaft und Literatur gehabt habe,
geben die Holländer ſelbſt zu, und beides vernichtet darum nicht das
Verdienſt der Erfindung an ſich. Aber genau hier iſt es auch, wo die
Unterſuchung, wenn ſie nicht eine vage und grundloſe ſeyn ſoll, für

---

*) Im Mai 1823 entdeckte Herr Coning die coſter'ſchen Holzplatten
der biblia pauperum und der ars moriendi, welche in den nördlichen
Provinzen von Holland geblieben und von einem andern Drucker des 15.
Jahrh. in verſchiedenen andern Büchern angebracht worden waren, ſ. All-
gemeene Konst en Letterbode 1823. Deel I, S. 354. Den nähern
Bericht über dieſen höchſt wichtigen Fund enthält das dritte Stück der
Bydragen, welches wir bis jetzt leider noch nicht haben erhalten können.

jetzt stehen bleiben muß. Wäre dies denn die einzige Erfindung, welche zu gleicher Zeit zweimal an verschiednen Orten gemacht worden? Es ist zwar nichts unmöglich; es kann vielleicht noch mit der Zeit, wie schon Breitkopf hoffte, ein Zusammenhang der holländischen mit der deutschen Erfindung entdeckt werden. Gewiß aber müssen wir dazu beiderseits erst mehrere Data haben, als bis jetzt vorhanden sind. Die Holländer müssen (und welcher Literator theilte nicht mit uns diesen Wunsch!) einen neuen Visser bearbeiten, damit ein vollständigerer Ueberblick der holländischen typographischen Leistungen des 15. Jahrhunderts gewonnen werde, als ihn das in diesem Theile sehr mangelhafte Werk unsers verdienten Panzers giebt. Uebersehen wir erst den ganzen Vorrath, so sind Combinationen möglich, welche wir uns jetzt noch nicht erlauben dürfen. Die Deutschen aber dürfen sich nicht mit ihren vorhandenen Documenten begnügen, welche, so schätzbar und wichtig sie sind, doch zu tieferer Forschung nicht hinreichen. Von Gutenbergs und anderer ältesten Drucker Leistungen wird und muß noch mehr gefunden werden, als wir jetzt haben: denn alle die praeludia, welche wir bis jetzt als solche anerkennen, sind viel zu ärmlich und gering, um den Uebergang zur 42zeiligen Bibel oder zu dem herrlichen Psalterium von 1457 zu erklären. Das haben die Holländer oft bemerkt, und sie haben, wie kein Unparteiischer leugnen wird, es mit Recht gethan. Vielleicht, daß wir mehrere dieser Uebergänge vor uns haben, ohne bisher bemerkt zu haben, daß sie es wirklich sind. Deshalb aber ist sehr zu wünschen, daß beide Parteien bei ihren ferneren Forschungen mehr Rücksicht auf die Typengenealogien nehmen, als bisher geschehen ist. Wir sind fest überzeugt, daß oft allein auf diese Art Uebergänge und Zusammenhang sich werden entdecken lassen, wenn alle andern Documente schweigen. Ohne die genaue Untersuchung, in welchem Verhältnisse und in welcher Verbindung wohl die verschiednen mainzer, straßburger, bamberger, cöln'schen, augspurg'schen und andern ältesten deutschen Typen bis etwa zum Jahre 1475 zu einander stehen, wird es uns immer an einem leitenden Faden in diesem Labyrinth fehlen und alle Forschungen nur Stückwerk seyn und zu keinem zusammenhängenden Resultate führen. Möge in dieser Hinsicht der Holländer vorzüglich sein Utrecht, der Deutsche nächst Mainz sein räthselhaftes und wichtiges Cöln festhalten! Ist die Entdeckung von Uebergängen einer Erfindung in die andre zu erwarten, so sind die nächsten Spuren gewiß in Cöln anzutreffen. Es wäre sehr zu wünschen, daß die dortigen Bürgerlisten und Stadtbücher mit derselben Sorgfalt durchgegangen würden, mit welcher Herr Koning die haarlemer durchgegangen hat. Der Gewinn würde die Mühe reichlich lohnen, eine Untersuchung, welche ohne solche allseitige Theilnahme nicht gedeihen kann, wesent-

lich fördern, und gewiß auch einem Streite, welcher bisher nicht
immer würdig geführt worden, eine edlere und für beide Theile er-
sprießlichere Richtung geben.

Wolfenbüttel.   Ebert.

_____

III.

Nouveaux Essais de Politique et de Philosophie. Par. *Fr. Ancillon*, de l'Académie Royale des sciences de Prusse. 2 vols. Paris et Berlin. 1824.

Es ist in unsern Tagen ein wahres Glück zu nennen, daß Männer, wie der wirkliche geheime Legationsrath Ancillon ihre Stimme noch über Gegenstände des allgemeinen Staatsrechts, womit
der größte Theil dieser beiden Bände sich beschäftigt, erheben, und
dadurch eine Wissenschaft gewissermaßen bei Ehren erhalten, welche
sonst gerade in dem Grade, als sie in unsern Tagen wichtiger geworden ist, größere Anfeindung und Herabsetzung zu erfahren scheint.
Denn obgleich, ganz abgesehen von der französischen Revolution
und ihren unmittelbaren Folgen in den innern Verhältnissen der
europäischen Staaten (in dem weitern Sinne, wo auch die von
Europäern und nach europäischem Rechte gebildeten dazu gehören),
so große Veränderungen vorgegangen sind, daß dadurch die frühern
positiven Bestimmungen in sehr wichtigen Puncten unzureichend
oder ganz unbrauchbar geworden sind, und man also häufiger als
vorher zu fragen genöthigt ist, was denn die Vernunft, das allgemeine oder natürliche Staatsrecht über dergleichen Fälle aussage:
so hört man doch kaum von etwas anderem, als von der Falschheit
und Gefährlichkeit der Theorie reden, und nicht nur einer oder der
andern Lehre, sondern aller Theorie überhaupt; und es ist schon
den Politikern der Rath gegeben worden, sich des eignen Forschens
zu enthalten, und zu erwarten, bis die Praktiker den Stoff geliefert haben werden, welchem die schulgerechte Form zu geben, das
einzige Geschäft der Wissenschaft seyn dürfe. Nun hat es zwar
mit dieser Geringschätzung der Wissenschaft nicht viel zu bedeuten.
Sie behauptet zuletzt doch immer ihr Recht, die Lehrerin der Menschen und die Ordnerin der Staaten zu seyn, und die Praxis, so
hoch sie ihren vermeintlichen Schatz von Erfahrung und Abrichtung
(Routine) auch erhebt, muß doch immer demüthig zur Wissenschaft
zurückkommen und von ihr Rath und Anweisung holen. Wenn
man auch, was die sämmtlichen Zweige der Rechtswissenschaft ins-

besondere betrifft, in der Uebung des Rechts immer von demjenigen ausgehen muß, was als Gesetz und geltendes Recht wirklich besteht, so ist doch diese Anwendung des schon vorhandenen gesetzlichen Stoffes nur der eine Theil der praktischen Rechtswissenschaft, und ein anderer, zwar seltener vorkommender, aber desto wichtigerer, besteht in der Hervorbringung jenes gesetzlichen Stoffes durch Gesetz und die übrigen Arten der Fortbildung des Rechts. Die höchste Thorheit wäre es, zu behaupten, daß ein solches Geschäft ohne tiefes Eindringen in die Wissenschaft des Rechts gelingen könnte; und so oft auch solche legislatorische Versuche von bloßen Empirikern angestellt worden sind, so hat die Erfahrung doch immer gelehrt, daß man besser gethan hätte, den Rath der Gelehrten vom Fach nicht für entbehrlich zu halten. Manche wissenschaftliche Lehre ist schon geraume Zeit als unpraktisch verspottet worden, weil die Routiniers nur zu ungeschickt waren, sie recht anzuwenden, und hat am Ende doch den Weg aus der Schule in das Leben gefunden. Aber obgleich die Verachtung der Wissenschaft und Theorie nicht von Dauer seyn kann, so stiftet sie doch auch schon in einem kurzen Uebergange nicht geringen Nachtheil. Sie entzweit die gelehrten Anstalten mit dem Leben, dem sie ohnehin jetzt mehr als je ferne stehen, und so wie sich die Geschäftswelt dadurch selbst des Vortheils eines ununterbrochenen und unmittelbaren Einflusses der Wissenschaft beraubt, so wird auch dieser die Gelegenheit genommen, ihre Theorien durch die Verbindung mit der Erfahrung fortwährend zu berichtigen. Es kann dazu kommen, daß in den Schülern ein unpraktischer und das Bestehende verwerfender Geist erzeugt wird, über dessen Daseyn denn auch in der That, gerade jetzt, laute und nicht immer ungegründete Klagen geführt werden.

Unter diesen Umständen nennen wir es also mit Recht ein Glück, daß Männer, wie Herr Ancillon, sich noch in die Reihen derer stellen, welche die Welt nicht blos auffassen wie sie ist, sondern auch auf das, was sie seyn soll und kann, ihre Untersuchung richten. Gegen die Vorwürfe leerer und sogar gefährlicher Speculation sichert ihn nicht blos der Geist seiner Schriften (denn wie wenig darauf zu rechnen ist, zeigt der Beifall, welchen die wirklich alle Heiligkeit des Rechts und des Staats zerstörenden Rhapsodien eines Haller finden,), sondern auch sein Leben und seine äußere Stellung in seinem Vaterlande. Zwar ist der Verfasser nicht blos als ein Gegner aller einseitigen Neuerungen, sondern auch der meisten constitutionellen Einrichtungen bekannt: aber doch ist er auf der andern Seite auch weit davon entfernt, ein unbedingter Anhänger der bestehenden Unvollkommenheiten zu seyn. Er erkennt die Nothwendigkeit der Reformen, oder vielmehr eines stets thätigen Geistes der Reform, und darum zugleich das wirksamste Gegen-

mittel, welches die Regierungen anwenden können, um den Dämon
der Revolutionen zu beschwichtigen. Er ist also liberal in dem ed=
lern Sinne des Worts und gehört nicht zu denen, welche, indem
sie von keiner philosophischen Grundlage des Rechts und der öffent=
lichen Ordnung wissen wollen, auch allen Gegengründen das Ge=
hör versagen und allen wissenschaftlichen Streit unmöglich machen.
　　Was der würdige Verfasser hier giebt, ist nur zum Theil
neu: denn seine ganze Schrift: Ueber die Staatswissenschaft
(Berlin 1820) findet sich hier wieder. Die Einleitung ist un=
ter der Aufschrift: De l'esprit du tems et des reformes politiques, T. I. S. 1—30, und die drei Abschnitte jener Schrift
I. der Zweck des Staats, II. die Form des Staats, III. die be=
wegenden Principien des Staats, im II. Theil S. 117—323 ent=
halten. Hier ist also nur die Kunst zu bemerken, mit welcher der
Verfasser die Ausdrücke deutscher Philosophie, denen man immer den
Vorwurf der Dunkelheit zu machen pflegt, in ein helles und zierli=
ches Französisch einzukleiden gewußt hat, wo sie, ohne von der Gediegen=
heit der Darstellung zu verlieren, an Klarheit vielleicht sogar gewon=
nen haben. Hinzugekommen sind dann folgende Abhandlungen:
T. I. S. 30—182: Doutes sur de prétendus axiomes politiques. S. 183—225: Sur les Théories et les Métho-
des exclusives. S. 226—286: Sur la législation de la
presse. S. 287—298: Sur les Gouvernemens de l'Asie;
(die beiden letzten Abhandlungen dieses Bandes: Discours de ré-
ception à l'Académie de Berlin, und: Sur la Littérature,
gehören nicht zum Felde der Staatswissenschaften, womit wir uns
hier allein beschäftigen) und in dem II. T. Aphorismes politiques, S. 1—45, und Pensées detachées, S. 46—116.
　　Die Schrift über die Staatswissenschaft ist bereits im Her=
mes (V. S. 344 von einem andern, und VIII. S. 48 von
dem gegenwärtigen Rec.) ausführlich besprochen worden, und wir
können uns also im ganzen nur auf diese frühern Beurtheilungen
beziehen, da der Verfasser auch in den übrigen Abhandlungen und
Bemerkungen aus dem Gebiete des allgemeinen Staatsrechts seinen
Ansichten im ganzen treu geblieben ist. Wir finden auch hier die
Grundgedanken vom Entstehen der Staaten aus einer Art von
Naturnothwendigkeit, einem unbeschränkten Herrschaftsrechte und
einer Repräsentation des Eigenthums wieder, worüber wir uns
schon früher erklärt haben. Die aphoristische Form, in welcher der
Verfasser seine Bemerkungen aufstellt, setzt dabei einer gründlichen
Beurtheilung eigne Schwierigkeiten entgegen. Ein geistreicher und
gewandter Schriftsteller wird nicht leicht etwas durchaus Falsches
aussprechen; um aber solche Sätze, welche oft durch witzige Entge=
genstellungen, durch glückliche Bilder und sinnreiche Erklärungen

mehr blenden als überzeugen, gehörig beleuchten zu können, müßte man dergleichen vereinzelt stehende Aussprüche erst in den rechten Zusammenhang mit dem ganzen System bringen, wodurch ihre rechte Bedeutung und Begränzung klar werden könnte.

Ueberhaupt können wir nicht bergen, daß wir gerade in dem allgemeinen Staatsrechte (der Staatswissenschaft, wie es Herr Ancillon früher, der Politik, wie er es hier nennt) die aphoristische Methode sehr nachtheilig und gefährlich finden. Gerade eine Wissenschaft wie diese, in welcher eine so große Unbestimmtheit des Sprachgebrauches herrscht, wo die wichtigsten Begriffe (Souverainetät, Constitution, Freiheit u. a.) so verschieden gebildet, die ersten Grundsätze so bestritten sind, und in welcher demnach so wenig anerkannte Beweise vorhanden sind; gerade eine solche Wissenschaft kann nur durch strenge wissenschaftliche Form, in welcher keine Lücke gelassen, jeder Begriff genau bestimmt und jeder Satz an seinen rechten Ort gestellt ist, vor Mißverständnissen, vor vergeblichem Streit und vor jenen halbwahren Sätzen, welche eben darum schlimmer als ganz falsche sind, bewahrt werden. Isolirt klingen manche Lehren ganz bedenklich, welche es im rechten Zusammenhange mit andern, von denen sie bedingt und beschränkt werden, und bei gehöriger Bestimmung der Begriffe ganz und gar nicht sind, und nirgends wird daher so oft mit bloßen Gebilden der eignen Phantasie gekämpft, Windmühlen für Riesen, und Schafheerden für Feinde angesehen, als in der Theorie vom Zweck, Ursprung und Beschaffenheit der Staatsgewalt. Auch unser Verfasser ist von dergleichen Verwechselungen nicht ganz frei geblieben, oder hat wenigstens durch die Form seines Werkes Veranlassung gegeben, dergleichen vorauszusetzen.

Einem Schriftsteller, wie Herr Ancillon, kann man gewiß keinen größern Beweis aufrichtiger Hochachtung geben, als durch genaue Beleuchtung seines Werks, indem schon hierin die Anerkennung der Wichtigkeit dieses letztern enthalten ist, und die Ueberzeugung sich ausspricht, daß es dem Verfasser nur um Wahrheit zu thun sey. Wichtig ist aber dies Werk noch immer in hohem Grade, obgleich nach und nach die Zeit vorübergegangen ist, in welcher die vorgetragenen Lehren auf die Bildung neuer Verfassungen einen unmittelbaren Einfluß haben konnten. Auch der preußische Staat hat in der Zwischenzeit Provinzialstände erhalten, und zwar sind bei ihrer Zusammensetzung ähnliche Grundsätze befolgt worden, als der Verfasser entwickelt hat. Auch die übrigen deutschen Staaten haben ihr öffentliches Recht ziemlich nach einerlei Vorbild gestaltet, und ihre landständischen Einrichtungen zum Theil ausschließlich, wenigstens aber vorzugsweise auf das Grundeigenthum gegründet. Die Erfahrung wird bald genug beweisen, ob dieses System seinem

Zwecke vollkommen entspreche, und dann ist der Satz von Wichtigkeit, daß die Landstände, wie sie zusammengesetzt sind, niemals ein
eignes Recht auf die ausschließliche Vertretung der Volksvernunft
haben können, so oft sie dies auch behauptet haben; sondern, daß
sie es sich jederzeit gefallen lassen müssen, wenn die Regierung
nothwendig findet, das repräsentative System zu erweitern und noch
andere Classen in dasselbe aufzunehmen. Aber wenn auch die Zeit
vorbei ist, wo Stimmen, wie die des Verfassers, für die Grundle-
gung des neuen öffentlichen Rechts (zum Zweck der respublica
constituenda) von Gewicht seyn konnten, so ist doch noch in
unserm ganzen Staats= und Volks=Leben so viel Schwankendes und
Gespanntes, es ist für die fernere Fortbildung des öffentlichen
Rechts noch so viel zu thun, daß Untersuchungen, wie die vorliegende, noch immer nicht ohne großes, selbst praktisches Interesse
sind. Wir können begreiflicher Weise nicht alle Ansichten des Verfassers einer Beleuchtung unterwerfen; dazu ist der Reichthum derselben zu groß, und unser Raum zu beschränkt. Aber wir wollen
versuchen, einige der wichtigsten und folgenreichsten herauszuheben.

I. Nothwendigkeit der Revolutionen. Schon an
der frühern Schrift des Verfassers ist gerühmt worden, daß er nicht
in die Klagen und Besorgnisse derer einstimmt, welche auch bei uns
überall Revolutionen vor der Thür sehen. Wiederholt erklärt
sich der Verfasser auch hier wieder, daß er nirgends eine Revolution für unvermeidlich halte. Man werde einer solchen allenthalben
von Seiten der Regierungen durch kluge Reformen, durch Entschlos-
senheit und Festigkeit zuvorkommen können. „Sagen, daß namentlich
die französische Revolution nothwendig gewesen sey, hieße eben so viel,
als behaupten, daß die Schwäche der Regierung (Ludwigs XVI) und
die strafbare Verwegenheit der Nationalversammlung unvermeidlich
gewesen sey." (I, 96) — „Ludwig XVI. verkannte eine große
Wahrheit, welche man als den obersten Grundsatz der Moral der
Könige betrachten kann: daß die Rechte des Thrones in den
Pflichten desselben ihren Grund haben, und daß man sich von
den letztern loszählt, indem man auf die erstern verzichtet. Bei seiner Gewissenhaftigkeit würde er, wenn er von diesem wichtigen
Grundsatze durchdrungen gewesen wäre, sich weniger nachgiebig bewiesen haben. Aber er opferte seine Autorität auf, weil er sie für
ein bloßes persönliches Besitzthum hielt, bis ihm zuletzt keine Macht
mehr blieb, weder für seine eigene, noch für die Sicherheit des
Staats zu sorgen."

Es liegt offenbar in diesen Ansichten sehr viel Wahres, aber
doch auch sehr viel Unbestimmtes und Unsicheres. Der Gedanke,
daß alle Rechte der Menschen, sowohl der Einzelnen, als der Regierungen, sich auf ihre Pflichten gründen, ist eine der fruchtbarsten,

obgleich noch wenig angewandten Wahrheiten der Rechtswissenschaft. Sie wird hie und da, besonders von positiven Juristen und denen, welche in der alten Trennung des Rechts von der Moral befangen sind, mit einem vornehmen: „Läßt sich nicht erweisen!" abgefertigt, weil man sich nicht die Mühe nimmt, nur ihren Sinn richtig aufzufassen, geschweige denn ihre Gründe zu prüfen und sich durch die häufige Anwendung, welche in der positiven Gesetzgebung wirklich von ihr gemacht wird, zu überzeugen, daß diese Anwendung nicht nur möglich, sondern auch das einzige Mittel ist, manche schwierige Aufgaben der Rechtswissenschaft zu lösen. Auch unser Verfasser braucht sie nur gelegentlich, ob sie gleich gerade in dem allgemeinen Staatsrechte noch entscheidender ist, als in andern Zweigen der Jurisprudenz, und besonders zu genauer Bezeichnung der Fälle dienen kann, in welchen sich von einer rechtlichen Möglichkeit des Widerstandes gegen die Obrigkeit sprechen läßt.

Unbestimmt sind aber hier, wie in dem ganzen Buche des Verfassers, die Begriffe der Revolution und der Reform. So einfach diese wohl auf den ersten Anblick scheinen, so vieldeutig sind sie doch und einer genauen Feststellung bedürftig. Der Sprachgebrauch bezeichnet eine Menge von Staatsveränderungen mit dem Ausdrucke der Revolutionen, auf welche der Verfasser schwerlich seine Sätze angewendet wissen will. Nicht nur die Insurrectionen der Schweizer und Niederländer, sondern auch die Losreißung Portugals von Spanien und die Thronbesteigung des Hauses Braganza; bloße Veränderungen in der Person des Regenten ohne wesentliche Abänderung der Verfassung, die Entsetzungen der Kaiser Iwans und Peters III. von Rußland, oder Jacobs II. in England, sind unter dem Namen der Revolutionen in der Geschichte bekannt. Selbst solche Veränderungen in der Verfassung, wobei die monarchische Gewalt von gewissen Beschränkungen befreit wurde, wie die vom 12. August 1772 in Schweden, wo sich der König der Mitregierung der Reichsräthe und der Factionen des hohen Adels entledigte, sind nun einmal mit diesem Namen der Geschichte einverleibt worden. Der Charakter des Revolutionairen nach diesem Sprachgebrauche liegt also nur in etwas Plötzlichem und Gewaltsamem, und deutet durchaus nicht auf Verminderungen der königlichen Gewalt, oder auf Adels= oder Volksherrschaft hin. Dagegen pflegt man auch wohl die Umwälzungen, welche sich ohne alle Gewaltthätigkeit, durch die bloße stille aber unwiderstehliche Kraft der Zeit in den Verhältnissen der Staaten und Völker ereignen, eine Revolution zu nennen. Man spricht von der großen Revolution, welche die Erfindung des Schießpulvers und der Buchdruckerei, die Entdeckung Amerika's und des neuen Handelsweges nach Ostindien, Luther's Reformation und die Philosophie eines Descartes, Locke, Leibnitz und Kant in den Sitten und Ueberzeugungen der Völker, in den Verhältnissen des Eigenthums und der verschiedenen Stände und eben dadurch auch in den Bedürfnissen der Regierten, so wie in den Pflichten der Regierungen hervorgebracht haben. Davon sind jeden Falls die gewaltsamen Erschütterungen der neuern Zeit nur weitere Entwickelungen und Folgen, welche allerdings theils zufällige und abwendbare, theils nothwendige und unvermeidliche seyn könnten.

Wenn nun von der Nothwendigkeit der Revolutionen die Rede seyn soll, so muß man, um einander zu verstehen, sich nicht nur über den Begriff des Revolutionairen, sondern auch über die Art der Nothwendigkeit verständigen, von welcher man sprechen will. Alles, was in der Welt geschieht, muß in gewisser Hinsicht für nothwendig erklärt werden, weil es, wenn auch ein Werk menschlicher Willkür, doch nach ewigen und unabänderlichen Gesetzen erfolgt ist. Auch die Handlungsweise der Menschen steht unter diesem natürlichen Gesetze, und die Freiheit des Willens ist nur etwas, nach welchem der Einzelne streben muß, und eine Kraft, deren er sich bewußt werden kann, aber nichts, was in der äußern Erscheinung jemals dargestellt oder nachgewiesen werden könnte. Die individuellen natürlichen Anlagen und Eigenschaften der Individuen, ihre Erziehung, die Einwirkung äußerer Umstände, die Ueberzeugungen, Gefühle und Grundsätze, welche sich in einem jeden nach allgemeinen und unwiderstehlichen Gesetzen des menschlichen Denkens und Empfindens ausbilden, sind so mächtige und ununterbrochen fortwirkende Bestimmungsursachen des Handelns, daß nur wenige zu einer bedeutenden Herrschaft darüber gelangen; die meisten sich nur auf kurze Augenblicke von ihnen frei machen können; keiner aber sich zur vollkommenen Beherrschung, zur vollkommenen innern Freiheit erheben kann, obwohl gerade darin der höchste sittliche Werth der Menschen, ja ihre irdische Bestimmung gesetzt werden muß. In Hinsicht auf diese Art von Nothwendigkeit muß man denn allerdings sagen, daß alles was geschieht, besonders aber solche große Bewegungen, woran die Masse der Völker Theil nimmt, unter den gegebenen Umständen nicht anders erfolgen konnten, als sie wirklich erfolgt sind. Wenn ein Volk so in allen seinen Verhältnissen gedrückt und gereizt ist, als das französische vor der Revolution war; wenn man ihm durch böse Beispiele von oben herab, besonders durch die Sittenlosigkeit der höhern Geistlichkeit, des Hofes und des Beamtenstandes, die Achtung für Religion, Sitte und Recht entrissen hat; wenn dieses Volk mit dem Gefühl des Unrechts, welches ihm in allen Zweigen des öffentlichen Lebens widerfährt, große Reizbarkeit und Empfänglichkeit für neue Ideen, besonders aber auch große Eitelkeit und eine gewisse, wenn auch nur äußere, Cultur verbindet, und nun die Regierenden selbst dasselbe

zum Urtheilen und Handeln auffordern (wie dies in dem Zusammenberufen der Notabeln und der Reichsstände offenbar geschah);
wenn nun die Schriftsteller aller Parteien auf die öffentliche Meinung und durch sie zu wirken suchen, und Ideen von allgemeinen
Menschenrechten, Volkssouverainetät, Freiheit und Gleichheit in Umlauf bringen, worin das Wahre von denen, welche durch Schmei-
cheleien das Volk zu bestechen suchen, zur Ungereimtheit verdreht
wird; wenn dann der Regierung durch die Unentschlossenheit des
Monarchen, aber noch vielmehr durch das bestehende öffentliche
Recht (durch die staatsrechtlichen Exemtionen der Geistlichkeit in
Ansehung ihrer übermäßigen weltlichen Besitzungen, durch die Vor-
rechte des Adels und die Befugnisse der Parlamente) alle Macht
des Reformirens entrissen ist; wenn sie dann selbst bekennt, daß sie
sich nicht mehr zu helfen wisse: was ist unter solchen Umständen
wohl anders zu erwarten, nothwendiger, unvermeidlicher, als gewaltsame Erschütterungen?

Die Untersuchung der Ereignisse aus diesem Gesichtspuncte
natürlicher Nothwendigkeit ist immer eine sehr wichtige und lehrreiche, ob es gleich ein großes Mißverständniß seyn würde, zu glauben, daß sie im geringsten zu einiger Rechtfertigung der handelnden Personen führen könnte. Denn diese Nothwendigkeit ist
niemals eine absolute, sie schließt die Freiheit des Einzelnen und
die Zurechnung seiner Handlungen zur Schuld und zum Verdienst
nicht aus: ein Parlamentsrath, welcher sich gegen heilsame Schritte
der Regierung auflehnte, um seine Eitelkeit zu befriedigen; ein Bischof, welcher die Beitragspflichtigkeit der geistlichen Güter zu den
Staatsbedürfnissen verweigern half; der Minister, welcher eine
rechtswidrige Verwendung öffentlicher Gelder oder einen Eingriff in
die Justiz durch Lettres de cachet auf seine Rechnung nahm,
werden durch jene natürliche Nothwendigkeit eben so wenig entschul-
digt, als ein Herzog von Orleans, als die Anstifter der Unruhen
vom 14. Julius 1789, der Mordanschläge gegen die Königin, als
ein Robespierre, Henriot und Carrier und andere moralische Ungeheuer, die sich an den Brüsten einer wilden Pöbelherrschaft groß
gesogen hatten. Diese Untersuchung würde aber darum außerordentlich lehrreich seyn, weil sie zeigen muß, in welchen bestimmten
Thatsachen die nächsten Ursachen gewaltsamer Bewegungen zu suchen, und worauf also unter ähnlichen Verhältnissen und bei den
Vorzeichen nahender Stürme die Reformen zu richten sind, durch
welche man ihnen begegnen kann. Denn sehr richtig bemerkt der
Verfasser an mehrern Orten, daß mit allgemeinen Reden über den
Zeitgeist nichts gesagt ist. Der Hang zu Neuerungen, der Revo-
lutionsschwindel ist keine isolirte Erscheinung, welche man heben
könnte, ohne ihre tiefer liegenden Ursachen zu heilen. Nicht immer

haben dabei diejenigen die größere Schuld, welche als die nächsten
Anstifter der Bewegung erscheinen, wenn auch juristisch diese letztern
die alleinigen Strafbaren sind. Wer im Zorn einen andern er-
schlägt, ist freilich vor dem irdischen Richter allein der Mörder:
aber moralisch wird der, welcher jenen zum Zorn reizte, vielleicht
ein härteres Urtheil verdienen. Auch er kann jenen in die psychologische Nothwendigkeit seiner That versetzt haben, ohne daß man
sagen könnte, sie sey eine ganz unbedingte gewesen. Ein Mann von
höherer sittlicher Kraft würde auch ihr widerstanden haben: aber
gerade für dieses bestimmte Individuum war sie doch unwiderstehlich. So können auch Revolutionen unter den besondern Umständen eines Volkes zur natürlichen Nothwendigkeit werden; und man
kann sagen, daß eben darin, daß sie eingetreten sind, ein Beweis
dieser Nothwendigkeit liege. Denn nur das soll man sich nie über-
reden lassen, daß revolutionaire Bewegungen das Werk einiger
wenigen leichtsinnigen oder boshaften Menschen seyn könnten. Versuchen können sie es wohl, und solche Versuche müssen unterdrückt
und bestraft werden: wo aber solche Umtriebe irgend einen bedeutenden Umfang gewinnen, lassen sie allemal mit Sicherheit auf tiefer liegende und allgemeinere Ursachen schließen, welche wegzuräu-
men die Pflicht des Staatsmannes ist.

Dies geschieht nun durch die Reformen, auf welche der
Verfasser bringt. Allein auch hier ist wieder ein großer Unterschied
zu machen. Reformen in der Verwaltung kann zwar die Regierung meistentheils ohne große Schwierigkeit veranstalten, und sie
sind, was die Bedürfnisse der Völker betrifft, in sehr vielen Fällen
gerade die Hauptsache. Aber dennoch hängen sie sehr häufig mit
der Verfassung so genau zusammen, daß die Regierung nicht
im Stande ist, mit ihnen durchzudringen, wenn nicht auch in dieser Veränderungen vorgenommen werden, wozu sie nicht befugt ist.
Wie innig ist nicht die Rechtspflege mit der Organisation der Gerichte verbunden; und wenn diese nicht abgeändert werden kann,
weil Rechte der Gutsherrn oder der Corporationen im Wege stehen,
so können viele heilsame Reformen ihren Zweck nicht vollständig
erreichen. In Frankreich konnte die Revolution nicht ohne Reform
des Steuersystems verhindert werden; dieser standen aber nicht nur
die Steuerfreiheiten des Adels und der Geistlichkeit, sondern auch
die Parlamente mit ihren Anmaßungen, ein reichsständischer Ausschuß zu seyn, entgegen; und wie wenig die Regierung über die
Justizorganisation vermochte, zeigte sich in den vergeblichen Versuchen, die Parlamente zu reformiren oder durch andere Behörden zu
ersetzen. Wenn sich das Wesen der innern Volksverhältnisse, die
Grundlage der Aristokratie im Laufe der Zeiten verändert, während
die Formen stehen bleiben, so entstehen daraus solche Reibungen,

welche am Ende zu gewaltsamen Erschütterungen führen. Aber die hier nothwendigen Reformen sind meistentheils so tief gehend, ihre Folgen so schwer zu berechnen und zu beherrschen, daß es nicht leicht ein Minister wagen kann, sie zu unternehmen. Dahin gehören die unglücklichen kirchlichen Verhältnisse Irlands, dahin gehört fast die ganze innere Verwaltung Spaniens, der Zustand der schwarzen Sklaven im englischen Westindien und vieles andere, wodurch die neueste Zeit bewegt wird. Insofern nun dergleichen Reformen entweder von den Regierungen nicht zur rechten Zeit vorgenommen werden, oder an dem Egoismus derer scheitern, welche dabei dem Princip der Gerechtigkeit Aufopferungen bringen müßten, so kann man doch abermals nicht umhin, den daraus endlich entspringenden revolutionairen Erschütterungen eine gewisse natürliche Nothwendigkeit zuzuschreiben.

: Davon ist aber freilich die **moralische** oder **rechtliche Nothwendigkeit** sehr verschieden. Es ist eine der zartesten Fragen, wo die Pflicht des bürgerlichen Gehorsams aufhöre, und das Recht des Widerstandes anfange. Zu sagen, daß es gar keine solche Gränze gebe, daß der bürgerliche Gehorsam unendlich sey, ist eine Ungereimtheit, indem sich keine Pflicht denken läßt, in einem Zustande zu verharren, in welchem es den Menschen zur Unmöglichkeit gemacht würde, ihre höhere Bestimmung zu erreichen. Man wird auch nicht sagen dürfen, daß ein solcher Zustand nicht eintreten könne, indem die Geschichte älterer und neuerer Zeiten dergleichen in der Wirklichkeit aufzuzeigen hat. Es wird niemand Bedenken tragen, die Schreckensperiode in Frankreich, jene Zeit einer wilden Volksherrschaft, für eine solche zu erklären, und den Widerstand der Spanier gegen die französische Herrschaft haben selbst die Regierungen durchaus rechtmäßig gefunden. In den frühern Zeiten hat oft die Kirche das Urtheil darüber an sich gezogen und die Unterthanen von dem Gehorsam zu entbinden unternommen; und es kann wenigstens nicht für unmöglich gehalten werden, daß der Geist einer Regierung, sey es eine monarchische, aristokratische, oder demokratische, sich mit dem, was jeder Einzelne für seine Pflicht erkennen muß (besonders in Religionssachen,), in geraden Widerspruch versetze. Zu den Zeiten der Reformation wurde diese Pflicht des Widerstandes gegen die weltliche Obrigkeit besonders zur Sprache gebracht, als das bekannte Interim in Deutschland eingeführt werden sollte. Die magdeburgischen Behörden rechtfertigten ihre Widersetzlichkeit, welche ihnen die Acht zugezogen hatte, während der Belagerung durch eine Schrift (De jure magistratuum in subditos et officio subditorum erga magistratus. 1550 8.), welche nachher in den französischen Religionsunruhen auch viel gebraucht und von dem vertrauten Minister Kurfürst Augusts von

Sachſen, Hubert Languet, in ſeinem berüchtigten Buche: Vindiciae contra tyrannos (1579, 8.) weiter ausgeführt wurde. An dieſem Buche iſt der Titel das Auffallendſte; im Werke ſelbſt wird dem Volke und dem Einzelnen die Befugniß des Widerſtandes abgeſprochen, und nur in den Fällen, wo er überhaupt gedenkbar iſt, den Staatsbehörden und den Optimaten zur Pflicht gemacht. Auch das eben ſo berüchtigte Buch des ſpaniſchen Jeſuiten Juan Mariana (De rege et regis institutione. Toledo 1599, 4.), iſt nicht ſo gefährlich, als ſein Ruf, und nur die Lobeserhebungen anſtößig, welche es, übrigens im Einklang mit der ganzen katholiſchen Partei jener Zeit, dem Mörder Heinrichs III. von Frankreich ertheilt.

Der bedenklichſte Punct bei dieſer ganzen Frage iſt unſtreitig der: wie eine in anerkannter Gültigkeit beſtehende Verfaſſung gegen gewaltſame Umänderungen beſchützt werden ſoll, welche nicht vom Volke, ſondern vom Regenten vorgenommen werden könnten. Dies iſt gar nicht möglich, ohne dem Volke das Recht des Widerſtandes beizulegen, und die Unordnungen, welche hieraus entſtehen müſſen, können nur dadurch vermieden, überhaupt aber das Schwanken, welches in dem öffentlichen Leben eines Volkes eintreten kann, nur dadurch einigermaßen gehoben werden, daß die Befugniſſe und Pflichten der Staatsbeamten vom erſten bis zum letzten, und eben ſo die Formen, in welchen ſie ihre Amtsgewalt ausüben müſſen, verfaſſungsmäßig genau beſtimmt ſind. Dies macht den Grundcharakter der engliſchen Verfaſſung aus, und iſt in der That unentbehrlich zum Beſtehen einer jeden feſten Staatseinrichtung. Es iſt in England Grundſatz, daß die Regierung, der König die Aemter zu vergeben hat und die meiſten Beamten auch ſogar willkürlich entlaſſen kann, (nur mit Ausnahme der Richter in den oberſten Gerichtshöfen). Aber daß er an den Amtsbefugniſſen derſelben nichts ändern kann, dadurch wird die Verantwortlichkeit der Beamten möglich gemacht, und die Formen für die Thätigkeit der öffentlichen Gewalt können ſo genau beſtimmt werden, daß das Urtheil über äußere Geſetzlichkeit derſelben einem jeden leicht wird. Alsdann aber kann man auch den Satz ausſprechen, daß keiner ſchuldig iſt, einem verfaſſungswidrigen Befehle Folge zu leiſten, ſondern ſich durch Befolgung deſſelben ſelbſt verantwortlich macht, ohne durch einen ſolchen Satz alle Ordnung des Staatsdienſtes aufzulöſen.

Daß nun eine moraliſche Nothwendigkeit, gleichſam eine Nothwehr der Völker gegen ihre Beherrſcher wohl eintreten könne, wird der Verfaſſer weder als Philoſoph noch als Geſchichtsforſcher in Abrede ſtellen. Durchaus verwerflich iſt nur bei dieſem Gegenſtande die Lehre, welche von den Fanatikern der Revolution aufgeſtellt worden iſt: daß der bloße Wille des Volkes einen hinreichenden

Rechtsgrund dazu abgeben könne; und es wird wohl heut zu Tage nicht mehr nöthig seyn, eine solche ungereimte und alle bürgerliche Ordnung zerstörende Meinung zu widerlegen. Auf das bloße vermeintliche Wohl eines Volks, nämlich das freiere Bewegen; die größere Sicherheit und ehrenvollere Stellung desselben nach außen, die Vermehrung seines Wohlstandes und dergleichen äußere Vortheile können eine solche Nothwendigkeit nicht begründen. Nur wenn ihm die Erfüllung der menschlichen Pflichten unmöglich gemacht wird, wenn ihm gewehrt wird, seinem Gott nach gewissenhafter Ueberzeugung zu dienen, wenn Sittlichkeit, Wahrheit und Gerechtigkeit mit Füßen getreten werden, dann kann man sagen, daß eine Gegenwehr und mit ihr die Ergreifung solcher Mittel, wodurch jene Abweichungen von den moralischen Grundlagen des Staats für die Zukunft erschwert werden können, auch moralisch nothwendig werden könne, wie sie es physisch durch das Anhäufen einer großen Masse von Kraft werden muß, wenn ihr nicht zur rechten Zeit ein freier Abfluß (in der alten Welt durch Colonienstiftung, in unsern Tagen durch politische Reformen und constitutionelle Beschäftigung) gestattet wird.

　II. **Bürgerliche Freiheit.** Auch dieser Begriff ist einer von denen, welche so großen Mißverständnissen und Mißdeutungen ausgesetzt gewesen sind, daß viele den Ausdruck gar nicht mehr brauchen mögen, sondern dafür lieber Rechtssicherheit und bürgerliche Ordnung sagen, obwohl beide die Sache nicht ganz erschöpfen. Unser Verfasser unterscheidet **politische Freiheit,** das ist Theilnahme der einzelnen Bürger an den Aeußerungen der höchsten Gewalt, und **bürgerliche Freiheit,** welche eigentlich nichts anderes ist, als Rechtssicherheit. Dieser letzte Ausdruck scheint uns unzweckmäßig, weil er in der That viel Anlaß zu dem Mißverständnisse giebt, als sey jede Art von Oberherrschaft eine Beschränkung der Freiheit; eine Verwechselung, welche wir ohnehin von dem classischen Alterthum und selbst von den ersten Zeitabschnitten des Mittelalters gleichsam ererbt haben. Die Freiheitsliebe der Alten war wirklich durchaus anti-monarchisch; die gerühmte Freiheitsliebe unserer germanischen Vorfahren sogar anti-social. Denn jene ließen sich gar harte Beschränkungen der individuellen Freiheit gern gefallen, sobald sie dagegen nur von dem, was sie Tyrannei nannten, nämlich der monarchischen Regierungsform, frei wurden; diesen aber war jeder Zwang verhaßt, selbst wenn er zur Sicherheit aller einzelnen nothwendig war. Sie haßten alle Staatsgewalt und unterwarfen sich lieber einem Herrn, welchem sie große Herrscherrechte einräumten, sobald derselbe nur nicht ein vom Gesetz gegebener, sondern ein gewählter war. Die wahre Freiheit ist aber an keine Regierungsform gebunden und besteht nicht in Ungebundenheit, sondern in williger Unterordnung unter solche Gesetze, welche der eignen Vernunft eines jeden, wenn sie nicht gerade durch Leidenschaften verblendet ist, als nothwendig erscheinen müssen. Sowohl die Freiheitsliebe der Griechen, als die der Germanen, war daher eine ganz falsche; ächter Republicanismus und der reinste Monarchismus (Royalismus würden wir sagen, wenn nicht die Form gar zu sprachwidrig wäre,) vertragen sich recht gut mit einander. In manchen Beziehungen ist die monarchische Regierung der Freiheit sogar viel günstiger, als jede andere Regierungsform.

Um uns aber mit dem Verfasser über diese Dinge weiter verständigen zu können, müssen wir die verschiedenen Begriffe von Freiheit, wovon hier die Rede seyn muß, nach unsern Ansichten auseinandersetzen. Von der theoretischen Seite der Freiheit, oder der Frage, wie der Mensch unter dem Naturgesetz der Nothwendigkeit stehen und sich dabei doch des freien Handelns bewußt seyn könne, sprechen wir hier nicht; sondern setzen die Sache als praktisch entschieden voraus, indem von dem Werthe menschlicher Handlungen, ja des ganzen Lebens, von Sittlichkeit und Recht, ohne sie gar nichts übrig bliebe. Dann ist das Höchste allerdings jene innere Freiheit des Einzelnen, wodurch er sich die Herrschaft über die Triebe und Bedürfnisse seiner sinnlichen Natur verschafft, die in ihm schlummernden Kräfte nicht bloß üben, sondern auch in beliebigen Schranken halten lernt, und in welcher sein sittlicher Werth, die Würde des selbständigen Wesens, der Persönlichkeit bestehet. Sie ist die Aufgabe seines irdischen Daseyns und die Grundlage aller seiner Ansprüche an die Welt, der Entstehungsgrund seiner Rechte. Nur ihrentwegen und durch sie ist den Menschen die Unabhängigkeit von der Willkür anderer, die äußere Freiheit, nothwendig, welche demnach sehr einseitig als ein bloßes Recht angesehen wird. Sie ist eine Pflicht, welcher niemand entsagen darf, noch gültiger Weise entsagen kann; sie gestaltet sich aber darum im Verhältniß zu andern als ein Recht, weil das wirkliche Handeln aus Motiven der Sittlichkeit eine innere Thatsache ist, welche man in der äußern Erscheinung niemals vollständig wahrnehmen kann, sondern bei dem Handelnden so lange voraussetzen muß, als die Handlung nicht eine an sich unsittliche ist. Freiheit ist aber nicht das Recht, willkürlich zu handeln, sondern nur pflichtmäßig; und das Unterwerfen unter eine äußere Ordnung ist daher nicht, wie man es wohl zuweilen vorgestellt hat, die Aufopferung eines Theils der Freiheit, sondern eine gegenseitige Verbürgung und Sicherstellung des Ganzen derselben. In dieser rechtlich-sittlichen Ordnung, d. h. im Staate, kann man überhaupt die Freiheit in allen ihren Beziehungen als den obersten Zweck ansehen, insofern nämlich dieselbe auch als Herrschaft alles Geistigen über das Materielle beschrieben werden kann, und daher auch Erziehung und Naturbeherrschung mit umfaßt. Es läßt sich dabei aber wiederum mehreres unterscheiden: 1) die Beschützung des Einzelnen bei seiner persönlichen Selbständigkeit (worunter auch der Schutz bei dem ungestörten Besitze und Gebrauche dessen enthalten ist, was der Mensch durch Arbeit selbst erworben, oder durch die gesetzlich anerkannte Ueberlieferung von andern erhalten hat): **Rechtssicherheit**, oder die liberté civile unsres Verfassers; 2) die möglichst große Bestimmung des Spielraumes, welchen die öffentliche Ordnung den Einzelnen zur willkürlichen Bewegung übrig läßt, indem sie zwar alle Gegenstände des menschlichen Handelns unter ihre Gesetzgebung ziehen kann, aber doch diese Befugniß des Regierens nicht weiter brauchen soll, als der Zweck des Ganzen gerade nothwendig erfordert, und selbst diesen Zweck in vielen Dingen besser erreichen wird, wenn sie solche den Einzelnen und den freien Vereinen derselben überläßt. Dies könnte man **bürgerliche Freiheit** in einem bestimmtern Sinne nennen, und hierher gehörten denn eine Menge besonderer Freiheiten der Völker, die Duldung verschiedener Religionen, die Gewerbs= und Handelsfreiheit, Preßfreiheit, vorzüglich aber die Befugniß eines jeden Einzelnen, sich seinen Lebensberuf nach innern Gründen zu wählen, ohne von irgend einem, oder von den Belohnungen des Verdienstes in demselben durch zufällige äußere Verhältnisse ausgeschlossen zu seyn. Mit diesen beiden könnten die unmittelbaren Ansprüche der Menschen auf äußere Freiheit für erschöpft gelten; und sie sind schon oft unter einer absolut monarchischen Regierungsform vollständiger und besser gewährt worden, als unter republicanischen Verfassungen, wohin wir allerdings die constitutionelle Monarchie geradehin mit rechnen müssen. Aber die absolute Monarchie bietet gar keine Sicherheit für die anhaltende Gewährung jener beiden nothwendigen Leistungen des Staats, und noch weniger dafür, daß die Gesetzgebung sich naturgemäß, das heißt in Uebereinstimmung mit der wahren mittlern Cultur des Volkes, fortbilde. Denn es ist schon öfter gegen die gewöhnliche und auch vom Verfasser angenommene Vorstellungsweise bemerkt worden, daß der Wille eines Volkes nicht die hervorbringende Ursache des Gesetzes ist, sondern nur die Beobachtung desselben bewirkt, während das Gesetz selbst aus den **Einsichten** des Volkes, aus seinen Ueberzeugungen von Recht und Pflicht hervorgehen muß. Etwas näher kommt der Verfasser dieser für die Gesetzgebung und das allgemeine Staatsrecht höchst wichtigen Ansicht, indem er (I, 53.) den Satz aufstellt: daß die öffentliche Meinung, die Stimme, der Wille des Volkes nur insofern beachtenswerth (die Stimme Gottes) sey, als sie mit der Vernunft übereinstimme, und daß zuletzt diese Uebereinstimmung sich immer ergebe; allein er

giebt diesem Satze weder seine erforderliche genaue Bestimmung, in=
dem er nur richtig ist, wenn man die Vernunft nicht als allgemeine,
ewig gültige Idee, sondern so nimmt, wie sie in einem gegebenen
Volke als mittlere Cultur erscheint; noch zieht er daraus die Folge=
rungen, welche von so vielfacher und entscheidender Anwendbarkeit
sind.

Um nun für diese Dinge Sicherheit zu gewähren, sind
3) Einrichtungen erforderlich, wodurch der Einzelne auch nöthigen
Falls gegen die Ueberschreitungen, und die Gesammtheit gegen die
Mißgriffe der höchsten Gewalt beschützt werden kann. Diese Ein=
richtungen sind von doppelter Art: indem sie theils darin bestehen
können, daß die Bürger in gewisser Art zu den Handlungen der
obersten Gewalt mitwirken, was des Verfassers politische Frei=
heit ausmacht, theils aber auf mancherlei Theilungen und Tren=
nungen der Staatsgewalt hinzielen, wodurch in der Handhabung
derselben das Individuelle dem Allgemeinen untergeordnet und zugleich
gegen vorkommende Mißbräuche irgend ein Mittel aufgestellt wird.
Aus der Summe dieser Einrichtungen geht die eigentliche Constitution
hervor, welche allerdings der absoluten Gewalt, es sey dieselbe mo=
narchisch, aristokratisch oder demokratisch organisirt, entgegengesetzt
ist, sich aber mit der Monarchie an sich nicht nur sehr wohl ver=
trägt*), sondern selbst zu ihrer Befestigung nothwendig zu seyn
scheint. Denn nur sie giebt ihr diejenige Stätigkeit und Unverän=
derlichkeit der Regierungsgrundsätze, welche in einem höhern Sinne,
als das alte französische Staatsrecht, das: le roi ne meurt
pas, ausspricht. Tritt in der Monarchie die Individualität des
Monarchen stärker hervor, so richten sich auch alle Pläne der Unzu=
friedenheit, des Ehrgeizes, der Rache, gegen ihn selbst, gegen sein
Leben, gegen seine Regierung, während sie bei einer constitutionel=
len Staatsform nur gegen die Minister gerichtet werden. Daher
weiß auch die Geschichte gegen Einen Herrscher, welcher in einer
constitutionellen Monarchie durch Verbrechen der Parlamente, Reichs=
stände oder anderer legaler Autoritäten, des Thrones oder gar des
Lebens beraubt worden ist, von Hunderten zu erzählen, welche
durch Verschwörungen der Hofleute, der Armeen, besonders der
Garden, und durch den Ehrgeiz der Großen ein unglückliches Ende
genommen haben.

Diese Freiheit, in allen hier angegebenen Beziehungen, ist nun
zum sittlichen und intellectuellen Gedeihen der Menschheit schlechter=
dings unentbehrlich: denn selbst die bloße bürgerliche Freiheit wird

---

*) Sehr treffend sagt der Verfasser I, 80: „Die Vollkommenheit
einer Verfassung besteht in der Verbindung monarchischer Formen mit
dem republicanischen Geiste."

sich ohne die politische nicht lange behaupten können. Man braucht dabei nicht einmal an einen tyrannischen, der Selbstbeherrschung unfähigen, und alsdann seinem Stolze und seinen Lüsten und Launen alles, auch das Heiligste, aufopfernden Sinn eines Nero u. s. w. zu denken, welcher, wenn er nicht durch unmäßige Kriegslust, wie ein Karl XII. oder Napoleon, allgemeine Calamitäten über die Völker bringt, gerade die bürgerliche Freiheit oft am wenigsten beeinträchtigt. Auch bedarf es nicht einer besondern Charakterschwäche, etwa eines blinden Vertrauens auf unwürdige Günstlinge und dergleichen, sondern es ist in der absoluten Monarchie schon die Abwesenheit einer außerordentlichen Geisteskraft und Arbeitsamkeit hinreichend, um in der Verwaltung eine solche Erschlaffung einreißen zu lassen, daß unter der Willkür, Bestechlichkeit, Lässigkeit und Unwissenheit der Beamten die bürgerliche Freiheit der Einzelnen weit mehr leidet, als unter einem despotischen aber dabei doch gerechten Regenten, wie es kräftige Geister gewöhnlich sind. Welchen Grad aber eine solche Anarchie bei dem äußern Anscheine der Ordnung erreichen kann, davon haben diejenigen keinen Begriff, welche, wie der Verfasser, dem Leben der Völker in den untern Ständen, und zumal in entlegenen Provinzen, fremd geblieben sind und keine Erfahrungen davon gemacht haben, wie es noch vor dreißig bis vierzig Jahren in manchem Winkel von Deutschland herging. Was Schlözer davon in seinem Briefwechsel und Staatsanzeigen ans Licht zog, ist nur ein unendlich kleiner Theil des Unfugs: denn der größere traf Menschen, welche von dem göttinger Professor eben so wenig etwas wissen, als ihm schreiben, oder von der Publicität in dem damaligen Zustande einige Hülfe erwarten konnten. Daher treffen die scharfsinnigsten und geistreichsten Bemerkungen solcher Männer, wie der Verfasser, nicht immer den rechten Punct, wenn sie den Werth und die Bedingungen der bürgerlichen Freiheit nur in den höhern Regionen des öffentlichen Lebens auffassen. Gegen die Hierarchie des Beamtenstandes von unten herauf bis zum Minister; gegen die Gebrechen der Verwaltung, welchen kein Minister bei dem besten Willen und der kraftvollsten Anstrengung für sich allein gewachsen ist, wenn er nicht entweder von einem seltenen Vertrauen oder eigenem Mitwirken seines Regenten, oder von constitutionellen Einrichtungen unterstützt wird; gegen die Fehler und falschen Ansichten vom Regieren, welchen sich auch redliche Beamte in einer solchen Verfassung hingeben: nicht aber gegen den möglichen Mißbrauch der Gewalt in den obersten Regionen ist die Sicherstellung durch constitutionelle Einrichtungen am nothwendigsten.

Denn darin besteht der große Vorzug bürgerlicher Freiheit und Rechtssicherheit, daß sie in dem Einzelnen, auch dem Geringsten, das Gefühl menschlicher Würde erweckt, welches nur gar zu leicht in

demjenigen unterdrückt wird, welcher sich von andern willkürlich be=
handeln und für nichts achten lassen muß. Jenes Gefühl für
Recht, Ehre und Wahrheit ist die Grundlage aller Tugenden, und
ein Volk kann nur in dem Grade besser werden, als es bürgerlich
frei ist. Auch der Wohlstand und die geistige Cultur gehen mit
dieser sittlichen Erhebung gleichen Schritt, und der Verfasser er=
kennt dies (I, 35.) ausdrücklich an. Aber er meint dabei, daß
ein Volk auch wohl ohne bürgerliche Freiheit die höchste ihm be=
stimmte Höhe in der Literatur erreichen könne. Wenn dies auf
irgend ein specielles Talent der Wissenschaft und Kunst beschränkt
wird, so kann man es wohl zugeben: aber im Ganzen ist es un=
richtig. Vielseitige und das ganze Volk durchdringende Geistesbil=
dung, Reife des Urtheils und männliche Gediegenheit des Ausdrucks
sind nur einem Volke erreichbar, welches sich bürgerlicher Freiheit
bewußt ist. Sein Berufen auf die literarische Blüthenzeit der Rö=
mer unter August trifft nicht: denn die Knospen dieser Blüthen
waren bereits früher hervorgetrieben, und würden sich unter einem
Tiber, Nero, Claudius nicht entfaltet haben. Uebrigens ist dies
wieder ein Beispiel der großen Verwechselung der wahren Freiheit
mit gewissen republicanischen Formen, indem unter August und sei=
nen bessern Nachfolgern gewiß in der römischen Welt größere
Rechtssicherheit anzutreffen war, (nachdem einmal die Vertreibung
der alten Besitzer in einigen Provinzen überstanden war), als zu
den Zeiten der gracchischen Unruhen oder der Proscriptionen. In
allen Heroen der Literatur lebt ein Geist der Freiheit, welcher sich
deutlich genug ausspricht, und ohne welchen weder Tacitus noch
Dante, weder Petrarca noch Milton und Shakspeare, weder Plato
noch Cicero und Montesquieu die Lehrer aller Zeitalter geworden
wären. Aber dies ist weder die Freiheit, welche die Griechen und
Römer in der Abwesenheit monarchischer Namen fanden, noch die
Freiheit der Jacobiner, sondern jene ächte, höhere, welche in der
Welt niemals in vollkommener Reinheit erscheinen, aber vereinbar
mit jeder Staatsform, immer der Polarstern aller denkenden und
redlichen Menschen bleiben wird.

    III. Vortrefflich ist sehr vieles, was der Verfasser über den
Werth der Constitutionen sagt, wiewohl wir auch hier die
Unbestimmtheit der Begriffe wieder antreffen, worüber wir bisher
zu klagen hatten. Denn bald wird mit diesem Worte die Verfas=
sung eines Volkes bezeichnet, wie sich dieselbe eben durch das Her=
kommen gestaltet hat, wobei denn auch eine absolut=monarchische
Constitution, oder die Abwesenheit der Constitution, gedacht werden
kann; bald hat man darunter die urkundliche Festsetzung des öffent=
lichen Rechts; bald aber gewisse Einrichtungen zu Beschränkung der
öffentlichen Gewalt und zu Sicherstellung der politischen und bür=

gerlichen Freiheit zu verstehen. In dem letzten Sinne sagt der Verfasser (I, 81.) sehr richtig: „der große Werth einer repräsentativen Verfassung bestehe darin, daß sie das Talent entwickele und prüfe, und daß sie es einem unwissenden oder unverständigen Manne unmöglich mache, sich als Minister zu behaupten." Aber dazu muß die Repräsentation schon manche Eigenschaften haben, welche man nicht in allen Ländern bei ihr antrifft.

Dem Abfassen neuer Constitutionen ist der Verfasser sehr abgeneigt; und mit Recht, wenn man dabei an das Wegwerfen der alten und das Aufstellen neuer Grundsätze und Grundlagen des öffentlichen Rechts denkt. „Es ist," sagt er (I, 127), „an sich weder ein Unglück noch ein Verbrechen, eine Constitution (Verfassungsurkunde) zu entwerfen, oder eine solche zu haben, sobald sie nur das wirklich als Thatsache vorhandene und geltende öffentliche Recht getreu ausspricht und beurkundet, welches eben deswegen in Sachen und Personen festgewurzelt ist. Aber ein Verbrechen ist es, das Vorhandene zu zerstören, um dem Volke eine papierne Constitution zu geben, welche (alsdann) nichts seyn kann, als ein theoretisches Bruchstück, eine Reihe abstracter Sätze, welche in der Praxis ohne alle Anwendbarkeit sind, indem (richtiger wenn) sie weder in den Sitten, Gefühlen und Rechtsbegriffen des Volkes begründet sind, noch durch die öffentliche Gewalt, die von ihnen erschüttert oder in andere Hände gebracht und ihrer Stützen beraubt wird, aufrecht gehalten werden. Hierdurch wird also jederzeit die Existenz der bürgerlichen Gesellschaft in Gefahr gebracht, und dies Verbrechen bringt Elend ohne Maaß und Ziel hervor, welche immer das mit einander gemein haben, daß sie, weil ihre gemeinschaftliche Quelle in dem gänzlichen Mangel alles festen Bestandes zu suchen ist, weder verhütet noch verbessert werden können." — „Es würde," fährt er fort, „eine gefährliche Thorheit seyn, zu glauben, daß ohne schriftliche Abfassung keine Constitution vorhanden sey, so wie, daß es nur der schriftlichen Abfassung bedürfe, um sagen zu können, daß eine Constitution wirklich dasey. Es wäre selbst eine Thorheit, zu glauben, daß eine Constitution, welche nichts neues aufstellen, sondern nur das Bestehende rein aussprechen wollte, alle diejenigen Thatsachen, worauf das Bestehen der bürgerlichen Gesellschaft beruhet, vollständig auffassen und also alles erschöpfen könne. Es wird immer eine Menge von Dingen übrig bleiben, welche nicht bemerkt worden sind, und vielleicht gar nicht bemerkt werden konnten, an denen aber doch das Leben des Ganzen hängt."

In diesen Sätzen liegt nun unstreitig sehr viel Wahres und Treffendes, aber auch wiederum sehr vieles, was einer genauern Bestimmung bedarf. Es ist ganz gewiß, daß eine jede neue Gesetzgebung überhaupt, und in Verfassungsangelegenheiten ganz vorzüglich nur dann heilsam seyn kann, wenn sie eine Entwickelung und Anwendung des schon Vorhandenen ist. Aber die Form die= ses Vorhandenseyns ist eine doppelte und sehr verschiedene. Denn ein Theil dieses öffentlichen Rechts besteht als wirklich geltendes, anerkanntes Recht, sey dies nun in ausdrücklichen Gesetzen und Verträgen, oder in Gewohnheiten; ein anderer Theil aber lebt bloß in den herrschenden Rechtsbegriffen des Volkes, ohne bereits als verbindend anerkannt zu seyn. Vieles von dem früher und formell noch Bestehenden ist meistens schon außer Gebrauch gekommen, ohne daß man darum sagen kann, es sey wirklich aus den Rechts= begriffen des Volkes verschwunden oder gänzlich unanwendbar ge= worden. Manches ist zwar dem Buchstaben nach nicht mehr an= zuwenden, aber die Grundsätze sind gültig geblieben, und es bedarf also offenbar einer Einrichtung, von welcher zwar das Material und manche äußere Form neu seyn kann, die aber doch nur Wie= derherstellung und nothwendige Ergänzung des alten Gebäudes ist. Von dieser Art ist vieles, was sich auf die ehemalige Repräsenta= tiv = Verfassung (eigentlich Gemeinde = Verfassung) der germanischen Staaten bezieht, wobei man nur die alten Grundsätze festzuhalten, und manche schon an sich zu Recht nicht beständige Neuerungen des siebzehnten und achtzehnten Jahrhunderts wieder abzuthun brauchte, um zu dem zu gelangen, was so tief im Geiste der Völker festgewurzelt ist. Aus den mannichfaltigen Combinationen und Gegensätzen des bloß formell und real Vorhandenen entstehet aber eben das Bedürfniß neuer gegenseitiger Anerkennungen des Verfassungsrechts, welches freilich zum Theil sich in unfruchtbare Theorie verliert, aber doch auch durch theoretische Untersuchungen, wenn sie das Geschichtliche mit dem Speculativen verbinden, gelei= tet werden muß.

Denn darin muß man mit dem würdigen Verfasser vollkom= men einstimmen, und es muß der oberste Grundsatz aller Verfas= sungspolitik seyn, immer nur von dem Bestehenden auszugehen, und an dieses die etwa nothwendigen Reformen anzuknüpfen. Alle Verfassungsformen enthalten, sie mögen seyn wie sie wollen, die Keime eines der Natur und Vernunft angemessenen öffentlichen Rechts; sie sind Werkzeuge, womit man die rechtliche Ordnung un= ter den Menschen aufrecht halten soll. Ihr Gebrauch erfordert oft nicht geringe Geschicklichkeit: aber diese muß man sich zu erwerben suchen, nicht das Werkzeug wegwerfen wollen, um nach einem neuen zu greifen, dessen Anwendung, weil es nicht auf den gegebe= nen Stoff berechnet ist, noch viel schwieriger ist. Das Drängen nach neuen Verfassungen ist daher häufig nur ein Geständniß der Ungeschicklichkeit, daß man das Vorhandene nicht genau genug kennen und gehörig brauchen lernen mag. Eben so ist auch das vollkom=

men wahr, daß es ein thörichtes Unternehmen seyn würde, selbst
das bestehende öffentliche Recht in ein vollständiges erschöpfendes
System zu bringen.   Aber die Hauptsache wird immer die seyn,
den in einem Volke herrschend gewordenen Rechtsbegriffen auch im
öffentlichen Rechte Anerkennung und Gültigkeit zu gewähren,   und
also nicht sowohl durch neue Constitutionen, als vielmehr durch einzelne constitutionelle Einrichtungen und Reformen das formell Bestehende mit dem reell Vorhandenen in einer fortwährenden Uebereinstimmung zu erhalten,   und die Widersprüche, welche sich zwischen beiden im Laufe der Zeiten ergeben, nicht allzuschneidend werden zu lassen, sondern zu rechter Zeit auszugleichen.

    Dies führt uns denn zu den Ansichten,   welche der Verfasser
über das Werden der Constitutionen, wie der Gesetze überhaupt,
(I, 129, 140 u. f.) aufstellt.   Wir wissen schon, daß er hierbei
den Systemen derer huldigt,   welche das bürgerliche Recht weniger
für ein Product der menschlichen Ueberlegung,   als einer gewissen
natürlichen Entwickelung ansehen, wobei die sonst so entgegengesetzten
Theorien Hugo's und Hegel's auf eine merkwürdige Weise, indem sie sich bekämpfen und anfeinden,   doch im Grunde sehr übereinstimmen.   Es läßt sich auch gar nicht verkennen, daß viel Wahres in der Sache liegt, und daß es höchst unrichtig ist, das Rechtssystem eines Volkes als ein Product reiner menschlicher Willkür
anzusehen,   welches nach beliebigen und zufälligen Absichten eines
Gesetzgebers sich heute so und morgen anders gestalten ließe.   Eine
solche willkürliche Gestaltung ist auch im Ganzen noch nie einem
Regenten, Gelehrten oder Minister eingefallen; desto häufiger aber
ist es in Bezug auf einzelne Puncte und in Beziehung auf einzelne Länder dadurch geschehen, daß man ihnen ein fremdes, nicht in
ihrem Schooße erzeugtes System von Rechten mit einem Male
zum Gesetz gemacht hat.   Gegen das Letzte ist sehr häufig eine
Einwendung gemacht worden, welche wir nicht billigen können, weil
sie weder durch allgemeine Grundsätze, noch durch die Erfahrung begründet werden kann.   Man hat gesagt, und besonders gegen die
Aufhebung einer Menge provinzieller und localer Rechte mittelst
eines allgemeinen Gesetzbuchs diesen Einwand gebraucht, daß diese
besondern Rechte ein Resultat des innersten Volkslebens seyen, welches nicht abgeändert werden könne, ohne in das Wohl der Familien auf das tiefste einzugreifen.   Dies ist aber erstlich h i s t o r i s c h
unrichtig,   weil man bei genauerer Beobachtung dieser provinziellen
Rechte meist eine sehr zufällige und von außen hereinkommende
Entstehungsursache derselben entdecken wird, z. B. einen patriotischen
Kanzler oder Stadtsyndicus,   welcher mit mehr oder weniger Glück
seinen Gesetzgebungseifer oder seine Vorliebe für irgend eine andere
neuere Legislation walten ließ;   und es ist p o l i t i s c h unrichtig,

weil die tiefern Grundlagen alles Rechts immer dieselben bleiben, von keiner Gesetzgebung verkannt werden, und die Verschiedenheit nur in quantitativen und formalen Bestimmungen (dem eigenthümlichen Felde des Positiven) zu finden ist. Das Materiale dieser Bestimmungen ist oft sehr gleichgültig: ob das Alter der Volljährigkeit ein Jahr früher oder später eintritt, ob der Pflichttheil der Kinder etwas mehr oder weniger beträgt, ob die Formen der Testamente, die Erbfolgeordnung der Verwandten, die Vermögensrechte der Ehegatten, die Formen und Wirkungen der Verträge so oder anders sind: das ist alles, obwohl keinesweges an sich unbedeutend, doch von viel geringerer Wichtigkeit, als daß diese Bestimmungen unbestritten sicher und auf einem möglichst großen Raume gleichförmig sind. Das Letzte ist für den bürgerlichen Verkehr nothwendig, weil die Abweichungen, außerdem daß sie die Achtung gegen das Gesetz untergraben, welches durch sie als ein Werk des Zufalls und der Laune erscheint, auch den Bürgern nicht bekannt seyn können und ihnen daher häufig Verluste zuziehen, so daß auch der Credit aus einem Lande ins andere oft sehr erschwert ist. Die Gewißheit des Rechts aber ist eine so große Wohlthat, oder vielmehr die Ungewißheit ein so großes Uebel, daß viele andere Unvollkommenheiten der Gesetzgebung weit eher zu ertragen sind, als sie. Denn sie macht die Entscheidungen der Gerichte zu einer Art Glücksspiel, je nachdem sich der Referent und die Majorität gerade zu einer oder der andern Ansicht bekennt (über manche wichtige Puncte giebt es bekanntlich 5—6 verschiedene Meinungen); sie ist eben deshalb, weil bei der ungerechtesten Sache sich durch die geschickte Benutzung der Controversen noch ein günstiger Ausgang hoffen läßt, eine der schädlichsten Ursachen der Vermehrung der Processe, und die Gewißheit des Rechts (über deren Erreichung wir uns an einem andern Orte verbreiten werden) das wirksamste, ja das einzige zulässige Mittel der Verminderung derselben.

Hierin schmeicheln wir uns, daß der Verfasser beistimmen werde: denn es ist dasselbe, worauf er selbst so sehr dringt, Festigkeit und Gewißheit des Rechts sowohl für das bürgerlich-häusliche, als für das öffentliche Leben des Volkes. Das wahrhaft Unveränderliche sind aber nur die Grundsätze, nicht das Ergebniß ihrer Anwendung auf die wirklich vorhandenen Verhältnisse, welches sich daher im Laufe der Zeiten oft sehr verändern kann. Darüber werden dann die Grundsätze selbst zuweilen vergessen, und es wird von Zeit zu Zeit nöthig, sie auf's neue auszusprechen und ihre praktischen Folgerungen zu bestimmen. Dies ist der vernünftige Zweck der Constitutionen, welche, wenn sie sich in diesen Schranken halten, vorzüglich einen dreifachen Vortheil gewähren. Erstlich heben sie die Idee des Vertragsmäßigen hervor und schließen dadurch die einseitige Abänderlichkeit aus, ohne gerade eine Reform für unmöglich zu erklären; zweitens enthalten sie Anerkennungen über das öffentliche Recht, welche zwar noch keine volle Sicherheit der Beobachtung bewirken können, aber doch schon dadurch großen Nutzen stiften, daß der Streit über Recht und Unrecht bei manchen Puncten gehoben wird, und schon diese Sicherheit des Urtheils über klares Unrecht ist ein großer Gewinn. Endlich drittens werden nun noch mancherlei Rechtsmittel gegen das Unrecht aufgestellt werden (wie die englische Habeas=Corpusacte, und dergl.), welche die wirkliche Aufrechthaltung der Constitutionen sichern.

Derselbe Streit, welcher in der bürgerlichen Gesetzgebung über die Nothwendigkeit neuer Legislationen geführt wird, kommt auch im Verfassungsrecht vor, und auch hier sind die beiden Extreme zu bemerken, welche man dort als die Klippen der Einseitigkeit bezeichnen kann. Das eine ist der gänzliche Indifferentismus der Principien, welcher alles für Recht erklärt, was die Völker je dafür gehalten haben, (Sklaverei, Polygamie und dergl.), und welcher das Entstehen dieser Rechtsbegriffe schlechterdings aus einer Art von Naturnothwendigkeit erklären will. Dies ist bekanntlich im Ganzen die Ansicht Hugo's, Savigny's und ihrer Schüler, und auch unser Verfasser tritt derselben bei. Er meint (I, 132, 140,): „kein Volk sey ohne Constitution, nicht einmal die Türken, und jede Constitution mache sich nach und nach, wie alles Recht, von selbst." Wie wenig wir uns mit dieser Vorstellungsweise vereinigen können, ergiebt sich schon aus dem Bisherigen von selbst, indem uns überall aus der innersten Gesetzgebung des menschlichen Geistes allgemeine und unveränderliche Wahrheiten hervorzugehen scheinen, zu welchen alle positive Gesetze nur Annäherungsversuche seyn können, welche also auch jederzeit den größten Theil des Inhalts liefern müssen. Das entgegengesetzte Extrem ist aber die falsche Anwendung allgemeiner Principien auf Dinge, welche sich nur durch Erfahrung und nicht a priori bestimmen lassen. Schon oft hat man Versuche gemacht, dergleichen positive Einrichtungen lediglich aus allgemeinen Principien aufzubauen, (z. B. Fichte's geschlossener Handelsstaat,): aber immer sind dieselben vergeblich gewesen, eben weil ein allzugroßer Theil des Gebäudes aus Erfahrungssätzen und nach zufällig gegebenen Bedingungen errichtet werden muß. Allein wenn man beides, die aus der Natur des menschlichen Geistes geschöpften allgemeinen Principien, und die nur durch Erfahrung bestimmbaren Ergänzungen derselben gehörig von einander sondern und das durch Erfahrung Gegebene möglichst rein und vollständig aufstellen wollte, (ungefähr wie Hugo den eigentlichen Rechtssätzen eine juristische Anthropologie

vorausschickt,): so würde sich wohl zeigen, daß die von aller Erfah=
rung unabhängigen Grundsätze auch für die positivsten Institute
von großer Wichtigkeit sind.   Denn der Fehler liegt nur darin,
daß man auch · den materiellen Stoff besonderer Verhältnisse durch
bloße Speculation aufbauen wollte, nicht aber darin, daß man je=
nen Stoff unter die allgemeinen Grundsätze unterordnete. Da sich
nun die Arten der vorkommenden Rechtsverhältnisse unter den
Menschen sowohl im Allgemeinen,   als unter einem bestimmten
Volke mit ziemlicher Vollständigkeit zusammenstellen lassen,   so ist
es auch nicht so gar gewagt und schwierig, für dieses Volk ein er=
schöpfendes Rechtssystem nach dessen herrschenden Begriffen und für
die in seiner Mitte gangbaren Rechtsverhältnisse zu entwerfen.

Eben dasselbe gilt nun auch von Verfassungsurkunden.   Die
Ansichten über die allgemeinen Grundlagen derselben sind,   seitdem
das Nachdenken der Menschen hierauf gelenkt worden ist,   so viel=
fach besprochen worden,   daß die obersten Resultate derselben ziem=
lich für ausgemacht gelten können, wie sie denn wirklich auch der
Vernunft, ja dem gemeinen Rechtsgefühle sehr nahe liegen.   Sie
sind aber immer gerade dadurch verdunkelt worden, daß gewisse zu=
fällige Verhältnisse und Einrichtungen als unbedingt nothwendig er=
wiesen werden sollten,   und daß man sich das Geistige als unter
der Herrschaft der Materie stehend dachte, welches doch gerade um=
gekehrt seyn soll und wirklich ist. Den sehr richtigen Satz, welcher
von niemand geleugnet werden kann,   ohne in eine wirklich revolu=
tionaire Theorie zu verfallen (die wir aber nicht mit revolutionairer
Absicht zu verwechseln bitten): daß alles Bestehende heilig seyn
muß,   und nur durch die stille Kraft der Zeit umgebildet werden
darf, aber dafür auch immer vernunftgemäß (nach dem Gesetze der
Gerechtigkeit) verstanden und fortgebildet werden muß, — darf man
nicht dahin verkehren, daß das in irgend einem Staate Vorhande=
ne,   oder auch, da die europäischen Staaten sich in großer Ueber=
einstimmung unter gemeinschaftlichen Gesetzen ausgebildet haben, daß
manche gemeinschaftliche Institute Europa's an sich und unbedingt
nothwendig seyen, und also auch da eingeführt oder aufrecht erhalten
werden müßten,   wo sie nie vorhanden waren,   oder bereits ver=
schwunden sind. Ein großer Theil der Meinungskämpfe unserer
Tage kommt von diesem Mißverständnisse her.   Der zweite Irr=
thum, das Geistige sich als abhängig von äußern materiellen Ver=
hältnissen vorzustellen, ist nicht minder auffallend und schädlich. Es
ist beinahe unbegreiflich, wie man trotz der entgegenstehenden Er=
fahrung aller Zeiten noch immer darauf zurückkommen kann, daß
Reichthum eine Bürgschaft größerer Treue, größerer Einsicht und
eines bessern Willens sey. So sagt der Verfasser (I, 137) auch
wieder, indem er von England spricht: „Die · Aristokratie des Eigen=

thums wird natürlich zu einer Aristokratie des Talents und der Rechtschaffenheit, und bringt die Besten des Volkes in die höhern Aemter. Denn die Eigenthümer sind der Regel nach die Aufge= klärtesten und Redlichsten." Zwar beschränkt er diese Behauptung sogleich wieder dahin, daß er sie nur vom Mittelstande, nicht von dem Reichthum verstanden wissen will, aber doch auch in dieser Beschrän= kung ist sie der Erfahrung zuwider. Die Aufgeklärtesten im Volke sind die, welche den besten Unterricht genossen und am besten ge= nutzt haben, und die Redlichkeit ist an keinen Stand gebunden; die Reichen und Wohlhabenden sind nur auf eine andere Weise un= redlich, als die Armen. Es kann ganz zweckmäßig seyn, bei der Ausübung gewisser staatsbürgerlicher Rechte einiges Vermögen zur Bedingung zu machen: allein der Grund dieser Ausschließung der ganz Armen ist gerade ein Beweis gegen die Ansichten des Ver= fassers. Denn man will ja damit nichts anderes, als gerade den ungebührlichen Einfluß der Reichen entfernen, welcher von jeher über den ärmsten und zahlreichsten Theil des Volkes von ihnen ausgeübt worden ist. Noch unbegründeter und ein wahres Spiel mit Worten ist es, wenn der Verfasser die beiden, einem jeden Staate unentbehrlichen Kräfte der Bewegung und der Trägheit (inertiae) durch das bewegliche und unbewegliche Vermögen re= präsentirt oder an dasselbe geknüpft wissen will. Die beiden ge= nannten Kräfte haben ganz andere und nicht so materielle Grund= lagen; die bewegende Kraft, welche das eigentliche Lebensprincip ist, ruht in dem Triebe des menschlichen Geistes nach Vollkommenheit und nach befriedigender Einheit im Erkennen; sie ist schon eine unächte, wenn sie bloß von sinnlichen Anregungen geweckt, und auf das Erringen irdischer Vortheile und Genüsse gerichtet ist; die hemmende Kraft hingegen, welche jener zur Berichtigung dienen muß, liegt in der Macht der Gewohnheit, in dem Festhalten der erworbenen Vortheile und in dem Bewußtseyn, daß der menschli= che Geist dem Irrthum so oft ausgesetzt ist, und man daher dem Neuen sich nicht allzuleicht hingeben dürfe. Die Natur hat diese beiden Kräfte hauptsächlich zwischen Jugend und Alter vertheilt: allein außerdem haften sie an keinem Stande an sich, sondern in dem Kreislaufe, welchen alle menschliche Dinge beschreiben, muß die eine immer demjenigen vorzugsweise zu Theil werden, welcher von Veränderungen die größten Vortheile zu erwarten hat, oder sich in dem Bestehenden am meisten gedrückt und beengt fühlt. Auf der andern Seite wird die hemmende Kraft immer demjenigen bei= wohnen, welcher sich im Besitz der Vortheile befindet, von welchem er andere ausschließen möchte. Dies waren einst die Gelehrten und Priester, in den Niederlanden der Handelsstand, in andern Ländern der Geburtsadel, der Stand der Grundbesitzer, die Hierar=

thie der Staatsbeamten, hier und da scheinen es die Capitalisten werden zu sollen, wie es zuweilen militairische Corporationen gewesen sind. Auf die besondern Umstände eines Volkes also kommt es an, wie diese Kräfte vertheilt seyn werden, und nur das ist immer und unter allen Verhältnissen gewiß, daß die wahre Bewegung von der höhern Bildung, von Gelehrsamkeit und ächter Philosophie ausgehen muß. Nur ernste, strenge Wissenschaft ist die Lehrerin der Menschheit und die Ordnerin des gesunden öffentlichen Lebens.

Wie unbestimmt und, als allgemeiner Satz, wie falsch ist es daher, wenn der Verfasser (1, 105) sagt: „Die Krankheiten des Zeitalters haben ihren Grund in der heutigen Art des Unterrichts und der Erziehung, und solange man sie nicht auf diesen beiden Puncten angreift, so wird man das Uebel nur verzögern, nur ans Licht ziehen, nicht heilen können. In der Erziehung fehlen die positive Gewöhnung, im Unterricht die positiven Lehren." Wenn wir nun dem Verfasser, was die Erziehung betrifft, gern beistimmen, daß Gewöhnung zum Gehorsam etwas sehr Wichtiges, wiewohl nicht das Höchste ist, weil dieses nicht im Gehorsam gegen menschliche Autorität, sondern gegen das Sittengesetz besteht, so müssen wir ihm, in Ansehung des Unterrichts, desto bestimmter widersprechen.

Denn hier sind positive Lehren, das heißt solche, welche als feststehende Wahrheiten durch die öffentliche Gewalt sanctionirt und aufrecht gehalten werden sollten, von je her unheilstiftend gewesen. Die Wahrheit kann sich nur selbst und nur dadurch aufrecht halten, daß der Angriff auf sie vollkommen frei ist. Es stünde sehr übel mit dem Menschengeschlechte, wenn die häufigen Versuche, die Gränze des menschlichen Wissens und Forschens von Staats wegen abzustecken, je auf einem großen Raume und auf lange Zeit hätten gelingen können. Verketzerung, Verfolgungssucht, Inquisition sind davon die unausbleiblichen Folgen, und so sehr sich der Verfasser (I, 110) gegen diese vermeintliche Uebertreibung seiner Ansichten verwahrt, so ist es doch nicht möglich, eine solche Staatsaufsicht über die Wissenschaft, wie er sie verlangt, von dem Fortschreiten zu jenen ihm selbst verhaßten Extremen abzuhalten. Der Unterschied, welchen er zwischen Grundsätzen und Ideen macht, wovon jene fest und unveränderlich seyn, diese aber der freiesten Untersuchung überlassen werden müßten, wird nicht weit führen. Es läßt sich keine solche Scheidung zwischen der praktischen und theoretischen Philosophie aufstellen; alle Zweige des menschlichen Wissens sind so genau mit einander verbunden: die Lehren von dem Ursprung aller Dinge, von der Unendlichkeit des Daseyns, Freiheit und einer göttlichen Weltordnung, sind der Philosophie in ihren beiden Richtungen so gemeinschaftliche und unentbehrliche Grundlagen, daß man nicht die eine Seite mit festen Gränzen

umſchließen, die andere aber offen laſſen kann. Es bleibt daher
nichts übrig, als ſorgfältige Auswahl der vom Staate beſoldeten
Lehrer, und zwar ſtrenge Berückſichtigung nicht bloß ihrer Mei=
nungen, ſondern noch vielmehr ihrer moraliſchen Unbeſcholtenheit,
und dann wird man wegen der Lehren nicht eben ſo große Ur=
ſache zur Beſorgniß haben. Käme es aber vor, daß offenbar un=
moraliſche Handlungen unter den öffentlichen Lehrern ihre Lobredner
fänden, oder daß in einer ohnehin bewegten Zeit die nothwendige
Achtung des Beſtehenden durch Spott und unpraktiſche politiſche
Theorieen untergraben werden ſollte, ſo würden wir allerdings den
Regierungen das Recht vindiciren, einem ſolchen das Staatsamt
des Lehrers wieder abzunehmen. Dies iſt vielleicht auch nur,
was der Verfaſſer meint, aber etwas ganz anderes und viel weni=
geres, als er ſagt.

　　Wir würden kein Ende finden, wenn wir die nähere Beleuch=
tung einzelner Sätze, welche wir bisher an einigen Hauptpuncten
verſuchten, durch das Ganze und mit einiger Vollſtändigkeit durch=
führen wollten. Während der Verfaſſer ſelbſt auf die uubedingte
Feſthaltung der allgemeinen Wahrheiten des Rechts und der Moral
dringt, ſcheint er doch ſelbſt eine ſolche allgemeine Gültigkeit zu be=
ſtreiten. (I, 110): „Alles wird falſch, wenn man es vereinzelt,
unbedingt, allein gültig hinſtellt, und vielleicht iſt nichts falſch, ſo=
bald man den Gedanken als den Theil einer Maſchine betrachtet,
deren verſchiedene Räder und Federn ſich gegenſeitig ergänzen, be=
ſchränken und berichtigen." Dies iſt gerade das, was wir oben
ſchon glaubten bemerken zu müſſen, daß vorzüglich in der Staats=
wiſſenſchaft nur ein ſtrenges Syſtem (das Ganze der Maſchine)
die einzelnen Sätze an den rechten Ort und in das rechte Licht
ſtellt, wo ſich über ihre Richtigkeit ein gehörig begründetes Urtheil
fällen läßt. Daher würde ſich vielleicht gar manche Gegenbemer=
kung von ſelbſt heben, wenn es dem Verfaſſer gefallen hätte, das
Syſtem, welches man bei einem ſo gründlichen Denker immer voraus=
ſetzen kann, in ſchulgerechter Form darzuſtellen. Unſere Zeit liebt
das freilich nicht. Sie begnügt ſich lieber mit einzelnen Lehrſätzen
und blendenden Einfällen, welche an ſich, wie der Verfaſſer gar
recht bemerkt hat, weder wahr noch falſch ſind. Das Syſtemati=
ſche führt zu beſtimmten Urtheilen über das, was unter gegebenen
Vorausſetzungen Recht oder Unrecht iſt; und dies umgeht man
freilich, wenn man einen Vorrath von iſolirten Ausſprüchen,
Gleichniſſen, Witzworten anſchafft, mit welchen man, unter Beob=
achtung gewiſſer herkömmlicher Redensarten, für jede Partei in
Dienſt treten kann, wie der Soldat, wenn er zum Feind über=
läuft, nur das Feldzeichen, nicht aber ſein Gewehr zu verändern
nöthig hat. Je weniger der Verfaſſer ſelbſt einer ſolchen politi=

ſchen Doppelzüngigkeit und Fledermausnatur beſchuldigt werden
kann, da er den hohen Werth einer vernünftigen Freiheit niemals
verkennt: deſto wünſchenswerther wäre es geweſen, wenn er ſich
vom Geſchmack der Zeit nicht hätte abhalten laſſen, uns das Ganze
zu geben, wovon die Bruchſtücke ſo intereſſant ſind.

Denn obgleich unſere Bemerkungen nur polemiſcher Art waren und ſeyn mußten, weil ſie vornehmlich durch die aphoriſtiſche
Manier veranlaßt wurden, ſo wollen wir doch damit nicht den
großen Reichthum treffender und ſchön geſagter Bemerkungen verkennen, welcher hier zu finden iſt. Wie wahr iſt, was der Verfaſſer am Schluſſe des Abſchnittes: Doutes sur de prétendus
axiomes politiques (I, 181) ſagt: „Jeder glaubt, in ſeiner
Vernunft die allgemeine Vernunft, in ſeinem Willen den allgemeinen Willen zu erblicken, und fordert alſo bürgerliche und ſtaats-
rechtliche Geſetze nach ſeiner Ueberzeugung, ohne daß es ihm
einfiele, ſich ſelbſt zu fragen, ob er auch den Grad von Scharfſinn, Urtheilskraft und Umſicht beſitze, welcher erforderlich iſt, um
über ſolche Dinge zu urtheilen. Jeder möchte daher auch ſeinen
Willen zum Willen aller erheben, oder wünſcht wenigſtens, daß
der Wille aller mit dem ſeinigen übereinſtimme, ohne zu ahnen,
daß er wohl auf dieſe Weiſe ſeinen Eigennutz, ſeine Selbſtſucht,
ſeine Leidenſchaft denen zum Geſetz machen könnte, welchen alles
dies gänzlich fremd iſt.“

Indeſſen müſſen wir uns um ſo mehr enthalten, mehreres
von dieſen ſeinen Bemerkungen auszuheben, als der Zweck dieſer
Blätter hauptſächlich auf das Verhältniß eines Buches zur Wiſſenſchaft gerichtet iſt, und faſt mit allen dieſen einzelnen Sätzen
ſich die Uebung anſtellen ließe, welche *Bacon* (de augmentis
scientiarum) ſo ſehr empfiehlt, das klare Gegentheil derſelben
auszuſprechen, und — doch auch Recht zu haben. Wir wollen
dies an einigen Sätzen zeigen, wie ſie der Zufall uns darbietet:

II, 4 ſagt der Verfaſſer: „Eine Verfaſſung wie die engliſche, macht die Talente unentbehrlicher, entwickelt ſie aber auch
zu gleicher Zeit. Ein unbeſonnener, unwiſſender Mann kann ſich
in England als Miniſter unmöglich behaupten; aber es werden
auch durch die Verfaſſung ſelbſt ausgezeichnete Männer gebildet und
hervorgehoben.“ Dagegen könnte man wohl die Sache auch ſo
ſtellen: In einer Verfaſſung, wie die engliſche, wo die öffentliche
Meinung ſo großen Einfluß auf die Staatsverwaltung hat, ſind
gerade ausgezeichnete Talente am entbehrlichſten. Der beliebteſte
Miniſter wird der ſeyn, welcher ein feines Gehör für die Stimme
des Volkes und den guten Willen hat, ihr zu folgen. Dazu, wie
überhaupt zum Wirken auf die Maſſe, iſt ein mittelmäßiges Talent am geſchickteſten, weil das wahre Genie zu ſelbſtändig iſt, um

die kleinen Künste der Schmeichelei anzuwenden, und die Masse das am besten begreift, was ihr am nächsten steht. Ein ganz unfähiger Mensch (un sol, un ignorant) kann sich in England freilich als Minister nicht behaupten. — Kann er es in irgend einer Verfassung?

II, 5: „Es giebt zwei Mittel, ein Land zu revolutioniren. Das eine ist, die Souverainetät in andere Hände zu bringen; das andere, dem Eigenthume andere Herren zu geben und das positive Recht nicht als einzigen Besitztitel gelten zu lassen.“

Dagegen: Alle bisherige Revolutionen sind entweder durch die Behandlung der Souverainetät als willkürlich zu brauchenden Besitzthums, oder durch die gar zu große Unveränderlichkeit des Eigenthums, wobei die große Masse des Volkes heimathlos wurde, und das positive Recht seine Bildungsfähigkeit durch höhere Principien verloren hatte, hervorgebracht worden.

Doch wir wollen dies Spiel nicht weiter fortsetzen und aus diesem Abschnitte (Aphorismes politiques) nur noch ein Paar Stellen ausheben, welche zeigen können, wie viel Stoff zum weitern Nachdenken der Leser hier findet.

„Wenn man annimmt (II, 5), daß es Grundsätze oder Regeln des Rechts giebt, welche älter sind, als das positive Recht, und nach welchen es beliebig abgeändert werden kann, so wird alles unsicher, veränderlich, precair. Wenn man dagegen behauptet, daß das positive Gesetz die einzige Quelle und Regel alles Rechts sey, und daß es keine höhern Principien für die Kritik desselben gebe, so verliert alles die Bewegung, ja die Fähigkeit des Bewegens und Fortbildens.“

„Die geheime Tendenz eines Volkes besteht in einer Art von Vorempfindung der Zukunft. Man muß sie kennen, um sie zu lenken; denn die Völker, welche aus freien und sittlichen Wesen bestehen, lassen sich nicht als Naturgegenstände behandeln, welche immer gut sind, weil sie immer dasjenige sind, was sie seyn können.“ (Man sieht, daß der Verfasser wenigstens das berüchtigte hegel'sche Wort: Was ist, ist vernünftig; und was vernünftig ist, das ist, nicht gelten läßt.)

Indem wir nun in dem vorliegenden Werke dasjenige übergehen, was Uebersetzung der frühern Schriften des Verfassers über Souverainetät und über die Staatswissenschaft ist, und auch diejenigen Abschnitte nicht weiter berühren, welche nicht staatswissenschaftlicher Natur sind (die Receptionsrede in der berliner Academie I, 299: Sur la littérature, I, 321 und Pensées détachées, II, 45), so bleibt uns hier nichts zu erwähnen übrig, als die interessante Abhandlung über die **Preßfreiheit** (I, 226—286). Indessen können wir uns auch bei dieser sehr kurz fassen.   Der

Ideengang in derſelben iſt einfach. Das Recht, ſeine Gedanken Anbern mitzutheilen und die Wahrheit zu ſagen, iſt kein dem Menſchen unbedingt nothwendiges; er kann ihm entſagen; es kann von dem Staate in Gränzen eingeſchloſſen werden, inſofern ſein Intereſſe es fordert und kein Recht entgegenſteht. Dies entgegenſtehende Recht findet ſich aber darin, daß ein jeder Menſch den Anſpruch an den Staat hat, daß ihm die Mittel des Unterrichts nicht geſchmälert werden, indem Andern die Mittheilung ihrer Gedanken und gefundenen Wahrheiten unterſagt wird. Der Staat muß ſich alſo begnügen, rechtswidrige Mittheilungen (Preßvergehungen) zu unterdrücken; und dieſe können begangen werden gegen Perſonen durch Verleumdungen, gegen den Staat durch Aufforderungen zu Verbrechen, gegen die Sachen durch Aufſtellung irreligiöſer, ſtaatsgefährlicher, ſittenverderbender Meinungen und Schilderungen. Die Mittel dagegen ſind erſtlich: Cenſur, welche aber nicht vor der Willkür der Cenſoren bewahrt werden kann, da es durchaus an feſten Regeln für ſie fehlen muß, und es bliebe alſo nichts übrig, als das zweite, Beſtrafung der ſchon begangenen Verbrechen. Dieſe iſt aber eben ſo unſicher und gefährlich, als die Cenſur. Denn es läßt ſich eben ſo wenig eine feſte Gränzlinie des Erlaubten und Strafbaren für die Gerichte, als für die Cenſoren, aufſtellen. Daher ſchlägt der Verfaſſer für beſondere Werke ein aus Schriftſtellern beſtehendes Cenſurtribunal vor, für die Tagesblätter, periodiſchen und Flug=Schriften eine ſtrengere Cenſur, welche vornehmlich alles Raiſonnement daraus verbannen und ſie auf rein hiſtoriſche Erzählung beſchränken ſoll.

Man wird ohne unſer Erinnern gewahr werden, daß dieſe Entwickelung, ſo gediegen und geiſtreich ſie auch im Einzelnen durchgeführt iſt, doch den wiſſenſchaftlichen Standpunct der Sache, wie ſolcher ſchon im Hermes (St. VII, 149) gegeben worden iſt, nicht verändert.   K. E. S.

IV.
Zur Würdigung des frankfurter hiſtoriſchen Vereins.

Archiv der Geſellſchaft für ältere deutſche Geſchichtkunde, zur Beförderung einer Geſammtausgabe der Quellenſchriften deutſcher Geſchichten des Mittelalters. 4 Bände. Frankf. a. M. bei Andreä 1819—1823. — Die drei erſten herausgegeben durch J. Lambert Büchler und E. G. Dümge; der vierte durch J. C. v. Fichard.

Es wäre wohl ſehr überflüſſig, von dem Zweck und der Einrichtung einer Zeitſchrift etwas zu ſagen, welche nur als Einleitung, als Vorbereitung eines andern größern Unternehmens dienen, nach dem Ausdruck der Redaction (B. 1. Vorr.) gleichsam ein Sprach=saal vieler würdigen Gelehrten seyn soll, um die Vorarbeit einer beabsichtigten großen Sammlung und Ausgabe sämmtlicher Quellen für die Geschichte des deutschen Mittelalters mit gemeinsamer und öffentlicher Berathung anzustellen. Es wäre eben so überflüssig, etwas über den Nutzen, ja, wenn wir eine geschriebene Geschichte haben sollen, über die Unentbehrlichkeit des Unternehmens selbst hinzuzufügen, da schon mancher wackere Historiker dies Bedürfniß sich und Andern deutlich gemacht hat, mancher Plan schon zu ei=nem solchen Unternehmen entworfen — und, trotz einer beifälligen Auf=nahme, doch vergeblich entworfen wurde. Wie sollte auch ein Werk der Art, welches die geistigen Kräfte wie die pecuniären Mittel eines einzelnen Mannes bei weitem übersteigt, bei uns zu Stande kommen, wo die Zerstückelung des Reiches jedem einzelnen Volksstamme ein eignes Interesse gab, und eine Anzahl politischer und historischer Prätensionen bis in die frühesten Entwickelungs=Perioden hinauf=reichten, einander in jedem Sinne durchkreuzten und bekämpften? Jeder wollte nur die Geschichte seines Volksstammes, seines parti=cularen Vaterlandes, seines Hochstifts, Klosters, seiner Vaterstadt mit=ausstatten helfen, Andern die Sorge für das Ihrige überlassend. Nur eine solche Zeit wie die unsrige, wo in gemeinsamen Anstrengun=gen für das Ganze alle particularen Rücksichten vergessen zu werden schienen, und ein Mann wie der Minister **Freiherr von Stein** konnten ein Unternehmen zum Gedeihen bringen, welches schon lange als bringendes Bedürfniß erkannt war.

Von Staatsgeschäften entfernt, wandte er seine Gedanken zur Vergangenheit. Im Studium der Geschichte unsers Vaterlandes stieß er auf den gerügten Mangel, und, ihn tief empfindend, beschloß er, gerade jetzt, wo die Gemüther von nationalem Gefühl ergriffen seyen, zur Ausfüllung der Lücke zu ermahnen und selbst Hand an=zulegen. Westphälische Edelleute, namentlich der Graf von Spie=gel und die Herren von Landsberg, Mirbach und Romberg, ver=sprachen Zuschuß an Geld. Der badische Legationsrath Büchler, der des Stifters Zutrauen besaß, bewog, von diesem dazu aufgefor=dert, den Archivrath Dümge, bekannt als Herausgeber von Gün=theri Ligurinus, zur weitern Ausarbeitung des Plans. Dies geschah im Frühling 1818. Da man Unterstützung und Schutz der Regierungen bedurfte, so ward dem hohen Bundestage die Sache vorgelegt. Sämmtliche Mitglieder versprachen, den Regierungen günstigen Bericht abzustatten, und einige derselben, die Herrn v. Aretin, Wangenheim, Plessen, Berkheim und der Senator Smidt bildeten nebst H. v. Stein die Direction. Am 20. Januar 1819 constituirte sich die Gesellschaft. Der von H. Dümge verfaßte

Plan, bündiger als alle frühere, selbst als der von Gatterer 1767 entworfene*), ward mit einem Aufrufe an Deutschlands Gelehrte publicirt, und ein Contract mit der Buchhandlung Andreä verabredet, sowohl wegen des künftigen Drucks der Quellensammlung, als des augenblicklichen Beginnens einer Zeitschrift, woburch alle Mitarbeiter in die bequemste Verbindung unter einander gesetzt würden, während die Direction sich mit den einzelnen in fortlaufender Correspondenz halten und die Resultate derselben wiederum durch die Zeitschrift zu Aller Kunde bringen wollte. Der Correspondenz und des Referats barüber unterzog sich besonders H. Büchler und übernahm zugleich mit H. Dümge, dem Besorger des eigentlich gelehrten Inhalts, die Redaction des Archivs. An Versicherungen von Theilnahme und an thätiger Handbietung fehlte es nicht, und von mehren Seiten erboten sich Gelehrte zur Bearbeitung einzelner Quellen. Die Herren Dümge und Mone unternahmen eine Reise durch Schwaben und die nördliche Schweiz, um Bibliotheken einzusehen und persönliche Verbindungen zu knüpfen. Später ward, gleichfalls auf Kosten der Gesellschaft, ein fähiger Mann, der Dr. Perz, nach Wien und, nach anderthalbjährigem Aufenthalte daselbst, sogar nach Rom und Palermo gesandt. Das Vergleichen der Handschriften, das Durchsuchen der Bibliotheken und Kataloge ward in allen Gegenden Deutschlands gefördert. Da H. Hase zu Paris geäußert hatte, daß auf der dortigen Bibliothek wohl 300 Manuscripte, Deutschlands Mittelalter betreffend, vorhanden seyn, so wandte man sich dorthin. Der russische Staatsrath v. Merian zu Paris ging eifrig in die Sache ein und ließ selbst auf den Bibliotheken zu London, Orford und Cambridge nachsuchen. Der Bischof Münter setzte Kopenhagen mit der Gesellschaft in Verbindung; auch Ungern nahmen thätigen Antheil. H. v. Stein machte selbst in dieser Hinsicht eine Reise nach Rom, wo einem Fremden seines Ranges der Zutritt zu den Bücherschätzen nicht geweigert wurde, und die Aufnahme des H. Perz vorbereitet werden konnte.

Unterdeß hatten die Regierungen sich gütig geäußert. Die österreichische erlaubte dem Reisenden der Gesellschaft, in den kaiserlichen Bibliotheken zu arbeiten; die preußische that mehr, sie empfahl, nachdem die berliner Akademie ein beifälliges Gutachten abgefaßt, ihren Gelehrten die Förderung des Werks. Baiern, Würtemberg, Sachsen, Braunschweig und schweizer Kantone versprachen die Oeffnung aller Archive und Bücherschätze und Vorschub durch ihre Bibliothekare. In Baiern und Westphalen bildeten sich Filialvereine, um in ihren Kreisen die der Gesellschaft nöthigen Forschun-

---

*) Er ist im Archiv I, 208 abgedruckt, sowie der von Dümge das Archiv beginnt.

gen zu veranstalten; eine Unterstützungsweise, der man in allen
übrigen Ländern thätige Nachahmung wünschen muß, vor allen
in Oestreich, wo der Reichthum an Handschriften so bedeutend
ist. Gründete sich dort ein Verein, aus eignem uneigennützigem
Antriebe oder durch die Regierung ermuntert, wie leicht und mit
wie geringen Kosten würde er alles Erforderliche aus der kaiserlichen
Bibliothek und aus den Klöstern herbeischaffen, was der Gesellschaft
durch eigens dahin gesandte Reisende natürlich weit höher zu stehen
kommt. Und dies ist sehr zu beachten: denn die Ausgaben mehrten
sich, und der Fond ist nur langsam nachgefolgt.

　　Dem dritten Bande des Archivs ist eine Uebersicht der Ein-
nahmen und Ausgaben angehängt, bis zum Schluß des Jahres 1821.
Ihr zufolge sind von 1819—1821 eingegangen 17,900 Gulden,
und 17,160 ausgegeben. Herr v. Stein, als Stifter des Unternehmens, glänzt hier auch als der Freigebigste: er hatte damals
schon 5100 Fl. beigetragen und trat 1822 wieder mit einer beträchtlichen Summe in's Mittel; der König von Preußen 1712,
der H. v. Landsberg 1500, der Graf Spiegel 1040, H. v. Mirbach 1000, die anhaltischen Häuser 720, H. v. Romberg 536,
der Banquier Mülhens zu Frankfurt a. M. 450, u. s. w. Die
Stadt Hamburg gab einen Beitrag von 660 Fl. als Drittels-Prä-
numeration auf 6 Er. der künftigen Ausgabe; desgleichen, jedoch
für weniger Exemplare, Bremen, Mecklenburg, Lübeck und Königreich Sachsen. Wichtiger noch war das Anerbieten stehender
jährlicher Beiträge, nämlich vom Fürsten von Taxis 550 Fl.,
von einer ungenannten Fürstin 480, (der leider nunmehr verstorbenen Fürstin von Fürstenberg), und von den anhaltischen Fürstenhäu-
sern 360, wodurch wenigstens ein kleines gewisses Einkommen für
die nächsten Jahre gesichert war. An neuen Beiträgen fehlte es
auch nicht. Die Stadt Frankfurt gab 750 Fl., Anhalt-Bernburg
360, der Kurfürst von Hessen 540 Fl. u. s. w., so daß im J. 1821
wieder 9660 Fl. ausgegeben werden konnten.

　　Hierdurch ist der Fortgang des Unternehmens einstweilen noth-
dürftig gesichert, und an Perz hat H. v. Stein den Mann gefunden, der nächstens die Leitung der Herausgabe der Scriptoren über-
nehmen wird. Dieser junge Gelehrte, bekannt durch eine Geschichte
der fränkischen Majordome, erhielt von der hannöverschen Regierung die
Erlaubniß, für die Gesellschaft nach Wien zu reisen. Nachdem er dort
1½ Jahr überaus fleißig gearbeitet, — wie seine Briefe im Archiv bezeu-
gen — Kataloge excerpirt, viele Handschriften verglichen, andere Vergleichungen eingeleitet, auch die östreichischen an gelehrten Schätzen
reichen Stifter und Klöster besucht hatte, wirkte H. v. Stein ihm län-
geren Urlaub aus und sandte ihn nach Italien, wo er seit 1821
verweilt hat und nächstens zurückkommen wird. In seinen Kennt-

niffen durch diefe Reifen fehr bereichert, völlig im Stand, anzugeben,
was zu Wien und in Italien näher aufzufuchen feyn möchte, und
in feinem künftigen Amte als Archivfecretair zu Hannover hinreichende Muße für gelehrte Arbeiten genießend, wird er dem Gefchäfte
ganz gewachfen feyn. H. v. Stein, keineswegs der Mann, mit
langfamen Schritten und Gemächlichkeit fich zu begnügen, und im
Nothfall bereit, noch mehr vom eignen Vermögen daran zu fetzen,
wird die Förderung befchleunigen. Ich kann bald fterben; — foll
er unlängft geäußert haben — drum muß ich eilen, um vor meinem Tode wenigftens e i n e n Band der Sammlung noch zu erblicken.

Das Archiv beginnt mit dem Plan=Entwurf, der fchon
früher gedruckt und vertheilt war. Mancherlei Gutachten darüber
find in den verfchiedenen Heften des Archivs feitdem erfchienen.
Dies vermochte Herrn Dümge zu einer umftändlichern Arbeit, die
der Direction vorgelegt, allein nur a u s z u g s w e i f e (im 4. Bande
des Archivs) bekannt geworden ift. Wir geftehen, daß uns der
vollftändige Auffatz lieber gewefen wäre, da der Auszug manches
unberührt gelaffen, was jener wahrfcheinlich beachtet hatte. Manches in Anordnung der Gefammtausgabe ift nun entfchieden, anderes noch in Zweifel.

Was den U m f a n g der S a m m l u n g betrifft, fo ift feftge-
fetzt, fie foll nichts Particulares, fondern alles zur Gefchichte des
deutfchen Volks überhaupt Gehörige enthalten. Hier entftand die
Frage, welcher Unterfchied zwifchen befonderm und allgemeinem
Werthe fey. Dies ließe fich wohl dahin entfcheiden: was nur Be-
fitzern und Nachbarn gewiffer Klöfter und Stifter, Bewohnern einzelner Städte, oder gewiffen Familien allein wiffenswerth fcheinen
mag, ohne für Gefchichte von Fürften, Adel, Klerus und Städten
überhaupt wichtig zu feyn, was demnach als Unterlage für deutfche
Volksgefchichte nicht dienen kann, wird als particular betrachtet.
Wo in zweifelhaften Fällen mehrere Kenner darüber fprechen, kann
fchwerlich das Wichtige überfehen werden. Niemand würde z. B.
die von der cölner Chronik erzählten Fehden der Bürger gegen ihre
Bifchöfe und unter fich der Aufnahme unwerth halten.

H. Dümge beftimmte deshalb die Rubriken des Inhalts fo:
1. G r ö ß e r e C h r o n i k e n und A u s z ü g e aus minder werthen.
2. L o c a l c h r o n i k e n, fofern fie für die Gefchichte des deutfchen Volkes Ausbeute gewähren. 3. A u s z ü g e von a u ß e r d e u t f c h e n
S c h r i f t e n. 4. B i o g r a p h i e n. 5. E p i f t e l f a m m l u n g e n. 6. E i n-
z e l n e B r i e f e und M i s c e l l e n.

Von gelehrten Freunden ward indeß noch mehr verlangt. So
wünfchten die berliner Akademie und Herr Siebenkees zu Lands-
hut allgemein wichtige Urkunden und die Rechtsquellen. Anlangend die Letzteren, fo haben fich die Herren Delius zu Wernige-

robe, Mannert und Dümge dagegen erklärt; und mit Recht, da
eine neue Bearbeitung derselben einem andern Vereine überlassen
bleiben und zu weite Ausdehnung des Unternehmens verhütet wer=
den müsse. Herr v. Fichard, in seinem Auszuge der größern Ar=
beit Dümge's, übergeht die Frage; doch sehen wir aus Briefen des
H. Perz, daß er auch für Herausgabe der salischen, lombardischen
u. a. Gesetze sammelt. Vielleicht denkt man also auch an den
Sachsen= und Schwaben=Spiegel und an die verschiedenen Weich=
bilder. — In Hinsicht der Urkunden gibt es ebenfalls abmahnende
Stimmen. H. v. Lang, Herausgeber der Regesten bairischer Ur=
kunden, meint, solche Regesten für jeden deutschen Staat seyen dem
Gelehrten hinreichend; jeder wisse dann zu finden, was er brauche.
H. v. Feßmaier zu München ist nicht gleicher Meinung: er will
wenigstens den Abdruck solcher Urkunden, wodurch Stellen in Chro=
niken bestärkt oder berichtigt werden. Da Perz diese Meinung
theilt, so wird man wahrscheinlich sie auszuführen suchen und also
jenen, falls die Rechtsquellen hinzukommen, sieben Rubriken
noch eine achte, nämlich Capitularien und ausgewählte
Urkunden, beifügen, was an sich verdienstlich ist, wenn wirklich
alle allgemein wichtige Urkunden, die keinen rein particularen
Werth haben, ausgesucht werden können, ohne die Herausgabe der
Scriptoren dadurch zu verzögern. Deshalb wäre zu rathen, sowohl
solche Urkunden, als die älteren und mittleren Rechtsquellen bis an's
Ende des thesaurus zu versparen.

Vieles ist auch über Anfang und Ende der Sammlung ge=
meint und gerathen. Herr von Aretin (zu Neuburg) schlug als
Ende die Mitte des 15. Jahrhunderts vor, während H. Lebret
zu Stuttgart Trittenheims cronic. Hirsaug. hineingezogen, De=
lius mit Ausgang des 15. Jahrh. und die H. v. Hormayr und
Fichard gar mit Maximilian's I. Tode geendet wissen wollten. Allein,
da das Ende noch am mindesten drängt, wird man die Bücher
des 15. Jahrhunderts noch nicht an Editoren austheilen. Der
Anfang verdient eher besprochen zu werden, und ist's auch. Dümge
hatte das Jahr 500 angenommen. Andre verlangten ein früheres;
H. v. Gagern sogar die unzählig edirte Germania des Tacitus,
und Delius eine vollständige Sammlung der auf deutsche Völker
bezüglichen Stellen alter Griechen und Römer, für welches Geschäft
H. v. Niebuhr den unstreitig dazu tüchtigen Dr. Lachmann vor=
schlug. Fichard kehrt wieder zu Chlodwig's Eroberung des innern
Galliens zurück. Es begrenzt sich dies aber so leicht, daß man
denken sollte, es könne keine Verschiedenheit der Ansichten stattfin=
den, sobald folgender Grundsatz festgestellt wird: diejenigen
Schriften gehören zunächst in den Thesaurus, welche
von Deutschen oder von Lateinern unter deutscher

Herrschaft über die alten Geschichten unserer Völker verfaßt sind, so lange sich nämlich diese der deutschen Art noch nicht entfremdet oder eigne Staaten gebildet hatten. Hiemit würde Mannert im Betreff der Vandalen, Gothen, Franken, und Sagern in Hinsicht auf älteste angelsächsische Quellen übereinstimmen.

Alles von Griechen und Römern vor Errichtung des gothischen Throns zu Toulouse, also vor 419 Geschriebene fiele demnach weg. Excerpte aus Salvianus de gubernat. Dei, Venantius Fortunatus, Sidonius Apollinaris, comes Marcellinus histor. misc., Prosper Aquitan. cron., Victor Vitens. de persec. Vandal., Idatius cron., Eugip. vit. Severini, Cassiodori varia, Jornandes de reb. Goth., Isidori histor. Goth. Vandal. Suev. — würden die Sammlung eröffnen; und außer den fränkisch=merowingischen Quellen: Nennius, Gildas, Auszüge aus Beda und der Angelsachsenchronik (wiewohl ein umfassenderes Studium der älteren englischen Geschichte bis auf Knut's Eroberung erst Schlüsse auf die heidnische Vorzeit der Angelsachsen zu machen erlaubt) folgen; hierauf, bevor die Karolingerzeit beginnt, Paul Diakonus und dessen Fortsetz. in Erkemberti gest. princ. Benevent. Für die Aufnahme des Paul spricht die Nothwendigkeit, daß wegen richtiger Erklärung deutscher Art und Namen ein Deutscher ihn ediren muß. Muratori konnte das nicht so. Außer Idatius und Isidor ist von Spaniern nichts aufzunehmen; die Gothen entfremden sich der deutschen Geschichte. Die Angelsachsen dürften wir verlassen, sobald sie Sieger der Britten geworden sind und im Anfange des 7. Jahrhunderts das Christenthum erhalten haben; die Franken aber erst nach Absetzung Karls des Dicken.

Vandalen, Ostgothen und Lombarden verweisen nun auf die byzantinischen Schriftsteller, worin auch später der Berührungen mit deutscher Geschichte viele sind. Deshalb hat man Auszüge aus ihnen vorgeschlagen und dies, gegen Mannert's Einwendungen, für gut gehalten. Byzantiner sind nicht, gleich antiken Autoren, die Aufgabe der Philologen, ihr Lesen nicht Jedermanns Sache, allein ihre Angaben über deutsche Völker uns nöthig. Darum ist es sehr willkommen, daß Herr Dr. Hase zu Paris sich dieser Arbeit unterzogen hat und sie für unsre Sammlung nebst einer lateinischen Uebersetzung liefern wird. Sein gediegener Brief darüber (I, 536) ist sehr lesenswerth.

Die Verbindung Italiens mit Deutschland hat noch keine Discussionen im Archive veranlaßt, wahrscheinlich weil hier die Gränze nicht wohl zu verfehlen ist, und aus italischen Scriptoren dasjenige in den Thesaurus gehört, was auf die Züge der Deutschen

nach Italien, dortige Verfügungen der Kaiser und ihre Zwiste mit
dem päpstlichen Stuhle Bezug hat. Das Aussuchen desselben wird
freilich in der Folge noch Erörterungen verlangen. — Die Kreuz=
züge indeß führen auch deutsche Heere nach Asien. Deshalb die
Frage (III, 246), ob nicht Auszüge aus Orientalen und
Franzosen über unsern Antheil an den Kreuzfahrten nöthig seyen?
Beantwortet ist sie noch nicht. Wir dächten, man begnügte sich
in dieser Hinsicht mit dem, was Wilken in seinem lückenlosen
Werke mittheilt. — Später trennt sich die Schweiz vom Reiche.
Derselbe Frager wünscht zu wissen, wie es mit den helvetischen
Chroniken zu halten? Wir wünschten, daß diese Frage detaillirt
und die Chroniken angegeben würen. So lange nämlich die Schweiz
zu Deutschland gehört, ist ihre Geschichte die unsrige; und es würde
nur die obige Regel anzuwenden seyn, das Particulare nicht aufzu=
nehmen. Schweizer=Chroniken des 15. Jahrh. sind alsdann füg=
lich den Schweizern zu überlassen, die dafür schon vieles rühmlich
gethan haben und noch thun.

Anlangend die Bearbeitung der Werke, so hat man mit
gutem Grund entschieden, jedes ohne Unterbrechung zu geben, also
nicht seinen oft Jahrhunderte umfassenden Inhalt in mehrere Bände
nach Zeiträumen zu vertheilen. Aus dem Anfange der größeren
Chroniken, die gewöhnlich mit Adam, Cäsar oder Christus begin=
nen, will man wegstreichen, was sie von den Römerzeiten oder
noch von frühern berichten und dem Rath der berliner Akademie
(II, 9), die dieses Streichen misbilligt, nur insoweit folgen, als
ein Stück der Art wirklich die Ansicht jenes mittleren Jahrhunderts
über älteste deutsche und antike Geschichten zu beurkunden im
Stande ist. — Auch etwanige größere, der Historie fremde Stellen,
z. B. der theolog. Excurs im Otto v. Freisingen, fallen weg, und
wird nur der Inhalt des Ausgelassenen bemerkt. Werke über=
haupt, worin sich viel Unnützes findet, sollen dessen beraubt wer=
den. So behauptet Ebert zu Wolfenbüttel, daß der größte Theil des
Siffrid. Presbyt. als völlig werthlos wegzuwerfen sey. Alle diese
Bestimmungen sind gewiß zu billigen.

Ein wichtiger Punkt betraf die Plagiate oder Copien.
Uns deucht, daß Gatterer in dem 1767 geschriebenen Entwurfe
hierüber treffliche Anweisungen gibt. Er erörtert nämlich, wie Pla=
giate zur Kritik der Originalstellen selbst dienen, hernach aber be=
seitigt werden müssen. Dies setzt genaue Einsicht dessen voraus,
was Original und Copie sey. Die berliner Akademie empfiehlt
deshalb, Stellen, die sehr variiren, nicht als bloße Plagiate zu strei=
chen, und solche Copien, die nur kleine Notizen und Facten enthal=
ten, überhaupt als gegenseitige Bekräftigung stehen zu lassen. —
Verständigen sich also die Bearbeiter unter einander über Weglas=

sung wiederholter Stellen, und wird zur Vorsicht noch die Entschei=
dung der Centraldirection eingeholt, so ist nichts zu befahren. —
Ueber die sonstige Behandlung des Textes, die, wie sich versteht,
auf genauer Vergleichung der besten Handschriften beruhen muß,
spricht Ebert, (II, 159) Wagners Ausgabe des Ditmar Merseb.
tadelnd, treffliche, von jedem Editor zu beherzigende Worte.

Außer der Anzeige von Varianten, Parallelen und ausgemerz=
ten Stücken soll die Notenzahl unterm Text nur spärlich seyn. Da=
gegen verlangt man von jedem Editor 1., ein Glossar über besondre
Wörter und Ausdrücke, und einen geographischen Index, damit die
einzelnen Bände damit ausgestattet und am Schluß der Sammlung
sowohl ein geographischer Hauptindex, als ein allgemeines Glos=
sarium veranstaltet werden könne; und 2., eine gedrängte Abhandlung
über Person, Geist und Sprache des Autors, über die Quellen, woraus
er geschöpft, über das Jahr, wo die Chronik anfange eigenthüm=
lich zu seyn, und den Zeitpunct ihrer Abfassung. — Ferner denkt
man den Thesaurus mit einigen Charten, Siegeln, genealogischen
Tabellen, Inscriptionen, Wappen und Münzen, Facsimiles von
Handschriften u. a. Erläuterungskupfern auszustatten.

Wir erlauben uns hier den Wunsch, daß zugleich jeder Editor
solche Stellen, die auf besondre Sitten und Trachten sich beziehen,
während der Arbeit sammeln und als wahrscheinlich nicht unange=
nehme Gabe für's Archiv einschicken möge. Oft wird die Aus=
beute nur gering, stets aber von Werth und dem Leser willkommen
seyn.

Dümge hatte in seinem Plan=Entwurf eine vorläufige Liste
von Chroniken, Biographien und Episteln mitgetheilt,
die seitdem beträchtlich ergänzt worden ist. Wie groß aber die Masse
von Schriften ist, deren im Archiv Erwähnung geschehen, so läßt
sich dennoch kein vollständiges Verzeichniß der aufzunehmenden Sa=
chen abfassen. Man könnte nur Inedita einzeichnen, deren Inhalt
als brauchbar angegeben ist; bei vielen Titeln ist die Brauchbarkeit
aber noch zweifelhaft. — Manche waren indeß der Meinung, daß,
ohne solches Verzeichniß vorher zu haben, die Herausgabe des The=
saurus nicht beginnen könne. Wir sehen nicht ein, warum. Es
werden ja nicht alle Bände in einem Jahre zugleich erscheinen sollen,
und die ältere Zeit, etwa bis zur Erlöschung der karolingischen Linie
in Deutschland, wird immer ihr Anfangsrecht behaupten. Für diese
ist nun ein vollständiges Register unschwer zu entwerfen, sobald
aus dem Vorrathe der vit. Sanctor. die tauglichen Stücke her=
vorgesucht sind. Sollte sich während der Präparation zum Druck
noch irgend etwas finden, so ist es leicht einzureihen.

Wohlgethan wäre es, wenn die Direction die einzelnen
Massen des Ganzen an besondre Vorsteher vertheilte. Die Herren

Börsch und Troß (dieser zu Münster, jener zu Marburg) müßten das Unternehmen eröffnen, in Verbindung mit andern Editoren der Excerpte und ganzer Schriften der ersten Bände. Ihnen folgte Perz mit jenen Herren, welche einzelne Stücke der karolingischen Jahrhunderte übernommen. Würde sich dann Ebert mit der sächsischen Kaiserzeit anschließen, so wäre die Leitung von mehr als einem Drittel der großen Ausgabe gesichert, indem für das Jahrhundert der salfränkischen Kaiser schon die Herren Stenzel zu Breslau und Voigt zu Königsberg sich bereitwillig gefunden, und Lebret das Welfenhaus besonders gewählt hat. Für das 12. und 13. Jahrh. dürften wohl Männer wie Dümge und Docen, falls ihre Geschäfte es erlauben, die Hauptleitung nicht wohl von sich ablehnen. — Daneben wird bereits für die Bohemica, die zugleich mancherlei Beziehungen auf die Slaven erläutern, durch H. Dobrowsky gesorgt; und Graf Mailath will alles aus den ungarischen Quellen ziehen, was die dortigen ältesten Verhältnisse zu Deutschland bis zum Jahr 1300 betrifft.

Wir denken uns, daß die Vorsteher der einzelnen Massen die Verzeichnisse der in ihr Gebiet schlagenden Schriften im Archiv bekannt machen und die Gelehrten zu fernerer Ergänzung auffordern würden; so wie jeder einzelne Editor, dem in Katalogen ferner Bibliotheken irgend ein Titel auffiele, durch den Vorsteher seines Zeitraums oder unmittelbar an die Direction sich zu wenden hätte, um die unbekannte Handschrift nachsehen zu lassen und ihm das Nöthige daraus zu verschaffen. Es ist kein Zweifel, daß auf diese Weise das Werk rasch fortrücken würde. Freilich, wiederholen wir, müßten einige Männer in Wien fortwährend für die Gesellschaft, nach Art des H. Perz, beschäftigt seyn. Dieser Mangel erinnert uns daran, daß wir unter den Mitarbeitern des Archivs den Namen Schlosser's zu Heidelberg nicht gefunden. So sollten unter andern auch die Sprachkenner Fr. Kortum und Karl Lachmann zur Theilnahme an der Edition eingeladen werden.

Es würde hier nicht der Ort seyn, wenn Rec. das zu seinem Privatgebrauch aus dem Archiv zusammengestellte Verzeichniß von Scriptoren mittheilen wollte. Wir erfahren auch aus Fichard's Berichte, daß in Heidelberg ein Katalog wenigstens aller bisher gedruckten Quellen verfertigt werde. Es mag also hier die Anzeige hinreichen, daß im Archive bereits Verzeichnisse der für das Unternehmen paßlichen oder paßlich scheinenden Handschriften, sowohl von bereits gedruckten als noch unedirten Werken, aus Katalogen excerpirt, oder — was mehr werth ist — nach eigner Ansicht derselben mitgetheilt sind. H. v. Stein selber gab zuerst (I, 101) eine Liste zur Ergänzung der von Dümge. Später sandte er aus Rom eine Anzeige von Handschriften, die in der Vaticana zu finden seyn (III, 414); Perz schickte ähnliche aus den Bibliotheken Chigi und Barberini zu Rom, nachdem er zuvor die Titel der zu Venedig befindlichen übersandt hatte. Von Paris ward ein Verzeichniß der dort vorhandenen gefertigt (I, 293—316), und ähnliche aus dem brittischen Museum und den Bibliotheken zu Orford und Cambridge, die leider gar zu unbestimmt ausgefallen sind. — Aus Lübeck, Münster, Hannover, Breslau, Dresden, Frankfurt, Cassel, Fulda, München und Heidelberg — aber noch nicht aus Wolfenbüttel — sind gleichfalls mit mehr oder weniger genauen Angaben Listen eingesandt. In allen finden sich Hülfsmittel zur Arbeit, in manchen noch durchaus unbekannte oder doch ungedruckte Sachen. Besonders reich an solchen, wie an Handschriften zum Vergleich bekannter Drucke, ist die kaiserliche Bibliothek zu Wien. Perz hat zu Wien aus den Manuscripten-Katalogen Auszüge für die Gesellschaft verfertigt, die im 3. Bande des Archivs 241 Seiten und im 4. Bande 124 Seiten einnehmen. Im Durchlesen staunt man, wie vieles dort für böhmische, bairische, österreichische, burgundische und belgische Geschichten zu finden, für Bisthümer und Stifter, sowohl in Oestreich und Nachbarlanden, als in der Ferne, z. B. für Mainz, Trier, Münster, Magdeburg u. s. w. — Desgleichen vieles zur Geschichte der Päpste, und mehrere wichtige Itinerarien, ein Vorrath von Briefen, Decreten, Verträgen, Stiftungsurkunden, kanonischen und weltlichen Gesetzen, Calendarien u. s. w., die unstreitig manches zur Aufklärung von Alterthümern und historischen Facten enthalten werden. Und nicht sowohl lateinische, als auch deutsche Chroniken in Reimen und Prosa, vom 13. bis zum 15. Jahrh. Liest man besonders die Titel der Letztern, so kann man dem Verlangen nicht widerstehen, daß man sie vor sich haben möchte, um für Sprache und Sitten jener Zeit aus ihnen lehrreiche Notizen und Schilderungen und muthmaßlich auch Gewinn für die politische Geschichte zu schöpfen. Wir setzen deshalb aus diesem Katalog einige Titel her:

Bruggae urbis jura et privilegia (Wann aufgezeichnet?).

Austriae descriptio German. (wann?).

Konrad von Würzburg's (einer aus dem 14. Jahrhundert?) Heldengedicht über Albrechts v. Oestreich Ritterschaft im Preußenlande.

Moguntinensium et aliorum pax publica ad annos decem, incipienda ab a. 1253.

De templariorum origine narratio (?).

Johannsen Liebs- und Heldengedicht über Wilhelms von Oestreich Heerfahrt in den Orient. Geschrieben im 14. Jahrh.

Carmen rhythmicum de gestis Caroli Audacis.

Deutsche Dichtungen über Karl den Großen.

Sifr. Helbling. poema germanic. de clericorum vita, Austriacorum vestitu, moribus etc., Alberti I. tempore scriptum.

Cronicon Austriae rhythmicum.

=   fabulosum Joh. Rasch de Pechlarn, german.

=   universale germ. Eberh. Ratisbon. 1077—1253.

=   Borussic. et Polon. german. bis 1227.

Deutsche Reimchronik von Erschaffung der Welt bis Friedrich II.; ein Coder aus dem 14. Jahrh. (etwa Horneck's früheres Werk?)

Reimchronik von Kaisern und Königen, bis gegen 1236.

Jansen Ennichels Fürstenbuch von Oestreich.

Joh. Keller et Lud. Rottengarter mercatorum rationes expensarum in itinere Veneto a. 1490.

De Ottone Rufo Imperatore, poema germ. heroicum, Rudolfi Austriaci principis mandato scriptum.

Quatuor poemata rhythmis antiquis germanicis adstricta.

Glossarium über den Sachsenspiegel in niederdeutscher Mundart.

Turnier auf des obersten Landschreibers Tochter Hochzeit (wann?)

Poema german. de Godefredo Bullionio et de bello sacro; fortasse Eschenbachii.

Ludi cujusdam equestris in Franconia habiti constitutiones.

Um den Leser mit dem bunten historisch literarischen Walde des Archivs näher bekannt zu machen, sondern wir das Durcheinanderstehende in zwei Classen und weisen, so viel hier der Raum gestattet, auf wichtigere Stücke hin, ohne jedesmal Band und Seitenzahl des Archivs beizusetzen.

A. Notizen für die Editoren, besonders über Handschriften schon gedruckter Scriptoren und noch unedirter Werke.

Bisher hieß es, von der Chronik der heiligen Stadt Cöln existire nur der Druck von 1499. H. v. Arnoldi meldet, er besitze eine Ausgabe von 1489, gedruckt bei Kölhof. Das Gleiche sagt der Bischof Münter und beschreibt uns diesen älteren Druck. Unter dem Holzschnitt des Titelblattes stehe: Sancta Colonia diceris, quia sanguine tincta Sanctorum, meritis quorum stas undique cincta. (Rec. sieht eben dieselbe Ausgabe Kölhofs v. 1489 angegeben im Katalog der Bücher Bodmann's zu Mainz, deren Auction den 15. Mai dieses Jahrs beginnen soll). Zugleich spricht Münter von einem sehr seltenen Druck: Cronika der vornemlikksten Geschichte und Handel der kaiserlicken Stadt Lübeck, up dat kortteste verfatet dorch Herm. Bonnum. Magdeborg 1540.

Hr. Dahl zu Darmstadt will zum Gebrauch für die Sammlung die Originalschriften des Benedictiners Wolfgang Treffler zu Mainz (Zeitgenoß Trittenheims) überlassen, z. B. cronic. Mogunt. vetus Conradi, jedoch unter dem richtigern Titel Christianus Moguntinus de gestis archipraesulum quorundam etc.   Uebrigens, bemerkt Dahl, sey dies nicht Christian, Barbarossa's Freund, sondern ein Christian aus dem 13. Jahrh., jedoch ungewiß, ob der Erzbischof Christian. II, oder ein anderer. (Aus dem von London eingeschickten Verzeichnisse sieht man, daß dort auch Christ. Archiepisc. Mogunt. epistolae handschriftlich liegen.) — H. Wedekind zu Lüneburg bietet der Gesellschaft seine Abschrift des Cronic. Halberstad. 769—1353, 80 Bogen stark und wichtig, da die deutsche lüneburger Chronik nur ein übersetzter Auszug derselben sey.   Die reinhardsbronner Chronik, von welcher die Rede gewesen, sey völlig in dem zu Hannover liegenden cron. Magdeburg. enthalten.   Ferner will Wedekind dem Editor des necrolog. Fuldense die von ihm verfaßte Erklärung von 300 Namen gern zukommen lassen.

Dümge bemerkt, daß im encom. Emmae reginae Angliae gute Nachrichten für Norddeutschland seyen; und Herr Engelhard zu Straßburg meldet, daß er mit Druck und Lithographie des von ihm wieder gefundenen Staufenberg beschäftigt sey; übrigens habe er auch einen alten Abdruck dieser Handschrift gesehen, allein sine l. et a., wahrscheinlich v. 1482.

Docen zeigt an: in München liege eine vollständige neue Edition der urstisischen Sammlung durch Johannes — Herausgeber script. Mogunt. und gestorben 1735 — in 2 Bänden zum Drucke bereit.   Ferner gibt Docen Aufklärung über Bernoldus Constantiensis. Urstis nenne ihn irrig Bertholdus. Hermann Contractus habe sein Zeitbuch als Fortsetzung des heil. Hieronymus von 378 bis 1054 geführt; drauf habe jener Bernold, der 1101 gestorben, sie bis 1099 fortgesetzt.

Hr. Schlosser zu Frankfurt: Nach Wiedeburg's Angabe, sey im jenaer Codex ein poema de amissione terrae sanctae, das in Eccard corp. histor. medii aevi nur verstümmelt abgedruckt sey. (Dies ist richtig, aber dasselbe Gedicht steht auch vollständig als Episode in Hornecks Reimchronik und ist im selben Styl, wie das Uebrige dieser Chronik.)

Hr. Ritz in Achen will dazu beitragen, daß die zu Darmstadt befindliche Eiflia illustrata Schannats gedruckt werde.   Die Kosten, meint er, würden sich decken. — H. Dobrowsky führt in gleicher Beziehung an, dies Werk über die Gegenden der Eifel befinde sich im Original in den Händen des Grafen Sternberg. (Möge der Eifer des H. Ritz nicht erkalten, denn eine Schrift Schannat's verdient den Druck.)

Der Bericht der H. Dümge und Mone über ihre Reise durch Schwaben nach St. Gallen und Basel läuft durch mehrere Hefte des Archivs, ein Zeugniß ihres Eifers und ihrer Kenntnisse. Unter andern der Aufmerksamkeit der Gesellschaft werthen Handschriften fanden sie zu Aarau in der gewesenen zurlaubenschen Bibliothek eine vom Pater Hohenbaum van der Meer (zu Rheinau) bereitete Ausgabe des Herm. Contr., Berthold. Constant., Monach. Einsiedlens. und Monach. Scafhus. In Stuttgart sahen sie ein cronic. de ducib. Austriae, Bavariae et Sueviae v. 1152—1292, das aus Otto Fris., Abbas Ursperg. u. a. compilirt, jedoch der Bearbeitung werth schien; und Ekkehard. Uragiens., der mit dem Annalista Saxo verglichen werden müsse. (Lebret bemerkt an einer andern Stelle: es habe nichts mit dem Annalista gemein, sey vielmehr ein Seitenstück des cron. Ursperg.) — Zu Straßburg fanden sie ein cronicon Imperatorum, welches Oberlin dem bekannten Eike von Repgow zugeschrieben. Es gehe von Anfang der Welt bis auf Ludwig den Baier und sey verschieden von der durch Meibom edirten magdeburger Chronik, wiewohl in niederdeutscher Mundart und mit Reimen untermischt, wie in der limpurger Chronik, wodurch der Uebergang von Reimen zur Prosa sichtbar wird. Erst Königshofen ist ganz in Prosa. In Rücksicht des Inhalts aber, eben so als der Sprache, sey jenes cron. Imperat. der größten Beachtung werth. Der Verfasser habe nach lateinischen Quellen gearbeitet, z. B. nach Hunibald und Turpin. Sollte man dies verdächtig finden, so entgegnet Mone (III, 244): quis tam austerus est, ut, quae majores unanimi consensu de ortu et migrationibus Germanorum tradebant, pro nihilo habenda censeat? etc. — Zu St. Gallen: cronicon a J. Caesare usque ad Fridericum III., dessen Verfasser ungewiß ist. Mit Karls des Großen Zeit fängt es an reiner von Fabeln zu werden und Interessantes zu erzählen. Karl soll in Ingelheim geboren seyn. Von Friedrich I. heißt es, er habe von des Sultans Gesandten ein mit Balsam gefülltes köstliches Gefäß erhalten, es aber zerbrochen, sprechend: Verhüte Gott, daß ich solchen Schatz zu meinem Gebrauch behalte! —

H. v. Stein hatte die Vermuthung geäußert, im Nachlaß des cölnischen Domvicars Alfter möge sich die noch unedirte Reimchronik des cölner Stadtschreibers Gottfr. v. Hagen von 1270 befinden. Hierüber gibt nun freilich keine spätere Notiz des Archivs Aufschluß; wohl aber schreibt Docen, in München sey eine Abschrift Hagens.

H. v. Merian, der mit löblichem Eifer Nachsuchungen und Vergleichungen zu Paris bewirkt und gefördert hat, meldete: man besitze dort eine Briefsammlung des Thomas von Capua aus dem

13. Jahrh., der als damaliger Gonſalvi des römiſchen Stuhls
dem Peter von Vineis gegenüberſtand. Docen erweiſt darauf, dies
ſey keine Entdeckung, da ſchon Fabricius in ſeine biblioth. med.
aevi eine biograph. literariſche Nachricht über dieſen Thomas ein-
gerückt habe; und Perz, der die zu Wien gleichfalls vorhandene
Briefſammlung deſſelben eingeſehen, meint, ihr Werth ſey nicht
groß. Uebrigens ſchreibt Merian auch, daß ſich zu Paris an 50
ungedruckte Briefe des Vineis gefunden, desgleichen auch flores
dictaminum Petri de Vineis, welche nach Wilken's Anzeige
ebenfalls in Berlin exiſtiren. Dümge, von dem wir eine neue
Edition der ſämmtlichen Briefe jenes großen Staatsmannes erwarten, wird dies zu benutzen wiſſen.

Perz hat zu Kloſter Neuburg in Oeſtreich 119 lateiniſche
Verſe entdeckt, welche den Anfang einer Geſchichte der Hohenſtau-
fen enthalten. Docen hat ebenfalls ein lateiniſches Gedicht, die Ho-
henſtaufen betreffend, wieder aufgefunden (IV, 352), nämlich Go-
defridi Viterb. poema de gestis Friderici primi, worin die
Thaten des Kaiſers bis zur Verbannung des Löwen Heinrich aufgeführt ſind. Man wußte bisher nur, daß Godefried es geſchrieben,
da er in ſeinem Pantheon, d. h. in ſeiner Weltchronik, ſich darauf
bezieht. Seit drei Jahrhunderten lag es bis jetzt unerkannt zu
München und gehörte vorher zu dem Bücherſchatze des nürnberger
Arztes Hartmann Schedel, der am Ende des 15. Jahrh. gelebt
und durch ſeine Weltchronik 1493 bekannt geworden iſt. Es füllt
ſechs Folioblätter und iſt in ſchlechtem Latein und in ſchlechten Verſen geſchrieben. Es heißt darin, der bejahrte Papſt Alexander III.
würde im Gedränge bei'm St. Markus zu Venedig umgekommen
ſeyn, hätte Kaiſer Friedrich ihm nicht ſelbſt geholfen. Den Fall
Heinrichs ſchreibt Godefried dem Freundſchaftsbruche mit dem magdeburger Erzbiſchofe zu. — Wahrſcheinlich iſt das im Handſchrif-
ten=Katalog des brittiſchen Muſeums zu London aufgezeichnete
liber Godefredi Viterb. de expugnat. Mediolani daſſelbe
Buch, oder ein Stück daraus. — Von dem genannten Hartm.
Schedel beſitze man auch in München ein opus excerptum ex
vulgari cronica de rebus gestis in Germania per Impera-
tores, welches bis auf den Tod Ruprechts gehe. Außerdem ſpricht
Docen von intereſſanten Reimen de obitu Ottonis III, et de
electione Henrici II.

Prof. Stenzel: In Breslau iſt von der bekannten Chronik Jeruſalems des Robertus de Monte eine deutſche Ueberſetzung vorhanden, verfertigt durch Peter Eſhenloer aus Nürnberg,
Stadtſchreiber zu Breslau 1466, worin ein Brief des Byzantiner-
Hofes an Robert von Flandern, der in Bongars und Reuber fehle.

In dem von Perz aus Venedig geſchickten Verzeichniß: Briefe

von Konradin an Karl, von Karl an Konradin, und von Dante an Heinrich VII., auch historia de discordia et persecutione Alexandri III. et de pace cum Frider. I.

H. Schreiber zu Freiburg im Breisgau erzählt uns von einer dortigen Handschrift: Gallus Oeheims Reichenauer Chronik aus den letzten Jahren des 15. Jahrh. Ganz will er sie nicht gedruckt haben, sondern im Auszuge und mit Zufügung alter Urkunden. Die Probe von Inhalt und Schreibart, die er gibt, läßt Gutes erwarten, z. B. von einem alten Götzenbilde auf Reichenau (IV, 395.): „Zu dem inderſten in der Inſel iſt ain andechtige liepliche pfarr-kilch von her Egino biſchof zu Dietrichsbern koſtlich erbuwen, uf ein brobſt und ſechs Chorherren gewidmet; ſyen jez alba vier Chor-herren. In dieſer kilchen ſtat uf dem grab biſchof Egenis ain gego-ſſen möſſin bild, zwo ſpangen lang, ainer ranen form und ſchonen gſtalt, habende in der rechten drü röſli und in der linken hand ain ſlangen. Ouch erſicht man in dem ainen arsbaggen ain löchli. Diſem bild wird von treffenlichen lüten vil nachgefragt und von landfahrern geſucht. Iſt die ſag, daß das bild ein abgott, Alman genempt, in dem dorf Almenstorf an dem bodmerſee gelegen vor jaren geſtanden ſye und wie die landſchaften und geginne hierumb ſich vor und en zu kriſtenlichem globen kemend, den abgott umb rat und hilf geſucht haben. Darumb und von dem ſy dann Alman genempt worden ſyen. Und hab darfür, daß der abgott hab die reſponſa und wort zu dem löchli uſgeben, och die dry röſli belo-nung und erung; und der ſlang ſtraf und bus der menſchen von dem abgott bedüti. Aber umb ſölches alles ich nichtz geſchriben erfunden hab." Der Text dieſer Chronik füllt 288, mit 33 Sei-ten voll Malereien. Das erſte Blatt zeigt den Verfaſſer, wie er kniend ſeinem Abte das Buch übergibt. Der Abt iſt Martin Frei-herr von Weißenburg und Krenkingen (also aus dem Geſchlechte jenes freien Herrn Krenkingen, der — wie Cruſius in den ſchwäb. Annal. erzählt — vor Friedrich Rothbart nicht aufſtand und nur den Hut lüf-tete, „weil er Niemandes Dienſtmann ſey, ſelbſt des Kaiſers nicht.").

Aus dem intereſſanten Briefe des lübecker Senators H a c h (III., 640) wählen wir die Erwähnung einer noch nie benutzten niederdeutſchen lübiſchen Chronik. Sie ward auf Befehl des Raths geſchrieben und hieß gewöhnlich Chronik des Franciscaners oder Mi-noriten Leſemeiſters, auch Detmars Chronik. Der 1. Theil geht von 1101 bis 1400, der 2. bis 1482. Lange für verloren gehalten, iſt ſie unlängſt wiedergefunden. Nach Perz Bericht über die Bibliothek zu Hannover findet ſich auch dort ein Exemplar davon und kann mit jenem verglichen werden.

Hr. H o h e n e i c h e r zu Partenkirchen in Baiern hat der Ge-ſellſchaft viel Antheil gezeigt. Seine Briefe ſind lehrreich. Von

Liber Wilh. Ferrar. Episc. de scismate Hildebr. pro illo
et contra illum beſitzt er eine Handſchrift aus dem 12. Jahrh. —
Sehr zu beachten iſt, was Hoheneicher (III, 281) über Pilgrin,
letzten Erzb. v. Lorch) und 19ten Biſch. v. Paſſau — geſt. 991 —
aus Hundii metrop. Salisburg. edit. Gewold. 1620 mittheilt: autor fuit cuidam sui seculi versificatori germanico,
ut is rythmis gesta Avarorum et Hunnorum, Austriam
supra Anasum tunc tenentium et omnem viciniam late de-
praedantium, celebraret, et quomodo hae barbarae gen-
tes ab Ottone magno profligatae sint. Extat hic liber
in pergameno scriptus, quem ego, Wigileus Hundt, col-
lector hujus operis, in arce Prunn ad Altmilam reper-
tum, ac per generosum dominum Joach. comitem de Or-
tenberg donatum, in bibliothecam illustrissimi quondam
principis Alberti ducis Bavariae piae memoriae anno 1575
dedi. Dieſer Codex ſcheint verloren zu ſeyn, da Hieronym. Pez
ſchon vergeblich nach ihm geforſcht. (Sollte er den durch die frankfurter Geſellſchaft neu erregten überall hin verbreiteten Forſchungen
entgehen, ſo wäre er freilich leider für verloren zu achten.)
　　Hr. Dolliner zu Wien verweiſt auf den Manuſcriptenſchatz
des H. Cerroni zu Brünn, wovon Perz ein Verzeichniß ſich verſchafft und dem Archiv eingeſandt hat. Es findet ſich außer andern
norddeutſchen Sachen darin ein cronicon ab initio rerum ad
a. 1162 progrediens, una de expedit. Hierosolym. sub Godefredo, wahrſcheinlich noch ungedruckt. Jene norddeutſchen Handſchriften ſind in die dortigen Gegenden wohl durch J. G. Eckard
gekommen, der bekanntlich im Anfang des vorigen Jahrh. mancherlei Aemter zu Helmſtädt und Hannover bekleidet und zuletzt, wegen ſelbſtverſchuldeten Unglücks zur römiſchen Kirche übergetreten,
ſich in Wien aufgehalten hat.
　　Hr. Schottky, jetzt in Poſen, erfreut uns mit einigen Anzeigen (beſonders II, 267) aus Wien, wo er vier Jahre ſeine
Muße dem Studium der älteren deutſchen Literatur gewidmet hat.
Daß er an 150,000 Verſe copirte, zeugt für Ausdauer und Liebe
zur Sache. Sie machen den Gehalt von einigen Reimchroniken
und 600 alten Liedern. Es wäre zu wünſchen, daß H. S. alle
zu Wien befindlichen deutſch geſchriebenen Chroniken des 13. und 14.
Jahrh. genau unterſucht und ihren Hauptinhalt mit Proben bekannt
gemacht hätte. Wir würden dann zugleich wiſſen, ob das frühere
Werk Ottokar Horneck's, worauf dieſer Chroniſt ſelber hinweiſt,
und das nach einer neulich geäußerten Meinung — Aus und über
Horneck's Reimchronik u. ſ. w. 1821 — eine Hauptquelle des ſpätern Hagen u. a. geweſen ſeyn ſoll, ſich noch vorfindet. Es iſt
zu bemerken, daß viele Chroniſten jener Jahrhunderte erſt eine

Weltchronik, dann insbeſondere die Geſchichte der Kaiſer und Päpſte
oder nur ihre Zeit beſchrieben haben, z. B. Otto Friſ. — Godefr.
Viterb. — Martin. Polon. u. a. Sleidan im 16. Jahrh. that
das Gleiche. — Was H. S. der Direction geſchickt hat, ſcheint
geringeren Gehaltes, als wovon er berichtet. Jenes iſt nämlich ein
Auszug eines größeren gereimten Buches, enthaltend die Heldenthaten des Landgrafen Hermann (?) von Thüringen im gelobten Lande.
Der Werth deſſelben wird beſonders darin beſtehen, daß es zu Vergleichen mit Schilderungen Horneck's oder jenes wichtigen Buches
dienen kann, worüber H. S. insbeſondre berichtet. Es heißt: Sit-
tengemälde Oeſtreichs zur Zeit des erſten Albrecht, von Seifried
Helbling, in 8558 Verſen, und möchte wohl für den Theſaurus
geeignet ſeyn. „Der Inhalt (ſagt S.) ſey ſatyriſch. Der Verfaſſer kleide ſeine Dichtung großentheils in ein Zwiegeſpräch zwiſchen
ihm und ſeinem Knechte, der ſich über Sitten, Gebräuche, Gerichte
und äußere Verhältniſſe des Landes belehren läßt, oft aber auch
den Herrn zurechtweiſt und bittere Wahrheiten ungeſcheut ſagt. Auf
dieſe Art werden anfangs die Männer getadelt, dann die Frauen,
bis in die kleinſten Verhältniſſe herab. Der Dichter ſpricht ſowohl
gegen den Adel, als gegen den Bauerſtand; ſchildert die Rüſtungen,
Kleidungen, den Schmuck eben ſo ausführlich, als die Speiſen, den
herabgewürdigten Minnegeſang, fehlerhafte Juſtiz und ausgearteten
Klerus. Wir finden bei ihm die Schilderung einer Badſtube, wie
die allegoriſche Beſchreibung einer Schlacht, worin die Laſter von
den Tugenden beſiegt werden. Er preiſet die glückliche Zeit Leopolds des Glorreichen, rühmt Friedrich den Streitbaren und Rudolf
von Habsburg, ſpricht manches über Ottokar von Böhmen, tadelt
des Herzogs (Albrechts?) Gemahlin (warum dieſe?) eben ſo ſehr,
als die Herrn von Taufers, zählt Oeſtreichs edelſte Geſchlechter
auf, ſchildert ihre Macht, ihre Tugenden und Vergehungen. Das
Buch enthält einen Reichthum von ganz eigenthümlichen Wendungen der Sprache, auch Sittenſprüche, Sprichwörter u. a. m.“
(Dolliner bemerkt irgendwo im Archiv: der Piariſt Rauch habe
den Helbling abſchriftlich beſeſſen, aber ihn herauszugeben Bedenken
getragen.). Obige Aeußerungen machen auf baldige Herausgabe
begierig, ſo wie ein andres Werk: Das Buch von den Wienern,
1462 gedichtet durch Michel Behaimb, das an 13,000 Verſe enthalte und für die Geſchichte Friedrichs III. — oder des Langweiligen — von Bedeutung ſey. Es erzähle die Urſachen der Belagerung, welche der Kaiſer nebſt ſeiner Gemahlin Eleonore und dem
vierjährigen Max in der wiener Burg erdulden mußte, und berichte
ſowohl das Ereigniß, als den Bruderzwiſt des Regenten mit Herzog Albrecht VI. — Von einer dritten deutſchen Reimchronik,
mit deren Copirung er noch beſchäftigt ſey, bemerkt S., daß ſie

schöne Sagen von Karl d. Gr. bis zu den letzten Hohenstaufen in mehr als 12,000 Versen enthalte. Eine vierte, aus der Mitte des 13. Jahrh., beschäftige jetzt H. Primisser und werde von ihm edirt werden. —

Ob diesen gereimten Schriften der Thesaurus offen stehen soll, scheint von der Direction noch nicht entschieden. Sind sie aber, wie die angeführten, historischen Gehalts, so gehören sie sämmtlich hinein; nur was rein dichterisch oder von sehr geringem historischen Werthe ist, muß man ausschließen. Danken wir Herrn S. für seine Bemühungen, und zugleich der frankfurter Gesellschaft, die ein Archiv eröffnet hat, das schon an sich, auch ohne den großen Zweck, den es erreichen hilft, für die historische Literatur von unschätzbarem Werthe ist. — Mit Uebergehung andrer wichtigen Nachrichten, z. B. Arnoldi's, von einem codex picturatus (III, 32), und des Perz über ein excerptum de astrologia vor 830 verfaßt (III, 530), wenden wir uns zu der zweiten Classe.

B. Berichte, Notizen und Aufsätze, die nicht unmittelbar zur Ausgabe des Thesaurus gehören, aber willkommen sind. Nur selten hat sich etwas Wunderliches und gänzlich Fremdes in diese Partie verirrt: z. B. ein Auszug aus dem Verzeichniß der Bartholomäus=Bibliothek zu Frankfurt (II, 197), worin ein Codex voll Homilien über die Evangelien und Inhalte der historischen biblischen Bücher, auch die Historie eines irländischen Edelmanns, welchen Gott vom Tode erweckte, damit er erst seine Sünden bereuen und erbauliche Dinge von den erblickten Flammen der Hölle erzählen möge, eh' er wieder und auf immer verscheide. Wahrscheinlich ist dergleichen nicht als Beitrag für den Thesaurus mitgetheilt, eben so wenig als die aus Schwäbisch=Gemünd eingesandten Notizen, worin unter andern (IV, 451) es heißt: „anno 1552 ist die Stadt beim schwedischen Ueberfall wegen des Glaubens angefochten worden, und mußte auch die St. Johann=Kirche den Soldaten eingeräumt werden. Der damalige Bürgermeister Rauchbein hat, um den christlich=katholischen Glauben in der Stadt rein zu erhalten, lobwürdigen Eifer durch verschiedene Anordnungen bewiesen: es mußten nämlich die Rathsherrn, weil einige vom Glauben abfallen wollten, mit dem Pater noster in der Hand, in den Stadtrath kommen, und bei einem im Rathszimmer befindlichen Crucifixe sogleich beim Eintritt ihr Gebet verrichten und den Rosenkranz durante sessione in der Hand behalten. Dieser Gebrauch hat sich auch bis zum Jahr 1803, als die Reichsstadt an die Krone Würtemberg kam, erhalten." — Das Mittelalter hat also in der Reichsstadt Gemünd bis 1803 gedauert! Hingegen bei dem Ungar Nicol. Jankowies o Wadass, Gerichtsmitglied mehrerer ungerischen Gespannschaften zu Pesth, ist die neue Zeit noch gar nicht

angebrochen. Nachdem er aus seinem Manuscripten-Vorrath einiges von Belang der Gesellschaft angeboten und auf die Bibliothek
des Grafen Batthyani aufmerksam gemacht, auch von seiner Liebe
zur Geschichte gesprochen, läßt er sich also vernehmen: es sey jetzt
dringend nöthig, das Alte zu erforschen, dum a cunctis natio-
nibus avide arreptae politicae haereses longe atrociorem
humanitati cladem, quam ipsa olim religionis reformatio
intulerat, portendunt ac minantur etc. Lassen wir ihn und
wenden uns wieder zu gewinnreichen Beiträgen. Hiezu rechnen
wir Herrn Blumbergers, Archivars in Gottweich, Auskunft über
den zweiten Theil des Cron. Gotwicense. Im 1. Theile, sagt
er, war schon ein zweiter und dritter angekündigt, jener geschichtlichen Inhalts, dieser zu Urkunden. Ein großer Aufsatz de duci-
bus et comitibus Germaniae mediae per quinque majores ejusdem provincias, schon zum ersten Theile bestimmt, war
unterdrückt worden, durfte auch dem zweiten Theile nicht einverleibt
werden. Ueberdem hatte man schon einige Bücher über Oesterreich
und gotwicensische Geschichten insbesondere mit Sorgfalt gearbeitet,
und Magnus Klein, Archivar und nachmals seit 1768 Abt, setzte
die Bemühungen des trefflichen Gottfried Bessel, der 1748 gestorben,
fort. Auch begann der Druck des zweiten Theiles zu Tegernsee
und zwar mit der notitia Austriae Celticae ac Romanae. —
Acerbitates temporum mögen Ursache gewesen seyn, daß man
den Druck einstellte; auch ruheten die Arbeiten nach dem 1783 er-
folgten Tode Kleins, und gegenwärtig scheint die gelehrte Thätigkeit
des Klosters nur auf Theologie gerichtet. Was bereits vom zweiten
Theile gedruckt war, macht einen Quartband aus, und ist damals
an einzelne Bibliotheken und Private gegeben, aber nicht in den
öffentlichen Buchhandel. — (Jene acerbitates, deren Erörterung
H. Blumberger weislich umgeht, sind wohl dieselben, die schon
Dümge I, 544 angeführt hatte.)

Gern haben wir die Nachricht eines Ungenannten gelesen, daß
der baufällige alte Dom zu Goslar nicht ganz eingerissen werde.
Den ältesten Theil will die hannöversche Regierung erhalten, und
den Altar des Krodo, die Glasmalereien, den Kaiserstuhl und den
hölzernen Sarkophag, die einzigen unter westphälischer Herrschaft nicht
verschleuderten Alterthümer Goslars, darin aufbewahren lassen.

Perz meint, zu Freiburg im Breisgau müßten sich die von
Dollinger gesammelten Briefe von und an Konrad Celtes vorfinden.
Dümge bemerkt hierbei, daß, wahrscheinlich auf sie gestützt, Klüpfel
seine vita Celtis zusammengesetzt habe, welches Werk, weil es
lateinisch geschrieben, keinen Verleger gefunden. (Nun so übersetze
man es.)

Auch Göthe hat sich für die Gesellschaft interessirt und auf

der jenaer Bibliothek nachſuchen laſſen. Er hat der Direction Fac=
ſimile's des durch Wiedeburg beſchriebenen Liedercodex, einer Hand=
ſchrift von Otto Fris. und zweier des Conr. Ursperg. verfertigen
laſſen und mit Beſchreibung des Aeußern der Manuſcripte zugeſandt.
Auch in ſo untergeordneter Arbeit iſt ſein Talent, das genau An=
geſchaute in beſtimmte Worte zu faſſen, ſichtbar. In einem an=
dern Schreiben theilt er aus dem Liedercodex Verſe auf Rudolf
von Habsburg mit, worin deſſen Geiz beſpottet wird. (Es beſtätigt
dies die Bemerkung, daß Rudolfs Zeit dem Minnegeſang nicht
mehr günſtig war, und ſein Hof in dieſer Hinſicht weder ein ſtau=
fiſcher noch ein babenbergiſcher geweſen iſt.) — Eine andere Mit=
theilung Göthe's hat zu antiquariſchen Controverſen Anlaß gegeben.
Er überſchickte nämlich eine Abbildung von dem Basrelief einer zu
Weimar befindlichen ſilbernen inwendig vergoldeten Schaale. Die
Direction ließ ſie lithographiren und hat im 3. und 4. Bande des
Archivs die Erklärungen derſelben aufgenommen. Da wir die Ab=
zeichnung hier nicht mittheilen können, ſo begnügen wir uns damit,
diejenigen zu nennen, die nach unſrer Meinung den Gegenſtand
und die Inſchrift in's Klare gebracht haben, nämlich Grotefend,
Moſer und Wedekind. Das Reſultat iſt: Friedrich I. hat dieſe
Schaale ſeinem Tauf= oder Firm=Pathen Otto, letztem Grafen von
Kappenberg, geſchenkt, der ſie wiederum der von ihm geſtifteten
Propſtei zu Kappenberg verehrte. In der Mitte der Schaale ſieht
man den jungen Friedrich in der Taufwanne, rechts den Biſchof,
der die heilige Handlung verrichtet, und links den Grafen, mit der
abbrevirten Ueberſchrift: Fridericus Ottoni patrino tradidit.
Umher läuft die Inſcription:

Caesar et Augustus haec Ottoni Fridericus
Munera patrino contulit, ille Deo — — etc. —

Biſchof Münter ſucht die Annahme der Franken und
Scandinavier von einer troiſchen Abſtammung auf folgende Weiſe
zu erklären (III, 154): „die Quelle dieſer Sagen iſt bei den Grie=
chen zu ſuchen. Wir finden in den Scholien zur Andromache des
Euripides V. 221 ein Citat aus dem 2. Buche der archiviſchen
Geſchichte des Anaxikrates, daß Skamander Hektors Sohn nach
dem Mythenlande gezogen und ſich am Tanais (alſo im Stamm=
lande der Aſen) niedergelaſſen habe." Wir überlaſſen Herrn C. Rit=
ter in der Fortſetzung ſeiner gelehrten Vorhalle auf dieſe Notiz
Rückſicht zu nehmen, die, an ſich unbedeutend, durch Zuſammen=
ſtellung mit andern Werth gewinnen kann. Ferner beſchreibt Mün=
ter eine ſeltene Kupfermünze Conſtantin's oder ſeines gleichnamigen
Sohns. Man ſehe darauf neben der Figur des Sol rechts ein
ſchönes Kreuz — augenſcheinliche Anſpielung auf sol justitiae
nostrae und auf die Idee, welche Anlaß geworden, daß man des

Heilands Geburt zur selben Zeit mit den natalibus Invicti der Römer feierte.

Ende des 4. Bandes lesen wir einen verdienstlichen Aufsatz le Bret's über den Saalgau. Wir begreifen aber nicht, warum hier als ausgemacht angenommen wird, daß die Franken im Anfange des 5. Jahrh. dort gewohnt und ihr salisches Gesetz verfaßt haben, ehe Faramund sie nach Gallien geführt. Die Namen der Rechts= kundigen Wisogast, Bodogast, Salogast und Windogast, die man schon öfters vergeblich aus Ortsbenennungen zu erklären gesucht, möchte H. le Bret im Saalgau auffinden, wenigstens ihrer drei in Salagewe, Babanachgewe und Wintgartweiba. Sollte aber der letztere Name nicht erst seit Anpflanzung des Weins in Ostfranzien entstanden seyn? und ist nicht überhaupt ausgemacht, daß die Sal= franken schon im 4. Jahrh. am Ausfluß des Rheins und in To= xandria gesessen? Gregor's Thoringorum statt Tungrorum sollte längst abgethan seyn, und Dispargum nirgends als in Bel= gien gesucht werden. —

Es ist Zeit, dem Schluß unsrer Relation näher zu kommen. Deshalb sey nur noch von zwei größern Aufsätzen die Rede. Den einen finden wir im 4. Bande, wo er 54 Seiten einnimmt. Er ist aus dem Polnischen des Grafen Ossolinsky durch dessen Secretair Pietrowsky übersetzt, und handelt von Martinus Polo= nus. Der Inhalt ist folgender: Martin ist zu Troppau (polnisch: Oppawa) geboren und nennt sich selbst einen Böhmen, weil Trop= pau während seines Lebens, nämlich 1246, an Böhmen fiel. Die Zeitgenossen nannten ihn mit gleichem Recht den Polen, da die Gegend seiner Vaterstadt noch lange Oberpolen hieß. Die Schle= sier können ihn ebenfalls als den ihrigen betrachten. Zu Prag trat er in den Orden der Dominicaner und wurde nachmals in Geschäf= ten des Klosters nach Rom geschickt, zwischen 1243 und 1254. Am römischen Hofe wohl gelitten blieb er daselbst und ward päpst= licher Kaplan und Pönitenziar. Ja Nicolas III. erhob ihn 1278 zum Erzbischof von Gnesen, wodurch das dasige Capitel sein Wahl= recht beeinträchtigt sah. Vor dem widerwilligen Empfang desselben schützte ihn der Tod, denn er starb auf der Reise zur Uebernahme des Amts 1278 oder 1279 zu Bologna. Er war ein gewand= ter Theolog, beredt auf der Kanzel, im weltlichen Wissen nicht un= erfahren und erwarb sich zuerst einen Ruf durch eine Sammlung des päpstlichen Rechts, die er selbst margarita decreti et decre= talium betitelt. Diese Perle und mehr noch seine sermones wur= den schon im 15. Jahrh. wiederholt gedruckt. Der straßburger Her= ausgeber der Predigten 1484 erachtete für schicklich zu bemerken, daß Martin die Empfängniß Maria's noch nicht für unbefleckt ge=

halten, und die Kirche erst später anders zu glauben angeordnet habe. — Außerdem schrieb er ein Werk über die vier Monarchien.

Den größten Ruf indeß hat ihm sein in viel Handschriften existirendes und öfter gedrucktes cronicon Paparum et Imperatorum verschafft, besonders wegen Erwähnung der Päpstin Joh. VIII. Diese Erzählung in Martin's Chronik lautet so: „Nach Leo V., der 855 starb und der 108te Papst gewesen, saß als der 109te der Engländer Johann, an dessen Statt andere Benedict III. setzen, zwei Jahre und drüber auf dem apostolischen Stuhle. Man behauptet, daß er ein Weib gewesen sey, welche noch im jungfräulichen Alter ihr Liebhaber nach Athen führte, wo sie sich in verschiedenen Wissenschaften so vervollkommte, daß sich mit ihr Niemand messen konnte. Später lehrte sie zu Rom Grammatik, Rhetorik und Dialektik, und zählte berühmte Meister unter ihre Schüler und Zuhörer; und nachdem sie eine große Meinung von ihren Sitten und Kenntnissen erregt hatte, wurde sie zum Papst gewählt; aber schon auf dem päpstlichen Stuhle ward sie von ihrem Freunde beschwängert. Da sie die Zeit ihrer Entbindung nicht voraussah, ritt sie eben vom h. Peter auf den Lateran, als sie von Schmerzen ergriffen zwischen dem Coliseum und der Kirche St. Clemens die Geburt zur Welt brachte und starb, und, wie das Gerücht sagt, dort begraben wurde. Und daß der Papst immer diesen Weg meidet, behaupten Einige, geschehe aus Abscheu vor einer so schändlichen Handlung. Sie wird nicht in die Reihe der h. Väter aufgenommen, sowohl wegen ihres weiblichen Geschlechtes, als auch aus Ekel vor dem begangenen Gräuel."

Man hat ihn vielfach den Erfinder dieses Mährchens gescholten: allein schon vor ihm nahm es Ottos IV. Kanzler Gervas. Tilbur. unter seine Geschichtchen auf; auch der 1261 verstorbene Dominicaner Bellavilla de Borbone hatte, kurz vor Martin, von der Päpstin und sogar mit Anführung andrer Umstände, geschrieben; und sowohl er, als Gervasius, berufen sich auf ältere Chroniken. Vielleicht hängt die Sage mit jener zusammen, der zufolge im 8. Jahrh. ein Weib auf dem Patriarchenstuhl zu Constantinopel gesessen haben soll — vid. Erchemb. de Beneventan. princip. — Der noch im 13. Jahrh. lebende vaticanische Bibliothekar Ptolemäus (eigentlich Bartholomäus) de Lucca führte aus Unkunde unsern Martin als ersten Erzähler der Geschichte an, weshalb er lange dafür gegolten. Uebrigens nahm man lange kein Aergerniß daran. Erst als sie zum Spott des päpstlichen Stuhls gebraucht wurde, suchte man sich dagegen zu schützen. Aeneas Sylvius hat zuerst an ihrer Wahrheit gezweifelt und Aventin sie zuerst für eine Fabel erklärt.

Daß Martin dies Geschichtchen aufnahm, darf Niemand wundern. In seiner Chronik stehen Dinge, die viel unglaublicher und aus Gottfried von Viterbo, aus Gervasius und aus dem Buche von der Kindheit des Erlösers genommen sind: z. B. von dem Drachen des St. Sylvester, der täglich 6000 Personen verschlungen, von Artur und Merlin, und den 100 Pfund schweren goldenen Buchstaben, die Carolus Magnus den Klöstern austheilen lassen. Die Zeit glaubte viel. „Uebrigens, sagt Ossolinsky, empfiehlt sich seine Chronik durch gute Eigenschaften. Dasjenige, was er selbst gesehen oder aus zuverlässigen Quellen geschöpft hatte, überliefert er getreulich. In dieser Hinsicht gibt ihm auch Raynald das Lob, indem er versichert, daß er von seiner Treue sich aus Urkunden überzeugt habe u. s. w." —

Der andre größere Aufsatz hat den bekannten Walthariu manufortis zum Gegenstande (von dem auch in Paris zufolge einer Nachricht im Archive eine Handschrift seyn soll, unter dem Titel: Geraldi Floriacensis monachi poema de rebus Waltharii, quem regem Aquitanorum vocant). — Dümge hatte seine Liste der zu edirenden Scriptoren mit dem Waltharius begonnen. Es erhoben sich alsbald Stimmen dagegen. Delius, ohne den Werth des Gedichts anzugreifen, wollte es nur unter historischen Büchern nicht aufgezählt wissen. Der Veteran Mannert äußerte sich gleichfalls wiederholt gegen die Aufnahme; ja Hoheneicher führt des seligen Heyne ungünstige Meinung an: das Buch möge wohl erst im 15. Jahrh. geschrieben seyn. H. Mone hatte indeß einen interessanten Aufsatz darüber verfaßt und eingesandt (Archiv II, 92—116). Er behauptet in demselben mit Recht: Leben, Treiben und Sitten seyen darin altdeutsch und geschichtlich wahr, der sonstige Inhalt sey unhistorisch. (Demnach würde also das Poem nicht unter die historischen Quellen gehören, es wäre denn, daß man überhaupt unsre älteren dichterischen Werke aufnähme, weil sie großentheils zur wahren Erkenntniß des damaligen Geistes und Lebens dienen, und durch sie wie durch Rechtsquellen und Urkunden der große thesaurus umfassend würde. Da sie aber insbesondere den Literatoren und Freunden alter Poesie überlassen sind, so wird auch die neue Edition Walthers, der wir, da Hr. v. Laßberg daran arbeitet, mit Freude entgegensehn, nicht nothwendig in den Bereich der frankfurter Gesellschaft gehören.) — H. Mone spricht vorzüglich von dem mythologischen Gehalte des Gedichts, auf ähnliche Weise, wie früher von den Nibelungen und dem Otnit. Im Wesen hat er unstreitig recht, denn im Verfolgen mancher alten poetischen Stoffe sind wir ja schon auf die Zeiten Karls des Großen gekommen. Vor dessen Zeit mochten sie noch im Munde des Volks rein heidnisch oder odinisch gestaltet seyn. Ihren halb mythischen Ursprung haben sie später nicht ganz verleugnen

können, wenn gleich den Dichtern selbst, die sie umschufen, durch=
aus verborgen. Jenen Ursprung zu ergründen, macht sich Moné
zum Geschäft. Er steigert hier den Helden Walther durch verschie=
dene Hypothesen — (die nicht gerade für bündige Schlußfolgen
gelten können) — bis zu einem westgothischen Romanhelden. Worin
wir unter andern ihm nicht beistimmen, ist die Annahme: Walther,
der den Hagen **einäugiger Sikamber** schilt, wolle damit sagen:
einäugiger Sigge=Kämpfer; wobei ans Volk der Sikambern
nicht zu denken sey. Sticht aber wirklich der Gegensatz des Verfas=
sers gegen die Franken hervor, so bedeutet allerdings dieses Wort
nur um so mehr einen Sikamber. Sikamber waren ja ein vor=
züglicher Bestandtheil der Salfranken, und der rheimser Bischof
wollte gewiß den Chlodwig bei der Taufe mit den Worten colla de=
pone, mitis Sicamber! keinen **Sigge=Kämpfer** nennen. —

    Sonst schien uns in diesem Aufsatze der Beweis jener schon
von Hagen und Büsching u. andern aufgestellten Behauptung, der
Verfasser Walthers habe ein deutsches Original vor sich gehabt, sehr
treffend. In manchen Gleichnissen und Umschreibungen — sagt
er — sey die Nachahmung Virgils nicht zu verkennen, viele Aus=
drücke hingegen glichen ganz denen im Nibelungenlied und im Hel=
denbuche, und ließen sich leicht in die Sprache derselben übersetzen:
z. B. more gigantis alsam ein Riese — oculi nitentes: sin
vil liehtiu Ougen — armillas centum de rubro quippe metallo etc: ich gip dir hundert Bouge von lihtem golde rot —
clypei orbis: Schildes rant — vir celer: der snelle Degen —
rutilo umbonem complebo metallo: von roten gold gefüllet
eins schildes rant — bellum amarum: ein bitterlicher strit —
virgineamque manum propriâ constrinxit: ward iht da briunt=
liche getwungen wiziu hant — u. a. m. — (Wir könnten eben
so jenes mitis Sicamber übersetzen: **Sikamber milte**, und mit
dem Zusatz: **von arte hohgeborn**.) —

    Genug der Auszüge, um theils unsern Ausspruch zu beurkun=
den, das Archiv sey eine der reichhaltigsten Zeitschriften, theils man=
ches Wissenswerthe noch weiter zu verbreiten. Daß die Redactoren,
besonders in den drei ersten Bänden, mit großer Genauigkeit ver=
fahren, den Briefwechsel in paßlichen Extracten mitgetheilt, Beant=
wortung der Fragen nicht verabsäumt, das Interesse der Mitarbei=
ter rege gehalten, Unziemliches beseitigt, fruchtlosem Zwist vorgebeugt
und überhaupt in ihrem Sprechsaal jederzeit auf Anstand und
Würde gehalten haben, verdient alles Lob. Wir wünschen nur,
daß in der Folge wieder, wie anfangs, nicht halbe Bände, sondern ein=
zelne Hefte erscheinen mögen, was öfter geschehen kann und eben
dadurch die Absicht, alles zu baldiger Kunde der Mitarbeiter zu
bringen, besser befördert.

Rec. schließt mit der Hoffnung, daß gleich ihm jeder Freund wissenschaftlicher Forschungen und vaterländischer Literatur dem frankfurter Vereine danken, seiner Thätigkeit ferneres Gedeihen wünschen und den Zweck derselben durch Ermunterung anderer oder durch eigene Beiträge, nach Kräften fördern werde. Noch gibt es wahrlich der ehrenfesten deutsch gesinnten Edeln in unsern Landen genug, die nicht zurückstehen, wenn sie hören, was Hr. v. Stein und jene oben genannten Männer und Regierungen bereits für dies rein nationale Unternehmen gethan haben. Wie wir so eben vernehmen, hat der König von Preußen auf's neue 1000 pr. Thlr. als Geschenk bewilligt und außerdem sein Ministerium des Cultus ermächtigt, auf 12 Exempl. der Gesammt-Ausgabe zu unterzeichnen, wofür 120 Friedrichsd'or als ein Drittel des Pränumerationsbetrags der Direction der Gesellschaft einzuhändigen seyen. — Ein Gleiches darf man wohl von Oesterreich und andern Staaten des deutschen Bundes erwarten.

7.

V.

Esprit, origine et progrès des institutions judiciaires des principaux pays de l'Europe, par *J. D. Meyer*, Chevalier de l'Ordre royal du Lion Belgique, de l'Institut royal des Pays-Bas, des Académies roy. des sciences de Bruxelles et de Goettingue, de celles du Gard à Nismes, de Leyde, de Groningue et d'Utrecht. T. V., 1822. 547 S. T. VI., 1823. 603 S. gr. 8.

Die vier ersten Bände dieses Werkes sind im Hermes (XIII, 1.) von einem andern Mitarbeiter angezeigt worden, und es liegt uns um so mehr ob, auch dieser beiden letzten zu erwähnen, als darin nicht nur der Rest des historischen Stoffes, welchen der gelehrte Verfasser sich zu bearbeiten vorgesetzt hatte, geliefert wird, sondern auch die ganze zweite Hauptabtheilung, die Resultate, welche jene historische Untersuchung für die Politik der Gesetzgebung, vorzüglich für gerichtliche Organisation und Proceß gewährt, in dem VI. Bande enthalten ist, also das ganze Werk, in der vom Verf. angenommenen planmäßigen Beschränkung des Historischen auf England, Frankreich, Deutschland und Holland beendigt wird. Denn der vorliegende V. Band enthält die Geschichte der gerichtlichen Institutionen Deutschlands vom Abgange des karolingischen Herrscherstammes an, bis auf die neuesten Zeiten, oder das sechste Buch und im siebenten Buche die Gerichtsverfassung Frankreichs seit der Revolution. Der VI. und letzte Band aber ist ganz dem achten Buche gewidmet und gibt in 33 Capiteln die Resultate des vorhergegangenen.

Sollen wir nun, dem Charakter des Hermes gemäß, unsere Ansicht über die Frage darlegen, was im Ganzen für die Wissenschaft durch dieses Werk gewonnen sey, so können wir uns, was den historischen Theil betrifft, beinahe ganz auf die vorige Recension beziehen. Denn ob sich gleich nicht erwarten läßt, daß bei Dingen, in welchen die Combination einen so großen Spielraum hat, zwischen mehren Männern eine vollkommene Uebereinstimmung im Einzelnen stattfinden werde; und ob wir gleich in dieser Beziehung nicht verhehlen können, daß wir in sehr vielen einzelnen Puncten anderer Meinung sind, als der vorige Beurtheiler, so unterschreiben wir doch gern dessen Urtheil im Ganzen, daß bei allen Ausstellungen, welche man gegen die Details machen muß, das vorliegende Werk dennoch eine sehr ausgezeichnete Stelle in der Literatur einnimmt. Es ist das erste, welches die Gerichtsverfassung des neuern Europa in einer größern und umfassendern Darstellung historisch entwickelt, und nicht nur gleichsam das Fachwerk aufstellt, in welches ein Gemälde von so großem Umfange nothwendig eingetheilt werden muß, wenn es verständlich bleiben soll, sondern auch die Hauptgesichtspuncte richtig angibt, welche bei der historischen Entwickelung, wenn sie brauchbare Resultate liefern soll, nie aus den Augen verloren werden dürfen. Es hat dabei das nicht geringe Verdienst einer gefälligen Form des Vortrags, welche mit dem Streben nach Gründlichkeit so gut zu vereinigen ist. Wenn man nun gleich von vorn herein mit dem vorigen Recensenten bedauern muß, daß der Verf. auf der einen Seite Italien ausgeschlossen hat, welches mit seinen geistlichen Gerichten, vorzüglich der berühmten Rota von Rom, mit seinen Universitäten und Schriftstellern und mit seinen städtischen Organisationen und Statuten einen so außerordentlichen Einfluß auf die Gerichtsverfassung Deutschlands, Frankreichs, auch Spaniens und Portugalls gehabt hat, und daß ihm auf der andern Seite der Norden Europa's verschlossen blieb, in dessen Verfassung sich noch so viel rein Germanisches findet, welches zur Erklärung englischer Rechte und mancher deutschen Einrichtungen von dem größten Werthe ist: so läßt sich doch auch mit Grund darauf sagen, daß die Schwierigkeiten bei einer solchen weitern Ausdehnung der Arbeit sich allerdings sehr vermehren müßten; und daß es nun, nachdem der Verfasser einmal die Bahn gebrochen hat, demjenigen, welchen Sprachkenntniß und andere zufällige Vortheile begünstigen, leicht seyn würde, jene fehlenden und zur Ergänzung doch wirklich nothwendigen Theile hinzuzufügen.

Wir müssen dies Urtheil nun durch eine nähere Beleuchtung des 6. und 7. Buches zu rechtfertigen suchen.

Die geſchichtliche Entwickelung der deutſchen Gerichtsverfaſſung (Bd. V. S. 1—354) gehörte offenbar zu den ſchwierigſten
Theilen des Werkes, da der Kampf zwiſchen der allgemeinen Reichs-
hoheit und der Landeshoheit, der Sieg, welchen die letzte endlich
erfocht, und der eigenthümliche Gang, welchen die Gerichtsverfaſſung dabei ſowohl überhaupt, als in den einzelnen Ländern. nehmen
mußte, die Sache ſehr verwickelte. Schon die Betrachtung des
kleinen Raumes, auf welchen die geſchichtliche Entwickelung dieſer
verworrenen und vielfach verſchlungenen Verhältniſſe zuſammenge-
drängt iſt, wird daher zu dem Schluſſe berechtigen, daß die Forſchungen des Verfaſſers ſich ſehr im Allgemeinen werden gehalten
haben; und dies iſt auch in der That der Fall. Wir können daher
nicht umhin, dieſen Abſchnitt für den ſchwächſten des ganzen Werkes zu erklären.

Die erſten Capitel beſchäftigen ſich nur mit der deutſchen
Staatsverfaſſung, der Wählbarkeit des Kaiſers, der Landeshoheit,
den Reichsſtädten, den geiſtlichen Fürſtenthümern, der Reichsritter-
ſchaft, wobei wir uns aller kritiſchen Bemerkungen enthalten können. Denn obgleich alle dieſe Verhältniſſe auf die Gerichtsverfaſſung Deutſchlands ſehr bedeutend eingewirkt haben, ſo hebt doch
der Verf. dieſen Zuſammenhang nicht beſonders hervor; und es
würde alſo für den Hauptzweck des Buches wenig fruchten, wenn
wir unſere abweichenden Anſichten über die hiſtoriſch-ſtaatsrechtliche
Geſtaltung unſers Vaterlandes näher darlegen wollten. Nur im
Allgemeinen können wir nicht unberührt laſſen, daß der Verf. in
dem Emporſteigen der Landeshoheit nichts ſieht, als eine Auflehnung
der großen Vaſallen gegen den Kaiſer und die Central-Staatsge-
walt des Reichs; wogegen ſich doch ſchon in der erſten Zuſammen-
ſetzung des deutſchen Königreichs die nationalen Trennungen der
verſchiedenen Volksſtämme und der Geiſt bloßer Föderation nicht
verkennen läßt, welcher ſich mit unverrückter und ununterbrochener
Conſequenz von den älteſten Wahlen an, bis zum weſtphäliſchen
Frieden und dem Rheinbunde, und durch ſie zum deutſchen Bunde
als das Princip der deutſchen Staatenverbindung bewieſen hat. Das
Streben der frühern Zeit, die größern Maſſen, welche ſich anfangs
in den ältern Herzogthümern vorfanden, mehr unter einander zu
verbinden, hat nur, indem das Zerſprengen derſelben gelang, die
Zerſplitterung, nicht aber die Einheit Deutſchlands vergrößert; und
ſo iſt es faſt immer allen großen politiſchen Bemühungen ergangen,
welche nicht unmittelbar und rein auf die höchſten Güter der Menſchheit, Wahrheit, Gerechtigkeit und Sittlichkeit gerichtet waren, gerade
zum Entgegengeſetzten auszuſchlagen.

Erſt im 8. Capitel (S. 145.) kommt der Verfaſſer ſeinem
Hauptzweck näher, indem er von der Errichtung des Reichskam-

mergerichts und des Reichshofraths, von den Reichskreisen und dem Reichsregiment und von den Austrägen handelt. Hier können wir nicht umhin, die ganze Darstellung mislungen zu nennen. Sie geht von der kaiserlichen Gerichtsbarkeit in Deutschland aus, ohne doch die verschiedenen Arten derselben, diejenige, welche der Kaiser überall, wo er hinkam, unmittelbar auszuüben hatte, das alte Hof- und Kammergericht, das Fürstengericht und die verschiedenen stehenden kaiserlichen Hof- und Land-Gerichte von einander zu unterscheiden. Der unmittelbaren Jurisdiction, welche der Kaiser ehedem, überall wo er sich persönlich aufhielt, mit Ausschluß aller untergeordneten Gerichtsgewalt der Landesherrn, ausüben konnte, mußte er nach und nach entsagen (Constitutionen Friedrichs II. v. 1220 u. 1232.); es sind aber doch manche Wirkungen dieses Grundsatzes von längerer Dauer gewesen. Von einem stehenden Tribunal, welches der Kaiser an seinem Hofe gehabt habe (S. 151.), ist eigentlich nicht viel zu sagen, obwohl wir von einem Hofrichter Friedrichs II. wissen, (Reichsabsch. v. 1235. Cap. 24.) welcher an dem Amte zum wenigsten ein Jahr bleiben und allen Leuten richten soll, die ihm klagen, nur nicht über der Fürsten Leben, Ehre, Lehn und Erbe, welches der Kaiser selbst richten sollte. Von dieser kaiserlichen Gerichtsbarkeit befreiet die goldene Bulle die Unterthanen der Kurfürsten, weil diese selbst über ihre Leute die oberste Gerichtsbarkeit behaupteten. Unter Friedrich III. und Maximilian I. klagten die Stände darüber, daß nicht nur die Bestellung dieses Gerichts sehr mangelhaft sey, sondern auch, daß die Sporteln bei demselben sehr groß wären und durch die Entfernung des kaiserlichen Hofes noch vermehrt würden. Der Mangel einer festen gerichtlichen Organisation und einer executiven Gewalt führte das Recht der bewaffneten Selbsthülfe (Fehden und Pfändungen) und durch sie die mancherlei besondern Verbindungen der Fürsten, der Städte und des Adels, in ihnen aber unter den Mitgliedern die Austräge ganz natürlich herbei. Allein, obgleich die Kaiser oft einen oder den andern dieser Vereine begünstigten, so ist es doch unrichtig, daß jeder, wie der Verf. S. 156. sagt, einen vom Kaiser ernannten Hauptmann und Ausschuß und ein Bundesgericht gehabt habe.

Noch unrichtiger ist es (S. 158.) zu sagen, daß die Ausdehnung eines solchen Vereins (unter dessen Folgen partielle Landfrieden waren) über das ganze Reich dem kaiserlichen und Reichskammergerichte das Daseyn gegeben habe, und daß die Kaiser diese Veränderung eingeleitet hätten, um ihr Ansehen noch einigermaßen aufrecht zu halten. Es ist vielmehr, wie bekannt, gerade umgekehrt gewesen. Die Klagen über den Mangel rechtlicher Ordnung und Sicherheit waren seit Rudolphs I. Tode immer allgemeiner und lauter geworden, und sprachen sich auch in den Privat = Entwürfen, sogenannten Reformationen, aus, welche unter Siegmund und Friedrich III. zum Vorscheine kamen, und von welchen der letztern (in der Ausgabe des Dr. G. W. Böhmer) auch eine unverdiente Wichtigkeit im Hermes (I, 15,) beigelegt worden ist. Friedrich III. ging freilich von der sehr richtigen Politik aus, daß ein deutscher Kaiser, wie einmal die Sachen standen, vor allen Dingen sorgen müsse, in seinem Lande sicher und mächtig zu seyn, und war in Reichssachen so wenig zu einem kräftigen Handeln zu bewegen, daß die Kurfürsten und Stände ihn sogar mit einer neuen Kaiserwahl bedrohten, wenn er bei seiner Unthätigkeit beharrte. Die Errich= tung eines stehenden Gerichts in der Mitte des Reichs, besetzt mit tüchtigen rechtsgelehrten Räthen und zwar nicht vom Kaiser, son= dern meistentheils von den Kurfürsten und übrigen Ständen, stand unter jenen Forderungen besserer Ordnung oben an: denn ohne ein solches konnte der Landfriede weder als ein allgemeiner, noch als ein ewiger aufrecht gehalten werden; und man mußte der Selbst= hülfe (besonders dem Misbrauch, sich wegen Geldforderungen durch Pfändungen des Schuldners und seiner Landsleute bezahlt zu ma= chen, welches den Vorwand zu Plünderungen und wahrer Räube= rei gab) so lange noch nachgeben, bis die Gerichtsverfassung besser geordnet war. Auch Maximilian I. war weit entfernt, die Grün= dung des Gerichts zu betreiben, auf welches sein Einfluß immer gerin= ger seyn mußte, als auf die bisherige Rechtspflege durch Hofrichter und Beisitzer ohne lebenslängliche Anstellung und mit beliebiger Entlassung von ihm allein ernannt. Da er aber die Hülfe der Stände nöthig hatte und auch sein Streben mehr nach außen als auf Vergrößerung der kaiserlichen Gewalt im Innern des Reichs ging, so entschloß er sich zu dem verlangten Opfer und griff sodann rasch und kraftvoll ein, so daß er in wenig Tagen das Werk zu Stande brachte.

Bekanntlich entsprach das fernere Benehmen der Reichsstände gegen das neue Reichsgericht auch dem Eifer nicht, welchen sie bei dessen Errichtung bezeigt hatten: vermuthlich weil auch das Gericht, wie es zu gehen pflegt, bei der Schwerfälligkeit seiner von der rota romana entlehnten Formen, ihren eignen Erwartungen nicht ent= sprechen konnte. Sie besetzte es mit 10 Räthen, statt 16; sie wa= ren lässig in Entrichtung der spärlichen Besoldungen; sie ließen es von einer Reichsstadt zur andern umherziehen; und keine sah es gern in ihrer Mitte. Vorzüglich aber suchten sie den Einfluß ab= zuschneiden, welchen das Kammergericht bei den unbestimmten Grän= zen zwischen Justiz = und Regierungs = Sachen leicht auf die ganze Landesverwaltung gewinnen konnte. Dazu waren die privilegia de non appellando das natürlichste und nothwendigste Mittel, und sie wurden daher nun ein Gegenstand allgemeinen Bestrebens, waren auch zu manchen heilsamen und durchgreifenden Reformen durchaus unentbehrlich. Man kann aber nicht sagen, daß sie, in Beziehung auf das Reichskammergericht, ein Mittel gewesen wären, sich den Einwirkungen des kaiserlichen Hofes zu entziehen; und eben so wenig läßt sich von den Exemtionen der burgundischen und österreichischen Erblande der Schluß machen, daß das Kammergericht der erste Schritt zur Unterdrückung der Landeshoheit hätte seyn sollen, wie der Verf. (S. 161.) sagt. Jene Exemtion fand man damals ganz natürlich. Die österreichisch-burgundischen Erblande waren ein so geschlossenes Ganze, daß sie zur Erhaltung des Landfriedens und der rechtlichen Ordnung keine fremde Hülfe nöthig hatten, obgleich von einer andern Seite her diese Exemtionen allerdings nachtheilig gewirkt haben.

Auch die Entstehung und Verhältnisse des **Reichshofraths** werden von dem Verf. (S. 161.) nicht richtig, ja man muß eigentlich sagen, mit einer gänzlichen Unkenntniß deutscher Angelegenheiten dargestellt. Es ist nicht recht klar, welchen Begriff er sich von diesem Gerichtshofe gemacht habe, und wir würden das Bekannteste wiederholen müssen: z. B. daß die Protestanten vom Reichshofrathe keinesweges ausgeschlossen waren, vielmehr die ideale Religionsgleichheit, wodurch die Stimmenmehrheit in Religionssachen ausgeschlossen wurde, bei ihm aber so gut stattfand, als im Reichskammergericht, wenn wir alle unrichtige Vorstellungen des Verfs. herausheben und berichtigen wollten.

Im 9. Cap. wird von der **Einführung des römischen und kanonischen Rechts** in Deutschland gesprochen und dabei, unter vielem Bekannten, auch die alte Behauptung wiederholt, daß die Kaiser, von Friedrich I. an, diese Einführung begünstigt hätten, weil sie darin ein Mittel gesehen, ihre eigne Gewalt zu befestigen. Mit solchen kleinen Plänen einzelner Menschen wird keine große Völkerbewegung erklärt, so gewöhnlich es auch unter den neuern Historikern geworden ist, das Weltmeer mit Fingerhüten ausmessen zu wollen. Das Ansehen, zu welchem das römische und kanonische Recht sich aus den Schulen Italiens in allen Ländern Europas so schnell erhob, ist der klarste Beweis eines allgemeinen und dringenden Bedürfnisses der Zeiten; es ist ein Beweis, nicht nur von der großen Unvollkommenheit der ältern Rechtsverfassung, sondern auch davon, daß sie in sich selbst nicht die Kraft hatte, sich zu ergänzen und organisch fortzubilden. Man nahm das römische Recht nicht als etwas neues, sondern, zum Theil freilich irregeleitet durch mancherlei unrichtige Voraussetzungen, als etwas an sich selbst schon gültiges und sich der Sache nach von selbst verstehendes auf; und wir brauchen kaum daran zu erinnern, wie unabhängig dieser

Gang der Dinge von aller willkürlichen Leitung durch die Staatsgewalt und die Plane einzelner Männer gewesen ist. Indem aber
der Verf. mit dieser vom elften bis ins funfzehnte Jahrhundert
fortgehenden stillen Revolution die Ausbildung der gerichtlichen Organisation Deutschlands in Verbindung bringen will, begeht er wieder die gröbsten Fehler. Er meint z. B. (S. 188): die Patrimonialgerichtsbarkeit sey daraus entstanden, daß die Städte und kleinern Vasallen des Reichs sich von der kaiserlichen Gewalt nicht so
hätten losreißen können, als die größern, und daß sie sich also,
statt Gerichte letzter Instanz aufzustellen, damit hätten begnügen
müssen, die Justiz im Namen des Kaisers und mit Vorbehalt der
Appellation an die kaiserlichen Gerichte verwalten zu lassen. —
S. 189: der Adel habe den stehenden Gerichtshöfen der Fürsten
nicht mit offenem Widerstande entgegentreten können und sich deswegen an die heimlichen Gerichte angeschlossen, welche in Opposition
mit allen Staatsbehörden gestanden hätten und wegen ihrer Strenge
gegen die Vornehmen ohnehin sehr populär gewesen wären.

Mit gleicher Unkunde aller deutschen Angelegenheiten wird im
10. Cap. von der Einrichtung der Schöppenstühle und der Actenversendung gehandelt; einer Einrichtung, von welcher, wie von der
ganzen deutschen Staats- und Gerichts-Verfassung, der Verf. gar
keinen Begriff hat. Er beruft sich zwar hier und da auf ganz gute
Gewährsmänner, wie Eichhorn, Möser u. a., aber scheint sie
nicht immer richtig verstanden zu haben und stellt ihnen nicht selten eigene wunderliche Ansichten entgegen. Es wäre eine mühselige
und undankbare Arbeit, die theils ganz unrichtigen, theils wenigstens
einer genauern Bestimmung bedürftigen Behauptungen, welche hier
in bunter Verwirrung durcheinander laufen, zusammenzustellen. So
meint der Verf. S. 194., es sey ein Vorzug der Landeshoheit überhaupt gewesen, Gerichte letzter Instanz zu haben, da er doch gleich
auf der vorhergehenden Seite ganz richtig erwähnte, daß die Befreiung von der höhern Instanz der beiden Reichsgerichte nur auf
den besondern Appellationsprivilegien beruhte. Von der Actenversendung macht er sich seltsame Vorstellungen. Die großen Reformen
der Gerichtsverfassung, welche am Ende des 15. und im Laufe
des 16. Jahrhunderts in allen deutschen Staaten vorgenommen wurden, und wobei sich bei den meisten eigentlichen Gerichtshöfen eine
Nachahmung des Kammergerichts, besonders auch in einer Theilnahme
der Stände an den Besetzungen zeigte, die Fürsten aber auch dem
Beispiele des Kaisers darin folgten, daß sie ihren Hof mit gelehrten
und rechtskundigen Geschäftsmännern bestellten, welche zuletzt auch
zu eigentlichen Gerichtshöfen ausgebildet wurden, werden gar nicht
erwähnt. Dagegen spricht der Verf. von der großen Vervielfälti-
gung der Gerichte, welche man eben ihrer Zahl wegen nur sehr

schlecht habe beseßen können, und welche daher die Einholung der Erkenntnisse von Juristenfacultäten und Schöppenstühlen nothwendig gemacht hätten, um der Unwissenheit der Richter einigermaßen nachzuhelfen. Die Schöppenstühle hält er für Obergerichte, verführt durch etwas, was er von den alten Oberhöfen Deutschlands gelesen hat (S. 203 und 204), und knüpft an diese irrigen Voraussetzungen eine Menge eben so unrichtiger Bemerkungen und Folgerungen an, mit deren Auseinandersetzung und Widerlegung wir die Leser nicht beläftigen wollen.

Nur das Eine können wir nicht übergehen, weil es der Faden ist, an welchem der Ideengang des Verfs. fortläuft, daß nämlich mit dieser Actenversendung zugleich die Einführung eines schriftlichen Verfahrens (Cap. XI.) zusammenhängt, welches der Verf. gleich in der Ueberschrift dieses Capitels nach der gewöhnlichen Ansicht mit einem geheimen verwechselt. Er findet auch hier den Grund dieser Veränderung nicht, wie es wirklich der Fall war, in den großen Gebrechen der Rechtspflege, der Langsamkeit und Verworrenheit des Civilprocesses, und der gränzenlosen Willkür und Uebereilung der Criminalproceduren, sondern in der Vorliebe der Rechtsgelehrten für die Formen des römischen und kanonischen Rechts. Durch das schriftliche Verfahren hätten sich diese Mitglieder der neuen Gerichte immer wichtiger und unentbehrlicher machen wollen, und darum hätten sie, besonders für die Criminalsachen, jenes System von Regeln des Beweises aufgestellt, welches sie gegen ihre volleste Ueberzeugung die Schuldigen loszusprechen und die Unschuldigen zu verurtheilen gezwungen habe. Dabei wären die Urtheilenden in den Juristenfacultäten Stubengelehrte und Männer ohne Kenntniß der Welt und der Menschen gewesen, in deren Händen jenes System von Beweisen immer spitzfindiger und ungerechter geworden wäre; und indem man in Folge desselben dahin gelangt sey, eine Verurtheilung nur auf das Geständniß auszusprechen, weil jene willkürlichen Bedingungen eines vollen Beweises selten vorhanden gewesen, hätte man auch nothwendig zur Tortur greifen müssen. So oft diese Anklagen auch gehört worden sind, so sind sie doch nicht im geringsten historisch begründet; es sind leere Einbildungen und Beweise gänzlicher Unkunde über den wahren Verlauf der Sache. Wir würden auch hier kein Ende finden, wenn wir die einzelnen falschen Behauptungen des Verfs. aufzählen wollten: z. B. S. 215, daß die kaiserlichen Gerichte und die Gerichte der (freien) Städte vornehmlich die Tortur und das geheime Verfahren angenommen hätten, da doch bekanntlich die Reichsgerichte mit Criminalsachen so gut wie gar nichts zu thun hatten. Die seltenen Fälle der Criminaljustiz gegen unmittelbare und Nullitätsbeschwerden der Landesunterthanen können nicht in Betracht kom-

men. Aber in der Hauptsache ist es freilich für kundige Leser überflüssig, die gänzliche Grundlosigkeit jener der Criminal=Gerichtsord-
nung Kaiser Karls V. und den Rechtsgelehrten gemachten Vorwürfe
nachzuweisen; diese Vorwürfe werden aber doch noch immer, und
selbst mit dem Anspruche auf Sachkenntniß so oft wiederholt, daß
wir nicht umhin können, ihnen wenigstens im Allgemeinen dasjenige
entgegenzusetzen, worüber unter den Sachverständigen freilich eigentlich gar kein Zweifel obwaltet.

Es kommt nämlich zuvörderst auf den schon hundertmal und
vorzüglich auch von Feuerbach hervorgehobenen Unterschied zwischen einem schriftlichen und geheimen Verfahren an. Das
erstere schließt die Oeffentlichkeit an sich durchaus eben so wenig aus,
als das letztere immer ein schriftliches seyn müßte. Es ist aber auch
zweitens zwischen dem Civil=Processe und dem Criminal=
Verfahren ein großer Unterschied, wiewohl beide, wie auch von
unserm Verf. geschieht, fast immer mit einander vermischt werden.
Was nun den Civilproceß betrifft, so war das Verfahren, welches bis zur Errichtung des Reichskammergerichts in Deutschland
beobachtet wurde, wie man aus der Verordnung jener Zeit gewahr
wird, sehr verschieden, schwankte aber im Ganzen zwischen den beiden Extremen willkürlicher Kürze und Uebereilung, oder eben so
willkürlicher Verzögerung. Was an seine Stelle gesetzt wurde, war
der Proceß, wie ihn Theorie und Praxis der italienischen Rechts-
schulen und Gerichte ausgebildet hatte, und in welchem schriftliche
Eingaben, besonders in Form der Artikel, mit mündlichen Vorträ-
gen, dem Plaidiren, verbunden waren. Aber die verschiedenen Angriffs = und Vertheidigungsmittel mußten bei diesem System suc-
cessiv gebraucht und erledigt werden, woraus eine (in England noch
jetzt übliche) außerordentliche Langsamkeit der Processe entspringen
mußte, zumal da man glaubte (was auch schon im altgermanischen
Processe lag), daß eine einmalige Vorladung nicht hinreiche, um
einen entscheidenden Verlust über eine Partei zu verhängen. Bald
aber fand man die schriftlichen Verhandlungen (schon in den ersten
Jahren des 16. Jahrh.) für die Parteien vortheilhafter; man ver-
einfachte die Formen, schnitt unnöthige Feierlichkeiten und Verzöge-
rungen ab und verkürzte den Gang der Processe vornämlich dadurch, daß man die Parteien nöthigte, ihre Vertheidigungsmittel
mit Vorbehalt des Rechts eventuell zusammen vorzutragen; so daß
der hierdurch ausgebildete deutsche Proceß in Zweckmäßigkeit und
Rechtssicherheit, zumal in seinen neuesten Bearbeitungen, mit dem
französischen und jedem andern, wo das Plaidiren vorherrscht, sicher-
lich die Vergleichung nicht zu scheuen hat. Was man ihm vor-
werfen kann, große Abhängigkeit der Parteien von den Advocaten,
und ein Uebergewicht des bloß Formellen über das eigentliche Recht

und die Absicht der Parteien, ist noch bei weitem mehr in dem französischen Processe anzutreffen. Von der sogenannten Inquisitions-Maxime sprechen wir nachher.

Hingegen das Criminal-Verfahren der deutschen Gerichte war vor der Halsgerichtsordnung Karls V. in einem Zustande von Barbarei und Willkür, welchen man sich nicht fürchterlich genug vorstellen kann und in der That lange nicht hinreichend zu kennen scheint. Die Vollziehung der Strafe folgte der That oft im Zeitraume von wenigen Stunden, ja wohl augenblicklich, wenn der Verbrecher auf frischer That ergriffen worden war. Dahin rechnete man aber auch wohl bloße Verdachtsgründe, das Vorfinden einer gestohlnen Sache, eines blutigen Werkzeugs u. dergl., und ging leichtsinnig über die Entschuldigungsgründe, z. B. einer gerechten Gegenwehr, hinweg. Die Criminaljustiz war ein Werkzeug des Parteigeistes: der Sieg der einen Faction über die andere in den Städten endigte mit der Hinrichtung der Gegner ohne große processualische Weitläuftigkeit, und war sogar oft ein Mittel der Gelderpressung, indem unschuldige Menschen hingerichtet wurden, bloß um von den Gerichtsuntergebenen die gewöhnlichen Sporteln erheben zu können. Die Tortur war nicht unbekannt; doch brauchte man sie nur, entweder um die Rachsucht vollständiger zu befriedigen, oder um alle andere Verhandlungen umgehen zu können, da sonst der geringste Vorwand zur Verurtheilung hinreichte. Unter diesen Umständen war Karls V. Criminalordnung ein Bedürfniß und eine Wohlthat. Sie riß der Willkür und der Leidenschaft das Schwert und die Marterwerkzeuge aus der Hand, indem sie verbot, ohne Rath unbefangener auswärtiger Rechtsgelehrten Urtheile auf Tod und Folter zu sprechen. Sie setzte fest, daß ohne Geständniß oder vollen unmittelbaren Beweis niemand bestraft, ohne bringende Anzeigen eines Capitalverbrechens niemand gefoltert werden sollte; sie erweiterte nicht, sie beschränkte vielmehr sehr bedeutend den Kreis richterlicher Willkür. Von jener Zeit an ist die Criminalprocedur in Deutschland immer mehr geregelt und menschlicher geworden, und obgleich noch lange entehrt durch die Tortur und nicht frei von Mängeln, ist sie doch niemals durch solche Abscheulichkeiten entstellt worden, als die französische durch die vielen unschuldigen Opfer der Rachsucht, der Rechthaberei, des Stolzes und die Herrschsucht der Richter. (Jean Calas, Montbailli, Lebrun, l'Anglade, de la Barre u. so viele andere.) Kein Richter ist je genöthigt gewesen, einen Menschen, welchen er für unschuldig halten konnte, bloß wegen der gesetzlichen Regeln des Beweises zu verurtheilen. Wo die Criminaljustiz in Deutschland willkürlich und schlecht war, wurde sie es nicht dadurch, daß man die processualischen Vorschriften der Criminalordnung Karls V. beobachtete, sondern dadurch, daß man sie vernachlässigte.

Auch konnte man bis jetzt gewiß nicht sagen, daß die Mitglieder der Juristenfacultäten und Schöppenstühle einseitige Theoretiker, spitzfindige Pedanten ohne Erfahrung und Menschenkenntniß gewesen seyen. Die meisten unserer angesehensten Juristen seit dem 16. Jahrh. gehörten dem Leben fast mehr an, als der Schule. Die Lehrstühle waren die Vorschule zu den höhern Staatsämtern, und nicht wenige hochverdiente Minister aller deutschen Staaten haben ihre Laufbahn so begonnen. Die Universitätsgelehrten hingegen wurden neben ihrem Amte häufig zu wichtigen Staatsgeschäften gebraucht. Die neuerlich oft gehörte Behauptung, daß das ganze siebzehnte und achtzehnte Jahrhundert in Deutschland keinen großen Juristen hervorgebracht habe, wird den Ruhm nicht schmälern, welchen nicht wenige dieser Männer gerade durch das, was auch die Größe der altrömischen Fürsten ausmachte, durch hellen und tiefen Blick und ein geübtes scharfes Urtheil über Menschen und Verhältnisse verdient haben. Nur in der neuesten Zeit ist die Absonderung zwischen der Schule und dem Leben schärfer geworden und scheint, wenn man die Zeichen der Zeit sorgfältig beobachtet, noch immer schärfer zu werden. Gerade die Actenversendung war es, welche zwischen der Theorie und dem Geschäftsleben eine innige und ununterbrochene Verbindung unterhielt; und so viel sich auch gegen die Sitte sagen läßt, beinahe alle Urtheile nicht vom eigentlichen Richter, sondern von fremden Spruchcollegien fällen zu lassen, so nothwendig es also auch gewiß war, die Actenversendung wo nicht ganz aufzuheben, doch wenigstens sehr zu beschränken, so hätte man doch auf der andern Seite dafür sorgen sollen, daß jene Verbindung der Universitäten mit dem Geschäftsleben auf irgend eine andere Weise hergestellt würde. Die Meinung, welche in dem höhern Geschäftsleben herrschend geworden ist, daß die eigentlichen gelehrten Theoretiker für die Praxis wenig brauchbar seyen, und daß es für letzte ein ganz eigenes System von Erfahrungsregeln gebe, ist für beide Theile höchst nachtheilig. Es ist dies eben das Mittel, die Theorie zur einseitigen und unpraktischen Speculation zu verführen, wenn man sie nicht immer zwingt, sich in der Anwendung von jenen Auswüchsen zu reinigen; und es ist eins der schädlichsten Uebel für ein Volk, wenn sich zwischen seinen Ueberzeugungen, deren letzte Quelle immer die Schule ist, und zwischen dem wirklichen Leben im Staate ein Widerspruch ergibt. Man klagt so sehr, daß der Geist mancher deutschen Universitäten von diesem Widerspruche beseelt werde: allein man sollte auch eines Theils nicht vergessen, genau zu prüfen, in wie fern der Widerspruch vielleicht gegründet ist, andern Theils aber die Universitäten selbst mehr in das öffentliche Leben und Wirken des Staats hineinziehen.

In dem folgenden Capitel (XII. Neue Gesetzgebungen;

Abſchaffung der Tortur und deren Surrogate) geht es ganz im bisherigen Tone fort.   Der Verf. findet (S. 234) eine nachtheilige Wirkung der Actenverſendung gerade in dem, deſſen Mangel man den Schöppenſtühlen zur Laſt legen muß: Einheit und Feſtigkeit der Rechtsprincipien; er macht ihnen einen Vorwurf, welcher, wenn er gegründet wäre, ihnen gerade zum Ruhme hätte gereichen müſſen. Gewißheit des Rechts iſt die erſte Bedingung einer guten Rechtsverfaſſung; dieſe kann aber nur durch oberſte ſtehende Gerichtshöfe erreicht werden, und gerade die Actenverſendung, bei welcher die verſchiedenen Anſichten der Rechtsgelehrten einen ſo unbegränzten Spielraum hatten, und wo es in den einzelnen Fällen nur Zufall war, ob die eine oder die andere den Sieg davontrug (indem ſie zuerſt durch die heilige Drei gleichförmiger Erkenntniſſe ſanctionirt wurde), machte eine ſolche Gewißheit des Rechts rein unmöglich.

Der Verf. kommt hierbei auf das große Thema der franzöſiſchen Juriſten und ihrer deutſchen Anhänger, den großen Vorzug des engliſch = franzöſiſchen oder mündlich = öffentlichen Criminalproceſſes vor dem, was ſie das ſchriftlich = geheime zu nennen belieben; und wir wollen bei dieſem vermuthlich noch lange nicht endenden Streite hier nur zwei Bemerkungen machen. Die eine iſt, daß der deutſche Criminalproceß, nach der Carolina und ſelbſt im Weſentlichen nach den meiſten neuern Geſetzgebungen Deutſchlands, in ſeinem Hauptabſchnitte nichts andres iſt, als das, worauf auch in England und Frankreich das Meiſte ankommt, nämlich die vorläufige Inſtruction. Unſere Unterſuchungsrichter thun gerade das, was in England die Friedensrichter, in Frankreich der juge d'instruction zu thun hat. Nur vom engliſchen unterſcheidet es ſich darin, daß der unterſuchende Friedensrichter dem Scheine nach nicht auf das Geſtändniß des Angeſchuldigten ausgeht, indem dies Geſtändniß nicht als Beweismittel bei dem öffentlichen Beweisverfahren (trial) gebraucht werden ſoll. Aber dennoch ſucht man ſich dies Geſtändniß zu verſchaffen: der Richter, welcher die öffentlichen Verhandlungen dirigirt, wird davon unterrichtet und ermangelt nicht, den Geſchwornen, wenn ſie ihr Schuldig geſprochen haben, zu ihrer Beruhigung darüber einen Wink zu geben, auch ſeinen Vortrag an die Geſchwornen vor ihrem Ausſpruche darnach einzurichten. In Frankreich hingegen iſt das Inſtructionsverfahren von unſerm deutſchen Unterſuchungsverfahren in nichts verſchieden, als daß das letztere förmlicher iſt, und der Angeſchuldigte mehr Mittel hat, ſich gegen den Unterſuchungsrichter zu vertheidigen, als in Frankreich. Das Geſtändniß iſt aber dort ſo gut, wie bei uns, eine Hauptſache. Iſt nun ein Geſtändniß, auf deſſen Wahrhaftigkeit und Ernſt man ſich verlaſſen kann, erfolgt, ſo bedarf es wohl keines weitern Verfahrens; aber wir hatten selbst nach der Criminalgerichtsordnung von 1532 noch das öffentliche Hauptverfahren, wo der Verurtheilte sein Geständniß wiederholen oder des Verbrechens überwiesen werden sollte, wo also nach älterem Gebrauche, (aber dieser ist freilich außer Uebung gekommen,) im letzten Falle die Beweismittel öffentlich vorzubringen und darüber zu urtheilen gewesen wäre. Aber das Geständniß zur Hauptsache, und also den Angeschuldigten zu seinem eignen Richter zu machen, ist bei weitem philosophisch richtiger und tiefer aus der menschlichen Natur und den ewigen Wahrheiten des Rechts geschöpft, als das entgegengesetzte: nemo tenetur accusare se ipsum, der Engländer.

Die zweite Bemerkung betrifft den vornehmsten Grund, mit welchem das öffentlich=mündliche Verfahren von seinen Anhängern vertheidigt wird, und auf welchen auch unser Verf. das meiste Gewicht legt, nämlich den, daß man aus der Persönlichkeit des Angeklagten und der Zeugen ein viel sichereres Urtheil schöpfen könne, als aus einem todten, einseitig aufgefaßten Protocolle. So scheinbar dies ist, so ist es doch nur Schein. Es ist wahr, das persönliche Erscheinen des Angeklagten wird einen sehr großen Einfluß auf das Urtheil haben, aber ob einen zweckmäßigen, möchte nicht bloß zu bezweifeln, sondern auf das bestimmteste zu verneinen seyn. Denn wie selten sind diejenigen Menschen, welche sich ein richtiges Urtheil über andere nach dem Aeußern zutrauen dürfen! wiewohl die meisten gerade in dem Grade dreister und schneller zu urtheilen pflegen, je weniger sie dazu fähig sind. Gerade die größten Kenner der Menschen wissen am besten, wie trüglich alle Urtheile nach dem äußern Scheine sind, und während die Andern sich diesem Eindruck unbesonnen überlassen, dient ihnen die erworbene Menschenkenntniß dazu, sich gegen diese Täuschungen zu verwahren und ihr Urtheil aufzuschieben, bis sie in erwiesenen oder eingestandenen Handlungen des zu Beurtheilenden bessere Gründe zu demselben gefunden haben. Diese finden sie freilich nicht in den Geberden=Protocollen, auf welche sicher kein besonnener und erfahrner Richter den geringsten Werth legt, weil hier zu der Trüglichkeit solcher äußern Erscheinungen an sich noch die Trüglichkeit der Auffassung und Beschreibung hinzukommt; wohl aber in einem gesetzmäßigen Verhör, welches die Aeußerungen der Angeklagten und Zeugen getreu und mit ihren eignen Worten wiedergibt, und dessen wahrhafte Niederschreibung durch Schöffen oder vereidete Protocollführer hinreichend verbürgt ist. Hier muß, wenn ein Geständniß erfolgt, der ganze psychologische Zusammenhang einer That mit voller Klarheit hervortreten, was bei dem öffentlichen Verfahren nur selten, in England niemals geschehen kann, weil hier die eignen Angaben des Angeklagten nie zum Vorschein kommen dürfen. Wir getrauen uns daher zu behaupten, daß nach dem deutschen

Criminalproceß, wie er nach Abschaffung der Tortur ausgebildet wor=
den ist, viel weniger Unschuldige verurtheilt, und die Schuldigen viel
sicherer bestraft worden sind, als in England und Frankreich.

Bei einem Puncte verweilt der Verf. noch, welchen er für
eine Art von unentbehrlichem Ersatzmittel der Tortur hält: dies ist
das System außerordentlicher Strafen bei unvollkommener
Ueberführung des Angeschuldigten, welches einige neuere Gesetzgebun=
gen angenommen haben. Die Gründe gegen ein solches System
sind bekannt; aber dennoch sträubt sich das gesunde Rechtsgefühl im=
mer dagegen, daß ein Mensch, welcher eines schweren Verbrechens
beinahe überführt ist, gleichsam über die Gerechtigkeit triumphiren
soll. Auch in England und Frankreich kommen dergleichen Fälle
wohl vor, wo die Schöffen die offenbarsten Verbrecher freigesprochen
haben. In Schottland gibt es ein Drittes, welches der Natur der
Sache nach zwischen erwiesener Schuld und erwiesener Unschuld
in der Mitte liegt, indem die Geschwornen ein Zweifelhaft aus=
sprechen können. In England war einer der neuern Fälle der Art
die Lossprechung eines gewissen Thornton, welcher einer an Marie
Ashford verübten Gewalt und Ermordung in einem bis zur Gewiß=
heit gehenden Grade verdächtig war und dennoch freigesprochen wurde.
In Frankreich dürfen wir nur an die Mörder des Marschalls Brune,
der Generale Lagarde und Ramel und der Protestanten in Nismes
erinnern. Darin ist man also leicht mit dem Verf. einverstanden,
daß eine Strafe nur bei voller Ueberführung ausgesprochen werden
sollte: allein nicht darin, daß der Mangel der Ueberführung immer
gänzliche Befreiung des Verdächtigen zur Folge haben müsse. Viel=
mehr kann der Anklagestand, in welchen ein solcher versetzt worden
ist, doch nicht eher wieder aufgehoben werden, als bis die Verdachts=
gründe wirklich gehoben sind, und es läßt sich daher sehr wohl recht=
fertigen, daß dieser Zustand der Anklage mit gewissen bestimmten
Folgen, so wie er in der öffentlichen Meinung stehen bleibt, auch
durch richterlichen Spruch noch eine Zeit lang fortgesetzt werde. Dies
hat mit der außerordentlichen Strafe große Aehnlichkeit und kommt
im Resultate beinahe ganz mit derselben überein, beruht aber doch
auf ganz andern Gründen.

Ueber den Inhalt des XIII. Capitels (Geheimes Ver=
fahren in Civilsachen) können wir um so eher hinweggehen,
als es nichts weiter enthält, als dieselben Dinge, worüber wir uns
schon oben erklärt haben. Besonders klagt der Verf. über die mit
dem schriftlichen Processe verknüpfte Verschlechterung des Advocaten=
standes, welche anstatt jener edlen und freimüthigen Beredsamkeit,
wodurch sie in Frankreich und England glänzen und für Recht und
Wahrheit kämpfen, zu einem nichtssagenden und dürftigen Schrift=
wechsel herabgesetzt seyen. In diesem Puncte möchte er wohl mehr

Recht haben, als in vielen andern, doch auch nicht unbedingt. Es
gibt auch bei uns Länder, in welchen der Advocatenstand in großer
Achtung steht, und man kann nicht sagen, daß dazu das Plaidiren
eine unerläßliche Bedingung sey. Allein darin muß man wohl dem
Verfasser beistimmen, daß die schriftlichen Vorträge der Advocaten
dem größten Theile nach eine undankbare und vergebliche Arbeit sind,
worauf dann auch, weil dies allgemein gefühlt wird, und weil sie
überdies meist nur gering bezahlt werden, wenig Fleiß gewendet wird.
Wenigstens der letzte Theil derselben, die eigentlichen Rechtsausfüh=
rungen im Hauptverfahren, könnten sehr gut, und zugleich mit be=
trächtlicher Ersparniß an Zeit und Kräften für den Advocaten wie
für die Richter, in mündliche Vorträge verwandelt werden.

Im XIV. Capitel spricht der Verf. von dem Inquisito=
rialprocesse, nämlich hauptsächlich von der sogenannten Unter=
suchungsmaxime im Civilproceß oder dem neuern preußischen Pro=
ceß, welchen er sich wunderlicher Weise als durch ganz Deutschland
geltend vorzustellen scheint. „Es ist,“ sagt er S. 280, „eine Folge
des geheimen Verfahrens, welches in Deutschland auf den höchsten
Punct getrieben ist, daß die Gerichte eine sehr große Gewalt über
das Privatinteresse ausüben, und daß man nach Verschiedenheit der
Länder mehr oder weniger allenthalben in Civilsachen ein inquisito=
risches Verfahren kennt.“ Dahin rechnet er freilich auch die Be=
stimmung des Beweisthema von Amts wegen, die Besichtigungen und
dergleichen, was auch außer Preußen dem Richter obliegt; aber doch
paßt die fernere Beschreibung (S. 287 u. 288) fast nur auf den
preußischen Proceß. Er läßt sich aber selbst in Beziehung auf diesen
Uebertreibungen zu Schulden kommen, indem er (S. 289) sagt:
„der Richter schreibe dem Kläger vor, was er fordern, dem Be=
klagten, wie er sich vertheidigen solle,“ welches selbst der preußische
Richter nicht thun darf. Er meint (S. 293), die Gerichte hätten
dieses inquisitorische Verfahren aus Herrschsucht eingeführt; da es
doch bekannt genug ist, daß die preußischen Gerichtshöfe an der Ein=
führung der Proceßordnung von 1781 gar wenig Antheil hatten und
im Durchschnitt gewiß mehr dagegen als dafür waren.

Gegen solche Eingriffe der Gerichte in das Privatinteresse und
in die Befugniß der Parteien, frei über das Ihrige zu verfügen,
läßt sich nun gar leicht declamiren: nur ist es Schade, daß der Ge=
genstand, gegen welchen man declamirt, gar nicht vorhanden ist.
Daß dem gemeinen deutschen Processe dergleichen Vorwürfe nicht
gemacht werden können, brauchen wir gar nicht zu bemerken: aber
selbst bei dem preußischen Processe sind sie gänzlich ungegründet.
Indessen diesen Irrthum theilt der Verf. mit den vielen deutschen
Gelehrten, welche die preußische Proceßgesetzgebung nicht aus Uebung,
sondern durch ein gerade nicht sehr tief eindringendes Studium ken=

nen. Daher können wir die nähere Begründung unsrer abweichenden Ansichten hier um so mehr übergehen, als bereits in dem Hermes (J. 1824 St. I.) der Anfang gemacht worden ist, die Geschichte
und den Geist der preußischen Proceßgesetzgebung in einem richtigern
Lichte darzustellen, als gewöhnlich und auch von unserm Verf. geschehen ist.

Das XV. Capitel ist überschrieben Staatsanwaltschaft
(ministère public), und es würde gewiß eine höchst interessante,
aber auch bei der großen Zahl particularer Gesetzgebungen Deutschlands eine sehr schwierige Aufgabe gewesen seyn, zu zeigen, wie das
Institut der Kronanwälte in den verschiedenen deutschen Staaten
nach und nach seine Kraft verloren hat, wie es meistentheils auf
die unbedeutende Stelle eines Domainenanwalts zurückgekommen ist,
wie man ihm hie und da zwar eine neue Organisation gegeben hat
(z. B. in Preußen das Institut der Fiscale unter einem ursprünglich mit großer Amtsgewalt ausgerüsteten Generalfiscal), wie aber
doch noch vieles fehlt, um ihm die Wichtigkeit zu geben, welche es
in Frankreich von jeher behauptete. Die Erklärung, welche der Vf.
von dieser Erscheinung (S. 303) gibt, ist wahrhaft drollig. Die
Richter sollen, weil sie selbst auf das bloße Instruiren der Criminalsachen beschränkt waren, auf das Ansehen der Staatsanwälte eifersüchtig geworden seyn und die Geschäfte derselben, um doch nur
noch etwas zu gelten, an sich gerissen haben; wodurch denn im Cri-
minalprocesse die gänzliche Unterdrückung des Anklageprocesses durch
den inquisitorischen, und in Civilsachen die Verdrängung der Ver-
handlungsmaxime durch die Untersuchungsmaxime herbeigeführt worden sey. So viel sich nun auch für das Institut der Staatsanwälte
und für den damit in Verbindung stehenden Anklageproceß in Criminalsachen sagen läßt, so ist doch die historische Darstellung des
Verf., von welcher in diesem ersten Hauptabschnitte seines Werkes
allein die Rede ist, im höchsten Grade dürftig, und dasselbe gilt
von dem

XVI. Capitel, in welchem von dem Einflusse der admi-
nistrativen Gewalt auf die richterliche gehandelt wird.
Es kommen hier offenbar zwei sehr verschiedene Gegenstände in Betrachtung, nämlich 1.) die Stellung der gerichtlichen Behörden zu
den verwaltenden überhaupt, und 2.) die Einwirkungen der obersten
Regierungsbehörden (des Cabinets und des Ministeriums) auf die
Justizpflege. Von der ersten spricht der Verf. nicht (S. 321), auch
nicht von den an den Landesherrn gerichteten Gesuchen um Revision
eines definitiv entschiedenen Processes, welche bekanntlich in den meisten deutschen Ländern gar nicht zulässig waren, und wobei auch
wieder mancherlei von dem Verf. verwechselt wird. Sondern er
bringt nur allerlei von einem angeblich allgemein in Deutschland an-

genommenen Gebrauche (S. 322) vor, daß die Regierung unmittelbar in Privat-Rechtssachen eingreife. Daß dies allerdings in manchen deutschen Ländern, zumal vor den Jahren 1803 und 1806, häufig geschehen ist, läßt sich nicht in Abrede stellen: aber wenn man einige Dinge abrechnet, welche man als Gnadensachen zu betrachten pflegte (z. B. Moratorien und Restitutionen), so war dies doch ein gegen die Gesetze stattfindender Misbrauch, eine Cabinets-justiz, welche von den Reichsgerichten, so viel in ihrer Macht stand, abgestellt wurde. Die Rechtsmittel, welche hie und da dem Namen nach unmittelbar an den Landesherrn gingen (Supplicationen), waren häufig auch so organisirt, daß sie nur eine andere Form der Revision mit Actenversendung abgaben. Der Verf. spricht aber noch von dem Eingreifen der gesetzgebenden Gewalt in die Rechtspflege, wozu ihn nur die ehemalige Anordnung des preußischen Staats, daß die Gerichte, wenn sie für vorkommende Fälle keine Entscheidung in den Gesetzen fänden, bei der Gesetzcommission anfragen sollten, bewogen hat. Es ist aber bekannt, daß diese Einrichtung nicht lange bestanden hat, so wenig als in Frankreich in den ersten Zeiten der Revolution, und es ist wenigstens als allgemeine Behauptung nicht zu rechtfertigen, wenn S. 332 gesagt wird: daß die deutschen Fürsten im Wege der Gesetzgebung einzelne Rechtsstreitigkeiten zu entscheiden pflegten.

Hierdurch glauben wir denn das Urtheil hinlänglich gerechtfertigt zu haben, daß der historische Theil dieses Abschnitts über Deutschland zu den schwächsten Stellen des ganzen Werkes gehört, wiewohl man, abgesehen von den vielen factischen Unrichtigkeiten, auch in diesem Abschnitte den geistreichen und denkenden Rechtsgelehrten nicht verkennen wird. Das letzte Capitel des VI. Buches enthält nur eine kürzere Zusammenfassung der Bemerkungen über die deutsche Gerichtsverfassung, bei welcher wir uns also nur auf das Bisherige beziehen können.

Das VII. Buch (B. V. S. 355—547) ist der neuern Gerichtsverfassung Frankreichs seit der Revolution gewidmet. Hier lagen die Materialien dem Verf. so nahe und sind in Frankreich selbst schon so häufig und so gut verarbeitet, vorzüglich von André Dupin (Lois concernant l'organisation judiciaire. Paris 1819. 2 vol. 8.), daß es nicht schwer war, eine historisch-richtige Darstellung dieser großen und wohlthätigen Reformen zu liefern. Denn man darf hoffentlich anerkennen, daß die erste Nationalversammlung in vielen Zweigen der Verwaltung, und besonders auch in der Gerichtsverfassung, eine vortreffliche Einrichtung gegeben habe, ohne daß man deshalb in Gefahr geräth, für einen Vertheidiger der Revolution selbst gehalten zu werden. Vieles ist zwar in den spätern Zeiten, vornämlich unter Napoleon, wieder verändert worden:

aber bei manchen wesentlichen Veränderungen läßt sich wohl noch die Frage aufwerfen, ob sie auch wirkliche Verbesserungen gewesen seyen, und im Ganzen zehrt Frankreich doch noch immer von den Vorräthen, welche die erste Nationalversammlung ihm hinterlassen hat.

Indessen sieht man auch hier bei genauerer Betrachtung der Sache sehr deutlich, daß doch eigentlich nur dasjenige recht fest und wirksam geworden ist, was eine zeitgemäße Entwickelung des bereits Bestehenden war, und daß es sehr schwer ist, ein ganz neues Institut zum vollen Gedeihen und zu kräftigem Leben zu bringen. In Ansehung des Civilrechts ist die jetzige Verfassung ganz auf die Grundlagen der ehemaligen gebaut, und wo sie davon abgewichen war, ist sie zum Theil wieder dahin zurückgekehrt. Die Proceß= ordnung von 1811 ist nur eine verbesserte Auflage der ältern von 1667, und mit ihr ist die ganze Einrichtung der Gerichtshöfe, die Trennung der richterlichen Gewalt von der Vollziehung, das Insti= tut der Kronanwälte, die Huissiers (ostiarii), das Notariat mit dem Enregistrement stehen geblieben und nur in demselben Geiste, in welchem alles dies von frühen Zeiten her angelegt war, weiter ausgebildet worden. Die Reformen in dieser Partie betrafen nur Nebendinge, wichtig genug für das öffentliche Wohl, aber doch nicht von der Art, daß sie dem Volke neue und ungewohnte Formen und Organe der richterlichen Gewalt vorgeführt hätten. Sie halfen nur Misbräuchen und Mängeln der Gerichtsverfassung ab, welche man schon lange als solche erkannt hatte, welche aber, wie die wieder= holten vergeblichen Versuche des Canzlers Meaupou (im J. 1771) und des Ministers Brienne (Erzbischofs von Sens) im J. 1788 be= wiesen, viel zu tief in das ganze Staatsgebäude eingebaut waren, als daß man ohne gewaltsame Schritte von einer oder der andern Seite etwas gegen sie auszurichten hoffen durfte. (Die Regierung, der Hof, der König hatten nicht den Muth, die nöthigen Gewalt= schritte rasch und consequent durchzuführen; man rief in den Reichs= ständen das Volk, die öffentliche Meinung zu Hülfe, welche auch hinlänglich durchgriffen, um so entscheidender, als man ihr Walten wiederum zu hemmen suchte, aber freilich auf ihre Weise und zu ihrem Vortheil).

Das französische Gerichtswesen war auf ähnliche Weise, wie in den übrigen Staaten Europa's, nach und nach organisirt worden. Die grundherrliche Gerichtsbarkeit des Adels, der Geistlichkeit und des Königs auf seinen Domainen machte mit der städtischen die erste Stufe aus; über dieser Menge von verschiedenen, einander mannich= faltig durchkreuzenden Jurisdictionen standen die königlichen Ober= ämter (baillages et sénéchaussées), und die höchste Stufe bil= deten die Parlementer. Die alte Provinzialeintheilung der erst nach und nach mit der Krone vereinigten oder eroberten Länder hatte den geographischen Umfang der Parlementssprengel bestimmt, welche daher sehr ungleich waren; der pariser erstreckte sich über zwei Drittel des Reichs. Zwischen ihnen und den Oberämtern waren von Heinrich II. Mittelgerichte (die sièges présidiaux) eingeschoben worden, welche bis auf 1000 Fr. in letzter Instanz sprachen, collegiale Verfassung und in den größern Städten des Reichs ihren Sitz hatten. Alle diese Gerichtsstellen waren käuflich; ihr Inhaber mußte ein Capital erlegen und eine jährliche Abgabe an die Staatskasse bezahlen; dafür konnte er selbst, wie nach seinem Tode seine Erben, das Amt wieder verkaufen. Eine Folge dieser ungereimten Einrichtung war die schlechte Besetzung der Gerichte, welche durch ein dürftiges Examen nicht verhindert wurde (die Prüfungen waren nur dann streng, wenn ein Mann, welcher mit dem Gerichtsadel, der robe, nicht in Verbindung stand, sich eindrängen wollte), und eine falsche Unabhängigkeit der Gerichte und ihrer Mitglieder von der Regierung. Besonders war die grundherrliche Justiz anerkannt schlecht, da nach der ganzen Einrichtung eigentlich keine Subordination der niedern Gerichte unter die höhern stattfand, und an eine ununterbrochene regelmäßige Aufsicht nicht zu denken war. Neben dieser Organisation standen nun noch mancherlei besondere Gerichtsbarkeiten: die königlichen Prevotalgerichte, eine halbmilitairische Justiz gegen Landstreicher und Störer der öffentlichen Sicherheit, Handelsgerichte, die Gerichte in Steuersachen (cours des aides) und die Ober-Rechnungskammer.

Dieses ganze Gerüste warf die Revolution, aber nur in seinen äußern Formen, über den Haufen. Die ganze Patrimonialgerichtsbarkeit wurde unter den berühmten Beschlüssen des 4. August 1789 mit Einem Schlage abgeschafft, und dadurch die Möglichkeit bereitet, dem Gerichtswesen eine durch das ganze Reich gleichförmige Einrichtung zu geben. Zuvörderst mußte aber zu diesem Ende die alte Provinzialeintheilung aufgehoben werden, und die neue Eintheilung des Reiches in Departementer, Arrondissements und Cantone mußte auch in dieser Beziehung vorangehen, wie sie überhaupt für die neue Verfassung Frankreichs eine der wichtigsten Maßregeln war. Bekanntlich wurde das Reich in 83 Departements, jedes Departement in Districte, und diese in Cantons eingetheilt; und wie damals die Nachahmung englischer Institute einer der leitenden Grundsätze war, der zweite aber in einem oft ganz verkehrten Streben nach Freiheit und Gleichheit lag: so wurde die erste Stufe der Gerichtsbarkeit durch eine den Engländern abgeborgte Einrichtung, die F r i e d e n s - g e r i c h t e, ersetzt, deren eines in jedem Canton eingesetzt wurde. Allein man wich doch gar sehr von dem Wesen dieses englischen Instituts ab, und gewiß mit Recht. Denn so wichtig und heilsam dasselbe auch in England ist, so schwer würde es gewesen seyn, es

in Frankreich, zumal in der damaligen Lage, in regelmäßige und
kräftige Wirksamkeit zu bringen.   Die französischen Friedensrichter
gleichen mehr unsern deutschen Landbeamten, nur daß ihnen alle
förmlichen Processe entzogen und an die eigentlichen Landgerichte
(Districtsgerichte, Kreisgerichte, jetzt tribunaux de première in-
stance) gewiesen sind.   Ihren Namen schon haben die französischen
Friedensrichter nicht, wie die englischen, von der Aufrechthaltung des
Landfriedens, sondern von einer sentimentalen Idee der damaligen
Zeit, welche zu der Verordnung Veranlassung gab, daß jedem Processe der Versuch einer Friedensstiftung vorausgehen müsse, zu welchem die Parteien sich vor dem Friedensrichter einstellen mußten.
Dies besteht noch jetzt, ist aber zur leeren Formalität geworden.
Außerdem rechnen viele französische Schriftsteller die Friedensgerichte
nicht zum eigentlichen gerichtlichen Organismus, weil, wie oben erwähnt
wurde, alle förmliche processualische Verhandlungen in nicht ganz geringfügigen Sachen bei den Kreisgerichten anfangen, die eben daher Gerichte
erster Instanz heißen.   Allein, wenn gleich die Friedensrichter mehre
andere Geschäfte haben, welche nicht streng rechtlicher Natur sind, wie
das Vormundschaftswesen, so haben sie doch nicht nur eigentliche
Jurisdiction in geringfügigen Klagsachen, sondern sie haben auch alle
Besitzstreitigkeiten zu reguliren und müssen also unfehlbar nach
unsern Begriffen mit zur Justizorganisation gezählt werden.   Das
classische Werk über die Friedensgerichte ist von Henrion de Pansey (Staatsrath und Präsidenten des Cassationsgerichts): de la
competence des juges de paix, welches zuerst 1803. 12. und
1822 in seiner 6. Auflage (1 B. 8. von 710 S.) erschienen ist.
Die Zahl der Friedensgerichte beträgt jetzt mit Einschluß von Corsica
und Paris 2820, und ihr Sprengel faßt also im Durchschnitt
etwas über 10,000 Seelen, welches man etwas zu viel findet, da
auch die Assessoren, welche die Gerichte anfangs hatten, im J. 1810
wieder abgeschafft worden sind.

Die falsche Freiheitstendenz zeigte sich bei der Einrichtung des
Gerichtswesens (Gesetz vom 24. Aug. 1790) besonders darin, daß
man keine Unterordnung der Gerichte unter einander gestatten wollte.
Indem alle alte höhere und niedere Gerichte von den Parlamentern
und dem Grand conseil aufgehoben wurden, stellte man für Civilsachen in jedem District ein Tribunal auf, und durch das Gesetz
vom 28. August 1790 wurden (mit Ausschluß von Paris) 542
solcher Kreisgerichte angeordnet.   Jedes sollte zum wenigsten aus
fünf Räthen und vier Suppleanten mit einem Staatsanwalt bestehen, und der mittlere Sprengel derselben betrug etwas über 50,000
Seelen.   Appellationsgerichte gab es nicht, sondern die Appellationen
gingen von einem Kreisgerichte an das andere, zu welchem End-
immer die sieben nächsten Gerichte bestimmt waren, von welchen

jeder Theil drei verbitten konnte. Alle diese Richter wurden vom
Volke, immer auf 6 Jahre, gewählt. Mit der Appellation schloß
sich, wie auch jetzt noch, der ordentliche Instanzenzug, und es blieb
nur das Rechtsmittel der Cassation noch übrig, welches schon
längst in Frankreich ausgebildet worden war (s. des Präsidenten
Henrion de Pansey gleichfalls classisches Werk: De l'autorité judiciaire en France, Paris 1818. 4.) und ehedem an eine Abtheilung des Staatsraths, das Conseil privé, ging.

Einer der wichtigsten und heilsamsten Schritte der neuern französischen Gesetzgebung war nun der, für die Cassations- oder Nich-
tigkeitsbeschwerden einen eignen, von der Regierung durchaus unabhängigen Gerichtshof zu gründen, welches durch das Gesetz vom 1.
December 1790 geschah. Ueber den hohen Standpunct und Werth
dieses Tribunals, über seinen wohlthätigen Einfluß auf die ganze
Rechtsverfassung Frankreichs sind alle Stimmen einig. Das Cassationsgericht hält die Einheit in der Justizverwaltung aufrecht, und
seine Entscheidungen genießen ein fast gesetzliches Ansehen, welches
sie auch durch den Ernst, die Gründlichkeit und Unbefangenheit derselben vollkommen verdienen. Wenn sich auch zuweilen gegen die
in ihnen aufgestellten Ansichten ein Zweifel erheben ließe, so muß
man doch immer den Geist, in welchem das Cassationsgericht seit
seiner Errichtung die Gerechtigkeit verwaltet hat, ehren, und in der
That genießt es auch in ganz Frankreich eines außerordentlichen Vertrauens. Die Aussprüche dieses Gerichts werden in einem officiellen
Bulletin bekannt gemacht, (seit 1798 unter dem Titel: Bulletin
des arrêts de la cour de cassation rendus en matière civile
et criminelle, wovon bis 1817 44 vol. 8. erschienen waren;
die ältern vom 1. April 1792, als dem Eröffnungstage des Gerichts, unter dem Titel: Etat des jugemens du tribunal de
cassation. Paris, Baudouin); außerdem sind sie in mehren Pri-
vatsammlungen enthalten, wovon die vorzüglichsten das Recueil
général des lois et arrêts von Sirey (bis jetzt 25 Bände, 4.)
und das Journal du palais (seit 1800, anfangs gewöhnlich 2,
von 1812 an jährlich 3 Bde. 8.); und diese Entscheidungen des
obersten Gerichtshofes machen, ob er gleich die einzelnen Processe
bekanntlich nie selbst entscheidet, sondern nur über die Rechtsbestän-
digkeit der angefochtenen Urtheile spricht, doch die wichtigste und reich-
haltigste Quelle der neuern französischen Jurisprudenz aus. Die
Nichtigkeitsbeschwerde ist nämlich viel weiter ausgedehnt, als bei uns,
und kann nicht bloß wegen Verletzung der Formen, sondern auch
wegen unrichtiger Anwendung der Gesetze erhoben werden. Bloße
unrichtige Beurtheilung der Thatsachen gibt keinen Grund der Cassation, wohl aber, wenn die Rechtssätze, unter welche die für erwiesen angenommenen Thatsachen gestellt werden, als gesetzwidrig ange-

geben werden können.   Selbst wenn die Parteien sich bei einem sol=
chen gesetzwidrigen Ausspruche beruhigen, ist es die Pflicht des Staats=
anwalts, denselben zur Cassation anzuzeigen, nicht um in die Rechte
der Parteien einzugreifen, denn für sie behält das Urtheil seine volle
Kraft, sondern bloß um die richtige Anwendung der Gesetze für die
Zukunft zu sichern.

Die Einrichtung der Distrietsgerichte bestand bis zur Consular=
Regierung, ob man sich gleich viel früher von ihrer großen Unzweck=
mäßigkeit überzeugte.   In der Constitution vom J. 8. (Tit. V.
Art. 61.) wurden die zwei Stufen der Civiljustiz wieder hergestellt,
und in dem Gesetze vom 27. Vent. J. 8. (18. März 1800) wur=
de für jeden Kreis (arrondissement) ein Tribunal erster Instanz
(wenigstens aus drei Räthen mit einem Präsidenten und zwei Sup=
pleanten bestehend) angeordnet, deren bei den nunmehrigen Gränzen
des Reichs 355 vorhanden sind, also mit einem Durchschnittsbezirk
von etwas mehr als 80,000 Seelen.   Für das ganze Reich wurden
29 Appellationsgerichte errichtet, welche zwar nicht in Anse=
hung ihres Sprengels, aber doch in ihrer übrigen Stellung als Ge=
richte den ehemaligen Parlementern ziemlich gleich standen und mit
12 Räthen (in den größern Städten mehr, zu Brüssel und Rennes
mit 31) besetzt waren.   Paris erhielt ein eignes Kreisgericht von 24,
und ein Appellationsgericht von 33 Räthen.   Die Wahlen der Rich=
ter fielen hinweg; die sämmtlichen Richter wurden vom Ersten Con=
sul und auf Lebenszeit ernannt.   Durch die Erweiterungen der fran=
zösischen Gränzen war die Zahl der Appellationsgerichte im J. 1813
bis auf 36 gestiegen, die noch nicht vollständig organisirten in Lai=
bach, Zara und Ragusa ungerechnet; durch die Friedensschlüsse von
Paris 1814 und 1815 sind sie wieder auf 27 vermindert worden.
Diese Einrichtung ist bis jetzt beibehalten und nur dadurch weiter
ausgebildet worden, daß die Disciplinargewalt der Gerichte über ihre
Subalternen und Mitglieder, und der höhern Gerichte über die un=
tern in dem Senatusconsult vom 16. Thermidor J. 10. (4. Aug.
1802) erweitert, und dadurch der innere Zusammenhang des ganzen
Gebäudes befestigt, auch der Einfluß der Regierung auf die Gerichte
nicht wenig vergrößert wurde.   Denn der Justizminister erhielt da=
mals das Recht, den Vorsitz im Cassationshofe zu führen, sobald
die Aufsicht über die Appellationsgerichte und die Criminaltribunale
zur Sprache kam, die Räthe zur Verantwortung zu ziehen und zu
suspendiren; und neuerlich hat einer der geschätzesten französischen
Rechtsgelehrten (*Legraverand*, des lacunes et des besoins de
la législation française, Paris 1824. II. 8.) die bedenklichen
Folgen dieses Einflusses zur Sprache gebracht.   Durch die Gesetze
vom 16. März 1808 und 20. April 1810 wurde die Organisation
noch weiter ausgebildet, insbesondere auch die Laufbahn, in welcher

junge Leute zum Richterstande vorbereitet werden sollten, genauer bestimmt. Es wurden nämlich bei jedem Appellationsgerichte junge Männer, welche wenigstens zwei Jahr als Advocaten gedient haben mußten, als Auditoren (Conseillers, Auditeurs, Assessoren mit einem beschränkten Stimmenrecht) angestellt, welche zuerst in den Kreisgerichten und dann in den Appellationsgerichten gebraucht werden, und nach und nach in die eigentlichen Richterstellen einrücken sollten. Auch dies besteht noch. Andere Veränderungen betrafen zwar nur äußere Formen, Amtskleidung und Benennung der Gerichte: sie waren aber doch darum nicht ganz unwichtig, weil sie darauf hindeuteten, auch die gerichtliche Gewalt im Aeußern als einen Ausfluß der Machtvollkommenheit des Monarchen zu bezeichnen. So vertauschten die Appellationsgerichte diesen Namen zuerst gegen den der Appellations-Hofgerichte (Cours d'appell) und im J. 1810 erhielten sie die Benennung kaiserlicher (jetzt königlicher) Hofgerichte (Cours impériales oder nun royales). Ganz neuerlich ist von neuen Veränderungen die Rede gewesen, wodurch die Gerichtsverfassung noch mehr der ehemaligen angenähert werden sollte, indem man nur reiche Leute zu den Richterämtern gelangen lassen wollte, wie in der Zeit vor der Revolution. Der Werth, welchen man in politischer Hinsicht auf den Reichthum legt, gehört zwar zu den herrschenden Vorurtheilen unserer Tage: allein daß man die Sache bis zu einer solchen Verkehrtheit treiben werde, ist doch kaum zu glauben.

In der Criminaljustiz waren die Veränderungen der Nationalversammlung größer und tiefer eingreifend, aber auch nöthiger. Wir mögen nicht in die Vorwürfe einstimmen, welche man der Justizreform von 1539 (der Ordonnance de Villers-Cotterels) zu machen pflegt, weil durch sie auch, wie durch die deutsche Criminalgerichtsordnung von 1532 ein schriftliches Verfahren in Criminalsachen eingeführt wurde. Aber wahr ist es, daß die Criminal-Proceßordnung Ludwigs XIV. von 1670 eins der tadelnswürdigsten legislativen Werke war, welche je zum Vorschein gekommen sind. Nicht wegen des schriftlichen Verfahrens und des Geheimhaltens der Instruction, welches überall unentbehrlich ist, wo man es mit der Criminaljustiz ernstlich meint, und welches daher selbst in England stattfindet; sondern wegen der doppelten Tortur, wegen des fast gänzlichen Versagens der Vertheidigung durch einen Rechtsbeistand, und wegen des gränzenlosen Spielraums, welcher in dieser Criminalordnung der Willkür und dem Despotismus der Richter eröffnet wird. Die Gerichte waren nicht schuldig, ihren Entscheidungen Gründe beizufügen, die Parlemente fanden sogar einen Vorzug darin, nicht einmal das Verbrechen in ihren Urtheilen zu benennen, welche bestraft wurden, (dies mußten die niedern Gerichte doch thun), sondern sie konnten sich der allgemeinen, nichtssagenden Formel bedienen: Pour les cas resultant du procès. Man sprach die Todesstrafe auf bloße Verdachtsgründe aus; man erkannte auf Tortur mit Vorbehalt der Beweise und konnte bei demjenigen, welcher sie ausgehalten hatte, anstatt wie bei uns ihn von der Untersuchung zu entbinden, wegen der vorigen Verdachtsgründe noch auf die ordentliche Strafe erkennen. Daraus entstanden denn jene fürchterlichen Ungerechtigkeiten, von welchen die Geschichte der französischen Criminaljustiz entehrt wird, und gegen welche alle guten Schriftsteller der Nation, Voltaire an der Spitze, mit Recht kämpften. Darum war die Reform der Criminalgesetze ein Gegenstand allgemeinen Verlangens geworden und um so dringender geworden, als neben jenen gesetzlichen Gräueln auch noch die ungesetzliche Willkür in den berüchtigten lettres de cachet einen ganz unbeschränkten Spielraum ausübte.

Damals kannte man in Europa kein System der Criminaljustiz, welches für die rechtliche Sicherheit der Bürger so gut zu sorgen schien, als das englische. Die Willkür und Leidenschaftlichkeit der Richter hatte sich in Frankreich eben so furchtbar als verhaßt gemacht, und es konnte sich also dem gemeinen Verstande nichts mehr empfehlen, als ein System, wornach die Richter über die Thatsachen gar nicht zu urtheilen hatten, sondern redliche unbefangene Männer aus der Nachbarschaft des Angeklagten; ein System, welches weder die Tortur kannte, noch, wie man sagte, ein geheimes Verfahren. Zwar trug man sich schon damals mit einigen Erzählungen, welche wohl den Glauben an die hohe Weisheit der Geschwornenurtheile hätten erschüttern können: z. B. von dem angeblichen Mörder, welcher nur dadurch dem Tod entging, daß der wahre Thäter sich unter den Geschwornen fand und seine elf Mitgeschwornen, die auf Schuldig stimmten, durch Hunger zwang, sich mit ihm zum Unschuldig zu vereinigen (The theory of presumptive proof. Lond. 1815. p. 86); oder von dem jungen Manne, welcher, zur Hochzeit seiner Schwester reitend, durch den unzeitigen Einfall, eine auf dem Wege liegende Perücke aufzusetzen, welche ein Räuber nach eben vollbrachter Beraubung einer Postchaise weggeworfen hatte, auf dem Puncte stand, das Leben zu verlieren, wenn nicht der wahre Räuber den Beraubten, indem er ihn im Gerichte mit derselben Perücke auf dem Kopfe anrief: das Geld oder das Leben! irre gemacht und dadurch jenen befreiet hätte. Dagegen war das deutsche Criminal-System, fast nur auf das Geständniß zu sehen und dadurch einen Jeden zum Richter über sich selbst zu machen, damals noch weit von der Ausbildung und philosophischen Begründung entfernt, welcher es jetzt wenigstens nahe gebracht worden ist.

Die Nationalversammlung griff also, da zu jenem Grunde noch das allgemeine Vorurtheil für alle Institute Englands hinzukam, zu dem Vorbilde, welches sie in der englischen Criminal-Verfassung vor Augen hatte. Auch über die Geschichte dieser Legislation haben wir eine vortreffliche Zusammenstellung von Dupin: Lois criminelles extraites de la collection in 4. dite du Louvre et du Bulletin des Lois. Paris 1821. Zuerst wurden nur einige Verbesserungen der alten Verfassung vorgenommen, (Ges. v. Oct. 1789); dann aber am 16—19. Sept. 1791 eine neue Criminalordnung decretirt, mit welcher eine ziemlich ausführliche Instruction über die Criminalprocedur verbunden wurde. Das Wesentlichste dabei war die Einführung der Urtheilsschöffen (Geschwornen) und des öffentlichen Beweisverfahrens. Die erste Einleitung der Untersuchung wurde den Friedensrichtern und andern Polizeibeamten übertragen; bei jedem Kreisgerichte mußte ein Richter als Director der Jury die Entwerfung der Anklage besorgen, und ein Schöffenrecht (Jury) von acht Personen sollte über die Statthaftigkeit der Anklage erkennen. Für jedes Departement wurde ein Criminalgericht angeordnet, aus einem Präsidenten und drei Räthen bestehend, welche letztere Stellen von den Richtern der Kreisgerichte reihum versehen wurden. Vor diesen Criminalgerichten erfolgte der eigentliche Criminal-Proceß, zuerst das vorläufige Verhör und dann das öffentliche Hauptverfahren vor versammeltem Gericht und einem Schöffenrecht von zwölf Männern, welches, wie in England, über die factische Zurechnung der That, d. i. über die Frage, ob der Angeklagte überwiesen sey, die That mit freiem Willen begangen zu haben, urtheilen sollte. Von der ungereimten Forderung, daß die Geschwornen ihre Ansprüche immer nur mit Einstimmigkeit abgeben sollen, ging man gleich ab. Der Präsident hatte den Geschwornen bestimmte Fragen über die Urheberschaft des Angeklagten an der ihm zur Last gelegten Handlung, über die erschwerenden oder entschuldigenden Umstände derselben, und über die Zurechnungsfähigkeit des Thäters vorzulegen, worüber die Geschwornen einzeln ihre Meinung vor einem Richter und dem Staatsanwalt angeben mußten, um dann daraus den allgemeinen Ausspruch zu bilden. Gegen den Angeklagten galt nur eine Mehrheit von zehn Stimmen, drei Stimmen also entschieden schon für ihn. Nach dem Ausspruche der Geschwornen fällte das Gericht das Urtheil über die Zumessung der Strafe.

Die Grundlage dieser Einrichtung hat sich zwar in Frankreich bis jetzt behauptet, allein man hat doch immer daran zu ändern und zu bessern gefunden; und alle Rechtsgelehrten sind darin einig, von Beron an bis auf Berenger, Dupin, Bavour und Legraverand, daß sie, so wie sie jetzt ist, noch weit

davon entfernt ist, ihrem Zwecke zu entsprechen. In Zeiten der
Unruhe kann die Regierung nie mit einer solchen Justizverfassung
durchbringen, um die öffentliche Ordnung und rechtliche Sicherheit
aufrecht zu erhalten. In den Zeiten der Republik z. B. hatten
sich Banden gebildet, welche unter dem Vorwande des Royalismus
(oder wenn dies kein Vorwand war, wenigstens mit sehr schlechter
Wahl der Mittel) die Postwagen beraubten, um sich der Gelder
der Regierung zu bemächtigen, die Käufer der Nationalgüter ermor=
deten und ihre Häuser in Brand steckten. Niemals konnte es die
Regierung dahin bringen, diesem Unwesen durch Bestrafung der
Thäter, welche unter dem Namen der Compagnèes du Soleil und
de Jésus allgemein bekannt waren, Einhalt zu thun. Bald wa=
ren Mitglieder selbst unter den Geschwornen, bald erfüllten sie den
Gerichtssaal und setzten die Zeugen und die Geschwornen so in
Furcht, daß jene etwas entscheidendes auszusagen, diese ihr Schuldig
auszusprechen nicht wagten. Dieselbe Erfahrung machte man vor
wenigen Jahren mit den Mördern der Protestanten im Süden von
Frankreich und mit den Mördern des Marschalls Brune zu Avignon.
Daher hat man immer dahin gearbeitet, der Regierung einen größern
Einfluß auf die Criminaljustiz und dieser dadurch eine größere Sicher=
heit und Kraft zu verschaffen, wiewohl sich nicht leugnen läßt, daß dabei
auch die nöthige Unabhängigkeit der Rechtspflege sehr gefördert wird.

Schon von Anfang an wurden nur die schweren Verbrechen
dem feierlichen öffentlichen Criminalverfahren mit Geschwornen=Ur=
theilen zugewiesen, für die geringen Polizeivergehen waren Polizei=
Gerichte, und für die etwas schwerern sogenannte Zucht=Polizeige=
richte (tribunaux de police correctionnelle) angeordnet. Diese
Abtheilung, welche sich bloß auf das Maß der Strafen gründet,
besteht noch; die Friedensrichter und Maires machen die unterste
Stufe der Polizeigerichte aus, welche bis zu 15 Fr. Geld= und
5 Tage Gefängnißstrafe erkennen können; die schwerern Polizeiüber=
tretungen gehören vor die Kreisgerichte, welche auf Geldstrafen
ohne Beschränkung und auf einfaches Gefängniß mit bestimmter
Zeit erkennen können; alle härtern Strafen können nur von den
höhern Criminalgerichten (cours d'assises) ausgesprochen
werden. Nur bei diesen wird die Jury zugezogen, und sie sind ei=
gentlich Deputationen der Hofgerichte (cours royales), indem
sie in den Departements, wo ein Hofgericht selbst seinen Sitz hat,
von 5 Mitgliedern desselben, in den übrigen Departements aber aus
einem abgeordneten Mitgliede des Hofgerichts als Präsidenten, und
den vier ältesten Mitgliedern des Kreisgerichts gebildet werden. Jene
Eintheilung zwischen Verbrechen und Polizeiübertretungen ist in der
neuern Zeit noch dadurch merkwürdig geworden, daß die Vergehun=
gen der Schriftsteller (dem System der aufgestellten Strafen nach

ganz richtig) an sie gewiesen, also die Schöffenurtheile gerade in den Fällen ausgeschlossen worden sind, wo sie am nothwendigsten, vielleicht aber auch am schwierigsten sind. Denn wenn einmal Freiheit der Presse verfassungsmäßig stattfinden soll, so wird gereizte Persönlichkeit in jeder unangenehmen, wenn gleich weder der Monarchie noch dem Monarchen schädlichen Wahrheit ein Staatsverbrechen gewahr werden, und alsdann eine von dem Einflusse der Ministerien ganz unabhängige Justiz die erste Bedingung freier Wahrheit seyn. Auf der andern Seite aber wird es gerade in diesen Fällen auch schwer werden, Geschworne zu finden, welche zwischen dem natürlichen Wohlgefallen an Freimüthigkeit der Schriftsteller, und zwischen der pflichtmäßigen Strenge gegen grundlose Angriffe auf den Beamtenstand den rechten Mittelweg zu treffen, Liebe der Wahrheit und Achtung der bestehenden öffentlichen Ordnung mit einander zu vereinigen wissen. Wenn irgend in einer Sache, so wäre in solchen Fällen eine Zusammensetzung wünschenswerth, wie die Engländer in ihrer Jury de medietate linguae haben, halb aus Beamten, halb aus andern achtungswerthen Männern zusammengesetzt.

In dem Strafgesetzbuche vom J. 4 (25. Oct. 1795) wurde in dem Wesen der Jury nichts verändert; aber desto wichtiger waren die Abänderungen, welche sie durch die Criminalordnung von 1808 (Code d'instruction criminelle) erfuhr. Denn hier wurde erstlich die Auswahl der Geschwornen den Präfecten, also denjenigen obersten Verwaltungsbeamten des Departements übertragen, welche ganz und gar von den Ministern abhängig sind, von ihnen beliebig entlassen werden können und daher immer bereit sind, nicht bloß den öffentlichen Befehlen der Regierung, sondern auch den geheimen Instructionen der Minister und ihren persönlichen Wünschen ihren Diensteifer zu beweisen. Sodann wurde die Anklage-Jury ganz abgeschafft und das Erkenntniß über die Eröffnung einer Untersuchung (Versetzung in den Anklagestand) den Hofgerichten zugewiesen. Endlich wurde auch die Art, wie der Ausspruch der Jury durch Stimmenmehrheit gebildet wird, durchaus verändert. Die Stimmenmehrheit entscheidet, so daß, wenn 8 Stimmen gegen 4 den Angeklagten für schuldig erklären, es dabei sein Bewenden hat: Wenn aber nur 7 Stimmen für das Schuldig sind, so muß auch das Gericht über diese Frage stimmen, und wenn von den 5 Mitgliedern 4 für die Unschuld des Angeklagten stimmen, so geht diese Meinung vor. Außerdem hat der Gerichtshof in jedem Falle das Recht, wenn alle seine Mitglieder einstimmig der Meinung sind, daß die Geschwornen den Angeklagten aus bloßem Irrthum verurtheilt haben (nicht aber wenn sie ihn für nicht schuldig erklärt haben), den Ausspruch der Geschwornen bei Seite zu setzen und ein neues Verfahren mit andern Geschwornen anzuordnen.

Durch alle diese Bestimmungen ist die Jury freilich etwas ganz anderes geworden, als die in England ist; und wie gesagt, alle französische Rechtsgelehrte von Ansehen sind darin einig, daß sie, so wie sie ist, wenig taugt. Besonders sind in dieser Hinsicht die Werke von Berenger (De la justice criminelle en France. Paris. 1818.) Dupin (Observations sur plusieurs points importans de notre législation criminelle. Paris 1821) und Legraverand (Des lacunes et des besoins de la législation française. Paris 1824. II. 8. wovon der erste Theil der Criminaljustiz ausschließlich gewidmet ist) von großem Interesse. Alle bringen auf größere Unabhängigkeit der Criminalgerichte und der Geschwornen von den Ministerien, auf größere Rechtssicherheit für die Angeklagten durch größere Freiheit in ihrer Vertheidigung und in Verbittung der Geschwornen, von welchen sie sich keine Unbefangenheit versprechen. Es häufen sich auch in neuern Zeiten die Beispiele, daß unschuldige Menschen verurtheilt worden sind, zwar nicht in der furchtbaren Menge wie in England, aber doch immer in hinreichender Anzahl, um gegen das ganze Institut der Geschwornen (welches auch bei uns in dem berühmten Fónk'schen Falle sein Ansehen bei vielen verloren hat) ein sehr großes Mistrauen zu erwecken.

Dies ist im Ganzen der Gang, welchen die Ausbildung der Gerichtsverfassung in Frankreich seit 1789 genommen hat, und welcher von unserm Verf. in den 16 Capiteln des VII. Buchs klar und richtig dargestellt worden ist. Es wird sich daraus die Ansicht, welche wir oben schon angedeutet haben, von selbst rechtfertigen. Nicht die Revolution ist es, deren Geist in dieser Fortbildung des Gerichtswesens herrschend geblieben ist und dasselbe in dem Theile beseelt, welcher sie überlebt hat, sondern nur das ist von Dauer gewesen, was für eine consequente Entwickelung des vorher schon Bestehenden angesehen werden kann und muß. Die Wahlen der Richter durch das Volk und auf wenige Jahre, die Gleichheit aller Gerichte und ihre wechselseitige Appellation sind verschwunden und haben einer Einrichtung Platz gemacht, welche nur eine zweckmäßige Reform der alten Gerichtsverfassung, eine Wiederherstellung der Parlementer ohne ihre falsche politische Wirksamkeit ist. Ein Grundsatz ist aber dabei stets entscheidend gewesen, welcher als einer der wichtigsten des allgemeinen Staatsrechts und als eine der wichtigsten Grundlagen der Monarchie betrachtet werden muß, nämlich der: daß alle eigentliche Staatsgewalt auch nur vom Staate ausgehen, nur zum allgemeinen Zwecke des Staats gebraucht werden darf, und auf keine Weise als Besitzthum Einzelner oder einer Corporation behandelt werden kann. Dieses echt monarchische Princip ist in Frankreich wie in andern europäischen Staaten von ihrem Ursprunge an bis

auf unſere Zeiten ſtets das Princip der innern Staatsgeſchichte ge=
weſen. Auf ihm beruht die Aufhebung der Patrimonialgerichtsbar=
keit, welche nirgends, wo ſie einmal erreicht worden iſt, wieder hat
rückgängig gemacht werden können, und welche in andern Ländern
im Weſentlichen dadurch herbeigeführt wird, daß man die Patrimo=
nialrichter gegen ihre Gutsherrſchaft in die Rechte und Obliegenhei=
ten wahrer Staatsbeamten einſetzt, wodurch aber nicht bloß das Nach=
theilige der Patrimonialgerichtsbarkeit gehoben, ſondern auch das We=
ſen derſelben bis auf unbedeutende Formen und Patronatsrechte zer=
ſtört wird. Eben ſo iſt alles andere, was ſich erhalten und wirklich
befeſtigt hat, nur weitere Entwickelung des ältern; ſelbſt in Dingen,
welche man fehlerhaft nennen kann. So iſt an ſich eine Einrich=
tung, welche ſchon unter Heinrich III. durch eine Verordnung vom
J. 1581 ihren Anfang nahm, gewiß ſehr nützlich: nämlich allen Pri=
vaturkunden, welche als Beweismittel und Grundlage rechtlicher
Verhältniſſe gebraucht werden ſollen, durch die Eintragung in amt=
liche Regiſter ein ſicheres Datum zu geben, und dadurch jedes Zu=
rückdatiren, jede Unterſchlagung, ſelbſt Verfälſchungen zu verhindern.
Allein wenn man darüber klagt, daß dieſe Einrichtung, welche jetzt
unter dem Namen enregistrement (anfangs hieß ſie controle)
nicht ſehr beliebt iſt, weil ſie in der That faſt nur zur Finanzſpe=
culation und zu einer ſehr drückenden Auflage auf den bürgerlichen
Verkehr geworden iſt, ſo iſt auch das nur eine alte Klage: denn
ſchon unter Ludwig XIV. benutzte man ſie zu dieſem Zwecke.

Der VI. Band des Werkes enthält die zweite Hauptabtheilung
des Ganzen, die Reſultate der hiſtoriſchen Forſchungen, oder das
VIII. Buch. Allgemeine Betrachtungen über die geſammte Gerichts=
verfaſſung, kritiſche Bemerkungen über den Geiſt einzelner poſitiven
Legislationen, wird man von ſelbſt in dieſem Abſchnitt erwarten und
ſich von einem Manne, wie der Verf., wenn auch nicht eine er=
ſchöpfende ſyſtematiſche Entwickelung, doch gewiß eine geiſtreiche Be=
handlung und einen Reichthum treffender und intereſſanter Beobach=
tungen verſprechen. In dieſer Erwartung wird man ſich auch nicht
getäuſcht finden. Zwar wird auch dieſer letzte Abſchnitt des Werkes
ſo wenig, wie deſſen hiſtoriſcher Theil, für eine vollſtändige Löſung
der wichtigen Aufgabe gelten können, welche ſich der Verf. geſetzt
hatte: aber doch hat auch er das Verdienſt, dieſe Aufgabe zuerſt in
ihrem großen Umfange aufgeſtellt und durch das, was er leiſtete,
recht auf das, was noch fehlt, aufmerkſam gemacht zu haben.

Denn was ſich dem Leſer ſeines Werkes zuerſt aufdrängt, iſt
eine gewiſſe Einſeitigkeit, ſowohl in der Wahl ſeines Stoffes,
als in den Grundſätzen, welche er für denſelben aufſtellt. Das
Ganze beſteht in 33 Capiteln, von welchen die erſten ſechs ſich mit
allgemeinen Betrachtungen über das Weſen, die Wirkſamkeit und

die Vollziehung der Gesetze beschäftigen, sodann von den Mitteln die Rede ist, die Gleichförmigkeit in der Rechtspflege aufrecht zu halten, von Oeffentlichkeit der Verhandlungen (Cap. 7), Angabe der Gründe bei den Urtheilen (C. 8) und der (französischen) Nichtigkeits= beschwerde (Cap. 9, 10, 11). Hierauf werden die Gränzen der richterlichen Gewalt, nicht sowohl im Verhältnisse zu den übrigen Zweigen der Staatsgewalt, als vielmehr in Beziehung auf die Rechte der Parteien untersucht (C. 12); zuerst in Ansehung der sogenann= ten freiwilligen Gerichtsbarkeit (C. 13) das Notariat und Hypothe= kenwesen (C. 14); dann in Ansehung der streitigen Gerichtsbarkeit (C. 15), der Trennung des eigentlichen Richteramts von der Staats= anwaltschaft, dem ministère public (C. 16 u. 17), des Anklage= processes in Criminalsachen (C. 18), der vorläufigen Untersuchung vor dem feierlichen Hauptverfahren (C. 19) und der Verhaftung während der Untersuchung (C. 20). Sodann geht der Verf. zur Organisation des Richteramts überhaupt über (C. 21); der Jury sind vier Capitel gewidmet (22—25); die Trennung der eigentlichen Criminalsachen von den Polizeistraffachen wird im 26., die Frage über die Zweck= mäßigkeit besonderer Handelsgerichte im 27. Cap. behandelt; im 28. wird von der Zulässigkeit des Zeugenbeweises gegen den Inhalt an= erkannter Urkunden, im 29. von der Anwendung der Schöffen= urtheile im Civilproceß, und im 30. Cap. von der Vollstreckung der Erkenntnisse und dem Amte der Huissiers gesprochen. Das 31. hat den Advocatenstand, das 32. die Vergleichsstiftungen zum Gegen= stande, und im 33. endlich stellt der Verf. die Summe seiner An= sichten nochmals kurz zusammen.

Wir haben diese Uebersicht des Inhalts hier darum mitgetheilt, weil sich daraus schon hinreichend ergibt, wie der Verfasser seinen Standpunct genommen hat. Es sind nur die französischen Einrich= tungen in ihrer neuern Entwickelung, welche seine Aufmerksamkeit auf sich gezogen haben; die andern kennt er zu wenig, um tief in das Wesen derselben einzudringen. Wir wollen gar nicht davon sprechen, daß er sich das Chaos der deutschen Proceßgesetzgebung in ihren hunderterlei Abweichungen und in ihrem Verhältnisse zu den Reichsgerichten nicht bis in das Einzelne klar zu machen vermochte: denn das würde schwieriger gewesen seyn, als der Zweck des Buches gerade erforderte. Aber so viel konnte man von einem jeden, wel= cher eine solche Arbeit unternahm, wohl verlangen, daß er die Grund= formen des so sehr verschiedenen Verfahrens aus ihren Principien entwickeln werde, um darauf das Urtheil über dieselben zu gründen. Hierzu würde allerdings eine genaue historische Untersuchung der sicherste Weg gewesen seyn, und insofern hat der Verf. allerdings seine Bahn sehr wohl angelegt. Wenn aber der Stoff auf dem hi= storischen Wege zusammengebracht war, und zwar mit größerer Ge=

nauigkeit, als der Verf. in irgend einem Theile seines Werkes be=
wiesen hat; so mußte nun doch eine philosophische Behandlung des=
selben hinzukommen, welche zwar nur von empirischen Beobachtun=
gen über die Natur und den Zweck eines Rechtsstreites ausgehen
kann (daher Allmendingens Metaphysik des Civilprocesses ein
übel gewählter Name ist), welche aber doch die verschiedenen Arten,
wie man dem Richter die zur Entscheidung nöthigen Prämissen ver=
schaffen kann, aus dem höhern Standpuncte der innern Gesetze des
menschlichen Geistes betrachten muß. Denn eigentlich liegt doch nur
die ganze Verschiedenheit der Proceßgesetzgebung sowohl für Civil=
als Criminalsachen in der Art, wie dem Richter der Fall, worüber
er entscheiden soll, von beiden Seiten vorgetragen, wie für die be=
strittenen Puncte ein Fürwahrhalten zu Stande gebracht, und wie
den Parteien Gelegenheit gegeben werden soll, ihre Gründe für die=
ses Fürwahrhalten und für die von ihnen verlangte Unterordnung
des juridisch Wahren unter das Gesetz, dem Richter vorzulegen. Ne=
ben diesen Puncten steht dann, als keineswegs nothwendig mit ihnen
oder unter einander verknüpft, die Frage über **Mündlichkeit** und
Oeffentlichkeit.

Aber indem man nun einige bestimmtere und wesentlich ver=
schiedene Grundformen des rechtlichen Verfahrens aufstellen will, ist
eine Scheidung des Civilprocesses von dem Criminalverfahren durch=
aus nothwendig. Denn jener betrifft seiner Natur nach Rechte und
Sachen, worüber der Einzelne frei verfügen kann, wo also ein Sy=
stem von stillschweigenden Verzichten (durch bloßes Schweigen und
Versäumen) zulässig und nothwendig ist, um als bewegende und
treibende Kraft die Verhandlungen im Gange zu halten; in diesem
aber kann von einem solchen Systeme der Verzichte und des Wil=
lens der Parteien nur selten und wenig Gebrauch gemacht werden,
weil eine Strafe, welcher sich jemand freiwillig und ohne ihre Vor=
bedingung, ohne Schuld, unterwerfen will, keine Strafe mehr ist.
Der Richter muß also den Mittelsatz des Schlusses, die Frage, ob
sich jemand einer angezeigten Handlung schuldig gemacht habe, durch=
aus unabhängig von dem Willen des Angeschuldigten ins Reine
bringen. In beiden Beziehungen ist aber das **Verhältniß des
Richters zu den Verhandlungen** der wichtigste Eintheilungs=
grund. Die Ordnung der Verhandlungen (Termine und Fristen),
ihre Form (mündlich oder schriftlich), die Bestimmung gewisser
Beweismittel (Geständniß, Augenschein, Urkunden, Zeugschaft,
Eide) und ihre Rangordnung unter einander, sind Dinge, welche
theils mit vielen andern Verhältnissen des öffentlichen Lebens in ge=
nauem Zusammenhange stehen, theils sich in die Modificationen,
welche in der Stellung des Richters zu den Parteien stattfinden,
ohne große Schwierigkeit einfügen lassen.

Im Civilproceß laſſen ſich nun in der Theilnahme des Richters an den Verhandlungen folgende Hauptabſtufungen unterſcheiden: I. Inſtruction der Sache, d. h. gegenſeitige Erklärungen der Parteien über die ihrem Rechtsſtreite zum Grunde liegenden und dabei zur Sprache kommenden Thatſachen ohne alles Zuthun des Richters; II. Inſtruction unter Aufſicht des Richters, ſo daß die gegenſeitigen Erklärungen ihm geſchehen, und er für deren Mittheilung, ſo wie, auf Betrieb der Parteien, für deren regelgerechtes Fortſchreiten ſorgt; und III. Inſtruction durch den Richter, ſo daß er auch für die Vollſtändigkeit dieſer gegenſeitigen Erklärungen und für die Richtigkeit derſelben nach dem wahren Sinne der Parteien durch eigne Thätigkeit zu ſorgen hat. Auf dem erſten dieſer Grundſätze beruht der Charakter des franzöſiſchen Civilproceſſes, auf dem zweiten der gemeine deutſche, und mit Verſchiedenheiten, welche nicht dieſe Grundzüge betreffen, auch der ſächſiſche, auf dem dritten der preußiſche Proceß.

Es iſt einer der größten Fehler in der Philoſophie (und kritiſchen Behandlung) des poſitiven Rechts, allzu excluſiv zu ſeyn und alles unbedingt zu verwerfen, was nicht gerade mit dem übereinſtimmt, was wir in unſerer Erfahrung als zweckmäßig erprobt haben. Denn dies letzte iſt ſehr relativ und ſchließt nicht aus, daß nicht eine andere Einrichtung theils an ſich, theils unter beſondern Umſtänden, einen ſehr viel höhern Grad von Zweckmäßigkeit beſitze. So hat auch jede dieſer drei Grundformen des Civilproceſſes ihre eigenthümlichen Vortheile und Nachtheile, von welchen ſich gar vieles unter einander aufwiegt. Daher kann man wohl im Ganzen nicht anders ſagen, als daß in jedem dieſer Syſteme ſich ein gewiſſer Grad von Vollkommenheit erreichen läßt, und daß ſich die beſondern Nachtheile, welche ein jedes derſelben in ſeinem Gefolge hat, durch irgend ein Gegenmittel wieder zum größten Theile beſeitigen laſſen. So iſt z. B. gegen die Unbeſtimmtheit, in welche der franzöſiſche Proceß ſich leicht verliert, ein nothwendiges, aber auch ausreichendes Mittel in dem Rechte der Parteien enthalten, in jedem Momente des Proceſſes dem Gegner eine beſtimmte Erklärung über das Factiſche abzufordern (interrogation sur faits et articles). In dem gemeinen deutſchen und ſächſiſchen Proceſſe kann ein geſchickter Advocat ſeiner Partei ſicher zum vollſten Rechte verhelfen, dagegen ein ungeſchickter ihr durch ein unrichtiges oder überflüſſiges Wort der Klage und Antwort, durch eine falſche Anlage des Beweiſes einen Verluſt des ganzen Rechts zuziehen, welcher durch keine Reſtitution wieder gut gemacht werden kann. Soll aber einmal ein allgemeines Urtheil gefällt werden, ſo tragen wir ungeachtet der VI Bände des Verfaſſers zu Gunſten des franzöſiſchen Proceſſes und ungeachtet der gewichtvollen Stimmen eines Gönner, Grolmann,

Martin, doch kein Bedenken, dem preußischen Proceßsysteme
(versteht sich. mit Vorbehalt. mancher Nebendinge) den entschiedensten
Vorzug in Ansehung der Instruction zuzuschreiben; dagegen aber
dem französischen denselben in Hinsicht des letzten Abschnittes
der Verhandlungen (des Hauptverfahrens im gemeinen deutschen und
der Deductionen im preußischen Processe) und der Vorbereitung des
Erkenntnisses einzuräumen. Daß dieser letzte Abschnitt übrigens in
Deutschland schriftlich ist, kann nur für eine leicht abzuändernde
Nebensache angesehen werden, so wie die Oeffentlichkeit gewiß
bis auf einen gewissen Punct unentbehrlich, aber auch in ihrer weitesten Ausdehnung mehr nützlich als schädlich ist.
    In dem Criminalprocesse stehen hier zwei Systeme einander
gegenüber, welche in ihren äußern Formen lange nicht so verschieden
sind, als man beim ersten Anblicke glauben sollte; so daß auch die
große wesentliche und innere Verschiedenheit sich bei großer Uebereinstimmung in jenen äußern Formen noch behaupten kann. Das eine
dieser Systeme beruht darauf, daß niemand gehalten ist sein eigner
Ankläger zu werden, und daß man nur denjenigen verurtheilen kann,
von dessen Schuld sich das Gericht (die Gemeinde oder ein Ausschuß
derselben) vollkommen (und zwar in der Regel durch eigne Anschauung)
überzeugt hat. Das andere System hingegen hält der Regel nach
alle äußere Beweismittel für trüglich und macht das eigne Geständniß eines Angeschuldigten zum Hauptzwecke des Criminalverfahrens,
so wie zur beinahe einzigen Bedingung einer Verurtheilung. Auf
die äußern Formen kommt dabei wenig an; es ist schon oben bemerkt worden, daß auch in Frankreich und England eine vorläufige
Untersuchung stattfindet, welche auf die Geständnisse der Verdächtigen eben so gut, als auf die Sammlung der Beweise hinarbeitet.
Oeffentlichkeit und Mündlichkeit vertragen sich auch mit dem deutschen Systeme bis auf einen gewissen Punct. Die vorläufige Instruction aber wird immer geheim seyn müssen; sie ist es in den
wichtigern Fällen sogar in England. In beiden Systemen ist eine
gute Rechtspflege mehr oder weniger möglich: welchem aber der Vorzug im Allgemeinen gebühre, ist dem Rec. an sich nicht zweifelhaft;
aber eine ganz andere Frage ist die: welches von beiden Systemen
für ein bestimmtes Volk und in seinem gegenwärtigen Zustande am
rathsamsten sey. Das Vollkommenste steht als unverrücktes Ziel
unseres Strebens vor unsern Augen; wenn aber der gerade Weg
dahin in Abgründe und Sümpfe führt, so müssen wir, um diese
zu umgehen, unserer Bahn eine dem Scheine nach ganz vom Ziele
abführende Richtung geben.
    Es ist schon erwähnt worden, daß der Verf. sich nicht auf die-
sen höhern Standpunct gestellt, sondern gerade nur die französischen
Einrichtungen, wenigstens das Princip derselben aus allgemeinen

Grundſätzen. als die einzig vernünftigen darzuſtellen ſich bemüht hat.· Er konnte dabei aber deswegen einer gewiſſen Einſeitigkeit gar nicht entgehen; und ſo viel ſchätzbare Bemerkungen und intereſſante An= ſichten auch ſein Werk enthält, ſo iſt es doch auch nicht einmal als Vertheidigung der franzöſiſch=engliſchen Gerichtsverfaſſung vollkom= men erſchöpfend. Der Stoff iſt zu mannichfaltig und zu wenig von einander geſichtet, um zu reinen und zuverläſſigen Reſultaten zu führen. Es fehlt auch nicht an einer Menge von factiſch un= richtigen Behauptungen, beſonders wenn der Verf. darauf ausgeht, ſein franzöſiſches Syſtem des Plaidirens, in Civilſachen nach einem vorausgegangenen Schriftwechſel unter den Anwälten, und in Cri= minalſachen nach dem öffentlichen Verhör, über die entgegengeſetzten Syſteme zu erheben. Viele davon haben wir bei dem V. Bande gerügt, welche hier wieder vorkommen und zu weitern Folgerungen gebraucht werden. ·

Eben die große Mannichfaltigkeit des hier behandelten Stoffes und der Mangel einer ſyſtematiſchen Entwickelung der allgemeinen Principien für den Civil= und Criminal=Proceß macht eine durchge= führte Kritik des Buches faſt zur Unmöglichkeit. Wir können uns aber auch um ſo mehr mit dem hier bereits entwickelten Urtheile im Ganzen begnügen, als wir noch oft Gelegenheit finden werden, auf die einzelnen Anſichten des Verfs. zurückzukommen. Denn an keiner politiſchen Einrichtung hängt das Wohl und Wehe der Völker ſo unmittelbar, als an der Rechts= und Gerichtsverfaſſung; und indem der Hermes es ſich, wie bisher, zur Pflicht machen wird, dieſe Gegenſtände mit möglichſter Vollſtändigkeit zu beleuchten, wird der letzte Theil des Meyer'ſchen Werkes noch ſehr oft zur Sprache kommen müſſen. Er enthält, ungeachtet der gerügten Mängel, ei= nen ſolchen Schatz von treffenden und wichtigen Bemerkungen, daß niemand, welcher ſich mit der Geſetzgebungspolitik in dieſem Fache beſchäftigen will, denſelben ungenutzt laſſen darf.

K. E. S.

VI.

1. Der rechte Standpunct. Ein Abſchiedswort an die Leſer des Ma= gazins für chriſtliche Prediger von dem Herausgeber. Hannover und Leipzig, Gebr. Hahn. 1822. 8.
2. Die Sache des rationalen Supernaturalismus nach Hrn. Oberhof= pred. D. Ammon's „Abſchiedsworte" darüber geprüft und erklärt von Chriſtian Friedrich Böhme, Paſtor u. Inſpector zu Luckau bei Altenburg. Neuſtadt a. b. O., Wagner. 1823. gr. 8.

Die Geſchichte der neueſten theologiſchen Literatur beut das uner= freuliche Schauſpiel .bar, daß über Gegenſtände des theologiſchen

Meinens und Glaubens öfter und zwar mit Leidenschaft und Erbitterung gestritten ist, ohne daß man diese Gegenstände selbst genau bestimmt oder die zur Bezeichnung derselben gebrauchten Ausdrücke durchgehends während des Streits in einer und derselben Geltung gebraucht hat: entweder weil man im Fortgange und in der Hitze des Streits die früher angenommene Bedeutung der streitigen Ausdrücke aus den Augen verlor, oder weil man absichtlich die Bedeutung derselben modificirte, je nachdem man sie so besser zur Bekämpfung oder Herabwürdigung des Gegners, oder zu einer scheinbaren Vertheidigung der eignen Meinung benutzen zu können glaubte.

Dies ist insbesondere der Fall gewesen in den Schriften, in welchen man über Supernaturalismus und Rationalismus gestritten, oder beide verschiedene Denkarten in der Theologie zu vereinigen und zu verschmelzen, oder sich gar zu einer vermeinten höhern Ansicht über beide emporzuschwingen versucht hat; wobei man sich über das Wesentliche des Streitpuncts so sehr verblendete, daß man alle Gegensätze ausgeglichen oder vernichtet zu haben glaubte, wenn man sie nicht mehr zu sehen sich einbildete. Mehr oder weniger trifft das Gesagte auch vorliegende Schriften, die wir wegen der Achtung, welche ihre Verfasser für ihre ausgezeichneten Verdienste in der theologischen Welt genießen, vor andern hervorheben, um einige Bemerkungen über die genannten streitigen Gegenstände und über die zu erwartenden endlichen Resultate des Streits an die Anzeige derselben anzuknüpfen.

Was zunächst die Ausdrücke Supernaturalismus und Rationalismus betrifft, so kann man nicht in Abrede seyn, daß sie weder nach etymologischen, noch nach logischen Gesetzen einander richtig entgegengesetzt sind. Denn dem Ausdruck S u p e r n a t u r a l i s m u s steht eigentlich nur N a t u r a l i s m u s , so wie dem R a t i o n a l i s m u s der I r r a t i o n a l i s m u s entgegen. Der Ausdruck Rationalismus aber bedeutet nach Analogie anderer gleichgebildeter Stammwörter, z. B. Patriotismus, im Allgemeinen nichts anders, als das Streben, überall im Denken, also auch in religiöser Hinsicht, den richtig erkannten Gesetzen der Vernunft oder des höheren Denkvermögens zu folgen. Der Ausdruck Supernaturalismus hingegen sollte, wenn man ihn auf den höchsten Gegenstand aller Religion bezieht, eigentlich nur das Streben bezeichnen, jenes höchste Object aller Religion als ein über die Natur (supra naturam) unendlich erhabenes persönliches Wesen, von welchem das Daseyn und die Regierung der Welt abhängig ist, sich und andern vorzustellen. Dieser religiösen Ansicht würde mit Recht nur derjenige Naturalismus entgegengesetzt werden können, welcher an nichts Höheres, über die Natur Erhabenes glaubt, mithin die Realität aller religiösen Ideen überhaupt leugnet und daher mit Atheismus und Materialismus zusammenfallen

würde, inwiefern er außer dem Sinnlichen der Materie nichts Ueber-
finnliches als real annimmt. . Wendet man die hier bezeichnete Denkart des Supernaturalismus auf den Ursprung aller Religion an, so
kann entweder behauptet werden, daß das über die Natur unendlich
erhabene göttliche Wesen dem Menschen durch die Kräfte seines höheren Denkvermögens, der Vernunft, nach dem von Gott geordne-
ten natürlichen Laufe der Dinge die Erlangung und allmälige Veredlung der Religionserkenntnisse möglich und durch zweckmäßige geschichtliche Veranstaltungen wirklich gemacht habe, so daß der Mensch
zur Beurtheilung aller ihm auf irgend eine Weise dargebotenen Religionserkenntnisse lediglich an die Entscheidung dieser seiner Vernunft
gewiesen ist (Rationalismus im gewöhnlichen engern Sinne genommen); oder man kann annehmen, daß jenes höchste Wesen auf eine
unmittelbare übernatürliche, d. i. die Gesetze und den gewöhnlichen
Lauf der Natur aufhebende, mithin wunderhafte Weise dem Menschen Religionserkenntnisse mitgetheilt hat, welche der Mensch, so
auffallend sie ihm auch erscheinen mögen, als über alles Urtheil seiner Vernunft erhaben, gläubig anzunehmen hat (Supernaturalismus im gewöhnlichen engern Sinne).   Nach dieser Erklärung von
Rationalismus und Supernaturalismus, im engern Sinne genommen, welche zuerst von Reinhard (Geständnisse, seine Predigten
und seine Bildung zum Prediger betreffend. Sulzbach 1810. 9ter
Brief, S. 95 ff.) in ihren Grundzügen näher angedeutet und bestimmter aufgefaßt, in dem zuerst mit wissenschaftlicher Consequenz
durchgeführten rationalistischen System der Dogmatik: Institutio-
nes theologiae christianae dogmaticae. Scholis suis scrip-
sit, addita singulorum dogmatum historia et censura *J. A.
L. Wegscheider*, Phil. et Theol. D. hujusque P. P. O. in
Ac. Frid. Editio *quarta* emend. et auct. Halae 1824. zum
Grunde gelegt worden, sind die Begriffe Supernaturalismus und
Rationalismus logisch richtig einander entgegengesetzt. Beide treffen
zwar darin zusammen, daß sie ein über die Natur unendlich erhabenes Wesen annehmen, welches in seiner Weltregierung zur Mittheilung religiöser Erkenntnisse an die Menschen auch durch geschichtliche Veranstaltungen sich wirksam bewiesen hat: allein sie weichen
darin von einander ab, daß die Supernaturalisten jene Mittheilung
von einer unmittelbaren übernatürlichen Wirksamkeit abhängig machen, wobei sie der menschlichen Vernunft alles Recht absprechen,
über den zum Theil ganz unbegreiflichen Gehalt jener Mittheilung
sich ein Urtheil zu erlauben (Offenbarung im engern Sinn);
die Rationalisten dagegen die göttliche Mittheilung religiöser Erkenntnisse vermittelst geschichtlicher Veranstaltungen, ohne übernatürliche
und unmittelbare Wirksamkeit, nach den von Gott einmal geordne-
ten Gesetzen und Einrichtungen der Natur und des menschlichen

Denkvermögens, stattfinden laffen und der Vernunft des Menschen
das Recht zusprechen, über jede ihm auf irgend eine Weise darge=
botene Religionserkenntniß nach den ihm von Gott eingepflanzten
Gesetzen des Denkens und Handelns zu urtheilen und nur das von
jener für göttliche Wahrheit zu halten, was diesen Gesetzen vollkom=
men entspricht (natürliche mittelbare Offenbarung).

Schon hieraus erhellet, wie ungerecht die Rationalisten
häufig, um sie nur recht gehässig darzustellen, mit dem Namen Natu=
ralisten bezeichnet sind.   Gesetzt aber, man wollte, wie dies häu=
fig geschehen ist, unter Naturalismus die Denkart verstehen, nach
welcher man alle Offenbarung, mithin auch die christliche, durchaus
verwirft, und bloß eine sogenannte natürliche Religion annehmen zu
können glaubt; so würde dennoch auch dann nur mit Unrecht den
Rationalisten der Name Naturalisten beigelegt werden, weil jene
außer der natürlichen Religion auch eine Offenbarung im allgemei=
nen Sinne, oder eine solche göttliche Wirksamkeit annehmen, durch
welche einzelne Menschen vor andern in den Stand gesetzt sind,
richtige vor der allgemeinen Menschenvernunft als wahr bewährte
Religionserkenntnisse zu erlangen, diese mit ausgezeichnetem Erfolge
andern mitzutheilen und durch Gründung einer religiösen Gemein=
schaft fortzupflanzen.   Da nun dies im vorzüglichen Grade von dem
erhabenen Stifter und von der Gründung der christlichen Religion
behauptet werden muß, so kann diese um so mehr für eine göttliche
mit göttlicher Autorität versehene Offenbarung angesehen werden,
inwiefern die Vernunft, als das Medium ihrer Erkennung und
Mittheilung, nothwendig von Gott selbst abzuleiten ist und die
geschichtlichen Momente, durch welche ihr erstes Hervortreten und
ihre weitern Entwickelungen vermittelt sind, unverkennbar Spuren
einer göttlichen Leitung und Fügung an den Tag legen. · Uebrigens
trägt jede positive Religionsform, so ausgezeichnet sie auch vor
andern erscheinen mag, nothwendig die Farbe und die Hülle der
Zeit und des Culturzustandes an sich, aus welchen sie hervorgegan=
gen ist.   Wenn daher die Freunde eines vernunftmäßigen Christen=
thums, gestützt auf gründliche Sprach= und Alterthumskunde, bei
der christlichen, wie bei jeder andern positiven Religion, den Geist
von dem Buchstaben, die ewigen allgemein gültigen religiösen Ideen
von ihrer temporellen und symbolischen Hülle unterscheiden und
durch redliches und gewissenhaftes Hervorheben jener den denkenden
Religionsfreund mit dieser auszusöhnen und der kirchlichen Gemein=
schaft zu erhalten bemüht sind, so verdienen sie wohl nicht jene Eh=
rentitel, mit welchen sie nur zu freigebig beschenkt werden, als seyn
sie Feinde und Verächter des Christenthums, Heiden und Atheisten.
Vielmehr kann gerade nur auf solche Weise wahre festbegründete
Achtung für das Christenthum bei Denkenden und mit der wissen=

schaftlichen Cultur der Zeit Befreundeten auf's neue geweckt und
befestigt werden, während die Vertheidiger eines allein für orthodox
und seligmachend gepriesenen Autoritätsglaubens mit allen aufgebo-
tenen Künsten täuschender orthodox klingender Sophismen und Gno-
sticismen, oder mit Berufung auf höhere Anschauungen, Erleuchtun-
gen und Irradiationen vergebens einen solchen Erfolg hervorzubringen sich abmühen. Eben so wenig wird es aber auch denjenigen
gelingen, welche bei der gegenwärtig in vielfacher Art versuchten
allgemeinen Reaction die hellbenkenden Freunde eines vernunftmäßigen Christenthums politisch verdächtig darzustellen suchen. Denn
gerade das Bestreben, zu deutlichen Begriffen über religiöse Gegenstände, soweit dies den Sterblichen vergönnt ist, zu gelangen, führt
nothwendig auch zu richtigen Vorstellungen über sittliche und staats-
bürgerliche Verhältnisse, da die reine Christusreligion auf das Ethi-
sche als ihre sicherste Basis gestützt ist. Hieraus entwickelt sich
aber nothwendig theils richtige Erkenntniß der Pflichten gegen die
bestehende Regierung, theils die Ueberzeugung, daß selbst die theoretisch beste Regierungsform nur gut oder allgemein wohlthätig ist,
wenn sie gut oder nach rechtlichen und sittlich-religiösen Principien
verwaltet wird; aus welcher Ueberzeugung dann das Streben hervorgeht, durch eigene sittlich-religiöse Veredlung und Wirksamkeit auch
bei andern nach Vermögen solche zu erzielen.

Bei dem gemeinschaftlichen Bande, welches alle menschlichen
Kenntnisse umschlingt, kann es nicht fehlen, daß, je mehr die Begriffe über Welt und Menschen, über Künste und Wissenschaften
sich vervollkommnen, auch in religiöser Hinsicht andere Meinungen
entstehen; und daß die ältern Ansichten von Offenbarung und blin-
dem Autoritätsglauben dem denkenden Menschen nicht mehr genü-
gen. Unter diesen Umständen ist es nun das Geschäft des Rationalismus, das religiöse Interesse mit den Fortschritten der Wissenschaften in Verhältniß zu setzen und mit richtiger Unterscheidung des
Wesens und der Form, der ewigen Idee und ihrer zeitgemäßen Hülle,
die Offenbarung so darzustellen, wie sie den wissenschaftlichen Forderungen der Zeit entspricht und, inwiefern sie selbst den Keim einer
steten Vervollkommnung in sich trägt, diesen mit Lehrweisheit aus
den Urkunden derselben zu entwickeln. Je weniger aber der Freund
des vernunftmäßigen Christenthums übersehen darf, daß die reine
religiöse Idee nicht ohne mehr oder weniger unvollkommene Form
und Hülle im Leben der Menschen erscheint und auch bei den
meisten Menschen nur in irgend einer positiven Form wohlthätig wirksam ist; desto duldsamer wird er sich gegen solche auch unvollkommene
Formen bezeigen, und nur mit weiser Umsicht allmälig solche zu ver-
edeln und der reinen Idee zu nähern streben.

Nach diesen vorläufigen Bemerkungen wenden wir uns zu ei-

ner nähern Beleuchtung der unter Nr. 1. bezeichneten Schrift des
Hrn. Oberhofpr. Dr. Ammon, welche um so mehr Aufmerksam=
keit erregte, da der Verf. in derselben, als in einem Abschiedsworte
an die Leser des von ihm aufgegebenen „Magazins für christliche
Prediger," seinen bisher behaupteten Standpunct als den allein rich=
tigen lobpreisend verkündigte. Der Mangel an Consequenz und
fester Haltung, welcher die frühern wissenschaftlichen Leistungen des
Verfs. charakterisirte, so sehr auch glänzende schriftstellerische Talente je=
nen Mangel zu verdecken schienen, mußte indeß Kennern der theologischen
Literatur schon zum voraus eine ungünstige Meinung von diesem neuen
Producte seiner Feder einflößen. Diese Meinung wird zur Gewiß=
heit, wenn man, ungeblendet von der rednerischen Darstellung des
Verfs., mit logischer Schärfe, wie dies von dem Verf. der unter
Nr. 2 bezeichneten Schrift größtentheils geschehen ist, den Inhalt
jener beleuchtet. Wir folgen daher bei der Anzeige der Ammon'=
schen Schrift größtentheils der in Nr. 2 gegebenen Kritik derselben.
Man kann dieser zufolge die Aeußerungen des Hrn. Dr. Ammon
nach drei verschiedenen Gesichtspuncten betrachten und 1. bemerken:
wie derselbe in Beziehung auf Rationalismus und Supernaturalis=
mus überhaupt gesinnet sey; 2. wie er sich über den Begriff und
das gegenseitige Verhältniß dieser beiden theologischen Denkarten im
Allgemeinen erkläre; und 3. welche Ausstellungen er insbesondere
gegen den Rationalismus beibringe. Was den ersten Punct betrifft,
so lassen sich die Aeußerungen des Verfs. auf folgende einander
widersprechende Sätze zurückführen: Hr. Dr. Ammon hat Achtung
für die menschliche Vernunft, inwiefern sie „zu einer gewissen Höhe
ausgebildet und ihr klarer Horizont erweitert werden" kann; er denkt
aber auch gering von derselben, weil sie „nach jeder Anstrengung"
ihrer Freunde, sie auszubilden und ihren Horizont zu erweitern, wie=
der „in die Tiefen des Irrthums," aus denen man sie zu ziehen
bemüht war, „zurückfällt." Da er es jedoch nur vermittelst der Ver=
nunft möglich findet, „sich dem Morgenlichte höherer Weisheit,"
d. i. einer übernatürlichen Offenbarung, zuzuwenden, so hält er den
Supernaturalismus für das einzig richtige System der christlichen
Theologie, aber nur wiefern er zugleich rational ist. (S. 11 12).
Allerdings drängt sich nun bei diesen wenig zusammenhängenden
Sätzen zunächst die Frage auf: wie kann man Achtung gegen eine
Vernunft hegen, die, wenn sie auch einige Kraft besitzt, sich zu ei=
ner gewissen Höhe zu erheben, dennoch nie vermag sich in dieser, so
unbedeutend sie auch seyn mag, zu erhalten, sondern augenblicklich,
und zwar in die Tiefe eines Abgrundes, hinabstürzt? Wie kann
man insbesondere bei ihrer armseligen schwankenden Beschaffenheit
ihr Zutrauen und Glauben schenken, wenn sie, sich gleichsam über
sich selbst erhebend, einer Weisheit zu folgen strebt, welche über

alle Vernunfterkenntniß so weit hinausllegt? Auch findet man den Umstand hiebei völlig übersehen, daß jene höhere Weisheit überall zu grober Unweisheit, Aberglauben, ja zu einem neuen Heidenthum ausgeartet ist, wo sie nicht mit richtig geleiteter Vernunftentwickelung aufgefaßt war.

Was den zweiten Punct betrifft, so. ist. es allerdings sehr schwierig, bei den oft unklaren zweideutigen Wendungen H. A. in der von ihm gegebenen Begriffsbestimmung genau zu folgen; indeß kann man nicht umhin, auch hier dem Verf. von Nr. 2 beizustimmen, wenn er durch eine scharfe und genaue Zergliederung der Aeußerungen des H. A. zu dem Resultate .führt, .daß, was derselbe für wahren Rationalismus erklärt (Heranbildung unserer Vernunft an die göttliche, auf der ·Bahn der Natur, Geschichte und Weltordnung, S. 12),ein gangbarer Begriff, dasjenige aber, was er für den falschen ausgibt, und nach welchem der Mensch jede Religionserkenntniß nach Materie und Form einzig aus sich selbst schöpft (S. 13), richtig aufgefaßt, ein wohlzubegründender, gehaltvoller Begriff sey; daß dagegen der Supernaturalismus, welchen H. A: für den falschen erklärt, und nach welchem durch wunderhafte Wirkungen Gottes den Menschen unerreichbare Religionserkenntnisse mitgetheilt werden (S. 14), ganz irrational, folglich als Begriff .in sich wahr und richtig sey, derjenige aber, den er den wahren, d. h. den rationalen nennt, und dem er selbst zugethan zu seyn behauptet, schon als Begriff mit sich selbst im Widerspruch .stehe, folglich als falsch und gehaltlos erscheine. Dieser letztere Supernaturalismus setzt nämlich voraus, eine Religionslehre sey zwar göttlichen (übernatürlichen) Ursprungs und theilweise auch. dem Inhalte nach der menschlichen Vernunft unerreichbar, aber doch den Gesetzen und Bedürfnissen derselben angemessen, und ·schließe. sich an ihre natürliche Erkenntniß als ein zusammenhängendes Ganzes an; wobei aber die Merkmale der Vernünftigkeit und Natürlichkeit mit denen der Uebernatürlichkeit und Uebervernünftigkeit einen unleugbaren Widerspruch bilden. Nicht weniger unbefriedigend ist, was H. D. A. über das gegenseitige Verhältniß, in welchem Supernaturalismus und Rationalismus zu einander ·stehen sollen, im Folgenden beibringt (S. 16 f.). Denn wenn beide wie „Materie und Form", oder wie „Sache und Begriff" einander gegenübergestellt werden, so erhellet die Unrichtigkeit dieser Bestimmungen schon daraus, daß in dem gesammten Kreise menschlicher Erkenntnisse unmöglich zwei wahre neben einander bestehende Systeme gedacht werden können, wovon das eine, weil darin kein Begriff ist, aller Klarheit, das andere, weil darin keine Sache ist, alles Gegenstandes überhaupt entbehren würde. Wenn aber ferner Supernaturalismus und Rationalismus als „Ordnung der göttlichen und der menschlichen Vernunft" einander ent

gegengeſetzt werden, ſo iſt dieſe Beſtimmung inſofern ganz uner=
wieſen, als daburch dem Supernaturalismus ein Vorzug vor dem
Rationalismus beigelegt werden ſoll.

In Beziehung auf den dritten Geſichtspunct, aus welchem
die Ausſprüche des H. D. A. über beide genannte religiöſe Denk=
arten betrachtet werden können, muß es jedem aufmerkſamen Leſer,
der ſich nicht durch die beigebrachten kunſtvollen Rhetoricationen ver=
blenden läßt, ſehr unangenehm auffallen, daß der Verf. die hier
vorkommenden Namen Supernaturalismus und Rationalismus
durchaus nicht folgerecht nach den früher von ihm angegebenen
Beſtimmungen gebraucht, und daß er, um den Rationalismus
recht tief unter den Supernaturalismus herabzuſetzen, den Kunſtgriff
anwendet, jenen überall nach ſeiner empiriſchen Schwäche und Un=
vollkommenheit, dieſen aber in einer ideaiſchen Kraft und Vollen=
dung darzuſtellen (S. 19. f.). So erſcheint dann jener als ein aus
unhaltbaren und verwerflichen Theilen beſtehendes widriges Gemiſch
von Lehrmeinungen und Lehrgebäuden, wie es etwa eine ſehr ſpe=
cielle Geſchichte der ſogenannten natürlichen Theologie aufweiſen
möchte, die nie ein Syſtem gebildet haben, noch jemals bilden könn=
ten; dieſer dagegen als das höchſte Muſterbild des in jeder Hinſicht
vollkommenen und vervollkommneten Chriſtianismus, wie dieſer nir=
gends, auch nicht einmal in der eigenen Dogmatik des Verfs. eri=
ſtirt, auch wegen ſeiner ganz ideaiſch gedachten Natur nicht wohl
in der Erfahrung gefunden werden mag. Hätte H. D. A. in der
von ihm unternommenen Vergleichung durchaus conſequent und un=
parteiiſch verfahren wollen, ſo würde er den chriſtlichen Supernatu=
ralismus ebenfalls in ſeiner empiriſchen Schwäche und Unvollkom=
menheit haben darſtellen müſſen, mit allem dem Irrigen und Aber=
gläubigen, was, wie er ſelbſt bemerkt S. 28, unerleuchtete und
unweiſe Dogmatiker zu allen Zeiten darin gefunden haben. Dann
würde ſich zugleich auch das Reſultat bewährt gefunden haben, daß
der chriſtliche Supernaturalismus in eben dem Maße wahrhaft
achtungswerth und heilbringend erſchienen ſey, in welchem derſelbe
vom Rationalismus, das Wort in ſeiner allgemeinen Bedeutung
für Vernunftgebrauch überhaupt genommen, geleitet ward; wenn
gleich erſt in den neueſten Zeiten mit Conſequenz ein Syſtem des
chriſtlichen Rationalismus oder vernunftmäßigen Chriſtianismus dar=
aus hervorgebildet iſt, dem nur mit Recht von den denkenden Chri=
ſten die Eigenſchaften beigelegt werden dürften, welche der Verf.
von ſeinem Supernaturalismus rühmt, daß es allgemein (gültig),
poſitiv, vollſtändig und kategoriſch ſey. Denn leicht würde
ſich darthun laſſen, daß ein ſolches nur allgemeingültig ſey,
inwiefern daſſelbe auf die allen Menſchen von Gott eingepflanzte
ſittlichreligiöſe Anlage geſtützt iſt; poſitiv, ohne über= und wider=

vernünftige Lehren anzunehmen, indem es sich genau an die klaren
und vernunftgemäßen Aussprüche der christlichen Religionsurkunden
anschließt und aus diesem Standpuncte den übrigen Inhalt jener
beurtheilt; vollständig, inwiefern es aus jenen biblisch bestätig-
ten Prämissen die in jenen Urkunden gar nicht oder mangelhaft an-
gedeuteten sittlichreligiösen Lehren vervollständigt; und kategorisch,
indem es jedem, der zum Bewußtseyn seiner Menschenwürde und
Bestimmung gelangt ist, mit unerbittlicher Strenge das ihm ins
Herz geschriebene Sittengesetz vorhält und die auf dieses, sowie auf
die Aussprüche der christlichen Offenbarung gestützten sittlichreligiösen
Wahrheiten aufs nachdrücklichste einprägt. Mit wie wenigem Rechte
indeß der von H. D. A. sogenannte rationale Supernaturalismus
auf jene Prädicate Anspruch machen dürfe, und wie wenig es überhaupt dem Verf. gelungen sey, mit jenem den rechten Standpunct
für die gesammte wissenschaftliche Religionslehre nachzuweisen, ist
vom Hrn. Insp. Böhme so bündig und gründlich dargethan, daß
wir jedem Leser, der sich noch ausführlicher davon überzeugt zu
sehn wünscht, als dies der Raum unserer Anzeige verstattet, jene
Schrift selbst einzusehen, empfehlen können.   So wenig man nun
auch im Allgemeinen Hrn. D. A. beipflichten möchte, so wird man doch
eher im Einzelnen ihm Beifall zu geben sich veranlaßt finden, besonders da, wo er sich über gewisse Verirrungen der Zeit äußert,
z. B. am Schlusse seiner Schrift: „In der reinen Glorie (?) des
Lichts gingen sonst die Lehrer der Kirche ihre Zeit auf der Bahn
eines Erasmus, Luther, Calvin und Grotius voran; nun
hüllt man sich gern gruppenweise in mystische Nebelkappen, man-
nichfach gespitzt und gestaltet und kaum geräumig genug, einige
congeniale Nachtwandler unter die gemeinschaftliche Decke Mosis
aufzunehmen. Ekelt uns ja selbst auf dem Felde der Kanzelbered-
samkeit vor der losen Speise eines Spalding, Zollikofer und
Reinhard, seit uns am Spiel= und Putz=Tische eine sentimen-
tal=gemüthliche Erbauung die Frömmigkeit so leicht und das Denken so entbehrlich macht. Freue sich aller dieser Erscheinungen,
wer da kann und will! Die bessern Zeitgenossen, zu stark und
männlich, sich vor den drohenden Schattenriesen des Unglaubens
und Aberglaubens zu beugen, werden immer wünschen, daß es die
kurze Nachtgleiche, nicht des Herbstes, sondern des wiederkehrenden
Frühlings seyn möge, in die uns das Misgeschick des Augenblicks
versetzt hat; sie werden auch in diesem neuen Kampfe himmlischer
und titanischer Mächte das Vertrauen auf den schützenden Lichtgeist
der christlichen Menschheit nicht verlieren; und selbst da, wo die
Stimme der Wahrheit im Tumulte sich sperrender (?) Meinungen
nicht mehr hörbar ist, wird doch die Fähigkeit, mit sich selbst zu

zu sprechen *), für sie noch eine reizende Frucht der Weisheit seyn."

Wenn wir uns jetzt näher zu dem Verf. der unter Nr. 2. verzeichneten Schrift wenden, deren antithetischem Theile wir im Ganzen billigend gefolgt sind, so müssen wir zuvörderst bemerken, daß der letzte thetische Theil der Schrift, in welchem der Verf. gleichfalls einen rationalen Supernaturalismus zu vertheidigen sucht, uns weit weniger angesprochen hat, weil der Verf. hier denselben Fehler sich zu Schulden kommen läßt, den wir bei Hrn. D. Ammon zu tadeln fanden: daß er nämlich die Ausdrücke Rationalismus und Supernaturalismus nicht genau nach dem einmal historisch bestimmten Sprachgebrauche nimmt, sondern nach einem von ihm selbst beliebig gewählten; und daß sein rationaler Supernaturalismus am Ende auf dasjenige hinausführt, was man gewöhnlich durch Rationalismus bezeichnet.   Sehr richtig beginnt der Verf. seine Abhandlung mit einer Untersuchung über Begriff und Wesen sowohl des Rationalismus, als auch des Supernaturalismus, um durch Bestimmung dieser beiden Theilbegriffe darzuthun, ob und wie sie in einem Totalbegriffe unter dem Namen „rationaler Supernaturalismus" vereinigt werden können; und so ist ihm Rationalismus „ein wissenschaftliches Verfahren nach dem Princip, daß nichts für Wahrheit gelte, was nicht vor der Vernunft (ratio) sich rechtfertigen läßt" (S. 65); (wie der Verf. S. 80 noch hinzufügt) „mithin durch sie sich begründen läßt." Beides scheint er, wiewohl nicht ganz richtig, für gleichbedeutend zu nehmen: denn gar vieles läßt sich z. B. als historische Wahrheit vor der Vernunft rechtfertigen, was nicht durch sie und aus ihren Principien entwickelt und begründet werden kann. Auch ist der Verf. darin sich nicht gleich geblieben, daß er in der angegebenen Erklärung den Rationalismus auf ein wissenschaftliches Verfahren beschränkt, hinterher aber, welches dem gewöhnlichen Sprachgebrauche mehr entspricht, überhaupt allen freien, durch keine übermenschliche Auctorität gebundenen Vernunftgebrauch darunter versteht (S. 76), welchem dann, als Vernünftigkeit im Denken und Urtheilen, die Nichtvernünftigkeit oder Unvernünftigkeit im Urtheil entgegengesetzt wird. „Denn", sagt der Vf. S. 83, „wer nicht für die Vernunft im Menschen ist, der ist, als Mensch betrachtet, unvermeidlich wider dieselbe; daher man sich im voraus kühnlich anheischig machen kann, zu beweisen, daß jede Behauptung, die als eine übervernünftige keinen Grund in der Vernunft findet, sicher auch, nach Menschen möglichem Urtheile, wider = und hiermit unvernünftig und falsch sey." Sehr einleuchtend beweist der Verf.

---

*) Ἐρωτηθεὶς, τί αὐτῷ περιγέγονεν ἐκ φιλοσοφίας, ἔφη, τὸ δύνασθαι ἑαυτῷ ὁμιλεῖν. Diog. Laert. Vita Antisthenis. §. 4.

hierbei gegen diejenigen, welche die Vernunft für ein bloßes Ab=
stractum ausgeben und behaupten, daß jeder wohl von seiner in=
dividualen, nicht aber von einer allgemeinen Vernunft reden
könne; sie sey vielmehr ein ideales, über alles Empirische des ab=
stracten Begriffes erhabenes Vermögen, mithin eine nicht von Ge=
schichte und Empirie abhängige, sondern die oberste Erkenntnißquelle
und Beurtheilerin für alle reine, selbst idealische Wahrheiten. Zu=
gleich zeigt er, wie die Gegner des Rationalismus, die gewöhnlichen
Supernaturalisten, dadurch, daß sie die Vernunft in jener Qualität
eines echten und fruchtbaren Ideenvermögens nicht anerkennen, son=
dern verwerfen, auch unausbleiblich ihr eignes Werk vernichten. Sie
wollen, daß etwas (Religiöses) für Wahrheit gelte, was über die
Vernunft sey, mithin, seinem Inhalte nach, vor derselben sich zu
rechtfertigen weder bedürfe noch vermöge. Dennoch soll es von den
Menschen als Erkenntniß, und natürlich als wahre Erkenntniß, auf=
gefaßt werden, und der Inhalt desselben, als religiöser, soll nicht
ein sinnlicher, sondern übersinnlich, folglich idealisch seyn. Schafft
nun wohl Gott dieses Auffassungsvermögen für die übervernünftige
religiöse, idealische Wahrheit in Jedem, welchem er diese mittheilt,
erst in dem Augenblicke, wo derselbe sie empfängt; oder meint man,
daß das Vermögen der Auffassung in jedem Menschen von Natur
und durch die, daß wir so sagen, ordinaire Schöpfung bereits vor=
handen sey und nur bei jener Mittheilung durch Gottes Gnade erst
auf die rechte Weise in Thätigkeit gesetzt werde? Die ältere Theo=
logie war kühn genug in ihrer Consequenz, selbst denjenigen Glau=
ben, womit geoffenbarte Wahrheit geglaubt werde, für etwas außer=
ordentlich durch Gott Gewirktes, für ein eigentliches Wunder zu er=
klären; so daß nun allerdings, außer den Gläubigen, kein andrer
unbekehrter Mensch das Mindeste von den evangelischen Wahrheiten
mit Ueberzeugung in sich aufzunehmen im Stande wäre. Wenn
S. 73 bemerkt wird, daß man gegenwärtig nicht leicht mehr wage
diesen wunderartigen subjectiven Glauben zu vertheidigen, so ist
dabei übersehen, daß gerade die neuesten Mystiker mit einem solchen
unmittelbar durch Gott gewirkten Glauben, oder einem angeblich so
gewirkten Gottesbewußtseyn, gar viel sich zu schaffen machen, und
diejenigen, welche bescheidene Zweifel dagegen äußern oder solche Wir=
kungen nicht bei sich verspüren, in ihrem thörichten Dünkel gar nicht
für Christen, ja nicht für Menschen anerkennen wollen. Ungern
vermißt man in den Erklärungen des Verfs. über Vernunft eine
nähere Bestimmung des Verhältnisses derselben zum Verstande, da
ihm Vernunft keineswegs der Inbegriff des gesammten höheren Er=
kenntnißvermögens ist. Dagegen wird man gern dem beistimmen,
was insbesondere über theologischen Rationalismus beigebracht wird,
als das für Dogmatik wie für Moral geltende Princip, nach wel=

chem nur das religiöse Wahrheit seyn kann, was sich vor der Vernunft als solche rechtfertigen läßt.   Wenn bei dem Namen rationaler Theologie insgemein weit mehr an Dogmatik, als an Moral,
ja oft an die letztere gar nicht gedacht wird, so zeigt dies nur, wie
sehr man darüber einverstanden sey, eine nicht rationale Moral für
„ein völliges, baares Unding“ zu halten.   Als Hauptmerkmale der
Rationalität einer Religionslehre sind anzusehen: daß ihr Inhalt allgemeingültig ist oder für alle der religiösen Wahrheit fähige Menschen aller Zeitalter gilt, und daß er unter der Regel des Reinmo-
ralischen steht, welches nur zu oft übersehen ist, so daß trotz den
klarsten Aussprüchen des dem Menschen ins Herz geschriebenen Gesetzes ganz unmoralische Glaubenslehren mit der göttlichen Heiligkeit haben in Verbindung gedacht werden können.   Man denke nur
an die allem sittlichen Gefühl widerstreitende hergebrachte Form der
Versöhnungstheorie im Christenthume.   Jede Vorstellung von der
Gnade Gottes in Christo, welche diese nur im mindesten durch etwas
anderes bedingt, als durch Moralität im Menschen und selbst in
Gott, ist durchaus verwerflich: denn der Mensch muß wenigstens
ein nicht unwürdiger Empfänger seyn, und Gott muß als heiliger
und daher z. B. als völlig unparteilicher Geber gedacht werden (S.
115).   Endlich kann die Religionswissenschaft nur dann rational seyn,
wenn in ihr in Absicht auf die Wahrheit die Materie durch die
Form, nicht aber diese durch jene bestimmt ist, d. h. wenn nur das
zum Inhalte des religiösen Glaubens gerechnet wird, was dem religiösen Interesse, welches zu seinem letzten Ziele die durch Sittlichkeit bedingte Seligkeit des Menschen hat, völlig angemessen erscheint.

   Der zweite Abschnitt, welcher sich mit der Bestimmung des
Begriffs Supernaturalismus befaßt, geht richtig von der Bemerkung aus, daß, wenn Supernaturalismus die Denkart bezeichnet,
welche, zur Bestimmung und Befestigung irgend einer Erkenntniß
überhaupt oder der religiösen insbesondere, die Gültigkeit des Wun-
derglaubens behauptet, ein förmlicher Widerstreit zwischen jenem und
dem Rationalismus stattfinde, weil dieser, ohne gerade die objective
Möglichkeit der Wunder zu bestreiten, ihnen nie den mindesten Einfluß auf das Fürwahrhalten in der Religion gestattet.   Um aber
desungeachtet eine Vereinigung zwischen beiden einander so entgegengesetzten Denkarten zu Stande zu bringen, will Hr. Insp. B. Supernaturalismus und Uebernatürlichkeit in dem Sinne nehmen, daß
beides, in Hinsicht der christlichen Religion, auf die Göttlichkeit oder
göttliche Auctorität derselben bezogen wird, „welche vermöge ihrer
durchgängigen, reinen, ewig unveränderlichen Wahrheit in ihr selbst
liegt.“   Nach dieser, freilich dem Sprachgebrauche nicht entsprechenden Erklärung läßt sich allerdings ein rationaler Supernaturalismus
denken, der nicht geradezu einen Widerspruch in sich trägt, wie dies

der Verf. in einem dritten Abschnitt ausführlich zu zeigen sucht. Es wird hier nämlich dargethan, daß allerdings eine mit göttlicher Auctorität begabte Religionslehre, wie die christliche, denkbar sey, ohne daß dabei das Princip, nichts in derselben gelten zu lassen, was sich nicht vor der Vernunft rechtfertigen läßt, aufgegeben werden dürfe, und daß in Beziehung aufs Christenthum das Rationale mit dem Supernaturalen, nämlich in dem zuletzt behaupteten Sinne, selbst vereinigt werden müsse, weil ohne eine solche göttliche Auctorität eine Religionslehre keine christliche Kirche, als ein alle Gläubigen ohne Unterschied verbindender Gottesstaat, existiren könne.

So viel Treffendes nun auch hier von dem Verf. beigebracht ist, so kann man doch insofern nur demselben beistimmen, als man das hier von einem sogenannten rationalen Supernaturalismus Gesagte auf den wahren Rationalismus, wie dieser im Eingange von uns charakterisirt ward, bezieht, da jener nach der Darstellung des Verfs. mit diesem als völlig identisch erscheint. Denn beide kommen offenbar darin überein, daß sie die christliche Religionslehre nicht von übernatürlicher, unmittelbarer göttlicher Mittheilung abhängig machen und in ihren Grundzügen keinen die menschliche Fassungskraft übersteigenden Inhalt anerkennen, desungeachtet ihr aber auch in dieser Form göttliche Auctorität beilegen, inwiefern die Vernunft, als die Vermittlerin ihrer Offenbarung, so wie die Veranstaltungen, vermittelst welcher sie durch einen Gottgesandten bekannt gemacht, verbreitet und erhalten wurde, nothwendig von Gott abgeleitet werden müssen.

Gern wird indeß jeder Wohlgesinnte in den Wunsch des gelehrten und scharfsinnigen Vfs. einstimmen, daß gerade in der gegenwärtigen Zeit, wo Hierarchismus und Mysticismus dem wahren Christenthume die größte Gefahr drohen, alle streitenden Theologen, mit Beiseitsetzung ihrer höheren wissenschaftlichen Differenzen, auf dem Gebiete der praktischen Theologie zu dem Einen, was Noth ist, sich vereinigen möchten: echt sittlich-religiöse Verehrung Gottes im Geist und in der Wahrheit zu fördern und zu dem Ende das Christenthum immer reiner und vernunftgemäßer auffassen zu lehren, im Sinn und Geist seines erhabenen Stifters, der einst sprach: Wenn das Licht in dir (deine Vernunft) finster ist, wie groß wird dann die Finsterniß für dich seyn! und: Nicht die, welche Herr! Herr! zu mir sagen, sondern die den Willen des himmlischen Vaters erfüllen, sind die wahren Mitglieder des Gottesreichs! (Matth. 6, 23. 7, 21.)

VII.

Ueber die Gedichte des Thomas Moore.

Die neueste englische Poesie steht mit unsrer vaterländischen in so vielseitiger Wechselwirkung und ist uns durch Uebersetzungen und Nachahmungen aller Art so nahe geführt worden, daß eine Zeitschrift, die es sich zur Aufgabe macht, die wichtigsten Erscheinungen im Felde der deutschen Literatur, nicht in abgesonderter Einzelheit, sondern in ihrem Zusammenhange mit dem Ganzen der wissenschaftlichen oder poetischen Cultur, zu prüfen und zu würdigen, sich bewogen fühlen muß, ihren kritischen Gesichtskreis über das kunstverwandte Britannien auszudehnen, wenn es auch nur deshalb geschähe, um manches Einheimische dadurch in seinem Ursprunge, seiner Verbindung und seinen Folgen vollständig aufzufassen.

Die englische Poesie hatte sich bis gegen das Ende des vorigen Jahrhunderts in einer, dem gefälligen und weltgerechten Geiste des französischen Geschmacks viel verdankenden Form bis zur Erschlaffung und Erstarrung erschöpft. Die große Natur der englischen Nationalpoesie, deren reichste und kräftigste Blüthe in Shakspeare zur Erscheinung kam, hatte sich allmälig seit Dryden, und noch mehr unter Pope's und Addison's Anführung, jener eleganten Kunst zu befleißigen angefangen, welche die Franzosen, als Bewahrer und Fortpflanzer des alten classischen Geschmacks, gern von den Griechen und Römern ableiten möchten; jener Kunst, deren allgemeine Gültigkeit und Verständlichkeit in dem entschiedensten Widerspruche mit dem Geiste des Alterthums steht, welcher durch nationale Kraft und Schönheit wirkt, während jene eine kosmopolitische Tendenz verfolgt. Ihr kosmopolitisches Streben ist aber freilich nicht ohne eigne und selbstische Nationalität und stimmt insofern mit den Plänen der französischen Politik seit dem Zeitalter Ludwigs XIV. zusammen, welche Paris gern zum Sitze einer Oberaufsicht über das gebildete Europa in Sachen des Staats, der Wissenschaft und der Kunst gemacht hätte. Die englische Poesie behielt indessen in der neuen, ihr frembartigen Kunstübung noch genug von ihrer angestammten Volksnatur übrig, um sich in charakteristischer Freiheit sowohl von der französischen Schule, als von deren Nachbetereien in andern Ländern zu unterscheiden; und selbst die entschiedensten Jünger des französischen Geschmacks konnten in den ängstlichsten Nachbildungen der fremden Form doch des nationalen Anstrichs von melancholischer Sentimentalität und satyrischem Ernst nicht ganz Herr werden. Aber je mehr sich die nationale Anlage der englischen Poesie der französischen Form widersetzte, desto unvollkommener und ungleicher mußten die Erscheinungen ausfallen, in denen diese beiden Ge

gensätze sich vereinigt zeigten; und ein unsicheres Hin- und Her-
schwanken, in welchem bald die Form, bald der Geist, bald Frankreich, bald England vorherrscht, bewegt die brittische Musenkunst
und läßt sie nirgends zu der ruhigen Gediegenheit gelangen, zu welcher Shakspeare ihr den einzig sichern Weg gezeigt und geöffnet hatte.

Eine Revolution, welche die englische Poesie von ihrer äußersten
Oberfläche bis in ihre innerste Tiefe erschütterte, war das einzige
Mittel, ihre abgestumpften und zerflossenen Lebenskräfte wieder zu
sammeln und zu reizen. Diese Revolution fällt in den Anfang des
laufenden Jahrhunderts, und obgleich aus dem gährenden Kampfe,
welcher die zerstörenden und die schöpfungslustigen Elemente durcheinander wirrt, noch keine Beruhigung und Befriedigung hervorgegangen ist: so ist es doch auch in der Bewegung selbst nicht zu verkennen, daß sie an und für sich, welches auch ihr endliches Ziel und
Ergebniß werden mag, heilsam und fruchtbar wirkt. Es haben sich
aber in dieser Erschütterung des englischen Parnasses vorzüglich drei
Richtungen bemerklich gemacht: die eine kömmt aus dem nationalen
Alterthume her und ringt mit frommer Begeisterung nach der Wiederherstellung einer großen untergegangenen Welt, deren Trümmer
sie zu musivischen Arbeiten zusammenfügt. An der Spitze dieser
Richtung steht Walter Scott. Ihr entgegen stürmt ein revolutionairer Geist über Altes, Herkömmliches und Gegenwärtiges hinweg; sein Wort heißt Vorwärts, und seine Bahn kennt keine
Gränzen. Aus allen Zonen möchte er Blüthen und Lichter rauben,
um aus ihnen ein nie gesehenes Zauberbild zu gestalten, welches
blenden, verlocken und erschrecken soll; und hat er die Erde durch-
schweift, so greift er mit gigantischem Uebermuthe in die Hölle und
den Himmel hinein, als wären sie beide nur für seine Poesie da.
Der Repräsentant dieser Schule ist Byron. Die dritte Richtung
schimmert und glüht aus den Wunderschachten des heiligen Orients
hervor, die kalte und karge Welt des Nordens mit der Fülle ihrer
strahlenden Edelsteine und Perlen und mit dem Balsam ihrer Blüthen überschüttend und die trüben romantischen Nebel mit den Regen-
bogenfarben des Aufgangs besäumend. Keiner ist würdiger, diese
letzte Richtung zu vertreten, als Thomas Moore, obgleich er
eben so wenig der erste, als der einzige ist, welcher der orientalischen
Muse auf dem englischen Parnasse gehuldigt hat.

Reisen und Niederlassungen in dem Oriente haben den Engländern eine nähere und lebendigere Ansicht dieser fernen Wunderwelt
eröffnet, als andern Nationen; und es ist nicht zu verkennen, daß
ihre Poesie an dergleichen Entdeckungen und Eroberungen Antheil
nimmt und ihr ideales Gebiet durch sie erweitert. Dazu kömmt das
mit diesen orientalischen Beziehungen und Verhältnissen theils noth-

wendig, theils wenigstens anziehender gewordene und erleichterte Studium der Sprache und Literatur der bedeutendsten Völker des alten
Morgenlandes, wodurch, neben der wirklichen Ansicht ihrer Natur
und ihres Lebens, auch die poetische Abspiegelung derselben in dem
Geiste einer nationalen Betrachtung und Empfindung gewonnen wird.
Solchen Anregungen müssen wir es zuschreiben, daß die neueste englische Poesie sich mit einem entschiedenen Hange nach dem Orient
hinneigt, und daß dieser Hang ihr weniger fremd und gezwungen
ansteht, als ähnlichen Bestrebungen in andern Ländern. Der Engländer ist gleichsam im Orient wie zu Hause, und die englische Muse
theilt das Recht dieser Einbürgerung an den Küsten des indischen
Oceans. Der gekrönte Hofdichter Robert Southey ist der wichtigste Vorläufer des Thomas Moore auf der Bahn, deren schönsten Kranz dieser durch sein Gedicht Lalla Rookh errungen hat.
Dieses Werk hat Southey's orientalischer Muse einen großen
Theil ihres Beifalls und Rufes geschmälert und die Gedichte Tha-
laba und Kehanna fast in Vergessenheit gebracht.

Thomas Moore ist ein geborner Irländer *), welcher sich
dem englischen Publicum zuerst durch eine glückliche Uebersetzung des
Anakreon und einige eigne Versuche in der leichten erotischen Gattung empfahl, welcher jener alte Grieche den Namen anakreontischer
Lieder gegeben hat **). In diesen Liebesgedichten schwankt Moore
zwischen der Sinnlichkeit des classischen Alterthums und einer ihm
angebornen hellen und warmen Gemüthlichkeit, deren Geist durchaus
modern ist; aber dieser unentschiedene Zwiespalt hat ihn nicht verhindert, der Form seiner geistreichen und zarten Tändeleien die zier-
lichste Vollendung zu verleihen. Sein berühmtes Gedicht Lalla
Rookh erschien im Jahre 1817 und hatte bis zum Schluße des
folgenden Jahres schon acht Auflagen erlebt. Neben diesem haben
wir sein zweites orientalisches Gedicht: The Loves of the Angels,
zu berücksichtigen; und zum Schluße unsres Aufsatzes wollen wir
auch Moore's Charakter, als patriotischen Lyrikers, nach seinen Irish
Melodies zu entwerfen versuchen ***).

*) Geboren in Dublin den 28. Mai 1780.

**) Diese Poems gab Moore unter dem Namen eines verstorbenen
Thomas Little heraus, vielleicht mit Beziehung auf seine kleine, zierliche Figur.

***) Weniger bedeutend und charakteristisch in der englischen Poesie
scheinen uns Moore's satyrische und didaktische Arbeiten. Ein vollständiges Verzeichniß seiner Werke wird den Liebhabern der englischen Literatur nicht unwillkommen seyn:

The Odes of Anacreon, translated into English verse,
with Notes. 1800. und seitdem oft wiederholt.

Der Inhalt des Gedichts Lalla Rookh ist zu allgemein bekannt, als daß es nöthig wäre, hier davon ausführlich zu sprechen. Das Ganze besteht aus vier poetischen Erzählungen oder Romanzen, welche durch eine prosaische Einfassung zusammengehalten werden, eine Form, welche dem Orient entlehnt ist *) und auch schon viel früher in italienischen Novellensammlungen, namentlich in dem Decamerone des Boccaccio, nachgeahmt worden ist. Der kleine und sehr einfache, den vereinigenden Rahmen der vier Romanzengemälde bildende Roman ist leicht und launig behandelt und tritt, wie billig, gegen die poetischen Hauptbestandtheile in den Schatten des Hintergrundes. Seine Anlage ist geschickt, und seine Verknüpfung mit den Romanzen neu und interessant, ohne unnatürlich und gezwungen zu scheinen. Lalla Rookh, die Tochter des Großmoguls Aurungzebe, verlobt mit einem bucharischen Prinzen, wird von einer glänzenden Gesandtschaft ihres Bräutigams aus Delhi abgeholt und nach Kaschemir begleitet, wo die Vermählung gefeiert werden soll. Auf den Rastplätzen unterhält ein junger, schöner Dichter in dem Gefolge der Gesandtschaft die Prinzessin mit dem Vortrage jener poetischen Erzählungen und gewinnt durch den Zauber seiner Gestalt und seiner Kunst das Herz derselben. Endlich tritt im Palaste der Vermählung der geliebte fremde Sänger ihr als bucharischer Prinz und Bräutigam entgegen, und mit dieser Scene schließt das Ganze. Die komische Person in diesem kleinen Romane ist der Oberkammerherr der Prinzessin, ein ceremonieller Hof-

---

Poems by the late Thomas Little. 1801. 11te Ausg. 1813.
A candid Appeal to public confidence, or Considerations on the dangers of the present crisis. 1803.
Epistles, Odes and other Poems. 1806.
A Letter to the Roman Catholics of Dublin. 1810.
Intercepted Letters, or the Twopenny Post Bag, by Thomas Brown the younger. 1812. (14mal aufgelegt.)
Irish Melodies. Erst einzeln in sieben Nummern mit der Musik. Dann zusammen, ohne Musik. 1821.
Poems from the Portuguése of Camoens. 1813.
A Series of sacred Songs, Duetts and Trios. 1816.
Lalla Rookh. An Oriental Romance. 1817.
The Fudge Family in Paris. Edited by Thomas Brown the younger. 1818. Auch einige andere satyrische Flugblätter werden dem Thomas Moore zugeschrieben, z. B. die famösen Fables from the holy Alliance. 1823.
The Loves of the Angels. A Poem. 1823.
Thomas Moore ist auch Herausgeber der Works of Richard Brinsley Sheridan. 1821. und der Memoirs of the Life of Captain Rock. 1824.

*) Man denke nur an Tausend und eine Nacht.

kriticus, welcher an der Originalität der prinzlichen Poesie ein großes Aergerniß nimmt, natürlich ohne den maskirten Sänger für mehr zu halten, als dieser scheinen will.

Die Romanzen sind es also, aus welchen wir den poetischen Charakter des Thomas Moore entwickeln müssen. Die erste, The veiled prophet of Khorasan, stellt einen falschen Propheten dar, welcher sich durch sein geheimnißvolles Wesen und mancherlei sinnliche Gaukeleien als einen Gesandten des Himmels geltend macht und allmälig großen Ruhm, Glanz und Anhang gewinnt. Sein Angesicht ist aber so furchtbar häßlich, daß er, um die Gläubigen nicht abzuschrecken, sich nur mit einem Silberschleier verhüllt sehen läßt, unter dem Vorwande, daß kein Sterblicher im Stande sey den strahlenden Schimmer seiner Stirn zu ertragen. Seinem Aeußern entspricht der höllische Charakter seines Innern, in welchem Ueppigkeit, Herrschsucht und Grausamkeit vorwalten. Daher die blendende Pracht seines Aufzuges und die wollüstige Festlichkeit seines Harems, in welchem die blühendsten Schönheiten des Orients, als Bräute des Himmels, seinen Plänen und seinen Leidenschaften dienen müssen. Unter ihnen ist Zelica, die Heldin der Romanze. Sie hat sich in das vermeinte Kloster des Propheten begeben, um in gottseliger Abgeschiedenheit ihren geliebten Azim zu beweinen, welcher, wie sie wähnt, auf dem Schlachtfelde geblieben sey. Sie wird ein Opfer der Verführung des Propheten und enttäuscht. Bald darauf erblickt sie durch die Vorhänge des Harems ihren als todt beklagten Azim vor dem Propheten knien. Der Betrüger will sich ihrer nunmehr als eines Werkzeuges bedienen, um den Azim ganz für seine Lehre zu gewinnen. Aber Zelica entdeckt dem Neubekehrten die höllischen Gaukeleien und Ränke des Verschleierten, und Azim entflieht zu dem Chalifen. An der Spitze eines Heeres kehrt er zurück und schlägt die fanatische Rotte. Der Prophet schließt sich in eine Festung ein, vergiftet in der letzten Verzweiflung den Rest seines Haufens und stürzt sich in einen Brunnen voll flammenden Weingeistes. Zelica nimmt seinen Schleier auf und erscheint in dieser Hülle auf der Mauer. Azim zielt nach dem Propheten und trifft seine Geliebte. Die Gefallene fällt, wie sie gehofft und geahnet hat, durch die Hand der Liebe. Azim wird ein Einsiedler und stirbt im entzückten Anschauen des Bildes seiner verklärten Zelica.

Die zweite Romanze, Paradise and the Peri, führt eine Peri, ein gefallenes Mittelgeschöpf zwischen Engel und Menschen, auf die Scene. Sie steht weinend vor den Pforten des Paradieses, welches ihr sündiges Geschlecht verscherzt hat. Da erschallt die Stimme eines Engels und verheißt ihr Aufnahme in den himmlischen Wohnplatz, wenn sie eine Gabe bringen wolle, die dem Him-

mel die theuerſte ſey. Sie geht zur Erde, findet einen Krieger, der
für ſein Vaterland verblutet, und bricht einen Grashalm ab, an
welchem ein Tropfen dieſes Opferblutes hängt. Dieſen reicht ſie
dem Engel: die Pforten des Paradieſes bleiben verſchloſſen. Die
zweite Gabe, welche ſie bringt, iſt der letzte Seufzer einer treuen
Liebenden, welche ihren von der Peſt befallenen Bräutigam in der
Stunde des Todes und mit ihm den Tod umarmt. Aber auch dieſem Sühnopfer öffnen ſich die Pforten des Paradieſes nicht. Endlich naht ſie mit der erſten Thräne eines reuigen Sünders, und der
Himmel iſt verſöhnt.

Die dritte Romanze glüht von feurigem Patriotismus. The
Fire-Worshippers, die Gheber, kämpfen den letzten rühmlichen
Kampf für die Freiheit ihres Vaterlandes und ihrer Religion gegen
die muhamedaniſchen Eroberer. Die Helden werden in ein unzu-
gängliches Gebirge am perſiſchen Meerbuſen zurückgedrängt. Hafed,
ihr Anführer, trotzt von dieſem Schlupfwinkel aus den von aber-
gläubiſchen Schrecken verblendeten Muhamedanern, die ihn für einen hölliſchen Geiſt halten. Auf einer Klippe lodert das heilige
Feuer der Gheber, und alle Verehrer deſſelben haben geſchworen,
ſich lieber in den Flammen des göttlichen Urlichts zu verbrennen,
als den Arabern dienſtbar zu werden. Dieſe glänzende Kataſtrophe
wird endlich durch mancherlei romantiſche Begebenheiten und Verhältniſſe herbeigeführt. Hafed gewinnt nämlich das Herz einer jungen arabiſchen Schönen, welche er zum erſten Male erblickt hat,
als er den einſamen Felſen, auf welchem die Burg des feindlichen
Emirs ſteht, zu erklimmen wagt, um den Feind ſeines Vaterlandes
und ſeines Glaubens zu tödten. Statt des Vaters begegnet ihm
die Tochter. Die Leidenſchaft für den Unbekannten zehrt an der
Lebensblüthe des Mädchens; und als ſie entdeckt hat, wen ſie liebt,
zerreißt ein wilder Kampf zwiſchen Religion und Liebe, Pflicht und
Gefühl, ihr weiches Herz. Sie entdeckt dem Geliebten, daß ihr
Vater durch Verrath den Zugang zu dem Gebirge der Gheber gefunden habe, und beſchwört ihn, mit ihr zu fliehen. Aber der Held
beſteht den heißen Angriff der Liebe wie ein Verzweifelter und folgt
dem Rufe des Vaterlandes und der Religion. Die Ueberzahl der
Araber beſtürmt den entdeckten Eingang in den Zufluchtsort der
Gheber. Nach langem, blutigem Kampfe ſtürzen die Erſchöpften ſich
in ihr heiliges Feuer. Hafed hebt ſeinen letzten, todt hinſinkenden
Freund auf den Holzſtoß neben dem Altare, zündet ihn an, ſchwingt
ſich triumphirend ſelbſt in die Flammen und ſtirbt mit dieſer letzten
Anſtrengung, noch ehe das Feuer ſeine Glieder verſehrt hat. Hinda,
die Araberin, erkennt von ihrem Schiffe aus den in den Flammen
verklärten Hafed und ſtürzt ſich in die vom Widerſcheine des Todten-
brandes erhellten Fluthen.

The Light of the Haram ist die buntefte und lichtefte der vier Romanzen. Das Rosenfest wird in dem Thale Kaschemir gefeiert. Die Sultanin Nurmahal, das Licht des Harems, entzweit sich mit ihrem Gemahl, und gekränkt durch deffen Kälte, fragt sie einen Zauberer um Rath, wie das Herz des Entfremdeten wieder zu gewinnen sey. Der Zauberer läßt der Sultanin durch einen Geist ein Lied lehren, welches unwiderstehlich ist, und Nurmahal trägt diesen Wundergesang unter einer Maske ihrem Gemahle vor. Der entzückte Sultan stürzt in die Arme der Sängerin, und Nurmahal hebt die Maske.

Schon in der skizzirten Inhaltsanzeige dieser Romanzen, wenigstens der drei ersten, wird jeder, der den Geist des Orients nicht blos aus europäischen Gedichten oder Romanen kennt, etwas entdecken, was mehr westlich als östlich aussieht und anspricht: Die romantische Aufopferung der Liebe in der ersten und dritten Romanze, und die moralische Sentimentalität in der zweiten ähneln den Blumen des orientalischen Himmels so wenig, wie Birken und Vergißmeinnicht. Betrachten wir alsdann den Geist der Darstellung deffen, was in seinem Stoffe orientalischer ist, so wird uns auch dieses nicht ohne occidentalische Beimischung erscheinen. Die Empfindung des erzählenden Dichters nicht allein, sondern auch fast alle Gefühle, Motive und Aeußerungen in den Charakteren, die er uns vorführt, die Leidenschaften, das Raisonnement, das Gewissen und die Kämpfe, welche diese mit einander zu bestehen haben, gehören dem europäischen, ja dem englischen und zum Theil dem irländischen Boden an. Die Seele der ganzen Dichtung ist demnach westlich, romantisch, sentimental, oder wie man die Gegensätze des Orients in diesen Beziehungen sonst noch benennen will. Der Körper aber, die Hülle dieser Seele, ist orientalisch in Färbung und Beleuchtung, und man könnte in dieser Rücksicht das Gedicht Lalla Rookh mit dem großen prächtigen Maskenfeste vergleichen, zu welchem es unlängst in Berlin Veranlassung und Stoff gegeben hat: Nordische Herren und Damen mit nordischen Herzen und Sinnen unter orientalischem Kleiderschmuck; aber aus den Hüllen und Banden der persischen und indischen Blüthen, Steine und Perlen leuchten hier und da seelenvollere blaue Augen hervor, als der Orient aufzuweisen hat: Wie hat aber Moore diesen Contrast zwischen Europa und dem Orient in seinem Gedichte so verschmelzen können, daß es uns in seiner westöstlichen Bildung nicht wie ein zwitterhaftes Wesen zurückstößt? Diese Frage dürfen wir nicht unberücksichtigt lassen, und ihre Beantwortung ist nicht schwer. Es ist die elegante Oekonomie der europäischen Form, welche die widerstrebenden Elemente der Dichtung als vereinigendes Element umschlingt und zusammenordnet. Durch diese Form, welche von der ungeheuer ausschweifenden Fülle des Orients eben so weit entfernt ist, wie von der kargen und kalten Enthaltsamkeit des Nordens, und auf diese Weise in der mittlern Region zwischen dem geistigen und körperlichen Elemente der Dichtung schwebt, zieht eins das andere an sich; und der asiatische Orient spricht uns nun heimischer und vertrauter, der vaterländische Occident interessanter und lebendiger an. In diesem Sinne ist kein Wort bezeichnender für Moore's orientalische Gedichte, als das von Göthe geltend gemachte westöstlich.

Die vierte Romanze hat, wenn wir ihren Stoff an und für sich betrachten, durchaus nichts, was dem Orient widerspricht. Aber da ihre Behandlung mehr lyrisch, als episch ist, so wird sie durch ihre subjective Unterlage nicht weniger, als die übrigen, in die europäische Westwelt herübergezogen.

Nun findet sich aber allerdings in dem poetischen Geiste des Thomas Moore manche Saite, deren Klang unter dem orientalischen Himmel fast wie einheimisch oder doch verwandt zu tönen scheint. Die helle und warme Heiterkeit seiner Empfindung, das bilderreiche Spiel seiner Phantasie, und die lebendige und zarte Beweglichkeit seiner Auffassung der Natur neigen sich dem Orient zu, und fühlen sich in dieser Zauberwelt so wohl und unbefangen, wie unter einem vaterländischen Himmel. Aber ein inniger und sanfter Zug des Herzens klagt dennoch zuweilen sehnsüchtig und schwermüthig durch die orientalischen Gesänge des englischen Dichters, wie eine Stimme aus der fernen Heimat, und unter diesem Anhauche trübt sich hier und da der Glanz der orientalischen Farben und Lichter. Sehr richtig hat Sheridan schon vor der Erscheinung der Lalla Rookh von ihrem Dichter gesagt: „Es gibt kein menschliches Wesen, welches von seinem Herzen so viel in seine Phantasie legen kann, wie Moore es thut." Und mit prophetischer Kritik bezeichnet Lord Byron in seiner Zueignung des Korsaren den westöstlichen Charakter der orientalischen Muse seines Freundes. „Man sagt," heißt es dort, „daß gegenwärtig ein Gedicht Sie beschäftigt, deren Scenen in den Ländern des Sonnenaufgangs liegen sollen. Niemand wird gewiß solchen Scenen mehr Gerechtigkeit widerfahren lassen, als Sie. Die Drangsale Ihres eigenen Landes, der hochherzige und stolze Geist seiner Söhne, die Anmuth und das Gefühlvolle seiner Töchter wird uns darin begegnen. Ihre Phantasie wird eine wärmere Sonne, einen unbewölkteren Himmel, als Irland hat, erschaffen, aber Wildheit, Zartheit und Originalität ist ein Theil desjenigen, was Ihren Nationalanspruch auf orientalische Abkunft begründet *)."

---

*) Bekanntlich gründen die Irländer auf Sprachähnlichkeit mit dem Chinesischen, Japanesischen und besonders mit dem sogenannten Punischen, phantastische Ansprüche orientalischer Herkunft ihres Volkes.

Diese Bemerkung des Lord Byron führt uns auf das zu=
rück, was wir oben schon vorläufig über den irländischen National=
geist in dem orientalischen Gedicht angedeutet haben. Der feurige
Patriotismus der dritten Romanze spricht uns vornehmlich als ir=
ländisch an, und die Gefühle der Aufopferung für das Vaterland
auch ohne alle Hoffnung, es zu retten und zu erhalten, der unge=
beugte Stolz der Freiheit gegen die Uebermacht der Unterdrückung,
das treue Umfassen der letzten Trümmern altväterlicher Satzungen
und Sitten: diese Grundtöne klingen eben so laut durch die genannte
Romanze, wie durch die Irish Melodies; und zwar dort nicht
allein aus dem Munde des erzählenden Dichters, sondern auch aus
den Vorstellungen, Empfindungen, Betrachtungen und andern Mo=
tiven der Charakterentwickelung seines Haupthelden und der ihn um=
gebenden Genossen. Wir erinnern nur an einige Stellen:

> Her (Iran's) throne had falln, her pride was crush'd,
> Her sons were willing slaves, nor blush'd,
> In their own land — no more their own —
> To crouch beneath a stranger's throne.
>
> — — — — — — — —
> — — — — — — — —
> — — — — — — — —
>
> Yet has she hearts, mid all this ill,
> O'er all this wreck high buoyant still
> With hope and vengeance, hearts that yet,
> Like gems, iu darkness issuing rays
> They 've treasur'd from the sun that's set,
> Beam all the light of long lost days. etc. etc. etc.

Die folgenden Worte kommen aus dem Munde des Hafed:

> — Here at least are arms unchain'd,
> And souls that thraldom never stain'd;
> This spot at least no foot of slave
> Or satrap ever yet profan'd;
> And though but few, though fast the wave
> Of life is ebbing from our veins,
> Enough for vengeance still remains.
> As panthers, after set of sun,
> Rush from the roots of Lebanon
> Across the dark-sea robber's way,
> We 'll bound upon our startled prey;
> And when some hearts that proudest swell
> Have felt our falchion's last farewell;
> When Hope's expiring throb is o'er,

And ev'n Despair can prompt no more,
This spot shall be the sacred grave
Of the last few, who, vainly brave,
Die for the land they cannot save!

Wer erkennt in diesen Gesinnungen und Gefühlen nicht den patriotischen Sänger der Irish Melodies? Ueberhaupt aber ist die
Theilnahme des Erzählers in dieser Romanze, welche Moore selbst
nicht undeutlich als den kostbarsten Edelstein in der poetischen Krone
seines bucharischen Prinzen bezeichnet, so lebendig und warm, daß
keine Stelle derselben zu epischer Ruhe und Unbefangenheit gelangen kann. Ueberall ist der Dichter in seinem Gedicht unter seinen
Personen und liebt, leidet und kämpft mit ihnen. Hafed selbst
könnte nicht leidenschaftlicher von seiner Hinda, seinem heiligen
Feuer und seinem Opfertode für die Freiheit und das Vaterland
sprechen, wenn er mit unveränderter Natur als seliger Geist den
Geistern eines Miltiades und Leonidas die Geschichte seines
Lebens erzählte. Man bemerke z. B. folgende Stelle gegen Ende
des Gedichts:

Speed them *), thou God, who heardst their vow!
They mount, they bleed — oh save them now! —
The crags are red they 've clamber'd o'er,
The rock-weed's dripping with their gore —
Thy blade too, Hafed, false at length,
Now breaks beneath thy tottering strength —
Haste, haste — the voices of the foe
Come near and nearer from below —
One effort more — thank Heav'n! 'tis past,
They 've gain'd the topmost steep at last.
And now they touch the temple's walls,
Now Hafed sees the Fire divine —
When lo! — his week, worn comrade falls
Dead on the threshold of the shrine.

Daher denn auch das häufige Abspringen von dem Faden der
Erzählung, wenn irgend eine That oder auch ein Wort in derselben
des Dichters Seele so gewaltsam oder innig ergreift, daß er gleichsam nicht weiter kann, ohne seinem Innern vorher Luft gemacht
zu haben. Dergleichen subjective, bald lyrische, bald mehr didaktische
Excursionen finden sich z. B. in den Liebesscenen, besonders ge-

---

*) Hafed and his Comrade.

gen Anfang des Gedichts *); und eben so kräftig und feurig strömt das patriotische Gefühl des Dichters in dem Fluche aus, welchen er den Vaterlandsverräthern entgegenschleudert **), und in der Apostrophe an die Empörung ***). Ja, nachdem die Erzählung beendigt ist, kann er noch nicht schließen und schickt der treuen und liebestarken Taube von Arabien, der schönen Hinda, ein Farewell ****) in die Fluren der Seligen nach.

Eine solche Lebendigkeit und Innigkeit der Theilnahme des Erzählers an dem zu Erzählenden bedingt natürlich die ganze Form der Darstellung und rückt sie aus dem Kreise des epischen und dramatischen Elements in das lyrische hinein; und die Geister der Liebe, des Lichts und der Freiheit, welche Moore selbst als die eigentlichen Lebensgeister seiner Muse bezeichnet *****), reißen bald in ihrem Schwunge die schweren Massen des Stoffes mit sich fort, bald werden sie aber auch, in den Stoff versunken, von diesem hinabgerissen. In Moore's orientalischen Romanzen und namentlich in den Feueranbetern, geht dieser lyrische Schwung der Erzählung zuweilen bis in das Dithyrambische hinein; und sind die Flügel dieser unruhigen Muse ermüdet, so spielt sie wohl auch einmal auf Ruheplätzen mit witzigen Antithesen und declamatorischen Worteffecten. Schade, daß die schöne Feuerromanze mit dem schwachen Geflimmer eines solchen Blendwerks der erschöpften Muse schließt.

One wild, heart — broken shriek she gave,
Then sprung, as if to reach that blaze,
Where still she fix'd her dying gaze,
And, gazing, sunk into the wave, —
Deep, deep, — where never care or pain,
Shall reech her innocent heart again.

---

*) Ich merke die Anfangsverse von einigen an: Oh what a pure and sacred thing etc. Think, reverend dreamer, think so still etc. Ah, not the Love, that should have bless'd etc.

**) Oh for a tongue to cursé the slave etc.

***) Rebellion, foul, dishonouving word etc.

****) Farewell, farewell to thee, Araby's daughter! etc.

*****) Irish Melodies. Sixth Number:
Dear Harp of my Country, in darkness I found thee,
The cold chain of silence had hung o'er thee long,
When proudly, my own Island Harp, I unbound thee,
And gave all thy cords to light, freedom and song!
The warm lay of love and the light note of gladness
Have waken'd thy fondest, thy liveliest thrill;
But, so oft hast thou echoed the deep sigh of sadness,
That ev'n in thy mirth it will steal from thee still.

Schade auch, daß die Scene der Erkennung des Hafed und seines Abschieds von der Araberin, eine der ergreifendsten des ganzen Gedichts, in einigen Reden der Leidenschaft an zierliche Declamation und epigrammatische Gewandtheit streift, z. B. folgende Stellen in Hafed's Munde:

Thy father Iran's deadliest foe —
Thyself, perhaps, ev'n now — but no —
Hate never look'd so lovely yet!
No — sacred to thy soul will be
The land of him who could forget
All but that bleeding land for thee etc.

Und weiter unten die Worte des Abgangs, welche Hafed spricht, wie ein schlechter Schauspieler, der gern beklatscht seyn will:

My signal lights! — I must away —
Both, both are ruin'd, if I stay.
Farewell — sweet life! thou cling'st in vain —
Now — Vengeance! — I am thine again.

Es gibt gewisse Gattungen in der Dichtkunst, welche man individuelle nennen könnte, weil sie, ohne im Allgemeinen als Muster in irgend einer Stelle des poetischen Bereiches gelten zu dürfen, nur durch ein Individuum zu einer glücklichen Erscheinung gefördert werden und mit diesem entweder plötzlich verschwinden, oder durch Nachahmer allmälig zu Grunde gerichtet werden. Solche Gattungen sind eigentlich immer Irrthümer und Misbräuche; aber die Individualität eines großen poetischen Geistes kann durch eine eigenthümliche, in seiner tiefsten Natur gegründete Neigung, die ihn nach diesem Abwege fortreißt, den Irrthum und den Misbrauch so verherrlichen, daß sie der wahren, ewigen und überall gültigen Schönheit Trotz zu bieten wagen dürfen. Aber eben darum dulden diese Gattungen auch durchaus keine Wiederholung von Nachahmern und sind so individuell, wie die Person ihres Schöpfers. In der deutschen Poesie möchten wir kein passenderes Beispiel für diese Behauptung finden können, als die Schiller'sche Ballade. Diese philosophisch reflectirende, lyrisch strömende, malerisch prächtige und declamatorisch klangreiche Darstellung in langen künstlich gebaueten Strophen widerspricht schnurgerade dem Geiste und der Form der Ballade: aber dennoch sind die Schiller'schen in ihrer Gattung schön. Was hingegen diese Gattung ohne Schiller ist, das haben seine Nachahmer in derselben gezeigt, und nicht etwa die schlechten und mittelmäßigen, sondern die besten, z. B. Theodor Körner.

Zu solchen individuellen Gattungen zählen wir auch die orien-

talischen Romanzen des Thomas Moore. Der belebende und ord-
nende Mittelpunct der verschiedenartigen Elemente des europäischen
Occidents und des asiatischen Orients, der objectiven und subjectiven Darstellung, der epischen und lyrischen Form, ist nicht in der
Gattung selbst zu finden; er liegt in der individuellen Natur dieses
e i n e n Dichters, und nur durch sie lösen sich diese vielen und lauten Widersprüche seiner eigenen Schöpfung zu einem harmonischen
Ganzen auf. Ein einzelner leiser falscher Ton klingt wohl mit hinein, aber die große Gesammtheit der Harmonie reißt ihn mit sich
fort und entzieht ihn uns, ehe wir Zeit gefunden haben, ihn streng
zu prüfen. Die Kritik muß dem Genusse langsam nachhinken, sonst
bleibt sie ohne Ausbeute. Der Genuß ist aber ein guter Prokritikus.
 Der verschleierte Prophet von Korasan schließt sich
durch den kräftigen Glanz seiner Darstellung der eben charakterisirten
Romanze am nächsten an. Aber darin steht diese erste Romanze
der dritten nach, daß das Feuer und Licht, welche hier durch das Ganze
strömen, dort mehr auf einzelne Puncte concentrirt sind, wodurch
denn freilich die begünstigten Stellen um so prächtiger und gewalti-
ger hervortreten, das Ganze aber an Haltung und Rundung verliert. Der Grund dieser ungleichen Behandlung ist wohl im Stoffe
des Gedichts zu suchen, welcher manche Verwandtschaft mit dem
französischen Mahomed verräth. Der Fanatismus ist aber eine
Leidenschaft, gegen welche die Vernunft immer glücklicher in Prosa,
als in Versen ankämpft; und ich kenne noch kein poetisches Werk,
welches einen Sieg der Vernunft über den Fanatismus gefeiert
hat, ohne nicht auch der Poesie selbst eine gelegentliche Niederlage
zu bereiten. Diesen Uebelstand fühlen wir auch in dem v e r s c h l e i e r-
t e n Propheten, und das Ungleiche in seiner Behandlung wird
um so störender, da die Auszeichnung der glänzendsten und wärmsten Darstellung meistentheils das Unwesentlichere des Gedichts, namentlich in der Scenerie *), trifft, während das Hauptthema oft
wie im Halblichte des Hintergrundes vorübergeführt wird, wenigstens so lange, als Azims und Zelica's Liebe das ganze poetische
Interesse in Anspruch nehmen kann. Auch scheint es der Dichter
darin versehen zu haben, daß er den Schleier, welcher das häßliche
Innere des falschen Propheten vor seinen Verehrern verhüllt, seinen
Lesern gleich zu Anfange der Erzählung lüftet. Dadurch verliert
nun der Schleier, welcher sein schreckliches Angesicht bedeckt, auch
alle seine Zauber und Schauer für uns, und, nachdem wir Mo-
kanna's innere Physiognomie kennen, kann seine äußere uns nicht
mehr erschrecken, und der auf ergreifenden Effect berechnete Mo-

---

*) Z. B. die Beschreibungen der Aufzüge und Feste in dem Palaste
und Harem des Propheten.

ment, in welchem er zum erſten Male den Silberſchleier von ſei=
nem Angeſichte wegzieht, geht an uns ohne Erſchütterung vorüber.
Zelica's Sündenfall aber, wie oberflächlich er auch dargeſtellt wird,
muß nothwendig einen widrig ſchmerzhaften Eindruck auf den Leſer
machen, welchen der Dichter zum Mitwiſſer der Wahrheit gemacht
hat, während jene noch von fanatiſchem Taumel verblendet iſt. Der
Leſer ſieht ſie in die Arme eines hölliſchen Verführers ſinken, und
der Dichter wendet ſich ſcheu und voll Mitleid von der Scene der
ſich einem Teufel opfernden Unſchuld ab; Zelica aber ſchwärmt in
Entzückung dem Himmel entgegen.

> From that dread hour, entirely, wildly given
> To him and — she believ'd, lost maid! — to heaven.

Nachdem nun vollends auch das ſcheußliche Angeſicht des Prophe=
ten ihr und uns entſchleiert erſcheint, ſo iſt Zelica poetiſch ver=
loren und vernichtet, und was uns auch das moraliſche Gefühl zu
ihrer Entſchuldigung ſagen mag, unſer äſthetiſches Gefühl wird
von dieſem Moment an durch ſie zurückgeſtoßen, und es gibt keine
andere poetiſche Rettung für ſie, als ſich freiwillig dem Tode zu
opfern. Das thut ſie auch; aber da ihr Entſchluß, ſich dem Tode
zu weihen, uns nicht eher als entſchieden bekannt wird, bis ſie ge=
troffen niederſinkt, ſo tritt ſie nur in ihrer Abſchiedsrede, kurz vor
dem Schluſſe des Gedichts, wieder in die vollen poetiſchen Rechte
ein, auf welche ſie durch ihre Stellung in dem Ganzen des Ge=
dichts Anſpruch machen darf. Die Abſchiedsrede ſelbſt iſt voll ro=
mantiſcher Sentimentalität und könnte einer ſterbenden engliſchen
Nonne in den Mund gelegt werden, wenn man die Namen Azim
und Zelica ausſtreichen wollte. Dieſe romantiſche Rührung wi=
derſpricht auch dem Charakter der Zelica und ihrer Liebe nicht; aber
ihr Charakter und ihre Liebe widerſprechen dem Geiſte des Orients.
Azim iſt ein Diminutivum des Hafed und intereſſirt mehr durch
ſeine Stellung und Verbindung, als durch ſich ſelbſt.

Die Romanze von der Peri iſt gehaltener und ruhiger, als
die übrigen, und ſpricht uns durch die ſanft gedämpfte Beleuchtung,
welche über dem Ganzen ſchwebt, gemüthlicher an, als der pracht=
volle, unſicher blendende Wechſel von Lichtern und Schatten in der
erſten und dritten Romanze. Die Darſtellung iſt einfacher und be=
ſcheidener, das Gefühl des Erzählers weniger wortreich und anſpruchs=
loſer, und der Styl daher nicht ſo leidenſchaftlich zerriſſen, wie dort.
Der vorherrſchende Geiſt des ganzen Gedichts iſt eine von leiſer
Schwermuth überzogene moraliſche Grazie, und die Peri ähnelt in
dieſem Sinne, nicht allein mythologiſch, ſondern auch poetiſch, einem
gefallenen chriſtlichen Engel, einem weiblichen Abadonna.

Das Licht des Harems, die letzte Romanze, iſt ein wah=

res Rosenfest für die Muse des englischen Dichters, welche sich hier wie trunken in Glanz und Duft umherwiegt. Ein lebendiger und warmer lyrischer Hauch durchströmt die Beschreibungen der paradiesischen Scene, und die Einleitung, welche uns in das Thal Kaschemir einführt, begnügt sich nicht mit gemessenen jambischen Schritten, sondern hüpft in anapästischen Sprüngen voraus. Nachher beruhigt sich zwar die anapästische Ausgelassenheit, und die vierfüßigen Jamben machen sich geltend; aber sobald die schöne Nurmahal erscheint, taumelt die entzückte Muse in ihren anapästischen Tanz zurück. Und so geht es abwechselnd bis zum Schlusse der Romanze fort, in welcher gegen Ende auch eigentlich lyrische Stücke, die Haremsgesänge, vorherrschend werden. Die ganze Romanze in ihrem malerischen Reichthum und ihrer lyrischen Ueberschwänglichkeit möchte ich mit einer jener unter zauberhaftem Schmelze schimmernden Gartenlandschaften vergleichen, welche von vielen schönen, aber sämmtlich kleinen Figuren belebt sind, denen man es ansieht, daß sie um der Scenerie willen dasind, die Scenerie aber nicht um ihrer Gruppen und Stellungen willen.

Wie der kritische Oberkammerherr in den drei ersten Romanzen ein besonderes Aergerniß nimmt an der Gesinnung des Dichters, welche ihm wegen ihres religiösen und politischen Liberalismus überaus gefährlich scheint, so ist sein Urtheil über die letzte desto ästhetischer zu nennen. Er vergleicht das Gedicht mit einem jener Boote, welche die Einwohner der maldivischen Inseln alljährlich in das Meer auslaufen lassen, ohne Ruder und Steuer, ein Spiel der Winde und Wellen, beladen mit Blumen und andern Wohlgerüchen, als ein Opfer des Frühlings für den König der See. Dieses Bild, welches der Oberkammerherr zum Spott und Tadel des Gedichts vorführt, scheint uns gar nicht unpassend, um den Charakter desselben löblicher Weise zu bezeichnen. Denn in dem Rosenfeste von Kaschemir spielen in der That die Blumen, Edelsteine, Perlen, Vögel, Gold, Balsam, und was sonst der Orient noch Duftendes und Glänzendes in seinen Gärten hat, eine so entschiedene Hauptrolle und machen daher, als kleine und kurze Waare, den Gang des Gedichts so leicht, daß die Menschen, welche darin auftreten, in Blumenkelchen Platz finden könnten, so sehr sind sie dem Maßstabe der Scenerie untergeordnet worden.

***

Das zweite, größere, erzählende Gedicht der orientalischen Muse des Thomas Moore erschien im Jahre 1823 und führt den Titel: The Loves of the Angels. Dieser Titel ist nicht übersetzbar für uns, da wir von der Liebe keine Mehrheit haben, und unsre Liebschaften für Engel wohl nicht anständig wären. Die Idee des Gedichts beruht auf einer Stelle in dem fabelhaften Buche Enoch *), worin es heißt: „Es geschah, nachdem die Söhne der Menschen sich in diesen Tagen vermehrt hatten, daß ihnen Töchter geboren wurden, welche schön und reizend waren; und als die En=gel, die Söhne des Himmels, sie erblickten, empfanden sie Liebe für dieselben." Eben diese Stelle hatte zu gleicher Zeit, als Moore noch an seinem Gedicht arbeitete, dem Lord Byron Stoff zu einem Drama dargeboten, welches theilweise, unter dem Titel Heaven and Earth, bald nach der Erscheinung jenes Werkes in der Zeit=schrift The Liberal zuerst bekannt gemacht wurde. Moore berich=tet nun in der Vorrede seines Gedichts, daß die Loves of the Angels ursprünglich dazu bestimmt gewesen wären, eine Episode in einem größern Werke zu bilden, welches ihn, mit Unterbrechun=gen, die letzten zwei Jahre beschäftigt hätte. Als er aber von dem Plane des Lord Byron gehört hätte, habe er es, um nicht nach einem so furchtbaren (formidable) Nebenbuhler aufzutreten, für das Beste gehalten, seine kleine Skizze ohne Verzug in das Publi=cum zu schicken, mit den wenigen Aenderungen und Zusätzen, welche er zu machen noch Zeit gefunden habe.

Das Gedicht, welches auf diese Weise als fragmentarisch an=gekündigt wird, bildet nichtsdestoweniger ein in sich geschlossenes Ganzes, welches dem Anspruche auf poetische Einheit vollständiger Genüge leistet, als Lalla Rookh.

In der Zeit:

> — when the world was in its prime,
> When the fresh stars had just begun
> Their race of glory, and young Time
> Told his first birth-days by the sun;
> When, in the light of Nature's dawn
> Rejoicing men and angels met
> On the high hill and sunny lawn, —
> Ere sorrow came, or sin had drawn
> 'Twixt man and heaven her curtain yet — **)

---

*) Ein Buch, welches in den ersten Jahrhunderten der christlichen Kirche zu den heiligen Schriften gezählt wurde und für ein Werk des Patriarchen Enoch, des Sohnes Jared, galt. Die hierher gehörige Stelle ist c. VII. sect. II.

**) Der Dichter scheint sich in der Bestimmung der Zeit seines Ge=dichts ein wenig verwirrt zu haben. Nach der Einleitung müssen wir an die Zeit vor dem Sündenfalle:
  Ere sorrow came, or sin had drawn etc.
denken. Die Erzählungen selbst aber und namentlich die zweite, spre=

in dieser Zeit der Blüthe begegnen sich eines Abends drei Engel auf
einem Hügel. Alle drei haben Töchter der Erde geliebt, und diese
Liebe hat ihre himmlische Natur so weit verirdischt, daß sie jetzt,
ähnlich den Peri's, in dem Zustande einer reinigenden Prüfung
leben, zwar sehnlich emporblickend nach dem verlornen Himmel, aber
sich doch auch gern an die Augenblicke erinnernd, in welchen „sie
um das Lächeln eines Weibes ihre engelische Seligkeit dahingaben."
So sprechen sie denn auch jetzt vom Himmel, aber noch öfter von
den schönen Augen, welche sie hier unten entzückten. Zwei von ihnen erzählen alsdann ihre Loves, die Geschichten ihrer Liebe, und
an diese Selbsterzählungen schließt sich die Liebesgeschichte des dritten
Engels, die der Dichter uns in eigner Person vorträgt.

Wir möchten den Geist und die Form der Darstellung in die-
sem ganzen Gedicht, so wie die darin herrschende Empfindung und
Betrachtung mit der Romanze von der Peri in Lalla Rookh
vergleichen. Eine sanfte, weiche, ja auch wohl weichliche elegische
Stimmung charakterisirt die drei Erzählungen; und das moralische
Raisonnement, die lyrischen Ergüsse und überhaupt die subjectiven
Elemente, auf die wir oben in dem größern Gedichte des Thomas
Moore aufmerksam gemacht haben, können nicht anders als noch
weiter und breiter hervortreten in einer Liebesgeschichte, welche aus
dem Munde des Liebenden selbst erzählt wird. Die dritte Geschichte
hat zwar eine objective Form, aber ihr Geist ist nicht minder sub-
jectiv, als die Selbsterzählung, und der Dichter, obgleich in dritter
Person vortragend, ist eben so empfindsam elegisch gestimmt und
eben so reich an Betrachtungen, Nutzanwendungen und Herzens-
ergießungen, wie seine gefallenen Engel.

Wir können nicht verbergen, daß, wenn wir auch dem neuen
Gedichte des Thomas Moore manche von den charakteristischen Schönheiten des alten zugestehen, die blühende Malerei der Phantasie, die
warme Innigkeit der Empfindung und eine gewisse formelle Harmonie, die Lecture desselben dennoch ein erschlaffender Genuß ist. Die
elegische Sentimentalität, welche, wie ein poetischer Siroccohauch,
durch das ganze Gedicht weht, trübt und entkräftet das Gemälde
der frischen Welt und scheint uns hier um so unnatürlicher, da
die junge Schöpfung, die beseelte wie die unbeseelte, in der Zeit —

    — when the world was in its prime,
    When the fresh stars had just begun
    Their race of glory etc.

---

chen von dem Falle der Eva und der Vertreibung des ersten Menschen-
paares aus dem Paradiese. Siehe z. B. die Stelle in der zweiten Erzählung:
    I had beheld their first, their Eve etc. S. 43 ff.

doch wohl in kräftigheller und frischer Färbung erscheinen sollte. Die
Loves selbst entsprechen, als Stoff, diesem Geiste der Darstellung
desselben vollkommen. Sie sind von so raffinirter Natur, daß sie
dem letzten Jahrhundert der Welt viel passender angehören könnten,
als dem ersten, wenn man das Zufällige der Engel und der Wun=
der herausnehmen wollte. Eine süße und weiche Sinnlichkeit schläft
in ihnen unter der schillernden Hülle des Platonismus, und die in
ihrer Liebe zu den Engeln nach dem Himmel aufstrebenden Töchter
der Erde begegnen sich in einer Mittelsphäre mit den durch eben diese
Liebe zu der irdischen Natur herabsinkenden Engeln. So wird uns
denn hier mancherlei von Lieben und Geliebtwerden erzählt; aber
wir wissen uns nicht zurecht zu finden in dieser halb idealen, halb
realen Welt und schwanken, wie die Liebenden selbst, zwischen sinn=
lichem und geistigem Verständniß.

Der erste Engel, ein Geist von geringerer Gattung,

Among those youths th'unheavenliest one —

liebte eine zarte Erdentaube, die schöne Lea, und wurde von ihr
geliebt. Aber seltsam genug wird dieses Verhältniß geschildert: die
Erdentochter liebt einen Engel himmlisch, und der Himmelsbürger
liebt die Erdentochter irdisch:

> But vain my suit, my madness vain; [1]
> Though gladly, from her eyes to gain
> One earthly look, one stray desire,
> I would have torn the wings, that hung
> Furl'd at my back, and o'er that Fire
> Unnam'd in heaven their fragments flung;
> 'Twas hopeless all — pure and unmov'd
> She stood, as lilies in the light
> Of the hot noon but look more white;
> And though she lov'd me, deeply lov'd,
> 'Twas not as man, as mortal — no,
> Nothing of earth was in that glow —
> She lov'd me but as one of race
> Angelic etc. etc.

Nachdem nun alle Versuche des Engels fehlgeschlagen sind,
die irdischen Flammen seiner Liebe in irdischer Vereinigung mit der
himmlisch liebenden Irdischen zu stillen, findet er seine Lea eines
Abends nach einem Feste, dessen Wein ihn erhitzt hat, in der ge=
wohnten Laube. Die Einsamkeit, der Mondschein —

Why, why have hapless Angels eyes?

und sollte hier die Liebe nicht siegen? Das Mädchen widersteht
dem Sturme seiner Leidenschaft, und in Verzweiflung will er die

Erde auf ewig verlaſſen. Schon regt er ſeine Schwingen, nur ein
Kuß zum Abſchiede —

> One minute's lapse will be forgiven —

und er ſpricht das Loſungswort (the spell) aus, welches ihn
gen Himmel trägt. Lea, plötzlich wie entzückt, ruft aus:

> The spell, the spell! oh speak it now,
> And I will bless thee!

Der Engel, nicht wiſſend, was er thut, drückt einen Feuerkuß auf
ihre Stirn und ſpricht das Wort aus. Kaum von ſeinen Lippen,
tönt es, wie ein Echo, von den ihrigen wieder, und — ſie fliegt
gen Himmel. Für ihn hat das Wort keine Kraft mehr:

> I did, I spoke it o'er and o'er,
> I pray'd, I wept, but all in vain;
> For me the spell had power no more etc.

Und ſo wandelt er nun, verbannt aus dem Himmel, auf der Erde
einſam umher, ſeine Augen nach einem ſchönen Sterne gerichtet,
zu welchem in jenen Tagen ſeine Geliebte ſich oft emporgeſehnt hatte:

> Oh, that it were my doom to be
> The spirit of yon beauteous star,
> Dwelling up there in purity
> Alone, as all such bright things are!

Aber auch dieſer glänzende Stern und in ihm das Licht ſeiner Liebe
ſchwindet allmälig vor ſeinen Blicken, und er verſinkt immer tiefer
und tiefer in die groben Freuden der Erde:

> And I forgot my home, my birth,
> Profan'd my spirit, sunk my brow,
> And revell'd in gross joys of earth,
> Till I became — what I am now!

Die Geſchichte der Liebe des zweiten Engels iſt eine Parodie
der Fabel von Jupiter und Semele. Rubi, ein Cherub, ein Engel
der himmliſchen Weisheit, ein Jüngling mit ſtolzer Stirn und feurig zuckendem Augenlicht, angezogen von einer Tochter der Erde,
deren kühn aufſtrebender Geiſt in den Himmel eindringen und die
Myſterien der ewigen Wahrheit mit irdiſchen Augen anſchauen
möchte, nähert ſich ihr in menſchlicher Verkörperung und wird ihr
Lehrer. Das Mädchen wird ſo beſchrieben:

> There was a maid, of all who move
> Like visions o'er this orb, most fit
> To be a bright young angels love,

Herself so bright, so exquisite!
The pride too of her step, as light
Along the unconscious earth she went,
Seem'd that of one, born with a right
To walk some heavenlier element,
And tread in places where her feet
A star at every step should meet.
— — — — — — —

— — — — — — .

Twas not alone this loveliness
That falls to loveliest woman's share,
— — — — — — —

— — — . — .

But 'twas the Mind, sparkling about
Through her whole frame — the soul, brought out
To light each charm, yet independent
Of what it lighted, as the sun
That shines on flowers, would be resplendent,
Were there no flowers to shine upon —
'Twas this, all this, in one combin'd,
— — — — — . —

O this it was that drew me nigh
One, who seem'd kin to heaven as I,
My bright twin sister of the sky.

So geistig diese Vereinigung aber auch in ihrem Ursprunge war, so machen doch Lehrer und Schülerin bald die Erfahrung, daß kein Verhältniß gefährlicher für die Doppelnatur des Menschen und des Engels, wie das Gedicht ihn schildert, seyn kann, als jene geistige Ehe des Gebens und Empfangens.

              And yet that hour!

so seufzt der Engel bei der Schilderung der schwachen Stunde, die ihm und ihr mehr raubte, als der Himmel jemals wiedergeben kann. And yet that hour! Tage und Monden fliegen den Glücklichen dahin. Aber:

        What happiness is theirs, who fall!

Die stolze Nebenbuhlerin des Himmels, nicht zufrieden ihren Buhler in irdischer Gestalt zu umarmen, dringt in ihn, sich ihr in seiner engelischen Glorie zu nahen. Ein Traum befeuert ihre Wünsche, und der Engel, der sie nicht mit sich in den Himmel hinauftragen darf, willigt ein, den Himmel zu ihr herabzubringen. Ihr Schicksal ist das der Semele: sie verbrennt in den Armen der Liebe. Dieser Moment ist trefflich geschildert und glüht von kräftiger Lei=

benschaft, wie denn überhaupt die Geschichte des zweiten Engels lebendiger und heller hervortritt, als die der beiden andern. Auch das Gefühl, welches diesen Engel als Strafe in seiner irdischen Verbannung verfolgt, ist sehr verschieden von der lassen Sehnsucht des ersten Erzählers: es ist die Angst des Gewissens, daß die Geliebte, verdammt von dem Höchsten, auch nach ihrem Tode ein Opfer seiner Flammen sey. Dieser Gedanke brennt unauslöschlich in seiner Seele fort, wie das Brandmaal auf seiner Stirn, welches der Abschiedskuß der Sterbenden darauf zurückgelassen hat: that last kiss of love and sin.

Die dritte Erzählung verschwimmt fast ganz in farblosen Nebel. Zaraph, ein Engel der göttlichen Liebe, verliebt sich in eine Sängerin, die Gottes Liebe und Gnade feiert:

— — — — — and such a soul
Of piety was in that song,
That the charm'd Angel, as it stole
Tenderly to his ear, along
Those lulling waters where he lay,
Watching the day - light's dying ray,
Thought 'twas a voice from out the wave,
An echo, that some spirit gave
To Eden's distant harmony,
Heard faint and sweet beneath the sea!

Liebe, Religion und Musik schließen den Bund des Engels und der Sterblichen. Aber bald gewinnt die Liebe zu einem Geschöpfe des großen Schöpfers in beiden die Oberhand über die Liebe zu dem Schöpfer. Gott sieht mit milder Stirn auf diesen Irrthum herab, und die einzige Strafe Zaraph's und Nama's ist, so lange die Erde steht, auf ihr umherzuwandern, die Augen gen Himmel gerichtet:

Whose light remote, but sure, they see,
Pilgrims of Love, whose way is Time,
Whose home is in eternity.

Getrennt schweifen sie durch die Welt, aber sie begegnen einander auch zuweilen in seligen Augenblicken und tragen ihre lange Verbannung mit frommer Ergebung. Denn sie werden dereinst den Himmel finden.

Eine sentimentale Nutzanwendung, zugleich ein Compliment oder eine captatio benevolentiae für schöne und tugendhafte Liebespaare, schließt die Erzählung und das ganze Gedicht. Gott und die Engel wissen allein, wo die Pilgrime jetzt umherwandern oder ruhen. Doch wenn wir einem jungen Paare begegnen — und

nun wird dieses ideale Paar geschildert — so können wir versichert
seyn, daß es hienieden nur ein solches Paar gibt:

> And, as we bless them on their way
> Through the world's wilderness, may say,
> „There Zaraph and his Nama go."

Die Allegorie, welche den drei Loves of the Angels zum Grunde
liegt, ist nicht schwer zu erkennen, und der Dichter hat sie auch
selbst in der Vorrede angedeutet. Es ist der Fall der Seele aus
ihrer ursprünglichen Reinheit, der Verlust des Lichts und der Seligkeit in der Verfolgung irdischer Freuden, und endlich die Strafen
durch das eigne Gewissen und durch Gottes Gerechtigkeit, welche
Unreinheit, Stolz und frevelhaft neugieriges Forschen nach den Ge-
heimnissen des Himmels unabwendbar treffen. In dieser Hinsicht
könnte das Gedicht als eine orientalisch-christliche Parodie der Fabel
von der Psyche gelten.

Es bleibt uns noch übrig, einige Worte zur Charakteristik des
Thomas Moore in Bezug auf seine lyrischen Gedichte zu sagen.
Das lyrische Element in den eben beleuchteten Erzählungen dieses
Dichters hat uns schon auf einige Eigenthümlichkeiten aufmerksam
gemacht, die wir, entschiedener und reiner hervortretend, in seinen
Liedern wiederfinden; und vornämlich sind es die Irish Melodies,
welche alle Hauptaccorde seiner Lyra am stärksten und vollsten an-
schlagen. Daher beschränken wir unsre Kritik auf diese Sammlung.
Die Irländer sind reich an alten Nationalmelodien, deren Worte
zum Theil veraltet, zum Theil dem Geiste der ihnen später unter-
gelegten Gesangweise, deren Urtext verschollen seyn mag, wenig ent-
sprachen. Die alte Musik aber klingt mit voller Gewalt, rührend
und erhebend durch die Herzen des Volkes fort, und um die Wirkung derselben zu steigern, haben mehrere irländische Dichter, neuerdings auch Lady Morgan, versucht, jenen Nationalmelodien neue,
ihrer Form und ihrem Geiste angemessene Worte zu leihen. Aber
alle diese Versuche sind durch Moore's Irish Melodies verdrängt
worden. Der Dichter verband sich zur Herausgabe dieser Sammlung mit einem geistreichen und gelehrten Musiker, dem Doctor
John Stephenson, welcher es übernahm, die alten Weisen, die
zum Theil nur im Munde des Volkes lebten, aufzusetzen und sie
den Gesetzen und Bedürfnissen des gegenwärtigen Standes der Musik
anzupassen, ohne jedoch dadurch in ihre nationale Eigenthümlichkeit
störend einzugreifen. So erschienen nun die Irish Melodies in
mehreren Heften, Text und Musik vereinigt, und wurden mit nationalem Enthusiasmus in ihrem Vaterlande und mit allgemeinem
Beifall auch in England aufgenommen. Die alten Weisen wurden

durch Moore's Worte erst in die gebildeten Classen des Volks ein=
geführt, und viele von den neuen Terten gingen auch in den Mund
derer über, welche ihre Weisen schon früher mit andern Worten ge=
sungen hatten; und auf diese Weise kann wohl behauptet werden,
daß Moore's Irish Melodies aus Pöbelliedern oder Gassenhauern
eigentliche Volkslieder im höheren, wenn auch vielleicht etwas engeren
Sinne des Wortes geschaffen haben.

Das nächste Thema für einen Sänger irländischer National=
lieder mußte Irland selbst seyn; und schon der Verleger der Irish
Melodies hatte in seiner ersten Anzeige derselben verheißen, daß
vaterländische Geschichte und Sitten den Hauptgegenstand der Terte
ausmachen sollten. Welches Thema konnte aber auch dem patriotisch=
liberalen Geiste des Thomas Moore zusagender seyn, als der alte
Ruhm und das neue Elend Irlands? Findet er doch in der Musik
der irländischen Nationalgesänge selbst einen politischen Anklang. Er
spricht sich darüber in einem Briefe an Stephenson aus, welcher vor
der ersten Lieferung der Irish Melodies abgedruckt ist. „Ich hoffe,
wir sind zu einer bessern Periode für Musik und Politik gelangt,
und wie eng diese mit jener, wenigstens in Irland, verbunden ist,
zeigt sich auf das klarste in dem Tone des Kummers und der Nie=
dergeschlagenheit, welcher viele unsrer alten Weisen charakterisirt.“
Dann fährt er fort sich über die Schwierigkeit seiner Arbeit zu
äußern: „Der Dichter, der den verschiedenen Gefühlen, welche die
alten Weisen ausdrücken, folgen will, muß aus ihnen das rasche
Hin= und Herwogen heraushören, welches den Geist aus leichter
Fröhlichkeit plötzlich in finstre Schwermuth hinabreißt; eine Mischung
und ein Wechsel, welche dem Charakter meiner Landsleute eigen sind.
Selbst in ihre muntersten Klänge stiehlt sich eine schwermüthige Note,
und vorüberziehend, wie eine Wolke über den heitern Himmel, macht
sie die Fröhlichkeit interessant.“ Nun fanden sich aber freilich auch
mehre Weisen vor, deren sanfter und milder Ton weder zu patrio=
tischer Erhebung noch zu politischen Klagen stimmte, und solche
wurden dann der Liebe geweiht.

Es ist nicht leicht, den Charakter der lyrischen Muse des Tho=
mas Moore in den Irish Melodies im Ganzen und Allgemeinen
zu bezeichnen: denn der verschiedenartige Stoff, herbeigeführt durch
den verschiedenartigen Ton und Tact der musikalischen Weisen, be=
dingt wiederum eine große Mannichfaltigkeit der poetischen Weisen,
je nachdem das Gefühl des Dichters zu sanfteren oder heftigeren,
helleren oder trüberen Aeußerungen angeregt worden ist. Als ge=
meinschaftliches Kennzeichen aller dieser Nationallieder spricht uns in
ihnen vornämlich eine warme Energie des Gefühls an, welches seine
Fülle nie erschöpft, sondern nach dem Schlusse eines jeden Liedes
gleichsam noch lange nachklingt und austönt. Diese Energie erschafft

auch den gediegenen Drang des Ausdrucks und die kühne Originali=
tät der Sprache., welche in einigen Gedichten bis auf den Klang
der Reime wirkt, z. B. gleich im ersten Liede:

> Go where glory waits thee,
> But while fame elates thee,
>   Oh still remember me!
> When the praise thou meetest
> To thine ear is sweetest,
>   Oh then remember me!
> Other arms may press thee,
> Dearer friends caress thee,
> All the joys that bless thee
>   Sweeter far may be;
> But when friends are nearest,
> And when joys are dearest,
> Oh then remember me!

Die Phantasie des Dichters, welche sich noch durch keine orientalische
Ausflüge gewöhnt hat in blumenreichen Bildern zu schwelgen, ist
hier gleichsam in die Empfindung eingeschlossen und wird von der=
selben beherrscht. Daher ist die Sprache der Irish Melodies ein=
fach und gemüthvoll, und die Phantasie greift nach keinen Bildern,
um zu malen, sondern ihre Bilder sind fast überall verkörperte
Gefühle. Als Erläuterung dessen, was ich mit diesen Worten aus=
gedrückt haben möchte, führe ich das Lied vom Ursprunge der Harfe
(the origin of the Harp) an. Das ganze Gedicht ist nur ein
Bild, aber in diesem Bilde der Harfe lebt die verwandelte Sirene
der Liebe in Tönen fort.

Die patriotischen Gesänge theilen wir in zwei Classen. Die
eine umfaßt diejenigen, welche Erin's alten Ruhm feiern; die andre
die Klagen über den gegenwärtigen Zustand der Sclaverei und Er=
niedrigung, zu denen sich auch Klänge des Trostes und der Auf=
munterung gesellen. In Deutschland würde man diese letzteren Lie=
der demagogische nennen *). Die balladenartigen Stücke der ersten

---

*) Moore charakterisirt diese Lieder selbst in der Schlußstrophe des
Gedichts Oh blame not the Bard:
> But tho' glory be gone, and tho' hope fade away,
> Thy name, loved Erin, shall live in his songs,
> Not ev'n in the hour, when his heart is most gay,
> Will he loose the remembrance of thee and thy wrongs!
> The stranger shall hear thy lament on his plains,
> The sigh of thy harp shall be sent o'er the deep,
> Till thy masters themselves, as they rivet thy chains,
> Shall pause at the song of her captive and weep.

Claſſe ſcheinen uns die mindeſt gelungenen unter allen. Sie ſind
zu modern. Dieſer Tadel ſoll nicht die Meinung ausſprechen, als
wäre etwas Alterthümliches nur in alterthümlichen Formen und
Weiſen darzuſtellen: dieſes alterthümelnde Unweſen haben wir in
Deutſchland zur Genüge würdigen lernen; ſondern es ſpricht uns
in jenen Darſtellungen aus dem Alterthume das nach dem Neuen
hingerichtete Streben des Dichters ſtörend an und verwirrt dadurch
das Bild der geſchichtlichen Helden oder Thaten. Der Dichter will
überall aufregend in das Leben der Gegenwart eingreifen, darum
kann er das Alterthum nicht ruhig anſchauen, und es dient ihm faſt
nur zu einem Mittel des Contraſtes, um dieſen ſeinen Zweck zu
erreichen. Die Ballade duldet aber eine ſolche Tendenz durchaus nicht.

Hiermit haben wir zugleich die zweite Claſſe der patriotiſchen
Lieder als das Feld bezeichnet, auf welchem die Muſe des Dichters
die ſchönſten und eigenthümlichſten Kränze flicht. Dieſe Lieder gehen aus der tiefſten Bruſt des Dichters und aus der unmittelbaren
Begeiſterung deſſelben durch die Zeit hervor. Sie ſind Kinder
der Zeit und des Landes, und unverſtändige Kritiker haben das tem-
poraire Weſen derſelben tadeln wollen. Seltſam! als ob nicht
eben das, was aus irgend einer Zeit lebendig hervorgeht, gerade
deswegen gültig bleiben müſſe für alle Zeiten! Iſt nicht die Lyrik
der Griechen durchaus temporair in dieſem Sinne? Und unſre
Liederpoeſie, verſchwimmend in farbloſe und körperloſe ſentimentale
Allgemeinheit, muß an der Zeit wieder Leben und Kraft gewinnen,
indem ſie dieſelbe innig und ohne vornehme Zurückhaltung umſchließt;
ſie muß dies um ſo mehr thun, da das unpoetiſche Koſtüm die Gegenwart von der dramatiſchen und epiſchen Behandlung ausſchließt
und ſie gänzlich in das lyriſche Gebiet verweiſt. Aber lyriſchen
Stoff bietet jede Zeit und jedes Land dar, mögen ſie die beſten
oder die ſchlechteſten ſeyn. Moore's Irish Melodies liefern die
ſchönſten Belege zu dieſen unſern Behauptungen, und wir erinnern
z. B. an folgende Lieder: Erin, the tear and the smile in
thine eyes etc. Tho' the last glimpse of Erin with sorrow I see etc. Sublime was the warning etc. Like the
bright lamp, that shone in Kildare's holy fane etc. Oh
blame not the bard etc. Through grief and through dan-
ger etc. Tho' dark are our sorrows etc. Weep on, weep
on etc. While History's Muse etc. (Das berühmte Lied auf
den Herzog von Wellington). Where is the slave? etc. 'Tis
gone and for ever etc. Forget not the field etc.

Einen großen Theil der Sammlung nehmen Liebeslieder ein,
welche ſich faſt alle den abgetretenen Gemeinplätzen fern halten, auf
welchen unſre modernen Minneſänger ihre Blumen ſuchen. Einige
haben einen patriotiſchen Anflug, andere reizen durch locale Far-

ben, und die meisten zeichnet jene irländische Nationalphysiognomie aus, welche Moore als charakteristisch in den alten Melodien, denen er seine Poesie untergelegt hat, in dem oben citirten Briefe angibt. Wir meinen the wild sweetness, the melancholy mirth, that unaccountable mixture of gloom and levity, oder wie man sonst jenen interessanten Kontrast benennen will, welcher in der Liebe eine Vereinigung findet. In den meisten dieser Lieder herrscht jedoch die Schwermuth vor: aber sie ist nicht matt und süßlich, sondern stark und von herbem Beigeschmack. Wir machen einige der gelungensten bemerklich: When in death I shall calm recline etc. Believe me, if all those endearing young charms etc. While gazing on the moon's light etc. Oh the days are gone etc. 'Tis the last rose of summer ect. Oh had we some bright little Isle of our own etc. Oh doubt me not etc. Come o'er the sea etc. Auch ein paar von der leichtesten Gattung sind als Muster auszuzeichnen: What the bee is to the floweret etc. und The time I've lost in wooing.

Unter den Liedern vermischten Inhalts machen wir auf die gehaltreichen Gesänge der geselligen Freude aufmerksam. Man wird in ihnen wenig von Wein und Mädchenlippen lesen; der Traubensaft hat in dem Dichter edler und kräftiger gewirkt:

Wenn er dringt bis ins Herz und zu Entschließungen,
Die der Säufer verkennt, jeden Gedanken weckt,
Wenn er lehret verachten,
Was nicht würdig des Weisen ist.

Und so sind denn diese Trinklieder gleichsam nur Gefäße, in welchen der Patriotismus, die Liebe, die Freundschaft und die Moral des Dichters durch das Medium des Weins, in welchem sie zu schwimmen scheinen, nur feuriger und schimmernder hervorleuchten. Dahin gehören die Herz und Geist erhebenden Lieder: Fly not yet etc. Come send round the wine etc. Drink to her etc. This life is all chequer'd with pleasures and woes etc. One bumper at parting ect. Fill the bumper fair etc. As slow our ship etc. Wreath the bowl etc. Ne'er ask the time etc. Drink of this cup etc. Oh banquet not etc.

————————

Es fehlt nicht an deutschen Uebersetzungen von Moores großem Gedicht, und auch die Loves of the Angels haben einen Verdeutscher gefunden. Wir können aber von dem, was uns bisher Uebersetztes und Bearbeitetes aus Lalla Rookh zu Gesicht gekommen ist, wenig oder nichts als gelungen bezeichnen. Ohne

den Reiz des leichten und lebendigen Flusses der Rede, des wohl=
klingenden Verses und des innigen Feuers, welches die Darstellung
durchdringt, ist eine Uebersetzung von Lalla Rookh einer todten
aufgeputzten Puppe zu vergleichen. Breuer's Versuch in den
brittischen Dichterproben *) nähert sich am meisten der Idee,
welche wir uns von einer glücklichen Nachbildung der Lalla Rookh
in deutschen Versen bilden.

Die Irish Melodies können nur von einem dem lyrischen
Geiste des Irländers verwandten Dichter übertragen werden; und
zwar wird diese Uebertragung, wenn sie nicht bloß Worte und For=
men wiedergeben will, sehr frei seyn müssen. Wir machen auf ei=
nige Proben einer solchen freien Uebersetzung von Schmidt von
Lübeck aufmerksam, welche Jacobsen in seinen Briefen über
die neuesten englischen Dichter mitgetheilt hat. Schade
nur, daß dieser treffliche Liedersänger die Versmaße seiner Originale
so willkürlich verändert hat. Diese Maße, bedingt durch die alten
Weisen, sind keineswegs unwesentlich, und dürften höchstens, viel=
leicht zum Behufe der Reimerleichterung, modificirt, nicht aber
ganz aufgegeben und durch neu gebildete von verschiedener Gattung
ersetzt werden. Wir theilen das schöne Lied: die Spätrose, als
Beleg unsres Lobes und unsres Tadels mit.

'Tis the last rose of summer,
  Left blooming alone;
All her lovely companions
  Are faded and gone;
No flower of her kindred,
  No rose-bud is nigh,
To reflect back her blushes,
  O give sigh for sigh!

O Rose roth von Wangen,
  Was blühst du noch allein?
Die Schwestern sind gegangen,
  Und schlafen groß und klein.
Ist keine Knospe blieben
  Und kein verwandtes Herz,
Zu sehnen und zu lieben,
  Zu flüstern Freud' und Schmerz.

I'll not leave thee, thou lone one!
  To pine on the stem;
Since the lovely are sleeping,
  Go, sleep thou with them;
Thus kindly I scatter
  Thy leaves o'er the bed,
Where thy mates of the garden
  Lie scentless and dead.

Du sollst nicht trauernd hangen
  An deinem Dorn allein;
Wo sie sind hingegangen,
  Da schlafe du mit ein!
Die Blätter laß zerstieben
  Und brich, verlass'nes Herz,
Zu schlummern mit den Lieben
  Verblüht und ohne Schmerz.

*) Eine Uebersetzung der Romanze: Paradise and Peri.

So soon may I follow,	Wo Liebe hingegangen,
When friendship decay,	Wo man den Freund grub ein,
And from Love's shining circle	Dahin thut mich verlangen;
The gems drop away!	Was soll ich hier allein?
When true hearts lie wither'd,	Ich kann nicht länger lieben,
And fondones are flown,	Ist kein verwandtes Herz;
Oh, who would inhabit	Die bleiche Welt ist blieben,
This bleak world alone?	Verblüht ist Freud' und Scherz.

Wilhelm Müller.

VIII.

Ueber den gegenwärtigen Standpunct der Logik, in einer Uebersicht der neueren und neuesten Bearbeitungen dieser Wissenschaft.

Daß unser Geist einer unendlichen Entwickelung fähig ist und durch keine endliche Form des Wissens in die Länge vollkommen befriedigt werden kann, beurkundet die Geschichte auf eine einleuchtende Weise. Die berühmtesten Systeme und Theorien ihrer Zeit, wenn sie auch ihren Urhebern die Unsterblichkeit sicherten, zeigten sich dennoch in späteren Jahrhunderten entweder als völlig unhaltbar, oder doch als mangelhaft; von manchen voluminösen Werken leben nur noch einzelne Gedanken fort, um, wie es scheint, der Zerstörungskraft der Zeit zu trotzen; andere haben jetzt nur noch eine historische Merkwürdigkeit, als lehrreiche Verirrungen unsers Verstandes; und wer zählt die Meinungen, die jetzt kaum dem Namen nach bekannt sind und, wie ihre äußere Hülle, in Bibliotheken der Vermoderung entgegengehen? So scheint das unermüdliche Streben, das Ringen nach Erkenntniß das einzige Reelle der Geschichte; und es könnte sich jemand berechtigt fühlen zu der Behauptung: daß nur das Werden, aber nicht das Seyn sey, und daß wir, in dem Glauben, unverwüstliche Gebäude des Wissens zu errichten, es selbst nicht bemerken, wie wir nur flüchtige, minutenlang aufblinkende Bilder in den fortschießenden Strom der Zeit einzeichnen. Aber eben dieselben Annalen des Geistes, welche diese Meinung zu begünstigen scheinen, lassen uns auch manches Beruhigende, Erheiternde lesen. Es hat sich nicht nur nach und nach die Zahl der Forschenden beinahe in allen Wissenschaften sehr vermehrt, wodurch nach Art der Thei-

lung der Arbeit in Manufacturen und Fabriken, eine größere Ge=
nauigkeit in Bestimmung des Einzelnen, so wie eine fortdauernde
Controle möglich gemacht wird; sondern es treten auch immer
größere Partien aus dem Leben der Natur und der Menschheit
in unsern Gesichtskreis, wodurch wir Stoff zu immer vollstän=
digeren Inductionen und Analogien gewinnen und, da die Natur
einfach und consequent ist, die allgemeinen Gesetze in immer schär=
feren Formeln auszudrücken vermögen.   Von unendlicher Wichtig=
keit ist hierbei die glücklichere Ausbildung der Methode, welche ein
Vorzug der neuern Zeit zu seyn scheint.   Einen schlagenden Be=
weis dafür geben die Naturwissenschaften.   Diese waren bis
zum Zeitalter des großen Bako ein sonderbares Gemisch von Er=
fahrung, Schwärmerei, Mystik und Philosophie, worin das weni=
ge Vortreffliche, ächt Wissenschaftliche in keinem Verhältnisse
stand zu dem vielen Gewagten, aus der Luft Gegriffenen.   Als
aber dieser außerordentliche Mann sie auf die wahre Methode lei=
tete und lehrte: die Natur nicht aus vorgefaßten Meinungen
und willkürlichen Systemen zu construiren, sondern durch=freie
Beobachtung und Versuche sich in sie, wie der Schüler in die
Ideen seines Lehrers, hineinzuarbeiten, um sie aus sich selbst zu
interpretiren, und sie dieser Weisung folgten: — seitdem machten
sie reißende Fortschritte und behaupten nun unter den Lehrerin=
nen des Menschengeschlechts eine ruhmvolle Stelle.   Einen noch
größern Beweis von der glücklichen Bearbeitung der Wissenschaf=
ten liefert die Geschichte der Mathematik.   In dieser hat sich
der menschliche Geist ein unvergängliches Denkmal gesetzt und
Eroberungen gemacht, die dauernd und segensreicher sind, als die
vielgepriesenen, aber mit Thränen benetzten der Weltherrscher.   Sie
hat schon längst unumstößliche Gewißheit erlangt, mathematische
Wahrheit gilt für das Symbol des höchsten Grades der Evidenz;
und der Gedanke, sie durch eine Revolution umzugestalten, wird,
wie der Wahn des geistig Verirrten, mehr bedauert, als bekämpft.
Die Natur hat sie sich bereits großentheils unterworfen; seit
kurzem versucht sie es auch, die Psyche zu entschleiern; *) mit
welchem Erfolge, zu beurtheilen, kann hier nicht der Ort seyn.
Selbst mehrere Philosophen, welche doch der Philosophie mit ziem=

*) Siehe J. F. Herbart über die Möglichkeit und Nothwendigkeit,
Mathematik auf Psychologie anzuwenden, Königsbg. 1822 und Dessen
Diss. de attentionis mensura causisque primariis, Regiom. 1822;
so wie: Psychologie als Wissenschaft, neu gegründet auf Erfahrung,
Metaphysik und Mathematik, 1ter Thl. Königsbg. 1824. Der Gedanke
selbst ist nicht neu. Außer den ältern Versuchen nenne ich hier nur den
jetzt ganz vergessenen Körber. Siehe dessen: Versuch einer Aus=
messung menschlicher Seelen. Halle 1746.

lich allgemeiner Zustimmung den ersten Rang unter allen Wissen=
schaften zuerkannten, betrachteten den festen Bau der Mathema=
tik nicht ohne Neid und bemüheten sich, ihre eigenen Lehren in
mathematischer Form auszusprechen; ohne zu bedenken, daß die
Mathematik ihre Sicherheit nicht sowohl ihrer Methode, welche
erst in den neuern Zeiten, nachdem die vorzüglichsten Lehrsätze die=
ser Wissenschaft schon längst bewiesen waren, große und wichtige
Verbesserungen erhalten hat, als vielmehr der Eigenthümlichkeit
ihrer Gegenstände und der Möglichkeit einer großen Anschaulich=
keit selbst in den verwickeltsten Verhältnissen verdanke, und daß,
bei dem Auseinanderstreben der innern Natur der Objecte, der
äußere Zuschnitt nur ein schwacher Kitt ist; der, in der Entfer=
nung eine Gleichheit vorspiegelnd, bei näherer Betrachtung die
überall hervorspringenden Risse und Lücken nur um so kenntlicher
macht. Und gerade diese Incongruenz der Objecte der Mathe=
matik und Philosophie wird kein Kenner beider zu läugnen
wagen.

Insbesondere aber die Philosophie betreffend, so ist es gewiß
ein in der Geschichte des menschlichen Geistes einziges Schauspiel,
daß diese, die Mutterwissenschaft, welche in ihrer uranfänglichen,
unbewußten Regung den Impuls zu allen Wissenschaften gegeben,
obgleich in weit auseinander gelegenen Zeitabschnitten und unter
ganz verschiedenen Völkern und Verhältnissen die größten Män=
ner ihre volle Geisteskraft zu deren Ausbildung anstrengten, den=
noch nie hat eine dauernde Gestalt gewinnen können und gegen=
wärtig bei den Deutschen, dem einzigen gebildeten Volke der neue=
ren Zeit, das in der Verfolgung dieser Idee nicht ermüdet ist,
sich in einem Zustande befindet, dessen Betrachtung den Wahr=
heitsfreund wohl niederschlagen und mit gerechter Besorgniß für
die Zukunft erfüllen könnte. Hier ist seit vierzig Jahren eine
ununterbrochene Reihe von Scenen des Zwiespalts und der Zer=
rüttung aufgeführt worden, wobei der zuerst Auftretende, wenn er
auch seinen Mitkämpfer besiegte, doch sogleich in Gefahr kam,
die Beute des nachfolgenden zu werden, bis zuletzt alle zusammen
ins Handgemenge kämen und durch die gegenseitige Erbitterung, so
wie das Geschrei der Parteigänger, ein solches Getümmel und
Verwirrung entstand, daß die Zuschauer, nicht mehr erkennend,
worüber und weshalb gestritten wurde, nicht ohne lauten Unwillen
sich von der ganzen Gesellschaft abwendeten. Oder wem ist es
unbekannt, wie sehr dadurch die Philosophie in der öffentlichen
Meinung verloren hat? Der schnelle Wechsel der Systeme mußte
selbst große Verehrer der Philosophie abschrecken, irgend ein Sy=
stem auf eine besondere Wissenschaft anzuwenden, weil sie befürch=
ten mußten, daß, bevor sie damit noch recht angefangen, dasselbe

schon durch ein neues verdrängt seyn würde. Noch vielmehr muß=
ten sich die Geschäftsmänner zurückgeschreckt fühlen. Ein System,
nach welchem sich der Staatsmann, der Rechtsgelehrte, der Arzt
u. dgl. in seinem Berufskreise richten soll, muß sich nicht bloß
durch tiefe Forschung und Festigkeit der Principien, sondern auch
durch Klarheit auszeichnen und die Möglichkeit der Ausführung
darbieten. Solche Männer können sich nicht durch die abstrusen,
oft so willkürlich gebildeten Formen der zahlreichen zum Theil dia=
metral entgegengesetzten Systeme hindurcharbeiten, oder so lange
warten, bis ein System über die andern gesiegt hat. Da ihre Ge=
schäfte dringende, ja nicht selten augenblickliche Hülfe fordern; wie
könnte man es ihnen wohl so hoch anrechnen, wenn sie sich lieber
ohne Philosophie, so gut als es eben gehen will, zu behelfen su=
chen, als sich auf den schwankenden Kampfplatz der Systeme zu
wagen? Dabei können wir nicht unterlassen, allen denjenigen,
welchen es an Zeit und Lust gebricht, sich in die zahlreichen Sy=
steme unserer Zeit hineinzustudiren, eine untrügliche Probe zur
Bestimmung des Werths phitophischer Lehren zu empfehlen. Sie
ist folgende: Wenn ein System den unzweideutigen, durch keine
noch so feinen Sophistereien zu entkräftenden Aussprüchen unseres
innersten Bewußtseyns, von denen wir alle geleitet werden, schnur=
gerade entgegen ist; wenn es allen wahren Unterschied zwischen
Natur und Geist, Nothwendigkeit und Freiheit, Gut und Bös,
und damit die Bedingungen der gesellschaftlichen Entwicklung auf=
hebt, so ist es, mag es noch so viel Gelehrsamkeit zur Schau stel=
len, oder bald in gefälliger, schmeichlerischer Sprache, bald in ei=
nem rauhen, anmaßenden Tone von Hunderten als Weisheit ver=
kündiget werden, doch nur eine Truggestalt des Wissens, deren
Einführung und Hegung das öffentliche und Privatleben gleich=
mäßig untergraben würde.

Was aber die Besorgniß um das fernere Schicksal der Phi=
losophie außerordentlich erhöhen muß, ist der gegenwärtige Zustand
der Logik unter uns. Kennern der Geschichte ist es bekannt,
wie diese Wissenschaft durch den systematischen Geist des Platon
und Aristoteles eine feste Gestalt gewonnen, und insonderheit
die logischen Schriften des lezteren als Organon Jahrhunderte
lang mit einer den heiligen Schriften nahe kommenden Auctori=
tät die Geister beherrscht und unter den zahllosen Werken dessel=
ben sich am längsten behauptet haben, so daß weder die von Zeit
zu Zeit gegen dieselben sich erhebende Opposition, noch, bei der gro=
ßen Reform der neuern Zeit, die auftretenden selbständigen Sy=
steme sie zu verdrängen vermochten, und sie im Ganzen die Grund=
lage der neueren Formen dieser Wissenschaft geblieben sind. Selbst
Kant, der Begründer der lezten großen Epoche der Philosophie,

machte in der Vorrede zur Kritik der reinen Vernunft die merkwürdige Aeußerung: die Logik sey schon seit den ältesten Zeiten her einen sichern Gang gegangen, sie habe seit dem Aristoteles keinen Schritt rückwärts thun dürfen, einige Verbesserungen in ihr bezögen sich mehr auf die Eleganz als die Sicherheit; sie habe aber auch keinen Schritt vorwärts thun können, und scheine, allem Ansehen nach, geschlossen und vollendet." Durch eine glückliche Inconsequenz verließ er jedoch gar bald seine eigene Ansicht. Den Haupttheil der Kr. d. r. V., in welchem die wichtigsten Lehren des Systems aneinandergereiht sind, stellte er unter dem Titel der transscendentalen Logik zusammen, d. h. der Wissenschaft der reinen Verstandes = und Vernunfterkenntnisse, wodurch wir Gegenstände völlig a priori denken. Ihre Aufgabe ist: den Ursprung, Umfang und die objective Gültigkeit solcher Erkenntnisse genau zu bestimmen. Was er darauf in den beiden Theilen derselben, der transscendentalen Analytik und Dialektik, von der logischen Function des Verstandes im Urtheilen, von den Kategorien, der ursprünglich-synthetischen Einheit der Apperception, von dem Schematism der reinen Verstandesbegriffe, dem System der Grundsätze des reinen Verstandes; von den Phänomenen und Noumenen, von der Vernunft, den transscendentalen Ideen u. s. w. lehrt, dieses enthält so viel Eigenthümliches, in Gedanken und Sprache von der vorherigen, selbst der aristotelischen Logik, so auffallend Abweichendes, daß damit jene Behauptung nicht mehr bestehen kann. Wir sind demnach befugt, auf Kant's eigenes Verfahren gestützt, um ihn nicht mit sich selbst in offenbaren Widerspruch zu verwickeln, jene wegen ihrer Allgemeinheit unrichtige Behauptung dahin herabzustimmen: daß nur die allgemeine, reine Logik, deren Gegenstand die bloße Form des Denkens ist, durch Aristoteles, im Ganzen und Großen vollendet worden sey. Die Berufung auf Kant's Logik, Königsberg 1800, zur Entkräftung unserer Meinung, müssen wir zurückweisen. Diese Schrift ist überhaupt nicht dazu geeignet, Kant's Eigenthümlichkeit kennen zu lernen. Er war bei seinen Vorlesungen über die Logik zu sehr durch das Meier'sche Lehrbuch (G. F. Meier's Auszug aus der Vernunftlehre, Halle 1752) gebunden. Der Herausgeber aber, Herr Jäsche (Prof. der Philos. in Dorpat), hat sich in der Anordnung der ihm anvertrauten Materialien eben nicht baukünstlerisch gezeigt, indem er, wider die Regeln der edeln Kunst, dem Eingange eine größere Ausdehnung gegeben hat, als dem Hauptgebäude.

Wie in politischen Revolutionen, wenn die vorhandenen Stoffe einmal in Gährung gesetzt worden, und die brennbaren sich entzündet haben, die schnell weiter fressende Flamme auch das für

unzerstörbar gehaltene ergreift, und der durch den Verbrennungs=
proceß reugebildete Staat eine ganz andere Gestalt erhält, als
selbst diejenigen hofften, welche bei der Zerstörung am thätigsten
waren: so wurde auch durch die Kr. d. r. V. zwar die Meta=
physik völlig umgestaltet, aber auch die Anregung zu ganz neuen
Systemen gegeben, und es erhob sich bald ein so kühner Dog=
matism, wie ihn Kant gewiß kaum für möglich gehalten hatte.
Durch die Kritik wurde die reine allgemeine Logik von der trans=
scendentalen ganz abhängig gemacht. Denn diese sollte den reinen
Verstand zergliedern, um den Ursprung der Erkenntnisse a priori
zu finden; sie mußte mithin auch in ihm die Principien a priori
entdecken, welche der reinen allgemeinen Logik, als der Wissen=
schaft von der Form des Denkens, zum Grunde liegen und den
Kanon des Verstandes bilden. Da nun die transscendentale Lo=
gik, so wie die ganze Kritik, dieselben Probleme aufzulösen suchte,
mit denen sich die vormalige Metaphysik beschäftigte, so wurde jene
als bereits vollendet gepriesene Logik in der That von der Metaphysik
abhängig und in das Schicksal derselben mit hineingezogen.

Dies zeigte sich sogleich in der fichteschen Philosophie.
In der Kritik war zwar noch eine Spur des Realism geblieben,
weil sie lehrte: Erscheinungen, als Gegebnes, setzen etwas voraus,
das erscheint, und der erste Impuls zu den Eindrücken, wodurch
das Erkenntnißvermögen zu den Vorstellungen der Objecte bestimmt
wird, liegt in einem außer = und übersinnlichen Substrate, sym=
bolisirt, als Ding an sich, Noumenon; allein indem Kant zugleich
behauptete: die Eintheilung in Phänomene und Noumene ist gar
nicht positiv, ja die Möglichkeit der Dinge an sich ist nicht einmal
einzusehen, und eben so deutlich den transscendentalen oder
kritischen Idealism aufstellte, d. h. den Lehrbegriff, daß die
Erscheinungen nichts als Vorstellungen seyen, welche außer dem
Verstande, in welchem sie sind, keine an sich gegründete Existenz
haben; desgleichen: Raum und Zeit seyen bloß subjective Bedin=
gungen unseres Anschauens; ja selbst das Bestimmte in der An=
schauung, die Verknüpfung zur Einheit, sey lediglich ein Act der
ursprünglichen Spontaneität des Verstandes, der sich nach zwölf
a priori in ihm liegenden Kategorien entfalte: so war in der
That die objective Realität einer von uns verschiedenen, unab=
hängigen Welt, deren Daseyn sich gleichwohl unserm Bewußtseyn
mit unwiderstehlicher Kraft aufdrängt, durch nichts verbürgt, und
Fichte versicherte nicht ohne Grund, sein eigenes System sey kein
anderes, als das kantische, nur mit selbständiger Consequenz durch=
geführt, obschon Kant davon nichts wissen wollte. Wenigstens
die Veranlassung zu der fichteschen Interpretation der Kritik war
nahe genug gelegt. Die Wissenschaftslehre ließ die Dinge

an sich, diese unbekannten und unbegreiflichen Erreger unserer
Sinnlichkeit, ganz fallen; sie ging von dem reinen Selbstbewußt=
seyn, der einfachen, absoluten Handlung des Ich aus und suchte
darzustellen, wie dieses durch eine stetige Reihe freier Handlun=
gen erst Realität außer sich setze und durch eine Art von Ema=
nation in immer weiteren Kreisen um sich ziehe, und dadurch sich
selbst zugleich eine unendliche Aufgabe setze. Auf diese Weise zu
dem Urprincip des Wissens aufsteigend und beides zugleich, die
Principien des Denkens und Erkennens, den Gehalt und auch
die Formen des Wissens, als freie Handlungen des Ich entwik=
kelnd, konnte die Wissenschaftslehre keine andere Wissenschaft über
sich erkennen, und die Logik, als ein selbständiger Kanon des Ver=
standes, mußte in diesem Systeme alle Bedeutung verlieren. „Die
Gesetze der allgemeinen Logik", behauptete Fichte, „und mit ihnen
der oberste Grundsatz der ganzen Logik, werden erst in der Wis=
senschaftslehre deducirt und bestimmt. Die Logik, als für sich
seyende, formale Philosophie, ist gar keine philosophische Wissen=
schaft, sie beruht auf einer zwar möglichen, aber an sich willkür=
lichen Abstraction, auf einer zufälligen Begrenzung der freien Thä=
tigkeit des Geistes. Sie setzt das Erkennen als ein Gegebenes
voraus, die Philosophie aber geht nur bis zur Ableitung des Er=
kennens. Die Logik und die ganze Möglichkeit derselben beruht
auf der Thätigkeit der schaffenden Einbildungskraft; durch diese
müssen alle Grundideen der Wissenschaftslehre hervorgebracht werden.
Der Verstand ist mehr ein fixirtes, ein ruhendes, unthätiges Ver=
mögen des Gemüths, der bloße Behälter des durch die Einbil=
dungskraft Hervorgebrachten und durch die Vernunft Bestimmten
und weiter zu Bestimmenden." Das hier von der schaffenden Ein=
bildungskraft Ausgesagte enthält zugleich ein naives Geständniß
über die Construction der ganzen Wissenschaftslehre. Die schöp=
ferische Phantasie ist allerdings bei ihrer Hervorbringung ganz be=
sonders thätig gewesen; und da sie sich dabei durch die erst aus
freien Acten des reinen Ich zu construirenden Gesetze der Logik
nicht für gebunden halten konnte, so mußte dieses neue System,
trotz der abstrusen, scholastisch ausspinnenden, eintönigen Form doch
mehr das Zeichen eines kühnen Gedichts des menschlichen Geistes,
als einer streng=wissenschaftlichen Production an sich tragen. Fichte
erhebt sich durch eine, nur den Lieblingen der Natur verliehene
intellectuelle Anschauung über das empirische Ich, und das
ganze Gebiet der Erscheinungswelt zum reinen Ich schneidet mit
großer Sorgfalt alle materiellen Fäden ab, welche dasselbe an die
Wirklichkeit knüpfen könnten, und sublimirt es so, daß es nicht im
Stande ist ein einziges objectiv Wirkliches aus sich zu produci=
ren, und, sich in seinem eigenen Phantasien=Netz verstrickend, ge=

zwungen wird, die haltungslose, verachtete Natur als eine reale
zu setzen, um nur einen Grund und Boden zu haben, auf welchen gestützt, das Ich weiter fortstreben kann. Auf diesem Wege
war also für die Vervollkommnung der Logik nichts weiter zu
erwarten.

Schelling, wie sehr er sich auch durch seine Naturphilosophie, welche nach der Wissenschaftslehre gar nicht möglich war,
von Fichte unterschied, stimmte doch mit demselben über die Logik fast ganz überein, wenn man nicht etwa einiges mehr An-
nähernde an die Alten, besonders die platonische Lehre, davon ausnehmen will. Nach seiner Ansicht können die Grundsätze der Logik nicht unbedingt seyn, da sie bloß durch Abstraction von den
obersten Grundsätzen des Wissens entstehen, und folglich diese erst
aufgestellt werden müssen, bevor die Abstraction geschehen kann.
Will man sich hier nicht in einem ewigen Cirkel herumdrehen, so
muß man ein Princip aufstellen, in welchem der Inhalt durch
die Form, und die Form durch den Inhalt bedingt ist. Die gewöhnliche Logik gehört ganz zu den empirischen Versuchen in der
Philosophie, sie unterwirft durch den unseligsten Mißgriff die
Vernunft dem Verstande, dessen Gesetze sie als absolute aufstellt.
Aus dieser bloßen Verstandeswissenschaft entsteht für die Philo-
sophie gar keine Hoffnung. Sollte sie eine wahre Wissenschaft
der Form seyn, so müßte sie Dialektik, reine Kunstlehre der
Philosophie seyn, welche aber, als ganz auf der productiven
Einbildungskraft beruhend, nicht gelernt werden kann. Gleiche
Principien mußten zu gleichen Verirrungen leiten. Das System
Schelling's hat dieselbe unhaltbare Grundlage, wie das fichtesche:
aber das Naturphilosophische in ihm, wodurch es mit der objectiven Welt im Zusammenhange blieb, die Vorspiegelung einer vollkommenen Harmonie in Natur und Geist, die schmeichlerische Anregung der menschlichen Eitelkeit, welche es durch eine leichte, leb-
hafte Sprache in die angenehme Phantasie einwiegte, als könne sie
durch eine Construction des Universums die Geheimnisse der Welt
entschleiern, — dies gewann ihm viele phantasiereiche, zur Schwärmerei und dem Mysticism sich hinneigende Geister, besonders unter
den Theologen, Aerzten, Naturforschern und Künstlern, die es auf
alle Weise zu verbreiten und anzuwenden suchten. Jetzt ist es in
der öffentlichen Meinung sehr gesunken, und die fortdauernde Polemik gegen dasselbe ist keins der schlechtesten Vorzeichen einer bessern Periode der Philosophie. Höchst bemerkenswerth ist noch der
Umstand, daß weder der Meister, noch die Schüler es bis jetzt versucht haben, die Logik als Dialektik und wahre Kunstlehre der
Philosophie zu gestalten und so durch die That zu beweisen, was
die Logik eigentlich ist und seyn soll. Die einzelnen aus dieser

Schule hervorgegangenen Bearbeitungen können nicht als sehr gelungene betrachtet werden. Von dem Meister hätte man dies um so mehr erwarten können, als ihm dadurch die schönste Gelegenheit geworden wäre, sein eigenes System besser zu begründen und dem immer größeren Verfall desselben, den er nun mitansehen muß, vorzubeugen. So aber scheint die Schule einen über die Logik erhabenen Standpunct nur deswegen gewählt zu haben, um auf die Anforderungen derselben nicht hören zu dürfen, und der schaffenden Einbildungskraft zu ihren Productionen desto freieren Spielraum zu geben.

Auf diese Weise war denn die Logik in den Wechsel der Systeme mit hineingezogen. Sie wurde entweder als eine bedingte, untergeordnete Wissenschaft verworfen, oder als transscendentale Logik bei Kant mit der Metaphysik identificirt. Da man nun die Logik allgemein als die Wissenschaft von den Gesetzen, Regeln des Denkens erklärte, jene vermeinte höhere Wissenschaft aber, wie die Wissenschaftslehre und alle ähnliche, in ihrer Construction der logischen Gesetze selbst ein Ganzes von Denkprocessen bildete, was sich doch gesetzmäßig entwickeln sollte, so lag der Gedanke nahe, die Logik selbst als die allgemeine Grundwissenschaft darzustellen, welche in dem Denken das höchste Princip für die gesammte Idealität und Realität, Objectivität und Subjectivität in sich enthalte. Dies war die Grundidee in Bardili's erster Logik, Stuttg. 1800. Er findet ganz im Gegensatz zu den Vorhergehenden das Grundgebrechen der Philosophie darin, daß die Logik für eine bloß formelle Wissenschaft gehalten wurde, da doch im Gegentheil die ganze Metaphysik nur durch die Logik Realität habe, indem durch diese allein der Schlüssel zum Wesen der Natur gegeben sey. „Sie ist die wahre philosophia prima: denn die ganze Wahrheit des Seyns und Erkennens ist nur mit der Wahrheit des Denkens gegeben. Das Eine, was sich in diesem als Eins und Ebendasselbe in Vielem unendlichemal wiederholbar zeigt, ist eben das Eine Unwandelbare in allem Wandel, das durch sich selbst vollkommen Bestimmte sowohl als Bestimmende, in der unbestimmbaren Menge aller möglichen Fälle seines Gebrauchs, (ens unum, verum, bonum.) Durch die Manifestation desselben in der Materie ist erst alle, sowohl objective als subjective, Realität bedingt." Durch dieses System sollte eine Reformation der Philosophie von der Logik aus zu Stande kommen, und die durch Platon eingeleitete, durch Leibnitz weiter fortgesetzte Untersuchung der Realität der Erkenntnisse wiederhergestellt und vollendet werden. Es hat aber trotz dem unverkennbaren Scharfsinne, im Einzelnen unter allen neueren Systemen am wenigsten Aufmerksamkeit erregt und Theilnahme gefunden,

wozu wohl auch die abstruse, bizarre und anmaßende Form das
Ihrige beigetragen hat. Nur Reinhold, der, wie es schien, im=
mer einer fremden Stütze bedurfte und bei dem raschen Syste=
men=Wechsel nicht mehr recht wußte, an wen er sich halten sollte,
hat sich öffentlich für dessen eifrigen Anhänger erklärt. Es litt
übrigens an demselben unheilbaren organischen Fehler, an welchem
das fichtesche und schellingische System erkrankten. Es ver=
langte, als den ersten Schritt zur Philosophie, die Abstraction von
aller Objectivität und Subjectivität des Denkens, und die Erhe=
bung zum Ur=Denken, zum Absoluten, mit dessen Setzung erst die
Möglichkeit zur Objectivität und Subjectivität, Natur und Geist,
gesetzt sey. Allein es ist bis diese Stunde den Beweis schuldig
geblieben, daß dieser Act der Erhebung möglich ist, und daß das
nach geschehener Abstraction von aller Subjectivität und Objec=
tivität übrig Bleibende als das Ur=Denken gedacht werden müsse,
und dieses, im Gesetz der Identität, (A als A in A durch A)
einen modus inalterabilis seines Seyns κατ' ἐξοχήν an unserm
Denken offenbart habe. Es war ein unbegründeter, mit vieler
Keckheit hingestellter Satz: daß die absolute Möglichkeit des Denkens
darauf beruhe, daß wir Eins als Eins und Ebendasselbe im Vie=
len unendlichemal wiederholen können, und das Denken gleich
sey dem Rechnen. Das Ur=Eins sollte zwar, ungeachtet der un=
endlichmaligen Wiederholbarkeit seiner Anwendung, doch an und
für sich niemals eine Vielheit werden, sondern bloß der unverän=
derliche, nicht zu multiplicirende Grund der Möglichkeit irgend
eines Complexes von einer Vielheit seyn: allein, wenn das
Denken und Rechnen identisch sind, so fällt auch das Eins in
seiner unendlichen Wiederholung und Anwendung in Natur und
Geist unter das Schema der Zahl, die zweimalige Wiederholung
gilt das Doppelte der einfachen, es wird Element, und da es an
sich weder Quantitäts = noch Qualitäts = Unterschiede leiden soll,
so läßt sich aus jener nichtssagenden Formel weder die objective
Realität, noch das Leben des Geistes deduciren; die Antithe=
sis des Stoffs, wodurch das Denken, als absolute Thesis,
einen Stoff gewinnen sollte, war ganz erschlichen, und Herr B.
sah sich am Ende der Deduction zu dem Angstgeschrei gezwun=
gen, daß das Ur=Eins, als das Plus über dem Weltsysteme, gleich
einem Aerolithen bei blauem Himmel zum Schrecken der Zuschauer
in das Weltsystem hereingefallen und zu einem Gott gewor=
den sey,*) durch welchen salto mortale denn das kunstreiche
System selbst mitzertrümmerte.

---

*) Erste Logik S. 858.

Sehr ungünstig war der Logik die Lehre, ja die ganze Individualität Jacobi's.   Mit so großer Geisteskraft er auch den
christlichen Theismus gegen die nach seiner Meinung damit un-
verträglichen Systeme seiner Zeit als die allein wahre Lehre zu
erhalten suchte; wie gemüthlich, lebendig und blühend auch seine
Darstellung war: so ungerecht erscheint er in seiner Polemik gegen die demonstrative Erkenntniß.   Zwar scheint er immer nur eine bestimmte Lehre, die spinozische, die leibniz-,
wolfische, kantische, schellingische, zu bekämpfen, allein indem er die Summe seiner Ueberzeugungen in der Doppel-
formel aussprach: a) jede Demonstration in der Philosophie führt
auf Fatalism, Spinozism, Atheism, und b) es gibt eine unmittelbare Gewißheit in dem Leben unseres Geistes, den Glauben
(die Vernunft, die rationale Anschauung nach der späteren Terminologie), wodurch wir Gottes, der Freiheit und des objectiven Daseyns inne werden, und seine Waffen gegen die speculative Vernunft überhaupt richtete, so erschien er den systematischen Köpfen als ein Feind der Vernunft und arbeitete, ohne
es zu wollen, den Verdunklern in die Hände.   Gleichwohl wagte
er es, seine Lehre die allein wahre Philosophie zu nennen, und
das ganz individualisirte, aus geheimnißvoller Tiefe sich entspin-
nende Netz von Gefühlen, Ahnungen, Sehnungen eines bewegten, unendlich reizbaren Herzens, in der Form von freien Erzie-
ßungen, vertrauten Briefen, Dialogen und Romanen, den größten Systematikern aller Zeiten entgegenzusetzen und als Schlinge
aufzustellen, um, sie plötzlich zusammenziehend, sie alle mit einem
Zuge zur Fahne des Glaubens zu ziehen.   Wie hätte unter diesen Verhältnissen die Logik, deren Absicht besonders auf die Möglichkeit und die Bedingungen des Systematischen in den Wissenschaften gerichtet ist, gewinnen können?

Von dem Bisherigen ganz abweichend und sehr originell war
die Art, wie Hegel in der Wissenschaft der Logik 2 Bde.
in 3 Thln. Nürnberg 1812 — 1816 die Idee der Logik bezeichnete und ihre Stelle im System der Wissenschaft bestimmte.   Nach
ihm gründet sich der bisherige Begriff der Logik auf die vorausge-
setzte Trennung des Inhalts und der Form der Erkenntniß, und
darauf, daß die Wahrheit auf der sinnlichen Realität beruhe.   Man
dachte sich den realen Gehalt ganz außerhalb der logischen Formen, als jenseitige, für sich seyende Welt, da doch die Vernunft
selbst das Substantielle, wahrhaft Reelle ist.   Die Logik ist, weit
entfernt, bloß formell zu seyn, vielmehr die, deren Inhalt zugleich
die wahre Materie ist, der Gedanke, insofern er eben so sehr die
Sache selbst ist, das System der reinen Vernunft, das Reich der
Wahrheit, wie sie ohne Hülle an und für sich selbst ist.   Ihr

Inhalt ist die Darstellung Gottes, wie er in seinem ewigen Wesen vor der Erschaffung der Natur und eines endlichen Geistes ist. Die nothwendigen Formen und eigenen Bestimmungen des Denkens sind die höchste Wahrheit selbst. *) Wir sind gewiß weit entfernt, die Selbständigkeit des Standpunctes, den seltenen Scharfsinn und dialektischen Geist des Verf. verkennen zu wollen: wir können uns aber dennoch nicht von der Wahrheit des Grundgedankens dieses Werks überzeugen, und glauben, daß in demselben ganz verschiedene Probleme mit einander vermischt worden sind. Da eine durchgeführte Prüfung dieses gehaltvollen Werks außer den Grenzen dieses Aufsatzes liegt, so wollen wir nur einiges Unharmonische mehr als Gewagtes berühren, was sich auf das Allgemeine bezieht.

Daß die Logik das Reich der Wahrheit enthalte, wie sie ohne Hülle an sich selbst ist, oder gar die Darstellung Gottes, in seinem ewigen Wesen vor Erschaffung der Natur und des endlichen Geistes, ist eine zwar mit großer Kühnheit an die Spitze des Systems hingestellte, aber durch nichts bewiesene Behauptung; ja es ist auch gar nicht einzusehen, wie der Mensch, der auch als Philosophirender doch immer ein endliches, beschränktes Wesen bleibt, zu jener Erkenntniß gelangen könne. Und was hat denn die objective Existenz, was haben die Atome, die Größe sammt den Maßverhältnissen, der mechanische und chemische Proceß, und so vieles Andere, was in dieser Logik abgehandelt wird, mit dem reinen, hüllenlosen Wesen Gottes vor der Schöpfung zu thun? Ganz im Gegentheil: Eben weil es Dinge, Erscheinungen, Mechanism, Begriff, Urtheil, in Summa Natur und endlicher Geist ist, ist es nicht Gott, und von diesem genau zu unterscheiden. Die hegelsche Logik vermischt also entweder beides mit einander, oder sie handelt im Widerspruch mit ihrer eigenen Aufgabe von Gegenständen, welche außer ihrem Gebiete liegen sollten. Ferner: „es soll der Inhalt der Logik seyn, der Gedanke insofern er eben so sehr die Sache selbst ist, der Begriff, als das an sich Seyende, das objective Denken, welches die wahrhafte Materie ist." Gleichwohl wird die Logik getheilt in die Logik des Seyns und des Denkens, in die objective und subjective, wovon die erste an die Stelle der vormaligen Metaphysik tritt, und sich mit dem unmittelbaren Seyn und dem Wesen beschäftiget, insofern es noch nicht der Begriff selbst ist; die andere aber, die subjective, die Logik des Begriffs ist, des Wesens, das die Beziehung auf ein Seyn, oder seinen Schein aufgehoben hat, und in seiner Bestim-

*) Einleitg. XII, XIII.

mung nicht äußerlich mehr, sondern das freie, selbständige Subjective ist (1r Bd. S. 4. 5.). Es wird dann sogar der Begriff in seiner Subjectivität, oder als formeller festgehalten, ja dies ist der wesentlichste Inhalt der Logik des Begriffs (S. 34—192). Es wird also hier ein Gegensatz des Seyns und Denkens, des Wesens und Begriffs fixirt, welcher der Grundidee des Werks zuwider ist. Es scheinen überhaupt die einzelnen Probleme mit ziemlicher Willkür geordnet, und das System selbst zweifelhaft zu seyn, welche es zur subjectiven, und welche zur objectiven Logik rechnen soll. Das Daseyn, die Erscheinung und Existenz setzt es mit Recht in die objective Logik, wiewohl an ganz verschiedene Stellen, ungeachtet dadurch die gleichen Momente bezeichnet werden, die Objectivität selbst aber in die subjective; dagegen wieder die Reflexion und die Idealität, sammt dem Wesen in die objective, die Idee aber und das Leben, so wie den Begriff, als das wahre Wesen, in die subjective, da er doch, der Grundidee gemäß, auch das wahre, objective Seyn ist. In der objectiven handelt er von dem Absoluten, von der Idee aber und der absoluten Idee in der subjectiven, und diese springt nach der Lehre von dem Schlusse plötzlich durch einen ungeheuren Schwung in die Objectivität, den Mechanism und Chemism über, und nach diesen wieder, gleich als ob er mit den Lesern seinen Scherz treiben wollte, zurück in die Definition und die Eintheilung, und von da zur Idee des Guten; die Mechanik und den chemischen Proceß hingegen verlegt das System mit eben so großer Leichtigkeit dann wieder in die Naturphilosophie, und in dieser trägt es auch die Mathematik vor; die ausführliche Lehre aber von den Größen, den Zahlen, dem quantitativen Unendlichen, den Verhältnissen und dem Maße in der objectiven Logik. Wie ist es aber möglich, daß die Größen, der Mechanism und Chemism, sammt der Objectivität überhaupt, ein Gegenstand der Logik sind, d. i. der Wissenschaft der Idee an und für sich, oder der Idee im abstracten Elemente des Denkens; während die Mathematik, die Mechanik, der chemische Proceß, so wie die individuellen Körper Objecte der Naturphilosophie, d. h. der Wissenschaft der Idee in ihrem Andersseyn sind? Oder mit welchem Rechte dürfen die höchsten Denkgesetze, wie der Satz der Identität und des Widerspruchs, und die Begriffe, Urtheile und Schlüsse so auseinandergerissen werden, daß man die ersten in die objective Logik verweist, während die letzteren in der subjectiven ihren Platz finden? *)

---

*) Logik I, 47 — 90, 95, 184 zc. II, 34 — 87, 138 — 185, 213 — 225, subject. Logik 192 — 235, 328. 362. Encyclopädie der philos. Wissenschaften. Heidelbg. 1817. p. 13. 130. 143. 174.

Durch diese und ähnliche Bestrebungen wurde die Logik in den Wechsel der Systeme gezogen, und damit schien die Hoffnung, die Philosophie in die Form des Systems zu bringen, für immer zu verschwinden. Solange die Logik in der öffentlichen Meinung für eine in sich unumstößlich befestigte Wissenschaft galt, so lange hatten die Philosophen doch noch einen Punct, worin sie harmonirten, sie hatten wenigstens ein Regulativ, ein formelles Kriterium, das sie bei ihren Streitigkeiten zum Grunde legen konnten; man durfte nicht ungestraft von willkürlichen Principien ausgehen, falsch schließen, Beweise erschleichen, und wenn man auch den Andrang neuer übereilter Systeme nicht abzuwehren vermochte, so konnte man wenigstens ihrer Verbreitung oder ihrem dauernden Einflusse dadurch entgegenarbeiten. Als sich dagegen der Gedanke geltend machte: die Logik sey als eine auf einem an sich nichtigen Gegensatze des Wesens und der Form beruhende Wissenschaft grundlos, deren Principien anders woher geschöpft werden müßten, schien das letzte Band zwischen den Denkern zu zerreißen und selbst Grund und Boden unter ihnen zu wanken. Mit der Erhebung über die Logik zur absoluten Erkenntniß hielten sich Einige auch nicht weiter an die Gesetze derselben gebunden. Bei den Streitigkeiten perhorrescirte man den Gerichtshof derselben, als einen, dessen Gesetze veraltet und in Verachtung gekommen seyn; und so war man freilich auch sicher, durch denselben nicht verurtheilt zu werden. Sie konnten sich nun der schöpferischen Phantasie überlassen und, die wesentlichen Differenzen zwischen verschiedenen Seelenthätigkeiten aufhebend, Philosophie, Religion und Poesie zu Einem erhabenen Gedicht umgestalten. Damit wuchs die Divergenz der Lehren täglich; einige Schulen, was die Geschichte einst nur mit Widerwillen berichten wird, erlaubten sich eine arrogante, gemeine, nicht selten bis zur Brutalität gesteigerte Polemik, gleich als ob sie mit einander gewetteifert hätten in der Wiedererneuerung der rohen Kämpfe des Mittelalters. So erblickt man denn gegenwärtig in der Philosophie nur vereinzeltes Bestreben, die Auctorität großer Namen ist vernichtet, jeder junge Mann, der kaum die akademischen Studien beendigt hat und in der Geschichte der Wissenschaft noch ein Ignorant ist, entblödet sich nicht die Heroen der Philosophie zu hofmeistern, und das Publicum sieht es mit an, ohne Unwillen, ohne Sinn und Theilnahme. Und damit geht auch der höhere wissenschaftliche Geist in Deutschland (in andern Ländern läßt er sich ohnedieß nur selten blicken) dem Verfall entgegen, weil wegen der Wechselwirkung der einzelnen Glieder des Wissens die Philosophie nicht erschüttert werden kann, ohne daß diese Erschütterung im Innersten einer jeden andern Wissenschaft mitempfunden werde.

Die Theologie schwankt zwischen einem alles Positive vernich=
tenden Rationalism und einer der Vernunft feindlichen Form des
Supranaturalism, welche „alle Speculation für einen unglücklichen
Hang des gesunkenen Menschengeschlechts erklärt, wodurch Gott
nur erniedrigt werde" *). In der Jurisprudenz treibt die im=
mer wachsende historische Schule ihre Untersuchungen bis auf ei=
nen Punct, wo sie ohne philosophische Forschung den größten Irr=
thümern und Einseitigkeiten blosgestellt wird. Die Medicin war
in ihrem theoretischen Theile stets ein fortschreitendes Bild des Wech=
sels philosophischer Systeme. Die Geschichte raisonnirt und
meistert Zeiten und Völker, ohne zu erwägen, daß, wenn nicht
durch den größten Fleiß und die gewissenhafteste Treue zuvor die
Facta dargethan sind, das Raisonniren selbst ein grundloses Ding
ist, welches den Sinn für ächte Forschung mehr vergiftet als
stärkt. In den Naturwissenschaften endlich ist ein solches
Haschen nach Beschreibung des Einzelnen, nach den detaillirtesten
Versuchen und Beobachtungen mit dem individuellsten Apparate,
daß, anstatt der einfachen Größe und den höhern Principien der
Natur sich mehr zu nähern, sie sich immer mehr von denselben
zu entfernen scheinen. In allen bringt man aber mit kleinlichem
Eifer nur auf das unmittelbar ins Leben Eingreifende, Nützliche,
gleich als ob nicht erst der höhere Standpunct das rechte Licht
über die Einzelheiten des Lebens verbreite, und jenes reinere Stre=
ben, wodurch das Edelste in uns Befriedigung sucht, obwohl
scheinbar eine über das Irdische weit hinausgehende Richtung ver=
folgend, doch früher oder später sich an den Staat anschließend,
auf denselben wohlthätig zurückwirke.

Unter solchen Umständen war es gewiß, um unsern Gegen=
stand wieder ins Auge zu fassen, eine verdienstliche Inconsequenz,
daß mehrere Gelehrte aus der kantischen Schule, wie Hoffbauer,
Maaß, Kiesewetter, Krug und einige andere, wider die Ma=
xime des Meisters die logischen und metaphysischen Probleme ge=
trennt zu lösen suchten. Diesem Verfahren verdanken wir die
schätzbaren Lehrbücher dieser Männer über die Logik. Das Ein=
zelne, Mangelhafte zu berühren, liegt, als zu sehr ins Detail füh=
rend, außer den Gränzen unseres jetzigen Unternehmens.

Eine etwas veränderte Stellung zu Kant's Lehre hat das
System der Logik von Fries, 2te Aufl., Heidelberg, 1819.
Dieser scharfsinnige Gelehrte macht das Eigenthümliche seiner An=
sicht, den Lehren der Kritik d. r. V. durch anthropologische Un=

---

*) Worte eines übrigens rühmlich bekannten Theologen, dessen Namen
wir aus Schonung verschweigen.

tersuchung erst eine dauerhafte Grundlage zu geben, auch in der Logik geltend, und stellt zu dem Ende eine anthropologische Logik als Basis der philosophischen (demonstrativen) auf. Die anthropologische fragt nur nach der Natur des menschlichen Verstandes und ist ein Theil der philosophischen Anthropologie. Diese aber unterscheidet sich von der Erfahrungsseelenlehre darin, daß sie sich nicht nur mit Naturbeschreibungen des menschlichen Gemüths im Großen oder Kleinen begnügt, sondern eine Theorie der innern Natur, eine Erklärung der geistigen Organisation unseres Lebens sucht. So richtig nun auch im Ganzen der Gedanke ist, daß die Metaphysik, so wie alle philosophische Untersuchungen, als äußerste Gränze der Deduction gewisse Erscheinungen im Leben unseres Geistes voraussetzen, so scheint dieses doch auf keine Weise hinreichend zur Begründung einer anthropologischen Logik. Denn was auch hier als solche geboten wird, enthält eine Beschreibung der Erkenntniß und Vorstellung, der Sinnlichkeit und Sinnesanschauungen, der Einbildungskraft und des Gedächtnisses, sammt den Gesetzen der sogenannten Ideen-Association, endlich des Verstandes und der Vernunft, so wie im zweiten und dritten Capitel die Formen der Begriffe und Urtheile: — alle diese Probleme sind rein psychologisch, und es ist gar nicht einzusehen, wie sie dazu kommen, für einen Theil der Logik angesehen zu werden. Mit eben demselben Rechte könnte man nicht bloß von einer psychologischen Moral, Rechtslehre u. dgl., sondern selbst von einer solchen Physik, Chemie 2c. sprechen, da alle Wissenschaften zuletzt auf Thätigkeiten des Geistes beruhen. Es scheint aber auch in dem Systeme des Verf. gar keine bestimmte Gränze zwischen der anthropologischen und philosophischen Logik zu bestehen. Die logische Form der Urtheile nach der bekannten kantischen Tafel hat ihre Stelle in der anthropologischen Logik gefunden, die Form der Schlüsse dagegen in der philosophischen, da doch diese Formen nichts sind als Verbindungen jener Urtheile, und wenn z. B. der kategorische Schluß in die philosophische Logik gehört, nothwendig auch das kategorische Urtheil dahin gehören muß. Wollte man vertheidigend sagen: die Formen der Schlüsse werden aus den Denkgesetzen deducirt, so müßte man erwiedern: ob denn die Urtheile nicht ebenfalls auf jenen Denkgesetzen beruhen? Bedenkt man nun noch, daß alle sowohl in der anthropologischen als philosophischen Logik abgehandelten Gegenstände beinahe in derselben Ausführlichkeit wieder im 1sten Bde. der neuen Kritik der Vernunft vorkommen, und daß wir dort im 2ten Bde, wo wir endlich auf die Aufgabe der Metaphysik stoßen, zum dritten Male plötzlich in die Formen der Erkenntnisse geführt werden, und nun durch die empirische und reine Anschauung, ins logische und transscendentale Denken uns versetzen müssen, so wird es nur zu klar, daß im System dieses Denkers die psychologischen, logischen und metaphysischen Aufgaben sehr durcheinanderlaufen. Wogegen uns ·Kant's Wort gilt: „Es ist nicht Vermehrung, sondern Verunstaltung der Wissenschaften, wenn man ihre Gränzen in einander laufen läßt. (Kr. Vorr. VIII.) Diesem Umstande schreiben wir es auch mit zu, daß die Darstellung desselben, der scheinbaren Leichtigkeit ungeachtet, doch nur· selten das ganz Scharfe und Bestimmte hat, das den echt wissenschaftlichen Ausdruck charakterisirt.

Noch weniger können wir die Bemühungen **Schulze's** um die Vervollkommnung der Logik und die Begründung der Philosophie mit Stillschweigen übergehen. Dieser scharfsinnige Denker suchte anfangs den Skepticism gegen die Versuche der theoretischen Philosophie geltend zu machen, und zwar mit dem glücklichsten Erfolge als **Aenesidemus** gegen Reinhold's Theorie des menschlichen Vorstellungsvermögens *); gegen Kant's Kritik hingegen **), wenn auch nicht gleich siegreich, doch wenigstens so, daß dadurch auch dieses System in seinen Grundfesten erschüttert worden, und seine Einwürfe und Zweifel, weil aus der zahlreichen Schule bis jetzt niemand Kanten dagegen vertheidiget hat, noch als nicht gehoben betrachtet werden müssen. Sein Skepticism war aber von den älteren Formen sehr verschieden. Er hielt nicht bloß das Daseyn der Vorstellungen und die Gewißheit alles dessen, was unmittelbar im Bewußtseyn selbst vorkommt und · durch dasselbe gegeben ist, für erhaben über jeden Zweifel, sondern schränkte auch seinen Skepticism darauf ein: „daß in der Philosophie weder über das Daseyn und Nichtdaseyn der Dinge an sich und ihrer Eigenschaften, noch auch über die Gränze der menschlichen Erkenntnißkräfte etwas nach unbestreitbar gewissen und allgemeingültigen Grundsätzen ausgemacht worden sey;" ließ es aber dahin gestellt seyn, ob die gereifte Denkkraft nicht bereinst die Auflösung der philosophischen Probleme finden werde, und war so weit entfernt, alle Hoffnung dieser Auflösung vernichten zu wollen, daß er vielmehr die Vernunft zu einer wahren Erkenntniß ihrer selbst anzuspornen suchte. Allein diese Hoffnung durfte er gleichwohl nicht unterhalten, solange ihm die Philosophie noch die Wissenschaft war der obersten und unbedingten Ursachen alles Bedingten,

---

*) **Aenesidemus**, oder über die Fundamente der von dem Prof. Reinhold gelieferten Elementarphilosophie, 1792.

) **Kritik der theoretischen Philosophie, Hamburg, 1801. 2 Bde.

von deſſen Wirklichkeit wir Gewißheit haben, und daß das oberſte
Princip der geſammten Philoſophie ein Satz ſeyn müſſe, der un=
mittelbar und für ſich ſelbſt gewiß die Erkenntniß der oberſten
Gründe des bedingterweiſe Exiſtirenden enthält und liefert. *)
Denn dann wäre keine Philoſophie möglich, und die Verſuche,
die Philoſophie zu verwirklichen, würden mit der Aufgabe derſel=
ben in fortdauerndem Widerſpruche ſtehen.   Er modificirte des=
halb jene frühere Erklärung mit Recht zu der richtigeren: „daß
das Philoſophiren in der angebornen, über die äußere und innere
Erfahrung hinausgehenden Richtung ihren Keim habe, und die
Philoſophie über den Urſprung und die Beſtimmung der Welt, ſo
wie über den Zweck des menſchlichen Daſeyns, Auskunft zu geben
ſuche. **)   Beſonders in der dritten Ausgabe der Encyclopädie
tritt ſeine Anſicht, auf welche Weiſe die Philoſophie könne dau=
ernd begründet werden, beſtimmter hervor; allein wir können ihm
nicht bis dahin folgen, wenn wir nicht die Abſicht unſers gegen=
wärtigen Unternehmens ganz aus dem Geſichte verlieren wollen.
Seine Logik, wovon die erſte Ausgabe ſchon 1802 erſchien, hat
beſonders in der vierten Ausg. Göttingen 1822, mehrere neue
Zuſätze und Verbeſſerungen erhalten.   Man findet darin manche
intereſſante Bemerkungen, die man in andern Lehrbüchern verge=
bens ſucht, beſonders in Beziehung auf die verſchiedenen philoſo=
phiſchen Syſteme, und manche Vorurtheile der Schulen werden
auch hier kräftig beſtritten, ſo wie die Annäherung an mehrere
Lehren des Platon auch eine erfreuliche Erſcheinung iſt.   Daß
aber die Logik, deren Idee übrigens ſehr richtig entwickelt wird,
nicht mehr Beziehung auf die Möglichkeit der Philoſophie, als
auf die der andern Wiſſenſchaften habe, daß ſie deshalb nur eine
Vorbereitung auf die Philoſophie ſey, und nicht hätte ſollen für
einen Beſtandtheil derſelben gehalten werden, darin können wir
dem Verfaſſer nicht beiſtimmen.   Philoſophie iſt nicht möglich
ohne Zergliederung des Organism des Denkens; damit wird man
aber von ſelbſt zur Aufgabe der Logik getrieben. ' Wir gehen in=
deſſen in eine detaillirte Beurtheilung nicht ein, um uns auch
hier innerhalb der uns geſteckten Gränzen zu halten.

Dies ſind unſeres Wiſſens von den älteren diejenigen, welche
auf die Geſtalt der Logik ſichtbaren Einfluß gehabt und ihren
gegenwärtigen Zuſtand herbeigeführt haben.   Herbart, ſonſt
überall ſcharf und mit wohlgefälliger Betrachtung der eigenen

---

*) Kritik der theor. Philoſophie, 1ter Bd. S. 26. 47.

**) Encyclopädie der philoſophiſchen Wiſſenſchaften. Göttingen
1814. S. 6. 7. 3te Ausg. 1824. S. 8.

Vollkommenheiten über alles vor und neben ihm absprechend, hat sich hier wider Gewohnheit sehr fügsam gezeigt, und in der Voraussetzung, die Logik könne unter allen Theilen der Philosophie am leichtesten aus Büchern studirt werden, auf die Werke von Hoffbauer, Krug und Fries verwiesen. *)

Indessen hat sich seit einigen Jahren unter den jüngern Gelehrten in der Philosophie eine größere Rührigkeit gezeigt, wodurch auch die Literatur der Logik mit mehreren Lehrbüchern vermehrt worden ist. Um den gegenwärtigen Standpunct der Logik vollständig zu bezeichnen, wollen wir den Lesern des Hermes eine kurze Uebersicht derselben mittheilen. Es sind folgende:

1. Grundriß der Logik zum Gebrauch bei Vorlesungen, von Gottl. Wilh. Gerlach, ordentl. Prof. der Philosophie zu Halle. 2te Aufl. Halle 1822. S. 184. 8.

2. Handbuch zu Vorlesungen über die Logik, von H. E. W. Siegwart, Prof. der Philos. an der Universität Tübingen. Tübing. 1818. 2te Aufl. 1824. S. 131.

3. Denklehre, oder Logik und Dialektik, nebst einem Abrisse der Geschichte und Literatur derselben, von Dr. Fr. Calker, außerord. Prof. der Philosophie in Bonn. Bonn 1822. S. 554.

4. Grundriß der Logik und philosophischen Vorkenntnißlehre, zum Gebrauch bei Vorlesungen von Jos. Hillebrand, (Prf. der Philos. zu Gießen). Heidelbg. 1820. S. 261.

5. a) Versuch einer Begründung und neuen Darstellung der logischen Formen, von Dr. Ernst Reinhold. Leipzig 1819. S. 102.

   b) Grundzüge eines Systems der Erkenntnißlehre und Denklehre von Ernst Reinhold (jetzt Prof. d. Philos. in Jena). Schleßwig 1822. S. 167. kl. 8.

6. System der Logik von Dr. Wilh. Esser, Privatbocenten der Philos. in Bonn. Elberfeld, 1823.

7. a) Vorlesungen zur Einleitung in die Logik, von Heinr. Ritter (außerordentl. Prof. der Philos. an der Univers. zu Berlin). Berlin 1823. S. 57.

   b) Abriß der philosophischen Logik, von Dr. Heinr. Ritter. Berlin 1824. S. 278.

8. Grundlinien der Logik zum Gebrauch bei Vorlesungen, von Dr. Franz Ant. Nüßlein, Prof. der Philos. und Di-

---

*) Lehrbuch zur Einleitung in die Philosophie, 3te Ausg. Königsberg 1821. Eine Beurtheilung dieser Schrift befindet sich im Hermes, Jahrg. 1823.

rector des königl. bayer. Lyceums zu Dillingen. Bamberg
1824. S. 98.

Der Verf. von No. 1. ist dem Publicum schon durch meh=
rere ähnliche zweckmäßige Lehrbücher rühmlich bekannt. Er macht
auf Erweiterung der Logik selbst keinen Anspruch, und sucht sich
in einem Mittelwege zu halten zwischen dem ältern formellen und
dem neueren metaphysischen Standpuncte, so daß die Logik, ohne
den Charakter der formellen Wissenschaft zu verlieren, doch in
ihrer allgemeinen wissenschaftlichen Bedeutung klar werde und von
dem Vorwurfe gereiniget erscheine, als sey sie nur eine leere, un=
fruchtbare Formensache. Dies ist ihm auch im Ganzen nicht übel=
gelungen; so wie durch jenes Geständniß zugleich die Kritik ent=
waffnet wird. Vermißt man gleich an ihm die originelle, produc=
tive Kraft, welche sich eine eigenthümliche Bahn bereitet, so ent=
deckt man dagegen andere schätzbare Eigenschaften: Klarheit, Nüch=
ternheit und billige Beurtheilung anderer, die einem jeden wohl
anstehen, und wodurch die Wissenschaft in die Länge oft mehr,
als durch excentrische Genialität, gefördert wird. Zugleich verräth
er aber eine größere Abhängigkeit von der kantischen Lehre, als
man nach seinen übrigen Schriften erwartet hätte. So paradiren,
um nur eins anzuführen, auch hier noch die altväterischen Titel
der Quantität, Qualität, Relation und Modalität
der Urtheile, denen es doch so sehr an einer Deduction fehlt; wo
der Verf. dagegen Eigenthümliches hat geben wollen, da ist er
eben nicht glücklich gewesen. So z. B. will er §. 39 ein neues
Denkgesetz, und zwar das höchste materielle, aufstellen in der For=
mel: „Es muß ein Stoff zum Denken daseyn." Es
bedarf aber keines solchen Gesetzes zu etwas, das sich von selbst
versteht, oder man müßte deren noch mehre aufstellen, z. B.: „Es
muß eine Verbindung (Beziehung) zwischen dem denkenden
Subjecte, dem Ich, und dem Stoffe des Denkens stattfinden,
wenn es zu einem bestimmten Denkacte kommen soll," und mehre
dergleichen, welche wir nicht verrathen wollen. Eben so handelt
er von den höchsten Denkgesetzen in der Lehre von den Begriffen;
von dem Satze des zureichenden Grundes aber erst in der Lehre
von den Urtheilen, da doch beide zusammengehören. Die Lehre
von den Anschauungen, der Einbildungskraft, dem Gedächtnisse rc.
hat verhältnißmäßig eine zu große Ausdehnung erhalten, und den=
noch ist das Verhältniß derselben zum Denken nicht genug heraus=
gehoben, was doch der einzige Grund ist, weswegen sie in der
Logik eine Stelle finden können. Manchmal scheint er durch die
Entfernung von Kant sich selbst zu verwickeln und nicht recht zu
wissen, wie er mit sich daran ist. So z. B. in dem, wie er
Verstand und Vernunft definirt. Verstand nennt er §. 22

in der engsten Bedeutung, das Vermögen der Bildung der Be=
griffe, zum Unterschiede von der weiteren und weitesten. An einem
andern Orte dagegen *) nennt er den Verstand im weitern Sinne
das Reflexionsvermögen und unterscheidet in demselben drei Func=
tionen: den Verstand im engern Sinne (also den Verstand im
Verstande? und dann ist auch ein Verstand denkbar ohne Ver=
stand), die Urtheilskraft und die Vernunft (?). Der Ver=
stand im engern Sinne ist dann das Vermögen der Begriffe, und
Vernunft das Vermögen des Schließens, deren Tendenz auf die
Evidenz in der Erkenntniß geht (worauf geht denn aber der Be=
griff?). Damit stimmt aber §. 67 der Fundamentalphilosophie
gar nicht zusammen, wo wieder der Verstand das systematisi=
rende Vermögen ist, durch dessen Begriffe wir uns zur Er=
kenntniß erheben (und damit doch wohl zur Evidenz?). Nach §. 71
dagegen empfängt die Verstandessphäre erst durch die nothwendige
Vernunftidee Grund und Haltung, so daß also das Erste
wieder das Letzte wird, und das Letzte das Erste, recht wie in
einer Kugel, wo jedes Anfang und Ende ist, oder in der natur=
philosophischen Genesis Gottes, wo der Vater aus Liebe den Sohn
erzeugt, und dann der Sohn wieder aus Dankbarkeit den Vater.

Nr. 2. Kurz, scharf, gründlich, systematisch, aber für den
Anfänger ohne mündlichen Unterricht nicht verständlich.

Nr. 3. Eigentlich ein Handbuch für diejenigen, welche die
Logik studiren wollen, aber keine Vorlesungen mehr besuchen kön=
nen; hingegen ganz unzweckmäßig für die Vorlesungen des Verf.,
wozu es nach der Vorrede auch bestimmt ist. Wir sehen nicht ein,
was der Verf. denjenigen seiner Zuhörer, die im Besitze dieses
Handbuchs sind, ohne sich zu wiederholen oder in andere Gebiete
auszuschweifen, noch sagen und womit er den Raum eines ganzen
Semesters ausfüllen will. Die Geschichte der Logik hat er aus=
führlich von S. 13—198 und mit unverkennbarem Fleiße bear=
beitet: allein wie vieles bleibt auch hier noch zu wünschen übrig!
Wir zweifeln, daß der Verf. von der Unzahl der hier angeführten
Bücher nur die Hälfte gelesen hat: denn sonst würde er gewiß
nicht so vielen alten Schund wieder hervorgesucht haben, welchen
man der Vergessenheit getrost übergeben darf, da durch denselben
die Wissenschaft nicht um eine Linie breit fortgeführt worden ist.
Dieser Wust beschwert das Gedächtniß des Anfängers, ohne ihm
das Geringste zu nützen. Weit zweckmäßiger wäre es gewesen,
wenn er sich auf diejenigen beschränkt, welche die Logik wirklich
gefördert haben, und das Eigenthümliche eines jeden mehr heraus=
gehoben hätte. Und gerade die letzte Periode, von Kant an bis

---

*) Grundriß der Fundamental=Philosophie. Halle 1816. §. 61—72.

auf unsere Zeiten, wo sich seit Platon und Aristoteles die eigen=
thümlichsten Arbeiten finden, hat er am stiefväterlichsten behandelt:
alles seit Kant ist auf noch nicht vier Seiten zusammengedrängt,
und der Verf. hat sich nicht einmal die Mühe gegeben, es nach
Schulen zu ordnen, so daß man von dem Inhalte nicht das Ge=
ringste erfährt, während die Schüler und Gegner des Ramus und
andere sich brüsten, an welche das Papier verschwendet ist. Die
beständige Rücksicht aber auf Platon und Aristoteles in den ein=
zelnen Lehren hat uns am meisten zugesagt. Des Systems der
Logik von Fries hätte der Verf. als dankbarer Schüler wohl
mit mehrem gedenken müssen, da er von dessen Ansicht ganz ab=
hängig geblieben und ihm das Meiste und Wesentlichste verdankt.
Seine Erfahrungslehre vom Denken ist nichts als Fries's
anthropologische Logik in einer andern, meistens gezierten, sonder=
baren Terminologie, mithin Psychologie. Eben so wird niemand
die Eintheilung in Gesetzlehre und Kunstlehre des Denkens
billigen, weil eine Kunstlehre, die nicht Gesetzlehre wäre, ein Un=
ding ist.

Nr. 4. soll nicht bloß Logik, sondern auch philosophische Vor=
kenntnißlehre enthalten. Der Verf. wollte es versuchen, die Logik
dem absoluten Formalismus zu entnehmen und ihr eine
reale Bedeutung zu geben, welche, ohne sich metaphysischen Cha=
rakter anzumaßen, dennoch philosophische Wichtigkeit haben könnte,
zugleich aber auch eine neue Ordnung der Darstellung darbie=
ten. Die Logik vernichte sich in ihrem starren Formalismus
in gewissem Sinne selbst; ihr aber, wie Hegel gethan, eine
rein speculative Bedeutung beizulegen, oder vielmehr sie
für die allein mögliche Speculation auszugeben, sey auch
ein Misgriff — und so wolle er sich zwischen beiden Ansichten
halten. Diese höhere Bedeutung liegt nach ihm darin, daß sich
die Logik auf ein wirklich Reales bezieht, insofern sich das Den=
ken selbst als ein (freilich höheres) Erkennen beurkundet. (Dann
möchte aber wohl die Metaphysik der Logik untergeordnet seyn,
was mit §. 72 nicht zusammenstimmt, wo die Metaphysik als
die Wissenschaft des Wissens bezeichnet wird.) Die Logik zerfällt
ihm in die Elementar=Lehre, von den Urprincipien des
Denkens; in die Functionen=Lehre, von der lebendig=realen
Erscheinung des Denkens nach diesen Grundsätzen, oder von dem
Denken in seiner nothwendigen, regelrichtigen Selbstbewegung, in
welcher es zugleich als ein gehaltvolles hervortritt; und in die
logische Pragmatik, oder von der Art, wie das Denken in der
Totalität des Erkennens sich beweise, d. h. wie dieses eben mittelst
der Durchdringung des Denkens allererst Wahrheit und Wesenheit
gewinnen könne. Als Probe des Ganzen geben wir die neue

Darstellung der höchsten Denkgesetze. „Das Princip der Identität (§. 220) ist diejenige Eigenthümlichkeit des Selbstbewußtseyns, nach welcher es in der Beziehung des Dualistischen oder Vielen auf die Einheit des Geistes letztern stets als sich selbst gleich hervorhebt. Diese beständige Selbstgleichheit des Geistes in der Vermittelung des Vielen kann ein doppeltes Gesetz des Denkens begründen. Einmal fordert diese Identität folgenden Ausdruck der Nothwendigkeit des Verhältnisses: Alles, was zur Einheit vermittelt werden soll, muß in dem Zustande der Vermittlung der vermittelnden Selbstgleichheit des Geistes gemäß seyn. Dies ist das Gesetz der Einstimmigkeit, gewöhnlich Grundsatz der Einerleiheit, principium identitatis, genannt. Sie fordert aber auch zweitens folgenden Ausdruck: Alles, was zur Einheit vermittelt werden soll, darf in dem Zustande der Vermittlung der vermittelnden Selbstgleichheit des Geistes nicht entgegen seyn. Dies ist das Gesetz des absoluten Dualismus oder des Widerstreits, principium contradictionis." Wie man sieht, gibt der Verf. diesen Gesetzen zwar eine ganz eigene, aber, wie wir glauben, unrichtige, ganz willkürliche Deutung, wozu er durch die fichte'sche und schelling'sche Philosophie bestimmt worden zu seyn scheint, in welcher letzteren er überhaupt noch zu sehr befangen ist. Er hat dessen auch kein Hehl. Denn er unterscheidet anderswo *) in der Geschichte des philosophischen Denkens des genialen Schelling „drei Hauptstationen, welche, weit entfernt einander entgegengesetzt zu seyn, vielmehr in gerader Linie liegend, zu der Höhe führen, auf welcher zuletzt der kühne Forscher mit so hellem Glanze fast alle übrige Denker überstrahlte." Uns will es hingegen scheinen, als sey diese Sonne bereits über das Sommer-Solstitium hinaus und in das Zeichen des Krebses getreten, was denn unter andern auch daran merklich ist, daß die Strahlen derselben viel von ihrer Wirkung verloren haben.

In den beiden unter Nr. 5 begriffenen Schriften strebt ein Sohn seinem berühmten Vater auf eine regsame Weise nach. In der ersten, mit a bezeichneten ist der Grundgedanke dieser: „Die höchste Aufgabe der Philosophie konnte bis jetzt nicht gelöst werden, weil man bei den logischen Formen bisher nur den gegebenen Zusammenhang des reinen Denkens und der sprachlichen Vorstellung vor Augen hatte, nicht aber, was doch vorhergehen muß, die Unterscheidung dieser beiden geistigen Thätigkeiten. Daher mußte allen Denkern das Empörende des Widerspruchs entgehen: daß die Regeln der Wiederholbarkeit der sprachlichen Vorstellungen oder

---

*) Geschichte und Methodologie der Philosophie, Heidelb. 1819. §. 461.

die Regeln der Tautologie für die höchsten Grundsätze des mensch=
lichen Denkens, für die Gesetze der wahren Denkbarkeit sowohl
des unveränderlichen Wesens der Dinge, als der wechselnden, er=
scheinenden Gegenstände gelten. Es ist mithin von allen Wahr=
heitsforschern die Eigenthümlichkeit des Denkens im Unterschiede
von der sprachlichen Vergegenwärtigung desselben, und die Gesetz=
mäßigkeit der Vernunft verkannt worden." Der Unterschied zwischen
beiden soll nun in dieser kleinen Schrift dargelegt werden. Es
werden hierauf zuerst die sprachlichen Denkformen der Begriffe,
Urtheile und Schlüsse dargestellt, und dann die reinen Denkgesetze.
Der erste Act des menschlichen Denkens ist die unbe=
wußte Unterscheidung des wahrgenommenen äußeren Gegenstandes
von demjenigen Eindrucke desselben, welchen die Einbildungskraft
festgehalten hat und das Erinnerungsvermögen vergegenwärtiget.
Das durch die Einbildungskraft festgehaltene Bild des Gegenstan=
des im Unterschiede von dem, was dem Gegenstande inhärirt,
nennen wir den gegebenen, unentwickelten, ursprünglichen Be=
griff des äußeren Gegenstandes. Der von seinem sinnlichen Ein=
drucke unterschiedene Gegenstand ist der gedachte Gegenstand.
Die Vermittlung des Denkens durch das Wort ist die sprach=
liche Vorstellung, die man weder mit dem Begriffe, der vor=
gestellt wird, noch als Aeußerung des Denkens mit dem Denken
selbst verwechseln darf. Die zweite That des Denkens ist das
Urtheilen, das ursprüngliche Theilen des Inbegriffs in die ein=
zelnen Merkmale. Auch hier ist das Denken von der sprachlichen
Vermittlung wohl zu unterscheiden. Dieser gehören die Formen
des ursprünglichen Inbegriffs, als des Subjects, des ursprüng=
lichen Merkmals als des Prädicats, und der Copula, durch
welche die Unterordnung bezeichnet wird, an. Nachdem Begriffe
durch wiederholte Anwendung des ursprünglichen Urtheils entwik=
kelt sind, wird das Urtheil zu einem unbeschränkten Gebrauche des
Verstandes geeignet und erscheint als willkürlicher Ausdruck des
Denkens, und so entsteht das willkürliche Urtheil. Es ist
aber der Willkür der sprachlichen Vorstellung eigen, daß sie dem
Denken theils mittelbar, theils unmittelbar zu widersprechen ver=
mag. Die letztere Weise ist die bisher ignorirte und in keinem
Lehrbuche der Logik berührte. Man hat daher die eigentliche Be=
deutung der logischen Gesetze, welche gegen den mittelbaren
Widerspruch gerichtet sind, ganz verkannt. Man hat sie nicht
als die der willkürlichen sprachlichen Vorstellung
durch das Denken gegebenen Gesetze betrachtet, welche
befolgt werden, insofern jene genügende Bedingung von diesem ist,
sondern man hat in ihnen die höchsten Denkgesetze selbst er=
blickt. Der Verstand ist eine Modification des Denkvermögens,

angemessen der Erscheinungswelt, an welcher er sich bildet und festhält. Das Denkvermögen an sich, in seiner Unabhängigkeit von der Verstandesbasis, nennen wir **Vernunft.** Sie ist die Geberin der höchsten sprachlichen Denkgesetze, dem soge= nannten Satze der Identität und des Widerspruchs, welche aber eigentlich in den Einen zusammenfallen: den **Grundsatz des ausgeschlossenen Widerspruchs: Es darf nicht in derselben Vorstellung dasselbe zugleich bejaht und verneint werden.** Auf das ursprüngliche Urtheil, welches keine Willkür der Bejahung oder Verneinung voraussetzt und zuläßt, ist es daher keineswegs anwendbar. Hierauf geht er zur Deduc= tion der reinen Denkgesetze fort. Das erste lautet so: **Es ist ein positiver Unterschied zwischen dem Denken und dem sprachlichen Vorstellen,** und das zweite: **Es ist ein positiver Unterschied zwischen dem sinnenfäl= ligen Gegenstande und dem sinnlichen Eindrucke.** Das höchste Vernunftgesetz aber ist dies: **Es ist ein positi= ver Unterschied zwischen der Vernunftidee der Einer= leiheit und der Verschiedenheit, und zwischen der Vernunftidee der Einerleiheit und der absoluten Einheit.** Die zweite Schrift: Das System der Erkenntnißlehre und Denklehre, führt diese Untersuchungen weiter aus. Die Lo= gik ist dem Vf. die Wissenschaft von der Natur, den Gesetzen und den Bedingungen unsres Denkens, mithin von der Entstehung, der Ausbildung, den Formen und Verknüpfungsweisen unsrer Be= griffe. Insofern sie sich mit den Regeln und Arten der Verbin= dung der im Bewußtseyn schon vorhandenen und entwickelten Be= griffe beschäftigt, ist sie formale Logik; indem sie aber die ur= sprüngliche Erzeugung der Begriffe, den Ursprung des menschlichen Erkennens durch Begriffe und demnach die Entfaltung des Be= wußtseyns darstellt, ist sie transscendentale Denklehre oder die Erkenntnißlehre. Von dieser handelt er zuerst und stellt hier eine Hypothese auf, welche nach seiner Ueberzeugung die einzig wahre zur Erforschung der innern Organisation des mensch= lichen Geistes ist, und gleich der unerschütterlichen copernicanischen, die einzig feste Basis für das System der menschlichen Erkenntniß darbietet. Sie lautet so: „Es gibt einen wesentlichen Unterschied und einen durch die Wortsprache vermittelten Zusammenhang zwi= schen dem sinnlichen und geistigen oder vernünftigen Leben in dem menschlichen Gemüthe, nach welchem die menschlichen Gemüths= thätigkeiten aus rein sinnlichen und rein geistigen Grundthätigkei= ten zusammengesetzt sind" *). Das erste Capitel handelt dann

*) S. 11. §. 8.

von der Entfaltung des Bewußtseyns der Außendinge, und insonderheit von der reinsinnlichen Thätigkeit der äußeren Sinneswahrnehmung, von den ersten Entfaltungsmomenten des menschlichen Bewußtseyns, von der ursprünglichen Begriffsbildung, der Bildung der Schlüsse und dem Bewußtseyn der räumlichen und zeitlichen Verhältnisse. Im zweiten Capitel spricht er von der Entfaltung des Selbstbewußtseyns, und im dritten von den Erkenntnißgesetzen der Vernunft, und zwar von den Erkenntnißgesetzen des erfahrungsmäßigen Bewußtseyns der Dinge, denen des religiösen und denen des sittlichen Bewußtseyns. Der zweite Theil, die formale Logik, ist gar zu stiefmütterlich behandelt worden auf einem Raume von 40 S. in Kl. 8. und schließt mit der Bemerkung: die Lehre von den Definitionen, Eintheilungen und Beweisen bedürfe weiter keiner Berichtigung.

Wir haben den Verf. meist selbst reden lassen, um das Eigenthümliche seiner Ansicht in ihrer Bestimmtheit vor Augen zu legen. Er scheint sich uns auf den nicht sehr glücklichen letzten Standpunct seines Vaters zu stellen und sich den unfruchtbaren sprachlichen Subtilitäten desselben hinzugeben, wobei die Irrthümer Bardill's durchschimmern. So können wir, wenigstens nach den vorstehenden Schriften, den Gewinn, der daraus für die Logik und Philosophie entstehen soll, nicht für bedeutend erkennen und wünschen ihm aufrichtig eine andere Richtung des Geistes. Daß wir seinem Ideengange mit Aufmerksamkeit und Theilnahme gefolgt sind, mögen nachstehende Bemerkungen beweisen. Um zuvörderst die Grundhypothese zu berühren, womit das ganze neue System steht und fällt, so können wir sie für nichts weniger als eine solche halten, welche der Logik und ganzen Philosophie eine unerschütterliche Festigkeit zu geben im Stande wäre. Denn a) kann man wohl nicht sagen: der Zusammenhang zwischen dem sinnlichen und vernünftigen Leben werde erst durch die Sprache vermittelt; die Sprache ist vielmehr Folge, Ausdruck eines schon daseyenden realen Zusammenhanges zwischen beiden. Wäre nicht eine ursprüngliche, nach Entäußerung strebende Kraft in der Seele, und würde diese nicht zugleich durch die Außenwelt angeregt, so würde von der Sprache gar nicht die Rede seyn. b) Das letzte Glied der Hypothesis enthält so ziemlich eine contradictio in adjecto in dem Gedanken der Gemüthsthätigkeiten, welche reinsinnlich seyn sollen; und wie Gemüthsthätigkeiten aus reinsinnlichen und reingeistigen einfachen Grundthätigkeiten zusammengesetzt seyn können, ist schwer zu begreifen. Selbst wenn wir die Hypothese zugeben wollten, so würde doch daraus nicht viel für das System der Erkenntnisse folgen. In der Ausführung aber scheint er theils die Logiker nur durch ein Misverständniß zu tadeln, theils sich

selbst in einem Cirkel herumzudrehen.   Die Logiker haben allerdings die bekannten Denkgesetze für die höchsten erklärt, allein nur
für die formalen, d. h. sie haben behauptet, angenommen, was
eine Thatsache des Bewußtseyns ist, es seyen Denkobjecte gegeben
und es werde ein Denkact vollzogen, so stehe derselbe unter gewissen allgemeinen Gesetzen, ohne deren Befolgung er sich selbst vernichte. Indem sie aber die Logik für eine formale Wissenschaft
ausgaben, verstand es sich von selbst, daß sie nicht leugneten, es
seyen die realen denkbaren Objecte, oder der denkende Geist
selbst noch durch höhere Gesetze bedingt; nur wollten sie diese nicht
in die Logik hineingezogen wissen.   Und Hr. R. ist gewiß nicht
so unwissend in der Geschichte der Philosophie, daß ihm die Versuche der ganzen fichte'schen und schelling'schen Schule, die logischen Gesetze aus höheren Denkacten des Geistes zu construiren,
unbekannt geblieben wären.   Er mußte also seine Behauptung wenigstens sehr beschränken.   Er will ferner das reine Denken, von
der sprachlichen Vergegenwärtigung desselben oder von dem Ausdrucke desselben durch die Sprache genau unterschieden wissen.
Gut! Allein er lehrt auch zugleich mancherlei über das Wesen
des reinen Denkens, über den Ursprung, die Entwickelung desselben, und wie sich daraus allmälig die sprachliche Vorstellung und
das willkürliche Urtheil gestaltet.   Das reine, ursprüngliche Denken zu erkennen ist aber das allerschwierigste; das neugeborne Kind,
indem es sich aus angebornen Elementen allmälig entfaltet, kann
das, was in ihm vorgeht, nicht aussprechen, und der es ausspricht,
wie der Verf., steht schon lange in der Periode, wo, wie er selbst
sagt, Begriffe durch wiederholte Anwendung des ursprünglichen
Urtheils gebildet sind, und die Urtheile, dem unbeschränkten Gebrauche des Verstandes hingegeben, als willkürlicher Ausdruck des
Denkens, als willkürliches Urtheil erscheinen.   Es fragt sich also:
welche Garantie hat der Verf. dafür, daß er durch eine Reihe
willkürlicher Urtheile die Natur des reinen, ursprünglichen
Denkens adäquat bezeichnen könne?   Uns scheint dafür keine vorhanden, und deshalb die ganze Lehre nur geringen hypothetischen
Werth zu haben.   Dies wird um so mehr der Fall, da er bald
(Versuch einer neuen Begründung, S. 32) von reinen Sinnen-
täuschungen, aus welchen ein die ursprüngliche Verstandeserkenntniß betreffender Irrthum entspringe, bald wieder (S. 37) von einer ungetrübten sinnlichen Gewißheit, jetzt (S. 33) von einer un-
erklärlichen, der Verstandeserkenntniß unzugänglichen Uebereinstimmung des positiven Gegenstandes mit dem sinnlichen Eindrucke,
nachher aber wieder von dem ursprünglichen Denken und den höchsten Gesetzen ganz entschieden und so spricht, als ob er eben
davon eine Erkenntniß habe.   Nicht weniger legt er den bekannten

allgemeinen Denkgesetzen, der Identität u. s. w., eine Deutung unter, die sie eigentlich gar nicht haben und nicht haben können. So gibt er auch dem Satze des zureichenden Grundes den Sinn: „im willkürlichen Urtheil muß nicht scheinbar, sondern wirklich, das Prädicat, gemäß dem obersten Grundsatze des ausgeschlossenen Widerspruchs, dem Subjecte zugesprochen oder abgesprochen werden." Allein theils wollen die gewöhnlichen Formeln desselben eben dies einschärfen, daß das, was von einem andern ausgesagt werde, demselben auch wirklich zukomme; theils soll eben dadurch das willkürliche Urtheil, das bei dem Verf. eine so große Rolle spielt, ganz ausgeschlossen werden; theils endlich kann die Formel des Verf. schon deswegen nicht die wahre seyn, weil er sie bloß aufs Subject und Prädicat beschränkt, während doch der Grundsatz allgemein gilt, eben so gut vom hypothetischen Urtheile und von jedem andern Denkacte. Endlich können wohl auch die von ihm substituirten höchsten Denkgesetze auf diese Benennung keinen Anspruch machen. Das erste: „Es ist ein positiver Unterschied zwischen dem Denken und dem sprachlichen Vorstellen," sagt durchaus nicht, was das Denken ist, wie es entsteht, wodurch es bedingt ist, was man doch gewiß von dem höchsten Denkgesetz erwartet. Das zweite hingegen: „Es ist ein positiver Unterschied zwischen dem sinnenfälligen Gegenstande und dem sinnlichen Eindrucke," hat den Fehler, daß es sich bloß auf sinnliche Anschauungen bezieht, während doch das höchste Gesetz des Denkens zugleich das Apriorische des Denkens mitumfassen muß. Doch genug hiervon, damit nicht die Anzeige dieser beiden Schriften außer Verhältniß zu der der übrigen stehe. Wir hegen zu dem Verf. das Vertrauen: er werde auch darin seinem berühmten Vater nachstreben, daß er, wie dieser, für Gegengründe empfänglich und eben so bereitwillig seyn werde, seine ausgesprochene Ueberzeugung gegen eine bessere zu vertauschen.

Nr. 6 ist in dem Renommisten=Tone geschrieben, den jetzt junge Männer gar zu leicht anstimmen; wir würden sagen, in einem burschenschaftlichen, wenn nicht dieser Ausdruck leicht gemißdeutet werden könnte. Man höre! „Ich sahe mich in der Nothwendigkeit, mehr als zwei Drittheile der Logik selber zu entwickeln, ohne daß mir durch die Schriften anderer über diese Wissenschaft ein bedeutender Dienst hätte geleistet werden können. Was in den logischen Büchern gesagt wird, war mir lange vorher bekannt und geläufig, und ich wußte zu diesem schon recht vieles hinzuzusetzen, ehe ich selber anfing die Logik nach dem gegebenen Plane zu bearbeiten." Das Selbstentwickeln macht es in der Wissenschaft nicht, wenn man nicht dadurch auf Anderes

und Besseres kommt. Der Verf. meint es zwar, wie aus dem
Nachfolgenden erhellet, nicht so bös; indessen schadet er sich da=
durch in der öffentlichen Meinung, weil man von einem als Pri=
vatdocent auftretenden jungen Manne gewiß mit vollem Rechte
zweierlei fordern kann: Anerkennung fremden Verdienstes und be=
scheidene Würdigung des eignen, zumal wenn, wie es hier ge=
schieht, die durch die Vorrede sehr gespannte Erwartung so wenig
befriedigt wird. Im Einzelnen läßt er alles so ziemlich beim Al=
ten. Die Logik ist ihm die Wissenschaft von den allgemeinen
und nothwendigen Gesetzen des menschlichen Denkens, insofern diese
Gesetze bloß die Form und nicht den Inhalt unsres Denkens be=
treffen; und er theilt sie in drei Theile, wovon der erste fragt:
Welches sind die Gesetze des Denkens im Allgemeinen? der zweite:
Welches sind die Gesetze des Denkens im Besondern? und der
dritte: Welches sind die Gesetze des Denkens in der Wissenschaft?
Allein dies ist in der That nichts anders als die gewöhnliche Ein=
theilung unter einem etwas veränderten Namen. In dem ersten
Theile scheint er sich etwas besonderes zu Gute zu thun auf das
vollkommen allgemeine Gesetz des Denkens, welches er das erste
nennt, weil er es zuerst gefunden, und so ausdrückt: Jedem
Subjecte kommt das Prädicat zu, welches mit dem
Subjecte selbst oder mit einem Theile desselben ei=
nerlei ist. Man nenne es das Gesetz der Identität. Aber
eben weil es dieses ist, darf er nicht behaupten, es zuerst gefun=
den, sondern nur in eine andere Formel gefaßt zu haben. Die
Formel ist aber eben nicht genau. Denn hat das Subject Theile,
so darf ich demselben als Einheit durchaus nicht ein Prädicat bei=
legen, das nur mit einem Theile desselben einerlei ist. Wäre das
Subject $S = a + b + c + d$ und $a = x$, so würde es ein großer
Fehler seyn zu sagen $S = x$, wohl aber wäre $S - bcd = x$.
Uebrigens enthält das Buch fast nur längst Bekanntes, manches
mit großer Weitschweifigkeit, anderes dagegen wieder mit zu großer
Kürze vorgetragen.

Der Verf. von Nr. 7, schon durch seine Schrift: Ueber
den Einfluß der Philosophie des Cartesius auf die
Ausbildung der des Spinoza, Leipzig 1817. und die Ge=
schichte der jonischen Philosophie, Berlin 1821. rühm=
lich bekannt, versucht sich nun auch in der speculativen Philoso=
phie. In den Vorlesungen zur Einleitung in die Logik (a) sucht
er zu zeigen, daß die bisherige Logik zwar eine Wissenschaft, aber
keine philosophische sey, und die Möglichkeit anzugeben, wie die
letzte begründet werden könne. Zu dem Ende geht er aus von
dem Gegensatze des gemeinen und philosophischen Denkens. Das
erste ist empirisch; das andere geht aufs Ganze und das, was

schlechthin ist.   Philosophie ist diejenige Wissenschaft, welche die Erkenntniß des Ganzen bezweckt und schlechthin wissen will; beide Seiten fallen aber wieder zusammen.   Das Allgemeine, welches die Philosophie sucht, ist aber zugleich das lebendige Ganze, welches seinen Grund allem Einzelnen darreicht.   Die Logik als eine Wissenschaft der bloßen Form des Denkens ist aus dem Verzeichnisse der philosophischen Wissenschaften auszustreichen.   Die Philosophie aber ist im Stande, das, was in der gemeinen Logik angenommen und vorausgesetzt wird, wissenschaftlich zu begründen und aus der Idee des reinen Denkens abzuleiten.   Dadurch erhalten wir die Idee einer philosophischen Logik.   Die philosophische Logik erkennt keine Trennung zwischen der Form und dem Inhalte des Denkens.   Sie will das Denken in seiner Ganzheit begreifen, und daher ist sie nicht allein Wissenschaft vom Denken seiner Form nach, sondern auch von dem Inhalte des Denkens, von dem, was gedacht wird, oder vom Seyn.   Sie betrachtet die Einheit des Denkens und Seyns im Begriffe des Wissens; sie ist formale und reale Logik.   Die sogenannte Metaphysik ist nur ein verfehlter Versuch, die philosophische Logik zu finden.   Aber schon bei Platon war die Dialektik die Lehre von den Gesetzen des Denkens und den Gesetzen des Seyns. Und unter den neuern Philosophen zeichnet sich besonders Spinoza durch seine richtige Einsicht aus, in welcher ihm die Verbindung des Seyns mit dem Denken sich darstellte, wiewohl er sie nicht wissenschaftlich ausgeführt hat.   Philosophische Logik ist also Metaphysik, verbunden mit den Lehren der gemeinen Logik, welche auf ihren Grund zurückgeführt werden.   Da Philosophie die reine Entfaltung des Triebes zum Wissen in seiner Selbständigkeit ist, so kann auch die Logik nur dadurch eine philosophische Wissenschaft seyn, daß sie sich auf diesen Trieb zum Wissen bezieht.   Dadurch wird sie zugleich ein eigenthümlicher Theil der Philosophie.   Die Methode der Logik ist daher auch keine andre, als die der Philosophie, welche aber nur aus der Philosophie selbst hervorgehen kann.

In der philosophischen Logik (Nr. 7 b.) wird nun die Ausführung selbst gegeben.   Sie beginnt nach einer kurzen Einleitung mit allgemeinen Sätzen, in denen besonders die Vorstellung von dem Wissen hervorgehoben wird.   Die beiden Kennzeichen des Wissens sind: daß es volle Ueberzeugung gewähre, und daß es ein Seyn darstelle, und zwar ganz so, wie es ist, so daß auch nicht die geringste Verschiedenheit zwischen dem Seyn und seiner Darstellung im Wissen übrig bleibe.   Einige Einwürfe der Skeptiker werden zwar angeführt, aber ohne weiter darauf zu achten, geschweige sie zu lösen.   Hier hätte aber der Verf., nach

unsrer Meinung, gerade am sorgfältigsten verfahren sollen, und
dann würde er die Grundidee seines Werks gar sehr modificirt
haben. Daß die Gesetze des Denkens auch die Gesetze
des Seyns sind, ist leichter ausgesprochen als durchgeführt.
Wir wollen nur zwei Hauptschwierigkeiten herausheben. Erstens:
wir kennen kein andres Denken, als das menschliche beschränkte,
unvollkommene. Welche Garantie haben wir nun dafür,
daß die Gesetze unsres Denkens Gesetze des Wesens
der Dinge sind? Daß diese Gesetze sich stets auf ein Seyn,
ein Reales, beziehen, leidet gar keinen Zweifel; daß sie oft mit
einem Seyn übereinstimmen, ist eben so gewiß: allein hat nicht
auch die Einbildung, die bloße Vorstellung in uns ein Seyn?
Und wenn wir das Denken auf das objective Seyn außer uns,
die Natur, beziehen, so entdecken wir oft, daß das Denken und
Seyn gar nicht mit einander übereinstimmen. Zweitens: es
hat mehrere philosophische Systeme und Lehren in andern Wissenschaften gegeben, deren Urhebern man scharfe Denkkraft nicht absprechen darf, und die sich gleichwohl als unhaltbar gezeigt haben.
Was aber diesen widerfahren ist, kann andern auch widerfahren;
was unmöglich wäre, wenn die Gesetze des Denkens auch die Gesetze des Seyns wären. Sonach wird das System des Vfs., und
jedes ähnliche, in dem Dilemma verstrickt: entweder Gesetze des
absoluten Denkens in ihrer Identität mit dem Seyn aufzustellen,
welche aber nicht die unsrigen sind, und wodurch man über das
im Bewußtseyn Gegebene zur intellectuellen Anschauung hinaus-
getrieben wird; oder die des menschlichen Denkens, welche dann
nicht zugleich die des Seyns sind.

Hierauf theilt der Verf. die Logik in zwei Theile: in die
Lehre vom elementarischen Bewußtseyn und in die vom
philosophischen. Nachdem er im ersten Theile von den unter-
scheidbaren Thätigkeiten im Denken, von den Theilen, Formen,
dem Inhalte und den Gegenständen der Wahrnehmung gesprochen
hat, kommt er zu dem berühmten Problem von der Möglichkeit einer Gemeinschaft zwischen Geist und Körper.
Und hier trägt er folgende merkwürdige Lehre vor *): „Aeußeres
und Inneres, Körper und Geist, sind zwar der Betrachtungsart
nach entgegengesetzt, doch folgt daraus nicht ein Gegensatz zwischen
dem Seyn, welches uns als Körper, und dem, welches uns als
Geist erscheint. Es ist nicht bloß möglich, daß das, welches als
ein Aeußerliches, Körperliches erscheint, ihm selbst auch erscheint,
und diesem kann es nur als ein Innerliches, mithin Geistiges
erscheinen, weil kein Ding sich selbst äußerlich seyn kann, und um-

---

*) S. 59—63.

gekehrt, daß unser geistiges Ich auch Andern erscheint, und diesen kann es nur als Aeußeres, als Körper erscheinen, — ja, so muß es seyn: (tel est notre plaisir), wenn wir das Aeußere als ein Denkendes betrachten dürfen. Das Aeußere, welches gedacht wird, muß auch ein inneres Denkendes seyn: denn wäre etwas bloß Gedachtes, so wäre es an sich gar nichts, sondern es würde erst dadurch, daß es gedacht würde, und das Denken, welches das Gedachte darstellt, wäre ein reiner Schein und von allem Wissen leer." Diese Deduction enthält ein ganzes Nest logischer Sprünge und beweist augenfällig, wie man eigentlich nicht schließen solle. Was dem Andern erscheinen soll, muß freilich objectiv werden: allein es ist nicht richtig, daß das Ich, das Denkende, dem Andern als Körper erscheine, aus dem sehr einfachen Grunde, weil es ihm gar nicht erscheinen kann. Einen Körper kann er wahrnehmen, Bewegung der Glieder, Klangfiguren können sein Ohr treffen: aber dieses alles ist ja nicht das Ich, der innere, intelligible Grund dieser Erscheinungen. Daß aber das Aeußere, Gedachte auch ein Inneres, Denkendes seyn müsse, ist eine offenbare Uebereilung; der Nerv des Beweises ist ganz kraftlos. Wenn man ein Aeußeres, ein Sinnenobject denkt, so macht man es ja nicht, (und wenn alle Menschen ihr Denken in einen einzigen Denkact vereinigen könnten, so würden sie nicht im Stande seyn ein einziges Blümchen zu machen, geschweige denn die ganze Natur); sondern man faßt es auf, vergegenwärtiget sich dasselbe im Bewußtseyn nach seinen wesentlichen Bestimmungen; deshalb muß man es denken, wie es ist, als grün, cubisch u. s. w., und denkt man es nicht so, so hat man dasselbe gar nicht gedacht.

In der Lehre von den Urtheilen macht er auf manche Schwierigkeiten aufmerksam, läßt sich aber auch hier (S. 66) zu dem Paradoxon hinreißen: „Die nothwendige Form des Verstandes, in welcher wir das Vorübergehende ausdrücken, nennen wir das Urtheil." Bei größerer Aufmerksamkeit hätte er hier sogleich bemerken müssen, daß er durch diese Behauptung seine eigne Lehre von Grund aus zerstört, indem der zweite Theil des Systems eine Reihe von Sätzen über das Absolute, Ewige und die Gottheit enthält, die sämmtlich Urtheile sind. Auch hier hätten wir über seine Ideen von der Welt, ihren Gegensätzen und dem transscendentalen Begriffe Gottes noch manches hinzuzusetzen, so wie über seine Lehre von den Schlüssen, den Beweisen u. s. w.: wie unterdrücken es aber, um nicht die Gränzen dieser Abhandlung über Gebühr auszudehnen. Möchte doch der achtungswürdige Verf. seinen Beruf nicht verkennen! Er hat die Bahn der Geschichte der Philosophie mit vielem Glück betreten. Möchte er uns recht bald mit der Bearbeitung eines größeren Abschnitts derselben erfreuen, wozu wir die Geschichte der ganzen griechischen Philosophie vorschlagen; in der speculativen Philosophie hingegen seine Kräfte zuvor noch mehr prüfen! Hier dürfte er weniger Glück haben.

Nr. 8 ist unbedeutend und erinnert in Gedankengang und Form gar zu auffallend an Klein's Anschauungs = und Denklehre, Bamb. 1818. Für seine Zuhörer mag es brauchbar seyn: aber die Wissenschaft hat es nicht weiter gebracht.

Pr. B.

IX.

Zur neuesten Geschichte von Mexico.

Indem wir die Beistimmung unserer Leser zu erhalten glauben, wenn wir die großen, im spanischen und portugiesischen America vorgehenden Bewegungen, deren Folgen, sie mögen sich entwickeln wie sie wollen, auf jeden Fall im Herzen von Europa tief empfunden werden müssen, in den neuesten darüber erscheinenden Schriften vorzüglicher Beachtung werth finden, können wir wohl keinen bessern Anfangspunct, keine sichrere Grundlage künftiger Beurtheilung gewinnen, als wenn wir das Wesentlichste einer unbefangenen und sachverständigen Darstellung geben, welche im Aprilhefte (No. LXIX) des Quarterly Review von diesem Jahre geliefert worden ist. Da die beurtheilten Schriften, zumal die in Mexico selbst gedruckten von Guerra, Cancelada, Villaurrutia, und die Zeitschrift Aquila Mexicana wohl schwerlich in Deutschland zu haben seyn dürften, so haben wir uns um so eher bewogen gefunden, die englische Beurtheilung derselben aufzunehmen. Wir werden an dieselbe die Anzeige neuerer Werke, der Memoiren des Exkaisers Augustin Iturbide (Lond. 1824 u. übersetzt, Leipz. b. Brockhaus 1824) und späterhin der Six Months residence and travels in Mexico, by W. Bulloen Lond. 1824, anknüpfen.

Die Redaction.

1. Memoirs of the Mexican Revolution and of General Mina. By W. D. Robinson. 2 vols. 8.

2. History of Guatimala, in Spanish America. Translated from the Spanish of Don Domingo Juarres, by J. Baily. 1 vol. 8.

3. Historia de la Revolucion de Nueva España, ó verdadero Origen y Causas de ella etc. etc. Por Don José Guerra, Doctor de la Universidad de México. 2 vols. 8.

16*

4. Origen de la Espantosa Revolucion de Nueva España commenzada en Setiembre. Por Don *Juan Lopez Cancelada*.

5. Apuntes Historicos del Señor *Villaurrautia*, Vocal de las Cortes de España.

6. Aguila Mexicana.

Während wir durch Falkners Werke über Patagonien, durch Dobrizhoffers über die Abiponer, durch Molina und Vidaurre über Chili, durch Depons, Gilij und Poterat über Neu=Grenada oder Terra Firma, durch Condamine und Azara, durch Ulloa, Unanue und Sobreviella über Neu=Granada, jetzt Columbia genannt, und über Peru hinreichende Belehrung erhalten haben, fehlte es in Bezug auf Mexico, dessen Reichthum und Bevölkerung das Ganze dieser Provinzen zusammen übertrifft, fast ganz an echten Nachrichten, bis Humboldts Schriften *) erschienen, dessen Nachforschungen schon vor länger als 20 Jahren beendet waren. Mexico sowohl, wie das König= reich Guatimala, obgleich gegen Besuche der Ausländer nicht stren= ger verschlossen, als die andern von uns erwähnten Länder, und obgleich reicher, als sie, an Gegenständen der Wißbegierde und des Erwerbes, ist doch bis jetzt noch von wenigen Fremden besucht worden, und keiner dieser wenigen hatte seit Gage, Dampier und Wafer (denn die Voyage de *Chappe d'Auteroche* en California können wir kaum als solche anerkennen, da sie nichts als astronomische Bemerkungen enthält,) Nachrichten darüber be= kannt gemacht. Die deutschen Mineralogen und Bergbauverstän= digen, welche zu verschiedenen Zeiten vom madrider Hofe nach Mexico gesandt wurden, haben ihre Mittheilungen so sehr auf die Gränzen ihres Fachs beschränkt, daß in keiner ihrer Schriften auch nur ein Zug zu einem allgemeinen Gemälde des Landes, des Cha= rakters und des Zustandes der Einwohner, oder die Beschreibung irgend eines andern Productes, als mineralogischer, zu finden ist.

In den letzten dreizehn Jahren, wo sich Mexico, wie alle andere spanische Colonien, in einem Zustande der zerstörendsten Anarchie befand; wo wir mit Geschichten von Revolutionen, die, kaum begonnen, wieder zu Ende waren; mit ephemeren Constitu= tionen, mit Erzählungen von Schlachten in unbekannten Gegen= den, über unbekannte Feinde und von eben so unbekannten Ge= neralen gewonnen, überschwemmt wurden; wo man uns in den

---

*) Ins Englische übersetzt von John Black: Political Essay on the Kingdom of New Spain etc. Lond. 1811. 1812. IV. 8·

Zeitungen von Santa Fé, Lima, Buenos Ayres und San Jago mit prachtvollen Berichten von den Einkünften, Erzeugnissen und dem Gemeingeiste der Einwohner unterhielt; wo man den englischen Capitalisten eine schöne Gelegenheit zeigte, ihr überflüssiges Geld loszuwerden, und mancher Abenteurer, dem ein friedlicher Zustand unerträglich war, sich verleiten ließ, gemeinschaftliche Sache mit ihnen zu machen: — während alle dem schwieg das einzige in Mexico erscheinende Journal (die Aquila Mexicana) fast ganz über alle Ereignisse, welche nicht von geringerer Wichtigkeit sowohl für die Urheber, als für die Opfer dieser großen Erschütterungen waren. In Südamerica suchten die Häupter die Theilnahme und Hülfe bei dem Auslande; in Mexico konnte man sie zuerst nur von Spanien erwarten.

Obgleich der Zustand der Bevölkerung Mexico's, bis auf Humboldt, von allen andern Schriftstellern sehr falsch angegeben, und seine Fortschritte in der Cultur nur wenig bekannt worden waren; so hatte man doch einige Ahnungen von dessen großer Wichtigkeit, und Versuche es zu erobern wurden während der häufigen Kriege zwischen England und Spanien gemacht. Die Aufmerksamkeit Cromwell's war darauf gerichtet, und die Schriften des abtrünnigen Priesters Thomas Gage bereiteten die Gemüther des englischen Publicums auf einen solchen Versuch vor. Die einträgliche Insel Jamaika, die Frucht dieses Projectes, gewährte glücklicher Weise reichlichen Ersatz für die Vereitelung unserer anderwärtigen Unternehmungen. Vernon's Angriff auf Portobello und die Reihe der darauf folgenden Operationen gegen Carthagena und andere Theile des spanischen Gebiets, entstanden aus den damals nur zu gewöhnlichen übertriebenen Begriffen von ihren unermeßlichen Reichthümern, und wurden durch eine sehr irrige Schätzung der relativen Wichtigkeit der zu erobernden Puncte geleitet. Die Einnahme von Havanna im Jahr 1762, (wären wir im Besitz dieses Orts geblieben) würde einen sehr bedeutenden Einfluß auf Mexico gehabt haben, weil es, wegen seiner Lage gegen das westliche Ende von Cuba, den Zugang von Mexico zwischen Cape Catoche und Cape Antonio, und den Ausgang zwischen diesem und Cape Florida beherrscht. Da der Wind beständig günstig ist, so sind wenige Tage hinreichend, einige Schiffe und Truppen von Havanna nach jedem andern Theil der mexicanischen Küste zu bringen; und daher ist diese stark befestigte Position von den Spaniern sehr richtig für den Schlüssel zu den ausgebreiteten Gebieten, welche den Meerbusen von Mexico einschließen, erkannt worden. In den Kriegen, die seit der Einnahme von Havanna geführt wurden, und hauptsächlich in dem, welcher aus dem französischen Revolutionskriege folgte, mußte Mexico die Blicke unserer Ministerien öfters auf sich ziehen; aber obgleich zu einer gewissen Zeit der Regierung die Eroberung dieses Landes vom Herzog von Orleans sehr dringend empfohlen wurde, indem er gern dessen Beherrscher geworden wäre, so ward doch nie ein ernstlicher Schritt dazu gethan.

Welche Wünsche auch früher, in Beziehung auf den Besitz von Mexico, gehegt worden sind, so sind sie jetzt doch lange aufgegeben. Wir glauben die Behauptung wagen zu können, daß bei uns (in England) keine Partei, keine Classe von Individuen, noch irgend eine einzelne Person von leidlich richtiger Einsicht, irgend einen Theil des spanischen Amerika (nämlich des Festlandes) zu erobern wünscht. Wir müssen vielmehr dieses interessante Land jetzt aus einem andern Gesichtspuncte betrachten: Es ist jetzt nicht mehr als eine Colonie anzusehen, welche, reichhaltig an Geldquellen, einem Feinde angehörte und ihres Reichthums wegen ein zweckmäßiger Gegenstand kriegerischer Angriffe seyn kann; sondern es ist ein von seinen ursprünglichen Besitzern ganz unabhängiges Land.

Aus diesem Grunde wird unsern Lesern eine kurze Beschreibung desselben, nebst einer zuverlässigen Darstellung der hauptsächlichsten Ereignisse, welche dessen gegenwärtigen, unabhängigen Zustand herbeigeführt haben, nicht unangenehm seyn.

Von dem Anblicke dieses Landes kann man sich am besten eine Vorstellung machen, wenn man die hohen Bergketten der Andes verfolgt (bedenkt), welche sich in verschiedenen Zweigen von dem einen Ende der südamerikanischen Halbinsel bis zu dem andern erstrecken, bei der Landenge von Darien zusammenkommen und zwischen den beiden Weltmeeren in einer, anfänglich geringen, dann immer zunehmenden Erhöhung durchgehen, bis sie das Königreich Mexico betreten und sich daselbst in eine weite Fläche ausbreiten, die abwechselnd 6,000 bis 8,000 Fuß über die angrenzenden Seen erhaben ist. Obgleich diese Fläche als eine weite Ebene betrachtet werden kann, so erheben sich doch auf derselben Gruppen vulkanischer Berge, deren Spitzen, von 14,000 bis 17,000 Fuß Höhe, mit immerwährendem Schnee bedeckt sind. Diese Ebene nimmt gegen Norden allmählig an Breite zu und an Höhe ab, bis sie, etwa 650 geogr. Meilen von ihrer südlichen Gränze, nur noch eine Höhe von etlichen hundert Fuß über der See behält, aber von einigen Ketten hoher Berge durchschnitten ist, deren Spur bis in die fernsten Puncte von Nordamerika verfolgt werden kann. Diese hochliegende Fläche wird von beiden Seiten durch Strecken Landes, abwechselnder Breite, begränzt, welche sich zwischen den Bergen und dem Meer

busen von Mexico auf der östlichen Seite und dem stillen Meer
auf der westlichen Seite des Königreichs hinziehen.

Da diese unermeßliche Ebene während des größten Theils
des Jahres über die Wolken erhaben ist, so dürrt der Boden
aus und bekömmt unzählige tiefe Spalten, die der Oberfläche
alle Feuchtigkeit entziehen. Nimmt man dazu noch den großen
Mangel an Flüssen, die, meistentheils am Fuß der Berge entspringen, nur von kurzem Lauf sind, so ist es leicht zu begreifen,
daß sie einen kahlen, unfruchtbaren Anblick gewährt, der an die
Ebenen der beiden Castilien erinnert; ein Umstand, welcher auch
die Nachfolger von Cortez bewogen haben mag, ihr den Namen
Neu=Spanien beizulegen. Manche große Bezirke sind ohne alles
Wasser, und in einigen Theilen gibt es weite, mit Kalk und
Kochsalz, oder mit Salpeter und andern salzigen Substanzen,
welche sich mit einer unbegreiflichen Schnelligkeit weiter ausbreiten, bedeckte Flächen. Wegen dieses Ueberflusses an Salz auf
ihrer Oberfläche haben diese Ebenen große Aehnlichkeit mit manchen
Gegenden in Thibet und mit den Salzsteppen in Mittel=Asien.
In den Landstrichen, welche etwas unter der mittlern Höhe liegen,
(average level) und die daher, im Vergleich mit den sie umgebenden Bergflächen, Thäler genannt werden können, ist der Boden sehr
fruchtbar. Diese Thäler, welche von einander durch eine Kette
theils höher, theils niedriger Hügel getrennt sind, gleichen ausge-
trockneten Seen und bringen die mannichfaltigsten Getreidearten
hervor. Das Klima in dieser hohen Region ist sehr gesund.
Die Bewohner derselben erreichen im Ganzen ein eben so hohes
Alter, als Menschen in andern Weltgegenden; und, nach Humboldt's
Beobachtung, ist die Ueberzahl der Gebornen über die Gestorbenen
hier weit größer, wie in irgend einem andern Lande, ausgenommen, wenn die Berichte zuverlässig sind, in den vereinigten Staaten von Amerika. In diesen Ebenen lebt, wie leicht zu vermuthen ist, der weit größere Theil der Bewohner Mexicos. Beinahe
in gleicher Entfernung zwischen den beiden Meeren liegt die Hauptstadt desselben Namens wie das Königreich, mit 160,000 Einwohnern, und in der ganzen hügeligen Gegend zerstreut, aber
weit von einander entfernt liegen die großen Städte Guadalaxara,
Guanaxuato, Valladolid, St. Luis Potosi, Pueblo, Queretaro und
Guaxaca, umgeben von stark bevölkerten Dörfern, deren Feldbau
ihren zahlreichen Bewohnern Nahrung verschafft.

Dieses Flächenland wird an beiden Seiten von dem Meere
durch fruchtbare Strecken Landes getrennt, welche die reichsten
Producte der Wendekreise in einem solchen Ueberfluß hervorbringen,
daß die Bedürfnisse der ganzen civilisirten Welt damit befriedigt
werden könnten. Diese Strecken sind aber heiß und feucht, und

daher sehr ungesund. Die Beschaffenheit des Klimas, die Größe
der einzelnen Besitzungen und die strenge gesetzliche Untheilbarkeit
derselben, verbunden mit dem großen Mangel an Arbeitern, verringert ihren Werth für das Land sehr. Anstatt mit Zucker, Kaffee
und Baumwolle angebaut zu werden, sind diese Bezirke beinahe
ausschließend zur Weide großer Hornviehheerden bestimmt, deren
Führung sich die wenigen Bewohner unterziehen, welche als Eingeborne geringere Furcht vor dem Nachtheile des Klimas haben,
als ihre Landsleute auf den Hügeln. Die Abdachungen der Bergflächen zwischen der heißen und kalten Region vereinigen die guten Eigenschaften, gesund und fruchtbar zugleich zu seyn. Die
Luft ist mild, die Fröste sind leicht, und die Hitze wird nie bren-
nend; aber diese Bezirke sind auf einer Höhe, auf welcher die
Wolken gewöhnlich ruhen, und deshalb beinah beständig in dicken
Nebel eingehüllt. So ist die Stadt Xalappa gelegen, wohin die
reichen Einwohner von Vera Cruz ihre Zuflucht nehmen, um der
ungesunden Luft jenes Hafens zu entfliehen, oder um ihre dort
geschwächte Gesundheit wieder herzustellen.

Die physische Beschaffenheit dieses Landes hat die Eigenheit,
an den östlichen Gränzen keinen Hafen für Seeschiffe gewöhnli-
cher Größe zu besitzen. Der regelmäßige Zug der Passatwinde
treibt große Wassermassen in den Meerbusen von Mexico. Das
Ufer stämmt sich als ein beständiger Damm der Gewalt dieses
Stroms entgegen, der mit einem solchen Ungestüm daran hinstürzt,
daß sich Sandbänke an der Mündung aller der Flüsse, die sich
in den Ocean ergießen, bilden, welche hinwegzuspülen ihr Zug
nicht stark genug ist. Die Stadt Vera Cruz, der einzige Ort,
der mit Europa handelte, hat keinen Hafen; aber eine halbe
Meile davon entfernt liegt die Insel St. Juan de Ulloa, und
zwischen beiden ist ein Canal von hinreichender Tiefe für große
Schiffe, welche gewöhnlich an starken Ringen am Fuße der Festung, welche auf dieser Insel mit vieler Einsicht erbaut ist, vor
Anker liegen. In dieser Lage sind die Schiffe vor den Passatwin-
den geschützt, welche fast immer wehen; sobald sich aber Stürme
aus Norden erheben, welche gewöhnlich sehr heftig sind, so müssen die Schiffe ihren Ankerplatz verlassen und ihre Sicherheit in der
offenen See suchen. Weder der Fluß Alvarado, noch die Häfen
von Tampico oder Soto-marina können Schiffe aufnehmen, die
mehr als 10 Fuß im Wasser gehen (drawing). Weiter nördlich
soll es, wie man sagt, einige Häfen von größerer Tiefe geben;
aber wir haben über diesen Gegenstand nur unbestimmte Angaben;
und da die Orte, wo sie existiren sollen, mehrere hundert Meilen von den bewohnten Theilen Mexicos entfernt sind, so können

ſie auch nicht eher von Wichtigkeit ſeyn, bis die Bevölkerung ſich nach dieſer Richtung ausgedehnt und vermehrt hat.

Wir mußten den Mangel an Häfen als Thatſache bemerken, weil der Abbé de Pradt in Frankreich und einige unſerer politiſchen Wahrſager in England die gläubigen Gemüther durch die Weiſſagung in Schrecken geſetzt haben, daß die Seemacht der großen mexicaniſchen Republik, im Verein mit den Kräften der nordamericaniſchen Republik, bald eine ſo furchtbare Größe erreichen würde, daß ſie im Stande wäre, die baufälligen Staaten unſerer Halbkugel zu zermalmen.

So arm an Häfen Mexico nach der Seite gegen Europa zu iſt, ſo hat es zwei vortreffliche, (nur daß in gewiſſen Monaten der Eingang etwas ſchwierig iſt,) an der Küſte des ſtillen Meeres: Acapulco, von wo aus der Handel mit Manila geführt wurde, ſolange er beſtand; er iſt leicht zugänglich, hat Waſſertiefe und ſichern Ankergrund für zahlreiche Flotten der größten Schiffe, die auch gegen alle Stürme durch die ſie umgebenden hohen Hügel geſchützt ſind. Das Klima iſt für ungeſund erklärt worden. Aber San Blas, der andere Hafen, hat bei gleicher Vortrefflichkeit eine geſundere Lage. Die ſpaniſche Regierung benutzte deſſen Vortheile und den Ueberfluß des nahen Bauholzes, um die kleine Seemacht zu bauen und auszurüſten, welche ſich an den nördlichen Küſten des ſtillen Meeres behauptete.

Die Bevölkerung Mexico's hatte, trotz der mannichfachen Hinderniſſe eines ſchnellen Zunehmens, doch in der nächſten Periode, vor den unglücklichen 13 Jahren der Revolution, ſtarke Fortſchritte gemacht. Nach den umſtändlichen Angaben, die Humboldt vor mehr als 20 Jahren darüber ſammelte, müßte ſich die Anzahl des Volkes jetzt wahrſcheinlich auf 10 Millionen belaufen, wenn nicht dieſe verwüſtenden Zerſtörungen eingetreten wären. Nach den neueſten Unterſuchungen, ſcheint die Anzahl jetzt 6 bis 7 Millionen zu betragen, mit Ausſchluß des Königreichs Guatimala, welches 1,200,000 Einwohner zählt.

Bei den verſchiedenen Miſchungen der Abſtammung, welche durch den Verkehr zwiſchen den Weißen, den Indianern und den Negern entſtanden, hat man Ausdrücke erfunden, um jeden Grad der Farbe anzuzeigen; und da der Rang des Einzelnen von ſeiner nähern oder fernern Verwandtſchaft mit den Europäern abhängt, ſo ſucht ein Jeder mit großer Anhänglichkeit ſeinen Antheil am Blute der Weißen zu behaupten. Ohne uns auf die feinern Unterſcheidungen einzulaſſen, können wir das Ganze in vier Claſſen eintheilen: nämlich in die europäiſchen Weißen, die creoliſchen Weißen, die gemiſchten Stämme und die Indianer. Die weißen Europäer verhielten ſich im Jahre 1792 zu der ganzen Anzahl der Einwohner ungefähr wie 1 zu 70; ſeit dieſer Zeit haben die Einwanderungen derſelben nicht in dem Grade zugenom=men, als die Vermehrung der Eingebornen, und im Jahre 1821 rechnete man kaum 1 auf 100. Sie bekleideten meiſtentheils die höchſten Aemter, ſowohl in der Regierung, als bei den Ge=richtshöfen und in der Kirche. Da die wenigſten von ihnen Weiber aus Europa mitbrachten, ſondern größtentheils weiße Creo=linnen heiratheten, ſo verhielt ſich die Anzahl der Europäerinnen gegen die der Männer, wie 1 gegen 50. Da ſie nur Creolinnen heiratheten, welche keine Miſchung indianiſchen oder negeriſchen Blutes hatten, ſo behaupteten ſie eine Art von Ariſtokratie, welche, wenn auch nicht gern, doch zuletzt allgemein anerkannt wurde. Die creoliſchen Weißen ſind entweder unvermiſchte Weiße, oder ſtammen von europäiſchen Vätern ab, eine Claſſe, die end=lich den Rang, wenn gleich nicht ganz die Farbe ihrer urſprüng=lichen Vorfahren erlangt hat. Dieſen Rang behauptet ſelbſt der Aermſte derſelben mit einem gewiſſen Stolz, und er würde den reichſten Mann im Königreich bei dem erſten Streite fragen: „bin ich nicht eben ſo weiß wie Du?" und darunter verſteht er nicht gerade die Farbe, ſondern den damit verbundenen Rang in der Geſellſchaft. Die reichſten Bewohner des Landes gehören beinahe alle zu dieſer Claſſe; ſie enthält aber auch eine große An=zahl der Aermſten. Das Verhältniß dieſer zu der ganzen Bevöl=kerung wird ungefähr auf den ſechſten Theil geſchätzt. Der Stolz, welchen ſie auf ihre Abſtammung gründen, macht ſie ab=geneigt zu jeder Arbeit, die für erniedrigend gehalten wird; dage=gen findet man unter ihnen alles, was Mexico von Verehrern der Wiſſenſchaften und Gelehrſamkeit aufzuweiſen hat, und ſie liefern die meiſten Mitglieder für die Univerſität und für die Schulen der Mineralogie und Chemie. Selbſt der größere Theil der Officiere bei der Armee wird aus ihrer Mitte genommen, ſo wie auch meiſtentheils die Welt=Geiſtlichen (parochial clery) und Advocaten. Ja ſie erſteigen mitunter die biſchöflichen Sitze und die Bänke der Obergerichte.

Die gemiſchten Claſſen ſtammen von der Verbindung der Weißen mit Indianern und Negern her; jeder Grad hat ſeine eigene Benennung und einen beſtimmten Rang auf der Stufen=leiter der Geſellſchaft. Es würde ſehr überflüſſig ſeyn, hier alle dieſe Diſtinctionen der Zambo, Mulatto, Quaderon und der tie=fer ſtehenden Namen aufzuzählen, wodurch ein Jeder in den Stand geſetzt wird, ſich eines vermeinten Vorzugs vor ſolchen, deren Farbe nur einen Grad dunkler iſt, zu erfreuen. Dieſe Claſſen bilden die große Maſſe der Dienſtboten, Handwerker, Mauleſeltreiber (Fuhrleute), Fabrikanten und der Soldaten, und übertreffen an Anzahl die weißen Creolen, indem sie beinahe zwei Sechstheile der Bevölkerung ausmachen.

Die eingebornen Indianer sind die größte der verschiedenen Classen, aus welchen die mexicanische Nation besteht, und werden auf beinahe drei Siebentheile derselben geschätzt. Sie bleiben immer noch in abgesonderte Stämme getrennt, wie sie es schon zu der Zeit waren, als die Spanier das Land zuerst in Besitz nahmen. Sie behalten auch immer ihre Originalsprache, nur mit Einmischung einiger spanischer Wörter, welche mit den Gegenständen und Gefühlen (Empfindungen), die sie ausdrücken, eingeführt worden sind. Wir haben jetzt sechs Grammatiken vor uns, von den verschiedenen Sprachen, die in Mexico gesprochen werden, sämmtlich von ihren Geistlichen verfaßt. Humboldt versichert, daß es wenigstens 20 verschiedene mexicanische Sprachen gäbe, wovon 14 mit ziemlich vollständigen Grammatiken und Wörterbüchern versehen wären. Weit entfernt, nur verschiedene Dialekte zu seyn, scheint der größte Theil dieser Sprachen vielmehr wesentlich von einander abzuweichen, sowohl in den Wörtern, als in den Sprachformen, etwa wie das Griechische vom Deutschen, oder das Französische vom Polnischen. Diese Verschiedenheit ist den katholischen Priestern bei Bekehrung der Eingebornen nicht hinderlich gewesen; man ist der Meinung, daß ihre häufigen und ins Auge fallenden Ceremonien mehr zum Erfolg beigetragen haben, als alle andere Maßregeln.

Welchen Antheil aber auch die Sinnlichkeit an ihrer schnellen Bekehrung gehabt haben mag, so sind sie doch nun sehr eifrige katholische Christen und überlassen sich der Leitung der Priester mehr als irgend eine andere Classe dieses abergläubischen und bigotten Volkes. Sie wohnen meistens in den Städten und Dörfern, die ihrem Stamme eigens angehören, woselbst die Gesetze und Einrichtungen (Verordnungen) der Regierung von ihrer eingebornen Obrigkeit oder den Kaziken gehandhabt werden, welche das Spanische verstehen und die Herrschaft über das Volk mit den Geistlichen theilen. Der Feldbau ist beinahe ihre einzige Beschäftigung; doch bauen sie kaum so viel, als sie brauchen. Sie sind von Natur indolent, begnügen sich mit so viel Nahrung, als gerade nöthig ist, um das Leben zu erhalten, und da sie fast ausschließend von Vegetabilien leben, so würden sie sicher ein hohes Alter erreichen, wenn sie ihre Gesundheit nicht durch Trunkenheit zerstörten. Dieser Hang wird nur zu sehr durch die Leichtigkeit befördert, womit sie sich ein berauschendes Getränk, pulque, aus einer sehr häufig vorkommenden Pflanze bereiten. Seit Jahrhunderten an die Tyranneï ihrer alten Beherrscher und an den nicht viel mildern Despotismus der Spanier gewöhnt, haben sie einen Grad von Verschlagenheit erworben, welchen sie unter der Maske der Apathie und Dummheit verbergen, und welche ihre einzige Waffe gegen ihre Unterdrücker gewesen ist. Heftige Leidenschaften drücken sich selten in ihren Gesichtszügen aus, doch soll es schrecklich anzusehen seyn, wenn sie plötzlich aus dem Zustand der vollkommensten Ruhe in den der heftigsten und ungezügeltsten Aufwallung übergehen.

Die spanische Regierung hat mehrmals Einrichtungen getroffen, die Lage dieses Volkes zu verbessern: aber sie sind stets durch die schlechte Verwaltung der Provinzial=Obern, durch den Hochmuth und die Hartherzigkeit der Creolen und durch die niedrige Habsucht ihrer eigenen Caziques vereitelt worden. Die Verachtung, welche die weißen Creolen den Indianern beweisen, wird von ihrer Seite durch Haß und Furcht erwiedert, welche, wenn ihre gewöhnliche Maske scheinbarer Gefühllosigkeit einmal abgerissen wird, in furchtbarer Rohheit ausbricht. Wir dürfen in dieser Skizze der Bewohner Mexico's die africanischen Neger nicht vergessen, deren Anzahl sich höchstens auf 10,000 beläuft, und welche im Stand der Sclaverei, wie man es gewöhnlich nennt, leben. Ihre Einfuhr ist sehr gering gewesen, doch haben sie sich, in Verbindung mit Indianerinnen, in einem verhältnißmäßig sehr hohen Grade vermehrt.

Die Bevölkerung, deren Anzahl und Classen wir auf diese Weise skizzirt haben, breitet sich über eine große Oberfläche von 120,000 spanischen (ohngefähr 1,000,000 engl. 45,000 geogr.) Quadratmeilen, oder 640,000,000 engl. Morgen Landes, aus: Nehmen wir dagegen England und Wales (Wallis), nach den schätzbaren Berechnungen Rickman's, zu 57,960 (engl.) Quadratmeilen, oder ungefähr 37,000,000 Morgen Landes, und die Einwohner auf 12 Millionen an, so ergibt sich, daß auf 5 Morgen Landes ein Mensch kommt. Rechnen wir die Bewohner Mexico's zu 6,500,000, so kommen mehr als hundert Morgen Landes auf Einen Menschen. Kurz, die Dichtigkeit der Bevölkerung in England verhält sich gegen die in Mexico wie 30 gegen 1. Wäre dieses Königreich so stark bevölkert, wie unser eigener Theil der englischen Inseln, so würde sich die Zahl der Einwohner auf mehr als 200 Millionen belaufen und also die Bevölkerung von Europa, wie sie im Jahre 1817 war, übertreffen. Wenn die Zahl der Einwohner sich nicht höher beliefe als auf 400,000, und die ganze Masse gruppenweis in den fruchtbarsten Gegenden an dem Humber, Severn, Thames und Trent angesiedelt wäre, wenn sie sich mit der geringsten Quantität und Qualität der Nahrung befriedigen ließen: so ist es leicht zu begreifen, daß nur geringe Arbeit zum Lebensunterhalt erforderlich wäre. Wenn das Klima von der Beschaffenheit wäre; daß man kaum des Obdachs, der Kleidung und der Feuerung bedürfte, so würden Aufforderungen zur Arbeit noch geringer seyn. Wenn dazu noch die Fruchtbarkeit des angebauten Bodens so groß wäre, die Aussaat fünfmal so reichlich wiederzugeben, wie bisher, dann würde sich das Bedürfniß der Arbeit bis zum unbedeutenden vermindern.

So ist jetzt die Lage von Mexico und dessen Einwohnern. Es ist uns von Mehrern, die selbst mit dem Ackerbau dort beschäftigt gewesen sind, versichert worden, daß es in der Nähe der Stadt Guanaxuato große Ebenen gibt, wo der Ertrag des Weizens selten geringer als 50 = fach, und noch häufiger 80 = fach ist; und dieser Boden wird nicht gedüngt, nur einmal gepflügt und gewässert, was in der regnichten Jahreszeit leicht zu bewerkstelligen ist. Mais, die vorzüglichste Nahrung der zahlreichsten Classen, ist sehr abwechselnd im Ertrag und gewährt manchmal 100, aber auch wohl 300 Körner für 1; gewöhnlich reicht die Erndte eines Jahres für die Consumtion zweier Jahre hin. In den heißen Strichen Mexico's, vom Fuße der hohen Fläche bis zur See, werden noch geringere Ansprüche an Arbeit gemacht. Die Eingebornen, die sich mit den verschiedenen Zubereitungen des türkischen Weizens begnügen, können einer Familie den Lebensunterhalt für ein ganzes Jahr durch die eintägige Arbeit eines einzelnen Individuums verschaffen. Nach der Regenzeit werden einige Körner mit einem Stock in die erweichte Erde gedrückt, und nach 90 Tagen ist eine Erndte reif, welche die Aussaat 200 = bis 300 = fältig wiedergibt. Diese einfache Verfahrungsart kann zweimal, wenn nicht dreimal des Jahres, wiederholt werden und sichert so den Arbeiter vor Nahrungsmangel. Diejenigen, welche mehr für die Zukunft sorgen und mehr Abwechslung in der Nahrung wünschen, können sich mit geringer Sorgfalt und nicht viel mehr Arbeit Bananen (Pisang) bauen. Humboldt versichert, daß ein Fleck von hundert Metres (nicht ganz der zehnte Theil eines englischen Morgens) jährlich mehr denn zweitausend Kilogrammen (ungefähr 44 Centner) nahrhafter Substanz hervorbringen kann; er berichtet ferner, daß eine halbe Hectare (ein jetziger französischer Arpent) oder ungefähr 1¼ engl. Morgen Landes, mit Pisangbäumen von der großen Sorte bebaut, im Stande ist, für funfzig Menschen Nahrung auf ein ganzes Jahr zu liefern; dahingegen ein Acker mit Korn in Europa, vorausgesetzt, daß es sich auch achtfach vermehrte, keine größre Quantität hervorbringt, als zur Erhaltung zweier Individuen hinreichend ist. Das erste Erzeugniß dieser Pflanze reift 10 oder 11 Monate, nachdem sie gepflanzt ist, und erfordert keine andere Sorgfalt, als daß man die Stengel abschneidet, woran die Früchte wachsen;

daß man sie gießt und ein oder zweimal des Jahres leicht um die Wurzel herum behackt. Vielen dient die Maniok zur beständigen Nahrung; und der Ueberfluß an wildwachsenden Früchten, wie die indische Feige (Cactus opuntia) und andere, welche wie die Kartoffeln nur wenig Arbeit erfordern, ist so groß, daß die Mittel zum Unterhalt zu allen Zeiten in jedes Menschen Macht stehen.

nennen, hat die Einwohner in diesem Zustand der Rohheit erhalten, worin sich die niedrigste Classe ihrer Vorältern zu der Zeit befand, als ihre Prinzen, Priester und Obrigkeiten durch die Siege der Spanier vertrieben wurden. Es gibt wohl einzelne Zustand

wirksam seyn konnten, so
mit indolenter Apathie in
, . Da sich die geringe Betriebsamkeit der Einwohner und die sehr geringen Capitalien in den Händen des Volks immer ausschließend auf Anschaffung der Nahrungsmittel beschränkt haben, so sind wenige Versuche mit andern Zweigen des Landbaues gemacht worden. Auch haben die Gesetze, welche ihnen die elende Politik der spanischen Regierung in der Absicht gab, alle Reichthümer

wenn der Anbau derselben nicht zu Gunsten der europäischen Monopolisten verboten worden wäre. Eben so verhielt es sich mit dem Tabak, der als Hauptgegenstand eines fiscalischen Alleinhandels nur auf einem kleinen Striche erlaubt war, von welchem der übrige Theil des Landes allein seinen Bedarf aus dem königs

fer Producte, wenn gleich nicht gänzlich verboten, kam doch zu

Welt, wird, anstatt

geht nur durch den
den europäischen Abnehmern.

Vor den jetzigen Unruhen hatte der Bau des Zuckerrohres einen regelmäßigen, wenn gleich nicht schnellen Fortschritt gemacht. Der Betrag des daraus bereiteten Zuckers überstieg an Menge die meisten Erzeugnisse des Feldbaues, welche die Statthalterschaft in den Handel bringt; aber die Kosten, ihn zu Markte zu schaffen, hat die Anpflanzung so verringert, daß sie jetzt kaum vermögend ist, den sparsamen Forderungen der verarmten Einwohner zu entsprechen.

Der einträglichste Zweig des Feldbaues in Mexico, und das dort ausschließend gelingt, ist die Cochenille. Sie wird nur in dem Bezirk von Misteca in der Provinz Oaxaca gezogen, und allein durch die Arbeit der Indianer. Die Insecten nähren sich von einer besondern Gattung von Nogal, einer Pflanze von der Cactus-Art. Das Geschäft, sie aufzuziehen, sie zu beschützen und zum Verschicken vorzubereiten, erfordert mehr Aufmerksamkeit als Arbeit, und ist deshalb der Indolenz der Bewohner eines so heißen Klimas angemessen. Der jährliche Ertrag der verschickten Quantität belief sich in der besten Zeit ungefähr auf 500,000 Pfund; in den letzten Jahren hat er indeß sehr abgenommen, indem die Indianer noch einträglichere oder noch leichtere Erwerbsarten ausgefunden haben.

Eine der Pflanzen, welche in Mexico am häufigsten gebauet werden, ist eine Art opuntia, aus welcher durch einen natürlichen Proceß der gewöhnliche Trank bereitet wird, den man in seinem ersten Zustande nach der Gährung pulque nennt. Aus dieser zieht man durch Destillation einen Extract, der, ob er gleich zum Vortheile der catalonischen Branntweine verboten ist, doch immer in Menge verbraucht wird. Sobald das Haupt der Pflanze ein Büschel Blätter in der Mitte hervortreibt, werden sie abgeschnitten, worauf sich im Stengel eine Höhlung zeigt, auf welcher jener Büschel saß. In dieser Oeffnung scheint die Pflanze ihren ganzen Saft abzusetzen, woraus sich, wenn sie nicht abgeschnitten würden, die Blumen bilden würden. Es ist eine wahre vegetable Quelle, die zwei bis drei Monate des Jahres hindurch fließt und täglich zwei bis dreimal ausgeschöpft werden kann. Ein Morgen Landes kann 2000 solcher Pflanzen ernähren, wovon jede 30 bis 40 Gallonen Safts gibt. Für Familien, die es ruhig abwarten können, ist der Anbau dieser Pflanze eine sichre Quelle des Reichthums; aber leider sind wenige Indianer im Stande, 14 bis 15 Jahre darauf zu warten, und früher erreicht die Pflanze selten ihre Reife.

Ehe wir auf den Zustand der Bergwerke übergehen, haben wir erst eine kurze Beschreibung von der Beschaffenheit der Erzeugnisse des Feldbaues in Mexico entworfen, weil wir vollkommen

mit der Meinung des Hrn. von Humboldt übereinstimmen, daß
„die Bergwerke keineswegs als die Hauptquellen des Reichthums
dieses Landes zu betrachten sind, sondern vielmehr der Feldbau,
welcher sich seit dem letzten Ende des verflossenen Jahrhunderts
stufenweis verbessert hat." Den Beweis hiervon findet man in
dem Belauf der zu verschiedenen Perioden von der Geistlichkeit
gesammelten Zehnten. Diese Berechnungen zeigen, daß die Vermehrung der Producte des Feldbaues größer gewesen ist, als die
der Bevölkerung. In den 10 Jahren von 1771 bis 1780 belie-
fen sie sich auf 13,357,157 Dollars, und in den folgenden zehn
Jahren auf 18,353,821, während die Zunahme der Bevölkerung
blos auf das Verhältniß von 13 zu 16 berechnet wurde. Desungeachtet hatte der Feldbau, im Vergleich mit dem Zustand der
Thätigkeit, den er zu erreichen im Stande ist, nur schwache Fortschritte gemacht,
tionairen Geistes ergriffen wurde. Bis zu jenem
ren die Hindernisse der Verbesserung sehr groß

und für sich selbst schon ein großes Uebel; dazu k

gewöhnlichste Nahru
big in den heißen, wie
selbst die Districte, wori
kaum im Stande, die
denn die Entfernung ist
gehen meistens durch so
nicht
dens Zuflucht zu nehmen. So verband sich der Mangel eines
einheimischen Absatzes ihrer überflüssigen Erzeugnisse mit den andern Hindernissen, die sich den Fortschritten des Landbaues ent-
gegenstellten.
Das Königreich Mexico und b
ähnlich in Klima und Erzeugnissen, da
nen dazu dienen mag, die relative B
in beiden anzuzeigen.
In Mexico ist der größte Theil der Arbeiter von dem far-
bigen Geschlecht, das, ohne Mischung der Europäer, von den ursprünglichen Eingebornen des Landes abstammt. Sie sind von
einer Generation zur andern gewohnt, dieselben Producte zu bauen,
deren sie auch jetzt bedürfen; ihre Gebräuche stimmen mit ihren
Geschäften und dem Klima überein; sie kennen nicht viel Bedürfnisse, denn sie sind gewohnt sich mit der kleinsten Quantität und
der geringsten Qualität von Nahrung zu begnügen. Ihre Kleidung ist von der gröbsten, gemeinsten Art, ihre Wohnungen sind

bloße Rohrhütten ohne Wände, von aller Art Hausgeräth ent=
blößt und gewöhnlich so klein, daß eine ganze Familie in einer
einzigen Hütte zusammengedrängt ist, die man eher einen Bienen=
stock als ein Haus nennen kann. Sie sind frei. Sie können
ohne ihre Einwilligung nicht zur Arbeit gezwungen, noch verkauft,
oder vertauscht, oder in andere Gegenden versetzt werden. Wenn
sie einmal mit geringer Anstrengung ein oder zwei Tage gearbei=
tet haben, so wird der Verdienst dieser kurzen Zeit gewöhnlich
für den wohlfeilen, berauschenden Liqueur hingegeben, dessen
Genuß sie mehre Tage hindurch in einen Zustand der Trunken=
heit versetzt, bis der Mangel an pulque sie wieder zur Nüch=
ternheit zurückführt. Weder Drohung noch Anwendung der Peit=
sche kann sie zur Thätigkeit ermuntern; dies vermögen nur solche
eigennützige und sinnliche Leidenschaften, die selbst die Unthätigsten
manchmal auf kurze Zeit zur Anstrengung reizen. Sie haben zwar
Eigenthum, doch mangelt ihnen gewöhnlich die Gabe, sich das
Ihrige zu erhalten und zu vermehren, oder sich die wenigen mä=
ßigen Bequemlichkeiten zu verschaffen, wodurch ihre Wohnungen
und häusliche Einrichtung angenehmer gemacht werden könnten.
Auf Reinlichkeit zu halten, ist für ihre Gewohnheiten eine zu große
Anstrengung; daher sind ihre Personen, ihre Kleidung und ihre
Wohnungen ekelhaft, schmutzig, und bei epidemischen Fiebern,
ohne ärztlichen Beistand, fallen Tausende als Opfer dieser Krank=
heit, deren Heftigkeit durch fehlende Reinlichkeit und Wartung
sehr vermehrt wird. Sie bringen ihr ganzes Leben, anstatt es
mit nützlicher Arbeit und heilsamer Ruhe abwechseln zu lassen,
in einem beständigen Streben nach gänzlicher Unthätigkeit oder
bloß thierischen Vergnügungen zu.

Die arbeitende Classe auf der Insel Jamaika ist aus einem
Klima dorthin versetzt worden, dessen Verschiedenheit den Euro=
päern zwar nur unbedeutend scheint, den Afrikanern aber sehr
fühlbar wird. Sie sind allerdings Sclaven, wenn die Art Scla=
verei so genannt werden kann, die nicht allein den Besitz eines
Eigenthums gestattet, sondern auch dieses Eigenthum denen sichert,
die es erworben haben. Sie werden zu ihren täglichen Geschäf=
ten durch den Ton eines Horns aufgerufen, und während der
Feldarbeit zur regelmäßigen Verrichtung ihres Tagewerks, durch
Anwendung oder Drohung eines Strafwerkzeuges angehalten.
Unter der Regierung eines Landes, dessen Entfernung schon ört=
lichen Meinungen und Vorurtheilen wenig Einfluß gestattet, ist
bis jetzt immer darnach gestrebt worden, ihre Lage zu verbessern,
nicht blos zu verändern. Zu diesen Verbesserungen hat sowohl
das Mitgefühl der Europäer, als der eigne Nutzen der Provin=
zialverwaltung immer angeregt. Die Stunden der Arbeit sind

17

festgeſetzt, und den übrigen Theil ihrer Zeit können ſie entweder zum Anbau ſolcher Erzeugniſſe, die ſie zu Markte führen, anwenden, oder den Vergnügungen widmen, denen die Neger immer ergeben geweſen ſind; ihr erworbenes Eigenthum genießt dieſelbe Sicherheit, als die ausgebreiteten Beſitzungen ihrer Brotherrn. Ihre Hütten und das Hausgeräth, mit den Gärten, welche ſie umgeben, und die darin wachſenden Pflanzen werden ihnen nie mit Gewalt genommen; doch können ſie dieſelben verkaufen oder ihren Brüdern auf demſelben Gute vermachen, ohne irgend einen Widerſpruch von Seiten ihrer Herren zu befürchten.   Die Erzeugniſſe ihrer Gärten betrachten ſie nicht als Beitrag zu irgend einem wirklichen Bedürfniſſe, denn dieſe müſſen ihnen von den Herrn geſchafft werden; die Nahrung, welche ihnen für die beſtimmten Stunden der Arbeit gereicht wird, iſt den Forderungen der Natur vollkommen angemeſſen und von weit beſſerer Qualität, als die freien Arbeiter in Mexico je im Stande geweſen ſind ſich zu verſchaffen.   Sie werden anſtändig verſorgt mit paßlicher Kleidung für das Klima, bei Krankheiten mit ärztlicher Hülfe verſehen, und anſtatt in ihren kleinen Wohnungen liegen zu bleiben und Anſteckung zu verbreiten, werden ſie in ein beſonders dazu eingerichtetes Gebäude gebracht, wo ſorgfältiger für ihre Pflege, Reinlichkeit und Arznei geſorgt wird, als in irgend einem Hoſpitale im Königreiche Mexico *).

Wenn wir den gewonnenen Ueberſchuß dieſer beiden Colonien betrachten, ergibt ſich ein auffallender Contraſt.   In Mexico kann die Anzahl der Feldarbeiter nicht geringer als 2,500,000 ſeyn, und doch betrug in dem Jahre, welches von den einſichtsvollſten Männern als die blühendſte Periode ſowohl des Feldbaues als des Bergweſens geprieſen wird, im J. 1809, welches zugleich das letzte ruhige in Mexico war, der ganze Ueberſchuß, welchen die Arbeit dem Ausfuhrhandel gewährte, ungefähr 1,150,000 Pfund Sterling.   In Jamaika hingegen, wo der Feldbau ungefähr 230,000 Neger beſchäftigt, belief ſich der überſchüſſige Ertrag der Arbeit eines Jahres, gleich der in Mexico am Ort der Ausfuhr geſchätzt, auf mehr als 4,000,000 Pfund Sterling.

Der eben beſchriebene Zuſtand des Feldbaues in Mexico fand zu der Zeit ſtatt, als eben, im Jahre 1810, die revolutionairen Erſchütterungen ausgebrochen waren.   Die nachher einge-

---

*) Gegen dieſe prunkvolle Schilderung des Zuſtandes der Neger auf den Plantagen von Jamaika werden bekanntlich in England ſelbſt große Einwendungen gemacht, und ſie hat große Aehnlichkeit mit den Lobreden auf die Leibeigenſchaft, welche Jedermann, nur nicht die Leibeigenen ſelbſt überzeugen konnten.   D. Red.

tretene Verschlimmerung schildern wir mit den Wörten des vor=
maligen mexicanischen Deputirten bei den Cortes zu Madrid und
gegenwärtigen Finanzministers. „Die beständigen Kriege und bür=
gerlichen Zwiste (sagt er) haben dieses schöne Land (Mexico) der=
gestalt verwüstet, daß nichts als Armuth und Zerstörung da zu
sehen ist, wo sonst Fruchtbarkeit und Reichthum herrschten. Der
gänzliche Ruin vieler reichen Familien, die Auswanderung ande=
rer, und die fortgesetzten Leiden aller haben die Industrie gelähmt,
welche auch, da alle Capitalien theils ausgeführt, theils verwüstet
worden sind, nicht wieder aufleben kann. Mexico's Glanz und
Wohlstand ist nur durch Einfuhr und kluge Anwendung neuer
Capitalien wieder herzustellen." Wir stimmen keinesweges mit
dieser hier gezogenen Folgerung überein, indem wir fest überzeugt
sind, daß Mexico unter einer guten Regierung und in einem Zu=
stand der Ruhe seinen früheren Wohlstand nicht allein wiederer=
langen, sondern selbst weit übertreffen würde.

Mexico bietet uns das sonderbare Schauspiel eines Lan=
des dar, welches in dem langen Zeitraum von 300 Jahren nie
der Schauplatz kriegerischer Vorfälle gewesen ist, wenn wir die
räuberischen Einfälle der unter dem Namen der Buccaneers be=
kannten Bande ausnehmen. Ihre Verwüstungen in Mexico
waren indeß sehr unbedeutend, da sie das Haupttheater ihrer
kühnen Thaten in die südlichen Theile von Amerika verlegt hatten,
und die wenigen momentanen Volkstumulte (denn Bürgerkriege
waren es nicht), welche von Zeit zu Zeit wegen Mangel an Nah=
rung vorfielen, verursachten nur geringen Schaden und waren leicht
wieder gestillt. Seit dem letzten Aufstand, der vor länger als
hundert Jahren statt fand, bis zu dem Jahre 1810, hat sich auch
nicht die Spur innerer Feindseligkeiten gezeigt, noch hat der Fuß
eines fremden Feindes ihren Boden betreten. In dem langen
Kampfe zwischen Frankreich und den alliirten Mächten über die
spanische Thronfolge nach dem Tode Carls des Zweiten beschlos=
sen die Mexicaner, ruhige Zuschauer des Streites zu bleiben und,
wie auch der Ausgang seyn möchte, dem Schicksale des Lan=
des zu folgen, von welchem ihre europäischen Einwanderer her=
kamen.

Während dieser langen Periode war, wie wir gesagt, der lang=
same aber sichere Gewinn des Feldbaues kein hinreichend kräftiger
Beweggrund, die Einwohner zu großen Anstrengungen aufzumun=
tern. Der Bergbau, welcher noch mehr wie die Landwirthschaft
ruhiger Zeiten bedarf, hatte indessen für kräftige und unterneh=
mende Menschen einen Reiz, welcher auch einige Fortschritte in
diesem Zweige der Industrie bewirkte. Doch ist es noch sehr zu be=
zweifeln, ob die Bergwerke von Mexico je dazu gedient haben; das

Land zu bereichern. Die Kosten sollen, den Berichten zu Folge, im Ganzen größer gewesen seyn, als der Ertrag. Der ungeheure Gewinn, welcher, wie bei allen andern Glücksspielen, zuweilen gemacht wurde, lockte zahlreiche Mitbewerber herbei und gab Veranlassung, große Capitalien zu verschwenden. Auch für die Regierung war der Bergwerkszehent vom Silber sehr verführerisch. Von andern Erzeugnissen der Erde einen bestimmten Theil zu nehmen, würde eine Steuer gewesen seyn, die selbst unter einer despotischen Regierung empörend gewesen wäre; aber unter dem Vorwand, daß alle Minen Eigenthum des Königs seyen, und daß er den Unterthanen ihre Benutzung vertragsmäßig gegen Abgabe eines Theils zugestehen könne, hatte man gegen eine solche Steuer kein Bedenken. Die Leichtigkeit, welche die Regierung von Spanien hierdurch erlangte, aus ihren Colonien direct Geld zu beziehen, ist in Mexico mit wenig Schonung benutzt worden. In den 300 Jahren der spanischen Herrschaft sind mehre hundert Millionen Dollars, die man der Arbeit verdankt, herausgezogen worden, ohne den geringsten Ersatz für das ausgeführte Capital zu geben. Wäre diese ungeheure Summe nicht nach Spanien geflossen, so würde gerade eben so viel andern Ländern zugeflossen und ihr Umlauf durch die ganze Welt verbreitet worden seyn; dann aber wären andere Erzeugnisse dafür zurückgegeben worden, und die Millionen Capitalien, die für Mexico verloren sind, hätten sich im natürlichen Laufe der Dinge wieder ersetzt und vermehrt. Die Einwohner wären in Besitz zahlreicher Annehmlichkeiten gekommen, von denen sie jetzt entblößt sind, und deren Genuß ihnen ein beständiger Sporn zu neuen Anstrengungen geworden wäre.

Die in den Bergwerken von Mexico gefundenen Erze sind gewöhnlich nicht reich an metallischen Substanzen. Nach Humboldt, der sie mit dem Ertrag der sächsischen Bergwerke vergleicht, scheint es, daß der Durchschnittsgehalt des Silbers im Centner mexikanischen Erzes zwischen drei und vier Unzen ist, während in Sachsen der Centner Erz ungefähr zehn Unzen reines Silber enthält. Die Bergwerke in Mexiko sind auch meistentheils viel tiefer, als die in Deutschland. Aber auf der andern Seite finden sich in Mexiko reiche Gänge von einer Länge und Mächtigkeit, wie man in keinem andern Theile der Welt kennt. Wenn die große Ausgabe, einen Schacht abzusenken, einmal bestritten ist, so können die Erze mit viel geringern Kosten durch Aushöhlung und unterirdischen Transport an das Tageslicht gebracht werden, als die dem Raum nach viel beschränkteren Gänge anderer Gebirge. Obgleich die zum Bergbau gehörige Maschinerie sehr unvollkommen ist, so halten doch die niedrigen Preise der Lebensbedürfnisse, die große Frugali-

tät der Arbeiter und der daraus entstehende geringe Lohn diesem
Mangel das Gegengewicht. Während die Bergwerke Peru's in einer
so hohen Region liegen, daß die Gesundheit der Arbeiter darun=
ter leidet, sind die mexikanischen in einer gemäßigten Erhöhung,
und das Land um sie herum wird täglich fruchtbarer, sobald die
anziehende Kraft der Märkte, welche durch die Bergwerke entste=
hen, den Anbau desselben veranlaßt. Man hat zahlreiche Bei=
spiele schnell entstandener Städte und Dörfer, sobald sich in einem
District Bergwerke aufthaten. Die ungeheuern Massen Eigen=
thums, welche durch den Bergbau erworben wurden, sind, wie die
größeren Gewinne in einer Lotterie, nur wenigen Individuen zu
Theil geworden. Ein Herr Obregon, nachher zum Grafen Va=
lenciana erhoben, bezog mit seinem Compagnon Otera, viele Jahre
lang aus dem Bergwerk desselben Namens ein jährliches Ein=
kommen von 250,000 Pf. St. Don Pedro Tereros, Graf Regla,
einer der reichsten Männer in Mexiko, nahm aus den Minen von
Biscaina vom Jahre 1762 bis zum Jahre 1774 einen reinen
Gewinn von mehr als einer Million Pf. St. Außer den zwei
Kriegsschiffen, das eine von hundert und zwanzig Kanonen und
das andere von vier und siebenzig, mit welchen er dem Könige
von Spanien ein Geschenk machte, lieh er der Regierung von
Madrid fünf Millionen Franken, die ihm nie zurückbezahlt wor=
den sind. Die Werke, welche er in seiner Mine aufführen ließ,
kosteten ihm mehr denn vier hundert tausend Pf. St.; außer=
dem kaufte er noch große Besitzungen und hinterließ seiner Fa=
milie eine solche Summe an Geld, daß ihr nur die Verlassen=
schaft des Grafen Valenciana gleichkam. Der Marquis del Apar=
tado zog in einem Zeitraum von 6 Monaten aus seinem Berg=
werke in Sombrerete die ungeheure Summe von 800,000 Pf.
St.; und obgleich in der Folge kein ähnlicher Ertrag daraus ge=
nommen ward, so behielt es doch, bis die Unruhen ausbrachen,
den Rang eines Bergwerks der ersten Classe. Nirgends ist wohl
größerer Glückswechsel angetroffen worden, als bei diesen unter=
irdischen Unternehmungen. Humboldt erzählt von einem Fran=
zosen, Namens Joseph Laborde, der im Jahre 1743 ganz arm
nach Mexico kam und sich in kurzer Zeit durch das Bergwerk
la Cannada ein bedeutendes Vermögen erwarb. Nachdem er in
Taco eine Kirche gebaut hatte, die ihm 84,000 Pfund kostete,
sank er durch die schnelle Abnahme desselben Bergwerks, das ihm
jährlich 130 bis 190 tausend Pfund Silber an Gewicht geliefert
hatte, in die tiefste Armuth zurück. Mit einer Summe von
20,000 Pf. St., aus dem Verkauf einer Sonne von reinem
Golde, welche er in seinen reichen Tagen der Kirche geschenkt,
und die ihm der Erzbischof jetzt zurückzunehmen erlaubt hatte,

unternahm er es, eine alte Grube zu reinigen, wobei er aber den größten Theil des Ertrages seiner goldnen Sonne einbüßte und das Werk verlassen mußte. Mit der ihm übriggebliebenen kleinen Summe versuchte er noch ein anderes Unternehmen, das auch auf kurze Zeit sehr einträglich war, und hinterließ nach seinem Tode ein Vermögen von mehr als hundert und zwanzig tausend Pfund.

In einem Klima, das ganz dazu geeignet ist, Indolenz hervorzubringen, und bei einem Volke von besonders lebhafter Einbildungskraft ist es nicht zu verwundern, wenn die seltenen Beispiele des unermeßlich reichen Gewinnes mehr zu solchen verzweifelten Abenteuern aufmuntern, als die häufigen aber wenig beachteten Beispiele des Mißlingens davon abschrecken. Die Unglücksfälle, die kürzlich mit ihrem schwersten Gewicht über die Bergwerke gekommen sind, sind von keinem, der in diese Angelegenheiten verwickelt war, je berücksichtigt worden. Das schärfste Auge vermochte nicht den revolutionären Sturm, oder seine Ausdehnung, Wuth und Schnelligkeit vorauszusehen. Ohne deshalb mit der Erzählung der revolutionären Begebenheiten vorauseilen zu wollen, berufen wir uns hier wieder auf die Worte des oben schon genannten Ministers Alaman.

„Unglücklicher Weise brach die Revolution im Jahre 1810 zuerst in den Districten aus, worin die meisten Bergwerke sind, und ihre Besitzer wurden ihre ersten Opfer. Die Ermordung Einiger, der durch den Krieg und die übermäßigen Requisitionen veranlaßte Ruin Anderer, die Seltenheit des Geldes, und der daraus entstehende Mangel an den nöthigen Geräthschaften, die Werke fortzusetzen, waren die Haupturfachen, warum sie beinah alle in einem Augenblicke aufhörten. Die berühmte Grube von Guanaxuato gewährte im Jahre 1818, ohne arm an Erz zu seyn, nur 150,000 Mark Silber und 400 Mark Gold, deren Ertrag doch vor dem Jahre 1810 größer als alle Minen Peru's gewesen war, indem er sich auf 600,000 Mark Silber und 2000 Mark Gold belaufen hatte. In der Münze von Mexiko, wo vor dem Jahre 1810 jährlich 25 bis 28 Millionen Dollars geprägt worden waren, prägte man im Jahre 1821 nur 6 Millionen. Das Stillstehen der Bergwerke während des Krieges hat das Anhäufen des Grubenwassers unvermeidlich nach sich gezogen. Das Arbeiten in denselben kann nicht eher wieder angefangen werden, bis die Gewässer wieder gewältigt sind, und dies zu bewerkstelligen haben die Eigenthümer der Bergwerke in Mexico, arm im Schooße des Reichthums, weder die dazu erforderlichen Maschinen, noch die Capitale, sie anzuschaffen."

Das Land verdankt einem Collegium, dem Tribunal général de la Mineria, die Einführung der verbesserten Scheidung der edlen Metalle. Dieses Tribunal wählt die geschicktesten Zöglinge aus, um die Bezirke der Bergwerke zu besuchen und die Kenntniß der neuen Erfindungen und Verbesserungen zu verbreiten. Ehedem war auch hier das Ausscheiden durch Schmelzen im Gebrauch, aber die Seltenheit des Brennmaterials verschaffte dem Amalgamiren durch Quecksilber einen schnellen und allgemeinen Eingang.

Da nun die Gewinnung des Silbers auf diesem Wege hauptsächlich von dem Herbeischaffen des Quecksilbers abhängig geworden, und dieses, sowohl was die Quantität als die Qualität betrifft, in Kriegszeiten sehr ungewiß war, überdem der Handel damit als königliches Monopol getrieben wurde, und es einzig und allein von dem Vicekönige erkauft werden konnte; so wurde dieser Handel ein Gegenstand vielfacher Intriguen an seinem Hofe, und meistens nur durch Gunst oder Bestechung erlangt. Das Quecksilber aus den Bergwerken von Istria wurde für weniger rein gehalten, als das aus dem Bergwerk von Almaden in Spanien. Einige Vicekönige haben dies zu einer Quelle großer Reichthümer gemacht, indem nur diejenigen, welche ihnen und ihren höhern Beamten das meiste boten, den besten Merkurius erhielten. Die Quantität Quecksilber, die den Eigenthümern der Bergwerke abgegeben ward, stand in einem solchen Verhältniß zu der von ihnen gewonnenen Quantität Silbers, daß man sie als ein Mittel ansah, den Unterschleif bei Entrichtung der Abgaben zu verhüten. Die Erzeugnisse dieser Minen haben bis zum Jahre 1810 immer zugenommen. Ohne den Ertrag jedes einzelnen Jahres anzugeben, wird folgende Tafel den Grad von Regelmäßigkeit, womit die Zunahme vor sich ging, zeigen. Diese Berechnung gibt bloß die Quantitäten an, wovon wirklich die Abgaben entrichtet wurden; aber man hält allgemein dafür, daß außer dem, was gesetzmäßig in Umlauf war, immer noch manches auf Schleifwegen aus den Bergwerken gezogen wurde. Der Betrag ist in Dollars angegeben:

1695	4,000,000	1788	20,000,000
1726	8,000,000	1795	24,000,000
1747	12,000,000	1802	26,000,000
1776	16,000,000	1809	28,000,000

Wir haben keine bestimmte Angabe für die nachherigen Jahre der Unruhen und Verwirrung. In einem Berichte von der Stadt Mexico im Jahre 1813 wird gesagt, daß der Betrag des im Jahre 1811 in die Münze gebrachten Silbers nur drei und eine halbe Million Dollars gewesen sey, und in einem andern von den folgenden Jahren, daß er sich nur auf zwei Millionen belaufen

habe, welche zum Theil durch die Requisitionen alles Silberzeugs herbei=
gebracht worden seyen. Nach der Meinung solcher Mexicaner, welche
am besten von dem Zustand ihres Vaterlandes unterrichtet seyn kön=
nen, kann man mit Grund annehmen, daß der jährliche Ertrag der
Jahre von 1813 bis zu 1820 im Durchschnitt nicht mehr als vier bis
zu vier und eine halbe Million gewesen ist. Im Jahre 1821, wo die
Abgabe vom Silber von 17 auf 3 Procent herabgesetzt worden war, und
zugleich die Sicherheit des Eigenthums wieder hergestellt zu seyn
schien, stieg der Betrag des gewonnenen Silbers wieder über fünf
und eine halbe Million, und in dem Jahre 1822, als Iturbide
zum Kaiser ausgerufen worden war, auf sieben Millionen. In
Zukunft wird dieser Zweig der Industrie nun, da die Herbei=
schaffung des Quecksilbers frei und ohne Schwierigkeit ist, und
die Abgaben herabgesetzt worden sind, sich sehr heben können, wenn
nur die Regierung hinreichende Festigkeit und Kraft erlangt, um
Personen und Eigenthum die nöthige Sicherheit zu gewähren.

Als die Verhandlungen zu Bayonne statt fanden, war Don
Josef Iturnigaray Vicekönig, ein ältlicher Mann und Ver=
wandter des Fürsten de la Paz. Die Administration war, wie
in allen spanischen Colonien, in den Händen verschiedener, den man=
cherlei Zweigen vorstehender Collegien, welche alle von der spani=
schen Regierung bestellt und gänzlich abhängig von ihr waren.
Die oberste derselben, die Royal Audiencia, vereinigte ähnliche
Befugnisse, wie unser geheimer Rath (priori concil), mit den
Obliegenheiten eines obersten Gerichtshofes. Sie war hauptsäch=
lich mit europäischen Spaniern besetzt und versah beim Tode des
Vicekönigs entweder seine Geschäfte, oder ernannte einen Stellver=
treter, bis ein neuer Vicekönig anlangte. Die Gemeinde = Obrig=
keiten (Stadtmagistrate) cabildos oder ayuntamientos genannt,
hatten große Besitzungen und bedeutenden Einfluß, wenn gleich
eigentlich wenig positive Amtsgewalt. Die Mitglieder dieser Cor=
porationen waren meistentheils Eingeborne des Landes, deren eu=
ropäische Vorfahren diese Stellen gekauft und auf ihre in Ame=
rika gebornen Nachkommen vererbt hatten.

Obgleich diese beiden Corporationen früher immer sich pünct=
lich nach dem Willen des Vicekönigs gerichtet hatten, so fand sich
doch in ihren Gesinnungen, hauptsächlich vermöge ihrer verschiede=
nen Herkunft, ein solcher Gegensatz, welcher nachher die schrecklichste
Geißel für ihr Vaterland zu werden bestimmt war. Beiden war
zwar der Gedanke an eine französische Herrschaft gleich sehr ver=
haßt, allein, während die Audiencia und andere eingeborne Eu=
ropäer eher geneigt waren, den Schicksalen des Mutterlandes zu
folgen, wie ihre Vorfahren in dem Successionskriege gethan hat=
ten: so waren die eingebornen Amerikaner entschlossen, eher das

Aeußerste zu wagen, als sich der von Bonaparte eingesetzten Herr=
schaft zu unterwerfen.

Im Julius 1808 brachte ein kleines Schiff von Cadix dem
Vicekönige Iturnigaray die französischen madrider Zeitungen mit
der Nachricht von der Uebertragung der spanischen Krone auf Joseph
Bonaparte. Nach dem Gutachten der Audiencia wurden diese Nach=
richten öffentlich bekannt gemacht, aber ohne irgend eine Andeutung
über die Ungültigkeit und Gesetzwidrigkeit dieser Abtretung. Die
Einwohner geriethen in heftigen Zorn. In den Straßen und auf
den öffentlichen Spaziergängen sammelten sie sich in großen Hau=
fen, rachesprühend gegen Frankreich und dessen Anhänger, mit
einer Wuth, die den spanischen Pöbel charakterisirt. Der Stadt=
rath (Cabildo) theilte die Aufwallung des Volkes und verlangte mit
einer Freimüthigkeit und Energie, wie man von einer öffentlichen
Behörde gegen einen Vicekönig gar nicht gewohnt war, die Ver=
sammlung der Junta, um über die zu ergreifenden Maßregeln zu
berathschlagen. Die beiden Classen der weißen Einwohner stan=
den so einander gegenüber; die eine forderte eine Nationalversamm=
lung, die andere rieth Unterwerfung unter Spanien.

Der Vicekönig, ein schwacher und verzagter alter Mann,
schwankte, welche Partei er ergreifen sollte, bis kurze Zeit dar=
auf officielle Berichte die Nachricht brachten, daß ganz Spanien
aufgestanden sey, um sich der Abtretung zu widersetzen; daß eine
zu Sevilla zusammengetretene Versammlung Ferdinand den Sie=
benten als König ausgerufen und sich die alleinige Autorität
einer Junta von Spanien und beider Indien beigelegt habe.
Hierauf gab Iturnigaray Befehl, den jungen Monarchen gleich=
falls auszurufen, ohne jedoch dabei zu bemerken, daß die Junta
von Sevilla erklärt habe, daß sie während seiner Gefangenschaft
in seinem Namen handeln werde.

Die Audiencia drang nun darauf, daß man die Junta von
Sevilla als Staatsregierung anerkennen müsse, der Stadträth
(Cabildo) forderte das Zusammenberufen eines Congresses, und der
Vicekönig schwankte wieder, bis die Nachricht eintraf, daß eine
zu Oviedo versammelte Junta sich gleiche Rechte, wie die von
Sevilla, beigelegt habe. Da er sich noch nicht erklärt hatte,
ob er sich einer von beiden unterwerfen wolle, und die Euro=
päer fürchteten, daß ihn die allgemeine Stimme für die Unab=
hängigkeit von beiden bestimmen könne, so machten sie eine Ver=
schwörung: ungefähr zweihundert und funfzig umringten in der
Nacht den Palast, ergriffen Iturnigaray mit seiner Familie, brach=
ten ihn in das Gefängniß der Inquisition und erließen den an=
dern Morgen, um den erbitterten Pöbel zu beruhigen, eine Be=
kanntmachung, worin er der Ketzerei beschuldigt wurde. Während

der ersten Bestürzung, welche bei einem abergläubischen Volke durch eine solche Anklage hervorgebracht wurde, gelang es den Verschwornen, ihr Opfer nach Vera Cruz zu bringen, von wo er nach Cadix transportirt und der Rache der Versammlung überliefert wurde, deren Gewalt anzuerkennen er sich geweigert hatte. Die gegen ihn dort vorgebrachte Anklage war aber nicht Ketzerei, sondern man beschuldigte ihn, daß er sich selbst hätte zu einem unabhängigen Monarchen erheben wollen. Er ward ohne Prüfung und Untersuchung in einen der Kerker dieser Stadt gesperrt und erst nach drei Jahren durch eine allgemeine Amnestie befreit.

Nach einer kurzen Regierung Garibay's, eines noch ältern Mannes wie Jturnigaray, welchen die Audiencia provisorisch ernannt hatte, bestellte die Junta von Sevilla den Erzbischof von Mexico zum Vicekönig, welcher sich alle Mühe gab, Geld für sie zusammenzubringen. Sein Haß gegen Frankreich und seine große Verehrung der heiligen Jungfrau von Guadaloupe, der Schutzheiligen von Mexico, machte ihn zum Liebling der Creolen und der indianischen Einwohner, und da er keinen großen Scharfsinn bewies, die Ungerechtigkeiten und Unterschleife der Audiencia zu entdecken, so war er im Allgemeinen sehr beliebt. Demohngeachtet herrschte ein Zustand der Aufregung in Mexiko, welcher Unruhe und Besorgnisse bei der Regierung erregte, die aber viel zu schwach war, um sie durch einige wenige, nicht populäre Verhaftungen zu unterdrücken. Von dem Volke ging diese Stimmung auf die Amerikaner in der Armee über, und bald war die Neigung zur Empörung unter allen Classen verbreitet, die Handvoll europäischer Spanier ausgenommen. Die Nachrichten von dem Rückzug der Central-Junta von Sevilla, und von der Besetzung Andalusiens durch die Franzosen, waren in den Augen der Mexikaner entschiedene Beweise von der Verrätherei jener Behörde und von ihrem Vorhaben, sowohl Spanien als beide Indien der Herrschaft Napoleon's und seiner Familie zu überliefern. Diese Meinung wurde noch bestärkt durch die Ankunft des neuen, von der Junta ernannten Vicekönigs Venezos, welcher, anstatt beauftragt zu seyn, Untersuchungen über die Absetzung Jturnigaray's anzustellen, Ehrenzeichen und Beförderungen für diejenigen mitbrachte, welche dieses schändliche Verfahren geleitet hatten. In einem so entzündbaren Lande, wie Mexico zu dieser Zeit war, wird der kleinste Funke schnell zur lichten Flamme. Ein Aufstand wurde in großer Ausdehnung für den ersten November 1810 projectirt; aber die Verhaftung eines Mitgliedes des Stadtraths (Cabildo) in der Stadt Dolores veranlaßte seinen unzeitigen Ausbruch in der Mitte des Septembers. Hidalgo, ein Priester in dieser Stadt, scheint ein Mann von größerer Thätigkeit und von mehr Hülfsquellen gewesen zu seyn, als sie gewöhnlich unter den Creolen zu finden sind; auch war er schon in verschiedene patriotische Unternehmungen verwickelt gewesen. Der Anschein, wenn nicht die Wirklichkeit großer Verehrung der heiligen Jungfrau von Guadaloupe gab ihm in den Augen der 18,000 Indianer seiner Pfarrei das Ansehen eines höhern Wesens. Dieser Mann scheint die Revolution in seinem District, wo er wohnte, beabsichtigt zu haben; und als jenes Mitglied des Cabildo arretirt wurde, redete er seine Pfarrkinder von der Kanzel in einer ihren Vorurtheilen und ihrem einfachen Verstand angemessenen Sprache an:

„Dies ist die letzte Predigt, die ich Euch je halten werde; ich beklage es, aber es gibt kein Hülfsmittel! Die Europäer überliefern uns den Franzosen! Ihr seht, sie haben diejenigen belohnt, die unsern Vicekönig verhafteten; sie haben unsern guten Erzbischof abgesetzt, der uns beschützte, und sie haben unsern Corregidor in's Gefängniß gebracht, weil er ein Creole ist. Fahr hin, Religion, Ihr müßt Jakobiner werden! Fahr hin, Ferdinand der Siebente, Ihr müßt Napoleonisten werden!" „Nein, Vater", schrien die Indianer, „Du mußt uns von diesem Unglück erretten. Es lebe die heilige Jungfrau von Guadaloupe. Es lebe Ferdinand der Siebente"! „Wohl", erwiederte er, „es lebe die Jungfrau und Ferdinand für immer! Und nun folgt Eurem Priester, der immer für Eure Wohlfahrt gewacht hat!"

Auf die Gefühle des Pöbels, der schon lange in einem aufgeregten Zustande gewesen, machte diese Rede einen gewaltigen Eindruck: sie folgten ihrem Führer in die benachbarten Städte, wo sich in der größten Geschwindigkeit 40,000 Mann vereinigten. Allende, Aldama und Abasolo, drei Officiere von eingebornen Truppen, führten ihm ihre Regimenter zu, und ihrem Beispiele folgten schnell ein anderes Regiment Infanterie und zwei Schwadronen Cavallerie. Dieses Corps nahm, 14 Tage nachdem es sich gebildet hatte, Besitz von der Stadt Guanaxuato, der Hauptstadt des Bergwerksdistricts, wo man eine Beute von fünf Millionen Dollars fand. Hier goß Hidalgo Kanonen von den geschmolzenen Glocken, prägte Geld mit Ferdinands Bild und versah seine Leute mit Waffen, wie sie zu haben waren. In Valladolid ward er mit Triumph von den Einwohnern und den geistlichen Behörden empfangen; und da sich mehrere von der königlichen Armee mit ihm vereinigten, so beschloß er nach der Hauptstadt Mexico selbst zu marschiren, in der Ueberzeugung, daß der Vicekönig und seine spanischen Umgebungen sie ohne Widerstand räumen würden. Auf seinem Marsch dahin setzte sich ihm eine kleine reguläre Armee unter Trupillo entgegen, welche nach einem blutigen Kampf geschlagen ward. Die übrig Gebliebe-

nen zogen sich zurück, um sich mit Venegas in Mexico zu verei=
nigen. Als Hidalgo mit seinem Corps die Hauptstadt bedrohte,
wurden die Einwohner durch religiöse Veranlassungen bewogen,
sich ihm zu widersetzen. Ungefähr zehn Jahre vorher war er von
der Inquisition angegriffen worden und nur durch Nachsicht ih=
ren Klauen entgangen. Der Proceß gegen ihn wurde nun wie=
der hervorgeholt, und der Kirchenbann gegen ihn ausgesprochen.
Es ergab sich aus dem Rechtsspruch, daß er zu einer Zeit die
Existenz der Hölle geleugnet, und zu einer andern behauptet habe,
daß ein heilig gesprochener Papst zur Hölle gefahren wäre; daß
er der lutherschen Ketzerei angehangen, indem er in einer Predigt
gesagt habe: die Autorität der heiligen Schrift sey größer, als die
des Papstes; und in einer andern habe er die Wahrheit der Bibel
geleugnet! Diese Anklagen drehte er in's Lächerliche, indem er
den Widerspruch in denselben zeigte, und legte ein Bekenntniß
seines Glaubens ab, welches hinreichend rechtgläubig war. Wel=
chen Einfluß dieser Proceß auch auf die Bürger haben mochte, bei
seinen Anhängern schadete er ihm nichts: sie hatten mehr Vertrauen
auf seine Macht, zu absolviren, als auf die der Inquisition, in
den Bann zu thun. Während Hidalgo sich Mexico näherte, hatte
der Vicekönig, außer dem Corps unter Trujillo, noch zwei andere
abgeschickt, wovon das eine an der rechten, das andere an der
linken Seite der Insurgenten hinzog. Die Nachricht von ihrer
Vereinigung in seinem Rücken bewog Hidalgo sich nach Guana=
ruato zurückzuziehen, um seine Hülfsquellen zu sichern. Der spa=
nische General Calleja folgte ihm und nahm Guanaruato mit
Sturm ein, welches einer blinden Rache Preis gegeben wurde. Hi=
dalgo zog sich mit einigen seiner Truppen gegen die volkreiche
Stadt Guadalaxara, die sich für ihn erklärt hatte und wohin ihm
Calleja folgte. Er beschloß diesen wichtigen Platz zu vertheidigen,
und nahm mit seinen Streitkräften eine feste Stellung an der
Brücke von Calderon, welche er mit zahlreicher Artillerie deckte.
Dieser Posten wurde nach einem hartnäckigen Kampf von Calleja
genommen, während ein kleiner Ueberrest der Insurgenten mit
Mühe entkam, ihre Verwundeten, ihre Vorräthe und 90 Stück
Kanonen hinter sich lassend. Calleja hatte nur eine Handvoll
Truppen im Vergleich mit denen seines Gegners; er sah sich ge=
nöthigt sie zusammenzuhalten, und so wurde das ganze Land
von den Banden der Insurgenten überschwemmt, die durch Mord,
Plünderung und Verwüstung einen Gräuel anrichteten, der alles
übertraf, was die Geschichte aufzuweisen hat.

    Hidalgo setzte sich bei Zaccatecas, wo er neue Kanonen goß,
Geld prägte und die Lücken wieder ausfüllte, welche die Schlacht
an der Brücke von Calderon in seinen Streitkräften gemacht hatte.

Von dort zog er seine Armee nach St. Louis Potosi und ging, da er sich vor einem augenblicklichen Angriffe sicher hielt, mit einer kleinen Abtheilung seines Heeres, von seinem Generalstabe und einiger Artillerie begleitet, nach den nördlichen Provinzen, um sie zu organisiren, da er sie zur Insurrection für vorbereitet hielt. Diese Provinzen bewiesen sich aber dem Vicekönige sehr ergeben und waren durch ein Corps seiner Truppen unterstützt. Einer von Hidalgo's Anführern ließ sich gewinnen, sich mit ihnen zu vereinigen, und durch diesen wurde Hidalgo selbst abgeschnitten und mit Albama und Allende, mit ihrer Artillerie und ihren ganzen Corps zu Gefangenen gemacht. Die Officiere, 60 an der Zahl, wurden augenblicklich hingerichtet, und von den Gemeinen der zehnte Mann erschossen. Das Commando der von Hidalgo verlassenen Armee übernahm nun Rayon, ein Advocat, welcher sich immer noch an der Spitze von 40,000 Mann befand. Er scheint zur Aussöhnung geneigt gewesen zu seyn, wenn man nämlich seine Proclamationen als Beweis seiner Gesinnung gelten lassen kann. Er wollte Unterhandlungen anknüpfen; aber Calleja's Antworten vereitelten diesen Versuch.

Während die von Hidalgo angefangene und von Rayon fortgeführte Insurrection mit gutem und schlechtem Erfolg abwechselte, brach eine andere von einer furchtbareren Art in den westlichen Provinzen an den Küsten des stillen Oceans aus. Morelos war Pfarrer in einem der volkreichsten Districte in der Nähe von Acapulco. Ob er der Anstifter dieser Insurrection gewesen oder nicht, weiß man nicht; aber er ward bald zum Chef ernannt und offenbarte in der Ausübung seines Dienstes während beinahe fünf Jahren Talente, welche ihm sogar die Achtung seiner Gegner erwarben. Man vermuthet indessen, daß der militärische Ruhm eher einem andern Priester, Matamoros, gebührte, welcher der Nächste nach ihm im Commando war. Die Macht, welche er organisirte, wurde furchtbar, mehr wegen ihrer Disciplin, als wegen ihrer Anzahl. Nach der Schlacht von Tixtla, in welcher er die unter General Fuentes ihm entgegengeschickten Truppen schlug, bemächtigte er sich der sämmtlichen südlichen und westlichen Provinzen des Königreichs, nahm die Städte Acapulco, Oaxaca, Orizava und in der That jeden wichtigen Platz in der ganzen Statthalterschaft, ausgenommen die Hauptstadt und die Städte Vera Cruz und Puebla de los Angelos. Während dieser kriegerischen Ereignisse hörte das Morden in keinem Theile des Landes auf. Pardon wurde von keiner Partei gegeben. Während die Europäer im militärischen Besitz der Städte waren, welche oft ihre Herren wechselten, wurde das offene Land durch kleine Guerillasbanden verwüstet, welche keinen Obern gehorchten, vom Plündern des Landes lebten und jeden in ihre Hände fallenden Europäer ohne Schonung ermordeten.

Die königlichen Truppen bezeichneten ihrerseits ihren Weg durch Tausende an den Bäumen der Landstraße hängender Indianer und durch die rauchenden Ruinen verbrannter Plantagen. In manchen Gegenden entstand wahre Hungersnoth aus der Vernachlässigung des Feldbaus; weit verbreitete epidemische Krankheiten wirkten mit, das allgemeine Unglück zu vermehren und die Bevölkerung zu vermindern. Dem Vicekönig in der Hauptstadt war die Correspondenz mit den commandirenden Officieren der verschiedenen Truppenabtheilungen in den Provinzen fast ganz abgeschnitten; der Verkehr mit Vera Cruz war oft 5 oder 6 Monate lang abgebrochen, so daß es ganz unmöglich war, Vorräthe von dorther zu beziehen. Auch in der Hauptstadt wurden die Symptome der Insurrection beunruhigend, trotz einer Polizei, welche das Verbot ausgehen ließ, daß nicht mehr als drei Personen, außer den Familiengliedern, zusammenstehen dürften; und die Creolen und Indianer in der viceköniglichen Residenz äußerten ungescheut ihren Triumph bei jedem glücklichen Erfolge der Insurgenten.

Im Jahre 1812 sahen sich die Cortes zu Cadix, obgleich im eignen Lande hart bedrängt, doch im Stande, eine bedeutende Macht nach Mexico zu senden, welche sich mit andern auf der Insel Cuba organisirten Truppen vereinigte. Venegas wurde als Vicekönig durch Calleja ersetzt, welcher gegen Hidalgo und seinen Nachfolger Rayon so glücklich und thätig gewesen war. Dieses Haupt der Insurgenten zog sich nach der Belagerung von Toluca, die wegen Mangels an Belagerungsgeschütz mislungen war, mit einigen Individuen zurück, welche sich einen Nationalcongreß nannten und anfingen, das Verfahren der Nationalconvention von Frankreich nachzuäffen. Sie bewegten sich von einem Orte zum andern, wohin ihnen die Truppen Calleja's immer auf dem Fuße folgten; zuweilen große Massen entwickelnd, dann wieder nicht leicht zu finden; manchmal Vortheile gewinnend und dann wieder bedeutenden Verlust erleidend, nicht allein an Menschen, sondern auch an Waffen und Kriegsvorräthen, welche sich nicht so leicht ersetzen ließen. Sie erhielten sich demungeachtet vereinigt bis zum Jahre 1815, wo bei der Zurückkunft Ferdinands nach Madrid einige entflohen, andere kleine räuberische Banden bildeten, die zwar nicht stark genug waren, die Regierung zu stürzen, aber doch mächtig genug, alle Anstrengungen zu vereiteln, welche die Feldwirthschaft und der Bergbau zu ihrer Wiederherstellung machten.

Der neue Vicekönig Calleja scheint, nachdem er Verstärkungen erhalten hatte, sein Hauptaugenmerk auf die Armee unter Morelos gerichtet zu haben, welcher thätig beschäftigt gewesen war, die gewonnenen Vortheile zu sichern und zu vergrößern. Seine Stellungen waren so geschickt gewählt zwischen Vera Cruz und Mexico, daß die Truppen, welche zuerst von Spanien kamen, in den Mauern des ungesunden Vera Cruz halb verhungern mußten, und erst, als ihre Reihen durch Krankheit und Mangel sehr dünn geworden waren, durch ein Convoy von 1800 mit Mehl beladenen Eseln, unter Bedeckung der Armee von Mexico, aus ihrer verzweifelten Lage erlöst wurden. Diese Verstärkung hinderte indessen Morelos nicht, seine Operationen mit glücklichem Erfolge fortzusetzen. Die reguläre Macht unter seinem Commando belief sich auf 18,000 Mann, wovon 10,000 in Regimenter eingetheilt, uniformirt und mit Musketen bewaffnet waren, die sie der königlichen Armee zu verschiedenen Zeiten abgenommen hatten.

Während des ganzen Jahres 1813 war Calleja trotz dem, daß er unaufhörlich Verstärkungen erhielt, nicht im Stande, Morelos die Spitze zu bieten. Seine Aufmerksamkeit war auch zum Theil auf den Norden gerichtet, dessen Provinzen von Toledo, einem ehemaligen Mitgliede der Cortes von Cadix, überfallen worden waren. Indessen da Toledo geschlagen wurde, und der Ueberrest seiner Truppen sich in die vereinigten Staaten geflüchtet hatte, so wurde dort die Ruhe sehr bald wiederhergestellt. Gegen Ende des Jahres machte Morelos einen unglücklichen Versuch auf die Stadt Valladolid und zog sich, nachdem er die Belagerung aufgehoben, nach Punaran zurück, wo er von einer Division der Armee des Generals Llano unter dem Befehle Iturbide's angegriffen und zum ersten Male geschlagen wurde, nachdem er schon 46 theils große, theils kleine Gefechte geliefert hatte. Der Nächste nach ihm im Commando, Matamoros, wurde mit 900 Mann gefangen genommen und nebst 25 seiner Leute auf Befehl des commandirenden Officiers sogleich hingerichtet.

Während des Jahres 1814 waren Calleja und Morelos beständig mit einzelnen Unternehmungen beschäftigt. Ersterer war besser mit militairischen Vorräthen versehen, als letzterer: denn obgleich es keine Schwierigkeit hatte, Kanonen zu gießen und Schießpulver zu verfertigen, so empfanden die Insurgenten doch den Mangel an Flinten, Blei und andern nothwendigen Bedürfnissen. Es wurden Emissaire in die vereinigten Staaten geschickt, um das Fehlende herbeizuschaffen, und zu Ende des Jahres kamen auch einige Vorräthe an, von dem vorhin erwähnten Toledo und dem französischen General Humbert begleitet, demselben, welcher während der Revolutionskriege eine Landung in Irland gemacht hatte. Die Vorräthe wurden in eine kleine Festung zwischen Xalapa und Vera Cruz gebracht, und Morelos ging, seinem Hauptcorps voraus, den beiden Officieren entgegen, wurde aber nebst seiner kleinen Bedeckung von einem Corps Royalisten überfallen und gefangen. Man überlieferte ihn der Inquisition, um gerichtet zu werden; der Gang dieses Tribunals war aber für die Ungeduld Calleja's viel zu langsam, und Morelos wurde, nachdem man ihn seiner geistlichen Würden entsetzt, von hinten erschossen, um anzuzeigen, daß er als Verräther bestraft worden sey.

Mit dem Tode dieses außerordentlichen Mannes schien aller Verstand aus den Plänen beider Theile verschwunden zu seyn. Bis zu diesem Zeitpuncte war Ferdinands Name die Loosung, und Religionseifer der Vorwand der Insurgenten gewesen: aber nun wurde eine demokratische Versammlung zusammenberufen, die ihre Zeit mehr zu Erörterung abstracter Verfassungstheorien, als zu Beischaffung der Mittel, sie zu vertheidigen, anwendete; bis sie im December 1815 von Teran, einem ihrer eignen Officiere, gewaltsam aufgelöst wurde, welcher, nachdem er einige ihrer Mitglieder ausgeliefert hatte, sich selbst vom Schauplatze zurückzog. Calleja, durch neue Truppen aus Spanien verstärkt, war nun zwar im Stande, die größeren Haufen der Insurgenten zu zerstreuen, aber nicht das Land zu beruhigen. Die Lage des Königreichs wird von ihm selbst genau in einem Berichte vom 31. December 1815 geschildert, welchen er folgendermaßen schließt. „So sind wir ringsherum von unzähligen Räuberbanden umgeben, welche alle Communicationen abschneiden und den Fortgang des Feldbaues, des Handels und des Bergbaues hemmen, worin der Reichthum des Volks besteht. Diese Banden sind nicht mächtig genug, reguläre Truppen zu schlagen, Städte zu nehmen oder Convoys aufzufangen; doch haben auch wir nicht Stärke genug, sie zu vernichten, obgleich sie oft geschlagen, oft zerstreut und immer hart bestraft worden sind, wenn sie in unsere Hände fielen."

Auf Calleja folgte der Admiral Apodaca, früher Gesandter in England, ein Mann von mildem Charakter, und durch eine Veränderung des Systems wurden mehrere Anführer des Aufruhrs bewogen, sich davon loszusagen, und so wurden einige schwache Schritte zu einer allgemeinen Beruhigung gethan.

In dieser Lage der Dinge erschien an den Küsten von Mexico eine kleine, theils in England, theils in Nordamerica ausgerüstete Expedition unter dem jüngern Mina.

Dieser Officier wird von denen, die ihn kannten, als ein junger Mann von großen Talenten geschildert, welcher Energie mit Einsicht verband und nicht die Wildheit des Charakters besaß, wodurch sich so viele Guerillas-Anführer in Spanien ausgezeichnet haben. Er landete in einem der kleinen nördlichen Häfen Mexico's im December 1816, ging aber bis zum März 1817 nicht vorwärts. Einige unglückliche Versuche, eine Communication mit dem Insurgenten-General Victoria, nun einer der Officiere an der Spitze der gegenwärtigen Regierung, zu eröffnen, schlugen fehl. Die Streitkräfte, welche er mitbrachte, waren zu schwach, um denen Vertrauen einzuflößen, die geneigt waren ihm beizustehen, oder es zu seyn vorgaben; und so wurde sein Marsch durch mehre Truppencorps, die alle weit stärker waren, als sein eignes, aufgehalten. Im Vorrücken lieferte er drei Schlachten mit einem größern Verlust auf Seiten des Feindes, als seines eignen kleinen Haufens. Er drang endlich tiefer als 600 (engl.) Meilen in das Land hinein und bewerkstelligte die Vereinigung mit einer Partei der Insurgenten. Ihr Anführer Torres, ein Priester, ist von Robinson mit den schwärzesten Farben geschildert worden; seine Officiere werden als unwissend, eigennützig und lüderlich beschrieben, und obgleich Mißvergnügen unter den Truppen der Royalisten herrschte, so war doch keiner zu vermögen, sich unter das Commando eines solchen Anführers zu begeben. Durch die auf dem Gute des Marquis von Javal gemachte Beute, 300,000 Dollars am Werthe, war Mina in den Stand gesetzt, sein Corps wieder durch 200 Mann zu ergänzen, wodurch es beinahe auf das Doppelte gebracht wurde; mit diesem warf er sich in ein kleines Fort, welches gleich belagert und nach einer tapfern Vertheidigung erobert wurde. Die kleine mit ihm gelandete Schaar kam um bis auf 12 Mann; er selbst hatte sich vor der Eroberung durch die Flucht gerettet in der Absicht, neue Streitkräfte zu sammeln und die Belagerung aufzuheben. Obgleich dies nun nicht gelang, so sammelte er doch bald wieder ein Corps von 900 schlecht bewaffneten und schlecht geübten eingebornen Truppen; und nachdem er sie in kurzer Zeit bis zu 1400 vermehrt hatte, machte er einen tapfern Angriff auf die Stadt Guanaxuato, welcher nur aus Mangel an Disciplin fehlschlug. Während dieses Angriffs geschah es, daß die großen Anlagen des Bergwerks zu Valenciana, in der Nähe dieser Stadt, von einer seiner Divisionen verbrannt wurden. Seine Leute, gewohnt, sich nach jeder Unternehmung wieder in ihre Heimath zu zerstreuen, thaten es auch bei dieser Gelegenheit und ließen Mina mit einer kleinen Bedeckung in der Wohnung eines seiner Anhänger, wo man ihn vor Ueberfall sicher glaubte. Ein Priester verrieth ihn: mitten in der Nacht wurde das Haus umringt, und er selbst, wie er fragend nach der Ursache des Lärms hervorkam, ergriffen und fortgeführt. So endigten die Thaten dieses ausgezeichneten Jünglings. Er ward den 1. November, nach einer glänzenden, aber kurzen Laufbahn von 9 Monaten, erschossen und trug sein Schicksal mit der Festigkeit, die er während seines militairischen Lebens bewiesen. Seine Humanität bildete einen stark in die Augen fallenden Contrast gegen die brutale Grau-

18

ſamkeit ſeiner mexicaniſchen Gefährten und gegen jene mehr ver=
feinerten, aber eben ſo grauſamen Gefühle, die von einigen ſeiner
royaliſtiſchen Feinde geäußert wurden. Auf den Tod Mina's folgte
die Einnahme des feſteſten Platzes, welchen die Inſurgenten inne
hatten, und die wenigen kleineren Feſtungen erfuhren bald das
nämliche Schickſal. Die Banden, wenn auch nicht mehr im
Stande ſo zahlreich aufzutreten, wie bisher, fuhren doch theil=
weiſe fort das Land zu verwüſten, alle Communication aufzuhe=
ben und die königliche Armee beſtändig in Bewegung zu halten.
Die große Entfernung der bevölkerten Theile, die zahlreichen ſichern
Schlupfwinkel, welche jeder Diſtrict darbot, die Gewohnheit ſo=
wohl der Thätigkeit als der Enthaltſamkeit, welche die Bergbe=
wohner erlangt hatten, verbunden mit der allgemeinen Abneigung
der Einwohner gegen die ſpaniſche Herrſchaft: — alles kam zu=
ſammen, Apodaca's Bemühungen, wodurch er die wilden Leiden=
ſchaften der rohen Einwohner zu beſänftigen ſuchte, zu vereiteln,
und ſetzte die Häupter in den Stand, ihre Gewalt ſo lange zu
behaupten und ihren Widerſtand ſo lange fortzuſetzen, bis eine
Reihe neuer Begebenheiten einen von ihnen zur höchſten Macht
und die andern zu ausgezeichneten Poſten emporhob.

Die Revolution in Spanien, die auf die Empörung der
Inſel Leon folgte, war nicht ſobald in Mexico bekannt, als eine
allgemeine Gährung entſtand, welche durch den milden Charakter
des Vicekönigs und die Ungewißheit einer Unterſtützung von Sei=
ten der in Spanien herrſchenden Partei zu viel Stärke erhielt,
als daß er ſie hätte dämpfen können. Alles griff zu den Waffen;
überall herrſchte Verwirrung. Jede Provinz, ja beinahe jede Stadt
gab ſich ihre eignen Geſetze. Die ganze Armee wurde von der
allgemeinen Epidemie angeſteckt; alle Staatsgewalt war entweder
ganz aufgehoben, oder fiel in jeder kleinen Stadt den Obrigkeiten
zu, ſo daß jede zum unabhängigen Staate wurde. General Au=
guſtin von Iturbide, welcher während der früheren Erſchüt=
terungen bei der königlichen Armee gedient hatte, ſtand an der
Spitze der Armee und ſcheint ausgebreiteten, wenn nicht gar all=
gemeinen Einfluß beſeſſen zu haben. Apodaca wurde mit einer
geringen Anzahl Truppen, deren Treue mehr als zweifelhaft war,
in die Stadt eingeſchloſſen. Iturbide entwarf einen Plan, die
verſchiedenen das Land beunruhigenden Parteien zu verſöhnen.
Dieſer, der Plan von Iguala genannt, beſtimmte: daß Me=
rico ein unabhängiges Reich bilden ſolle unter dem Könige von
Spanien, oder wenn dieſer es ablehnte, unter irgend einem an=
dern Gliede ſeiner Familie, welches ſich entſchlöſſe im Lande zu
reſidiren; daß keine andere, als die römiſch=katholiſche Religion
daſelbſt geduldet, aller Unterſchied der Cäſten aufgehoben werden,

und Americanern, wie Europäern, der Weg zu allen Aemtern
geöffnet seyn solle. Eine reguläre Armee sollte errichtet werden,
in welche die alten Anhänger der Unabhängigkeit mit aufgenom=
men werden sollten; aus Patrioten und Bauern, welche diesen
Plan angenommen hatten, sollte eine Nationalmiliz errichtet wer=
den; alle öffentliche Beamte, welche der Sache beiträten, sollten
ihre Stellen behalten; diejenigen, so entgegengesetzter Meinung
wären, sollten Erlaubniß bekommen, mit ihren Familien und Ef=
fecten das Land zu verlassen; es sollte eine provisorische Regie=
rungsjunta von den geschätztesten Mitgliedern aller Parteien nie=
dergesetzt werden, deren Präsident der Vicekönig Apodaca seyn sollte.

Worin nun auch die Vorzüge oder die Fehler dieses Plans
bestanden haben, wie mangelhaft auch die einzelnen Puncte dessel=
ben gewesen seyn mögen: so diente er doch gewiß als Mittel, den
innern Frieden vom Februar bis zum August 1821 zu erhalten,
wo General D'Donoju mit der Verwerfung dieses Planes von
Seiten der Cortes und mit seiner eigenen Ernennung, als Vice=
könig an Apodaca's Stelle, aus Spanien anlangte. Er kam
blos mit einer Vollmacht, ohne Truppen, ohne Vorräthe, ohne
Geld. Unbekannt mit der Lage des Landes, fand er zu seinem
Erstaunen, daß er keine Communication weder mit Apodaca noch
mit irgend einer Provinzialjunta. haben konnte, als durch Iturbide,
dessen Corps alle Straßen zwischen der Seeküste und der Haupt=
stadt beherrschten. In dieser Lage blieb ihm kein anderer Aus=
weg, als nach Spanien zurückzukehren (ein Schritt, durch wel=
chen er die Sicherheit aller Europäer im Lande in Gefahr zu setzen
fürchtete), oder sich in Unterhandlungen einzulassen, welche die
Fortdauer der Ruhe zu sichern vermöchten. Ein Vertrag wurde
demnach mit Iturbide geschlossen, nach welchem die Thore der
Hauptstadt, wo Apodaca schon durch einen militairischen Aufstand
abgesetzt worden war, geöffnet wurden, und beide Generale unter
dem Freudengeschrei der Einwohner ihren Einzug hielten. In
Folge dieses Vertrags wurde eine Junta zusammenberufen von
solchen, die man am fähigsten hielt, die öffentlichen Angelegen=
heiten zu leiten, aber welche es zum Hauptgegenstande machten,
die Wahl der Mitglieder zu ordnen, die einen allgemeinen Con=
greß der Repräsentanten aller Provinzen bilden sollten. D'Donoju
starb an der Auszehrung, während die Junta ihre Functionen,
unter der ausübenden Gewalt von fünf Individuen, deren Präsident
Iturbide war, versah. Die Wahlen wurden durch eine Partei in
der Junta so geleitet, daß fast alle Mitglieder derselben Sitz im
Congresse bekamen. Als derselbe eröffnet wurde, zeigte sich, daß
niemand verstand, die Geschäfte einer solchen Versammlung zu lei=
ten; ein Tag nach dem andern ward mit Anordnungen von Ce=

remonien, mit Streit über Kleinigkeiten hingebracht, während jeder
Zweig der Regierung, indem ihm die Gränzen seiner Befugnisse
unbekannt waren, und er nicht wagte irgend eine Autorität aus=
zuüben, bis sie vom Congresse genehmigt war, in einen Zustand
gänzlicher Erstarrung versank. Dem Volke war, wie es auch in
andern Ländern geschehen, von dem Wechsel der Dinge eine au=
genblickliche Rückkehr der Ruhe und des Wohlstandes verheißen;
und da es nun sah, daß kein Mittel gegen Uebel, die freilich keine
so schnelle Hülfe zuließen, angewendet wurde, äußerte sich erst
Unzufriedenheit, und dann Erbitterung. Vom August 1821 bis
zum April 1822 sey nichts geschehen, sagten sie, um ihrem Wohl=
stand aufzuhelfen, noch irgend ein Hülfsmittel ergriffen worden,
die Rückstände zu bezahlen, welche sowohl die Armee, als die Ci=
vilbeamten seit langer Zeit vom Staate zu fordern hätten. Itur=
bide selbst äußerte keine geringere Unzufriedenheit mit diesen ver=
zögernden Verhandlungen, als die große Masse des Volks. Bei
dieser Lage der Dinge brach im Mai 1822 ein allgemeiner Auf=
ruhr aus: die Straßen füllten sich mit Bürgern, welche laut ge=
gen den Congreß eiferten und im Verein mit den Truppen schrien:
Lange lebe Kaiser Augustin der Erste! Der Congreß
gab sich diesem von außen kommenden Anstoße hin. Von vier=
undneunzig Mitgliedern, die sich im Hause befanden, votirten
siebenundsiebzig für die Erhebung des Generals auf den Thron;
funfzehn verlangten die Provinzen erst zu Rathe zu ziehen und
votirten bloß deshalb, wie sie sagten, gegen ihn; zwei gingen fort,
ohne ihre Stimmen zu geben. Es fehlt uns an hinreichenden
Nachrichten, um zu beurtheilen, inwiefern der Tumult und das
ihn begleitende Geschrei Wirkung der Intrigue war, oder inwie=
fern die Furcht zur Entscheidung des Congresses beigetragen hat:
aber die Nachricht von dieser Begebenheit scheint in den Provin=
zen mit großem und ungetheiltem Beifall aufgenommen worden
zu seyn.

Iturbide, plötzlich auf einen Thron gesetzt, welchen er, nach
seiner Versicherung, nicht suchte und nur nach ernsthaftem Wider=
streben annahm, blieb nothwendigerweise in gänzlicher Unwissenheit
über die Gränzen seiner Macht. Im Jun. 1822, als hundert=
undneun Deputirte (die ganze Anzahl bestand aus 164) versam=
melt waren, wurde einmüthig durch Stimmenwahl beschlossen,
daß die kaiserliche Würde in seiner Familie erblich seyn sollte;
aber niemand dachte daran, genauer zu bestimmen, worin diese
Würde bestehen und in welcher Art sie ausgeübt werden sollte.
Die Versammlung, gleich allen solchen Vereinen, deren Autorität
man nicht mit scrupulöser Genauigkeit bestimmt hatte, griff na=
türlich nach jedem Zweige jener Macht, ohne welche in der Aus=

übung weder Freiheit, noch Sicherheit, noch Regierung möglich ist. Gesetzgebung war ihnen etwas Neues; und obgleich über alles gesprochen wurde, so scheinen sie doch nichts festgesetzt zu haben. Es bildeten sich schnell Parteien in der Versammlung. Zwei von ihnen, die Bourbonisten und die Republikaner, vereinigten sich bei jeder Veranlassung, wo sie dem Kaiser hinderlich seyn konnten. Die Emissarien der letzten Partei suchten durch ihre Ränke ihre Lehren durch das ganze Land zu verbreiten, und einige Officiere von der Armee traten, vielleicht aus Ueberzeugung, wahrscheinlicher aber aus Neid oder getäuschter Erwartung, auf ihre Seite. Diese Schritte konnten nicht verborgen bleiben, und wo man über Gebrauch und Mißbrauch der öffentlichen Meinung noch keine Erfahrung hat, da muß sie natürlich die Regierung in Unruhe setzen. Nach einem, wie es scheint unrichtig erklärten, Artikel der spanischen Constitution ließ Iturbide eine Anzahl Mitglieder des Congresses, auf die Anklage der Verrätherei, verhaften. Die übrigen verlangten deren Loslassung, welche der Kaiser verweigerte, bis das Tribunal, das sie richten sollte, darüber entschieden hätte. Dies führte zum Streit, zu Antwort und Erwiederung, bis der 30ste October erschien, wo Iturbide die kräftige Maßregel ergriff, die Versammlung nicht sowohl aufzulösen, als zu entlassen. Er setzte aus ihnen einen Ausschuß nieder, welcher unter dem Namen Junta instituente die Zusammenberufung eines neuen Congresses einleiten sollte. Alles dies fand statt, ging in vollkommner Ruhe vor sich und soll allgemeinen Beifall gefunden haben.

Während aber diese Junta ihre Berathschlagungen fortsetzte, brach ein Aufstand in der Armee zu Vera Cruz aus, von zwei Generalen angestiftet, auf welche Iturbide sein Vertrauen gesetzt hatte. Sie waren in Feindschaft mit einander, hatten sich aber vertragen, um sich gegen ihren Anführer zu vereinigen. Dieser Funke, anfänglich nur gering beachtet, entzündete sich schnell zur Flamme und breitete sich immer weiter aus, indem sich die beiden Generale mit ihren Truppen der Hauptstadt näherten. Die Truppen, auf deren Treue Iturbide noch rechnen konnte, waren stark genug, ihnen zu widerstehen, und würden sie wahrscheinlich vernichtet haben: aber dies wäre nur der Anfang eines neuen Bürgerkrieges gewesen, welchen beizulegen der Zweck seines ganzen Strebens seit zwei Jahren gewesen war, und welcher, einmal angefangen, sich über das ganze Land erstreckt haben würde. Man stellte ihm vor, daß die herrschende Stimmung für eine republikanische Verfassung sey, und daß er, wenn er sich selbst an die Spitze der Partei, die sie begünstigte, stellen wollte, seine Macht und das Commando über die Armee behalten könnte. Aber seine feste Ueberzeugung war, daß ein solches System bei dem jetzigen

Zuſtande des Landes für deſſen Intereſſe verderblich ſeyn müſſe, und ſeine frühern Erklärungen hierüber hielten ihn ab, irgend einem Vorſchlage dieſer Art Gehör zu geben.

Um die Ruhe zu erhalten, beſchloß er auf den Thron zu verzichten; und damit das Land nicht ohne irgend eine Regierung ſeyn möge, hielt er es für rathſamer, den vorigen von ihm entlaſſenen Congreß wieder zuſammenzuberufen, als die Zuſammenkunft des neuen abzuwarten, den ſie ſelbſt verſammelt hätten. In die Hände dieſer Verſammlung legte er ſeine Macht nieder und entſchloß ſich das Land zu verlaſſen, damit ſeine Gegenwart nicht Grund zu neuen Unruhen geben möchte. So ſtieg er wieder zum Privatleben herab, nachdem er zwei Jahre die Herrſchaft über dieſes ungeheure Reich geführt und ein Jahr lang die kaiſerliche Krone deſſelben getragen hatte. Er ſchiffte ſich im Mai 1823 nach Italien ein, mit einer lebenslänglichen Penſion von 25,000 Dollars, einer Anwartſchaft für ſeine Familie auf 8000 Dollars und dem Titel Excellenz. Alles dieſes wurde vor der Niederlegung ſeiner Regierung von derſelben Verſammlung, die er entlaſſen, angeordnet.

Es fehlt uns an hinreichenden Thatſachen zu einer genauen Beurtheilung des Charakters und des Benehmens des Erkaiſers; aber auch nach andern Quellen, als die vor uns liegenden officiellen Documente, ſind wir mehr geneigt vortheilhaft von beidem zu denken. Die Arbeiten in den Bergwerken, der wichtigſte Zweig der mexicaniſchen Induſtrie, hatten ſich dergeſtalt verringert, daß ſie nicht mehr als 4 Millionen Dollars eintrugen. Nach dem Berichte Alamans, eines ſeiner erfolgreichſten Gegner und jetzigen Miniſters, trugen die Minen in dem erſten Jahre unter Jturbide's Regierung beinahe ſechs Millionen, und in dem nächſten Jahre, als er Kaiſer war, ſieben Millionen. Dieſes Zunehmen mag aus andern Urſachen entſtanden ſeyn: aber bei der Unkenntniß ſolcher andern Urſachen iſt es ein ſehr ſcheinbarer Beweis zu ſeinen Gunſten. Wir haben mit Aufmerkſamkeit die ganzen Verhandlungen des Congreſſes in den zwei Monaten nach der Abbankung durchgeleſen. Wir finden darin keine geradezu gegen ihn gerichtete Anklage, noch irgend eine Anſpielung zu ſeinem Nachtheil, ausgenommen die Behauptung eines der heftigſten Mitglieder des Congreſſes: „daß Jturbide darnach getrachtet habe, die Geſetzgebung ſowohl als die Verwaltung ganz von ſich abhängig zu machen." Ein anderes Mitglied antwortete darauf: „daß ihm die Nation für ihre Unabhängigkeit Dank ſchuldig ſey, und wenn auch einige Gewalt angewendet worden, ihm die kaiſerliche Würde zu verſchaffen, ſo habe die Nation dieſe Würde bei ſeiner Krönung und bei dem Beſchluß über die Erbfolge anerkannt; und der von ihm aufgelöste Congreß könne nicht unparteilsch in seiner eignen Sache richten." Auf der andern Seite müssen wir die Freimüthigkeit und Liberalität derjenigen rühmen, die, nachdem sie ihr Oberhaupt von seiner Stelle vertrieben und seine Gewalt sich selbst zugeeignet hatten, sich aller Aeußerungen enthielten, welche seine Administration beschimpfen sollten, und welche solche Anordnungen für ihn und seine Familie trafen; wie sie den Diensten, welche er geleistet, dem Range, den er bekleidet, und dem Zustande ihrer eignen Finanzen angemessen waren.

Nach der Abreise Iturbide's ernannte der Congreß eine Regierungsbehörde, bestehend aus drei Generalen, wovon zwei, Victoria und Bravo, während der Bürgerkriege bei der Armee der Creolen gedient, und der dritte, Negrette, als General unter den königlichen Truppen ihnen entgegengestanden hatte. Einige Provinzen zeigten Symptome der Unzufriedenheit, weil kein neuer Congreß berufen wurde, und klagten den jetzt bestehenden wegen eigenmächtiger Verlängerung seiner Sitzung an. Nach manchen Vorstellungen und einigen Anfängen von Feindseligkeiten ward dessen Aufhebung endlich durch die Stimmen der Mitglieder beschlossen. Beim Abgange der letzten Nachrichten von Mexico war wieder ein neuer Congreß zusammenberufen, welcher mit Entwerfung der künftigen Verfassung des Reichs beschäftigt war.

Wir können die Gründung einer unabhängigen und guten Regierung in diesem großen und anziehenden Lande nicht allein als eine Wohlthat für dessen Bewohner, sondern auch für die ganze civilisirte Welt betrachten. Gewiß ist es ein trauriger Anblick, ein von der Natur so reich ausgestattetes Land, wie Mexico, dessen Boden und Klima die köstlichsten Erzeugnisse hervorbringt, durch eine fremde Herrschaft, welche nur durch Beschränkungen und Monopolien zu regieren weiß, in allem Nützlichen und Schönen gehemmt zu sehen. Das erste dieser Uebel könnte durch Sicherung der Unabhängigkeit hinweggeräumt werden; das letztere durch Mäßigung, Fleiß und Gemeingeist, welche die Pflichten und das Interesse derjenigen sind, denen die Leitung des großen Nationalraths zu Theil werden wird. In heißen Gegenden ist der Hang zur Trägheit so mächtig, daß ohne Vorbereitung mannichfaltiger Kenntnisse kein Antrieb zu Verbesserungen und Fortschritten denkbar ist. Von Spanien, welches selbst in allen Zweigen des Wissens so unendlich zurück ist, konnte nicht erwartet werden, daß es außerordentliche Anstrengung für die geistige Cultur der entfernten Provinzen machen würde. Die großen Fortschritte, welche alle Künste und Wissenschaften in neuerer Zeit unter allen andern civilisirten Nationen gemacht haben, würden in einem Lande, wie Mexico, aus welchem sie bis jetzt ausgeschlossen gewesen sind, ein reiches Feld finden, ihren mächtigen Einfluß zu entfalten.

Die Lage Mexico's, dessen westliche Küsten beinahe in gleicher Entfernung von Indien, als dessen östliche Küsten von Europa liegen, eignet sich vortrefflich zum Handel mit beiden. Die vorzüglichsten Erzeugnisse eines jeden Landes können vortheilhaft ausgetauscht werden, gegen den Ueberschuß, den der Boden und die Minen Mexico's, unter dem Schutze der öffentlichen Sicherheit, reichlich hervorzubringen im Stande ist. Wenn einmal der Sinn für die höhern Genüsse und Bequemlichkeiten des Lebens, an welche civilisirte Nationen gewöhnt sind, auch dort erwacht, wird das allgemeine Verlangen, sich solche zu verschaffen, natürlich zunehmen. Man wird darauf denken, Verbindungswege zwischen den entfernten Theilen dieses großen Landes herzustellen und einen Binnenhandel zu gründen, welcher die sicherste Grundlage eines großen National=Wohlstandes werden muß.

Da jetzt so leicht kein auswärtiger Feind Mexico mit glücklichem Erfolg angreifen kann, so wird die Verwirklichung dieser hier flüchtig gezeichneten Aussicht lediglich von seinen eigenen Regierern abhangen. Wir haben das Zutrauen, daß sie die den hohen Pflichten, wozu sie berufen sind, nöthigen Eigenschaften besitzen, und daß die Bevölkerung, die geistige Bildung, der Reichthum und das Glück ihres Vaterlandes zunehmen werden, bis dies die Höhe erreicht, zu welcher es durch die Vereinigung so vieler günstigen Umstände bestimmt ist.

Diese Darstellung, welche eine gedrängte aber klare Uebersicht der Ereignisse und Verhältnisse von Mexico gibt, war gedruckt, ehe Iturbide selbst bei seiner Abreise aus England seine sogenannten Memoiren:

A Statement of some of the principal events in the public life of Augustin de Iturbide, written by himself, London 1824.

bekannt machte. Die Vorrede des englischen Uebersetzers, des durch mehrere schätzbare Schriften über Spanien bekannten J. Quin, ist vom 8. Jun. d. J., und das Heft des Quarterly Review, woraus jene Darstellung genommen ist, wurde bereits im April ausgegeben. Doch sind die Ansichten in beiden bis auf einen Punct sehr übereinstimmend, indem nämlich der Verfasser des Aufsatzes im Qu. Review die Meinung anzunehmen scheint, daß eine föderalistisch = demokratische Verfassung für Mexico die zweckmäßigste seyn möge, wie sie sich in Nordamerika zur Zeit bewährt; Iturbide hingegen es als einen Hauptgrundsatz seines politischen Wirkens für sein Vaterland angibt, und sowohl seine früheren Handlungen, seinen Plan von Iguala, seine Annahme der Kaiserwürde und seine Abdankung, als auch seine jetzige, am 11. Mai d. J. aus England angetretene Abreise nach Mexico dadurch motivirt, daß nur eine monarchische Regierungsform die Verwirrung und Gebrechen der Verwaltung jenes von der Natur hochbegünstigten, von den Menschen so schlecht benutzten Landes zu heben im Stande sey. In allen übrigen Dingen, besonders in dem, was Iturbide über sich selbst und über die Uneigennützigkeit seiner Staatsverwaltung sagt, stimmen beide auf das vollkommenste überein, und es wird nicht überflüssig seyn, unsere Leser daran zu erinnern, daß das Quarterly Review als das eigentliche Organ derjenigen Universität, welche seit langer Zeit immer ministeriell gewesen ist, betrachtet werden muß. Wenn man daher bedenkt, mit welchen übertriebenen Erzählungen in öffentlichen Blättern die Nachricht von Iturbide's Abdankung begleitet wurde, welche fast abenteuerliche Schilderung von seinem Despotismus, seinem Eingreifen in das Privateigenthum, seiner Verschwendung und seinen Thorheiten in allen Zweigen der öffentlichen Verwaltung gemacht wurde: so wird man allerdings auch gegen die neuern Berichte aus jenen Gegenden sehr mißtrauisch werden müssen, indem sie immer mit bestimmter Hinsicht auf eine politische Partei=Ansicht abgefaßt sind, und entweder die Ueberzeugung erwecken sollen, daß Mexico in sich selbst zur Unabhängigkeit, als eigner Staat, noch lange nicht reif sey, oder daß es diese Unabhängigkeit bereits factisch erzwungen und damit, sowohl in der That als auch von Rechts wegen, die Colonial=Verhältnisse zu Spanien, als dem Mutterstaate, gelöst habe. In dieser letzten Ansicht stimmt auch Iturbide so vollkommen überein, und sein ganzes früheres politisches Leben ist so ganz daraus hervorgegangen, daß man nicht wohl absehen kann, wie er (ein eingeborner Mexicaner europäischer Abkunft) jetzt die Wiederherstellung der alten Colonial=Verhältnisse zu Spanien zum Zweck seines neuerlichen Auftretens machen könnte. Wenn man auch den persönlichen Wankelmuth, welcher dazu gehörte, und die Verleugnung aller nationalen Vorurtheile nicht in Anschlag bringen will: so ist es doch rein unmöglich, daß ein Mann wie Iturbide bei der spanischen Partei, solange sie von andern Mitteln noch nicht ganz entblößt ist, irgend einiges Vertrauen finden, oder daß er die mexicanische Partei zum Uebertritt zur spanischen zu bewegen hoffen könnte. Daher bleibt denn eigentlich nur die untergeordnete Frage, ob Mexico die monarchische, oder eine der nordamerikanischen Verfassung nachgebildete Regierungsform haben solle, für ihn übrig, und auch in Beziehung auf diese (wobei wir die

Hauptsache, ob die Unabhängigkeit von Spanien für factisch ent=
schieden geachtet werden müsse, ganz auf sich beruhen lassen) wi=
derlegt eigentlich Iturbide sich selbst.   Denn daß seine Regierung
in Mexico keine wirklich monarchische war, daß sie nur in einer
Aufwallung des Volkes und Militairs ihre Grundlage und eben
so vorübergehend als diese selbst war, geht aus allen seinen Aeu=
ßerungen sehr deutlich hervor.   Er hatte nur den Namen eines
Kaisers; um einige Gewalt auszuüben, mußte er zu einem Ge=
waltstreiche (Verhaftung einiger Congreßdeputirten am 26. August
1822 und gänzliche Auflösung des Congresses am 30. October 1822)
seine Zuflucht nehmen, welcher aber die Folge hatte, daß die Trup=
pen in Vera Cruz sich für den Congreß erklärten, und Iturbide
seinen Kaisertitel schon am 20. März 1823 wieder niederlegen
mußte.   Daß er selbst seinen persönlichen Vortheil nicht durch ei=
nen Bürgerkrieg (indem er sowohl im Volke als unter den Trup=
pen noch großen Anhang gehabt zu haben behauptet) zu verthei=
digen suchte, macht ihm eben so viel Ehre, als dem wiederherge=
stellten Congresse die anständige Behandlung des bisherigen Dic=
tators und seiner Familie, welche letzte aber auch ein Beweis ist,
daß man demselben keinen sehr bedeutenden Einfluß auf das künf=
tige Schicksal Mexico's zutraute.   Wer von beiden Theilen nun
hierin Recht habe, wird die nächste Entfaltung der Begebenheiten
entscheiden müssen.

    Im übrigen sind die Memoiren des gewesenen Kaisers, wo=
von, drei Tage nach den Ausgaben derselben in London, schon
eine französische Uebersetzung in Paris erschien:

    Mémoires autographes de *Don Augustin Iturbide*,
    Ex-Empereur de Mexique etc. par *I. T. Parisot.*

und eben auch eine deutsche vor uns liegt:

    Denkwürdigkeiten aus dem öffentlichen Leben des Erkai=
    sers von Mexico, Augustin de Iturbide, von ihm selbst
    geschrieben.   Nach der englischen Ausgabe übersetzt. Leip=
    zig b. Brockhaus. 1824.

zwar nicht eine genaue Darstellung der Begebenheiten, an welchen
der Verfasser seit etwa 14 Jahren einen so bedeutenden Antheil
genommen hat: aber sie sind bei der Seltenheit anderer Quellen
doch für alle diejenigen interessant, welche die großen Entwickelun=
gen der Zeit mit aufmerksamem Blicke verfolgen.   Es wäre viel=
leicht zweckmäßig gewesen, denselben eine kleine Uebersicht der Er=
eignisse in Mexico beizufügen; ein Mangel, welchen wir für die
Leser des Hermes durch den vorstehenden Aufsatz zu ersetzen ge=
sucht haben.

    Von seinen persönlichen Verhältnissen sagt Iturbide auch
wenig, doch genug; um manche über ihn verbreitete Gerüchte

zu widerlegen. Er ist um das J. 1784 geboren und nicht der Sohn eines Bauern, wie man gesagt hat, welches auch freilich nur insofern etwas Wesentliches wäre, als es auf die Erziehung Don Augustins einen Einfluß gehabt hätte. Gerade hierin aber steht er seinen vornehmen Landsleuten nicht nur nicht nach, sondern hat durch einen glücklichen Zufall einen sorgfältigern Unterricht genossen, als die meisten von ihnen. Er kennt die classische Literatur, und seine Freunde rühmen von ihm eine einnehmende kraftvolle Beredsamkeit, militairische Talente, häusliche Tugenden und gesellige Vorzüge.

X.

Kritisch=historische Uebersicht des Zustandes der schwedischen Literatur seit dem Anfange dieses Jahrhunderts.

Zweiter Artikel.*)
2) Uebersicht der schwedischen Literatur, vom Jahre 1810 bis zum Jahre 1822.

Da ehedem die freie Aeußerung der Gedanken nicht als ein Recht der Völker, sondern nur als eine Gunst der Regenten betrachtet wurde, so galt es bei einer neuen Regierung oft als Mittel, sich liberal zu zeigen, daß man die der Druckerpresse aufgelegten Fesseln abnahm, und der Reichs=Verweser, der nachmalige König Karl XIII. versäumte auch nicht dieses Mittel anzuwenden. Schon am 12. April, noch ehe die Stände des Reichs versammelt wurden, erließ der Herzog von Südermanland eine provisorische Verordnung, wodurch er alle ältere Einschränkungen der Presse aufhob; und durch die am 6. Juni 1809 eingeführte Verfassung wurde in dem 86. §. die Preß=Freiheit oder eines jeden schwedischen Mannes unwillkürliches Recht, ohne alle von der öffentlichen Macht bereitete Hindernisse, Schriften in jeder beliebigen Form herauszugeben, als constitutionell und die Verordnung hierüber als ein Grundgesetz sanctionirt, welches nur durch die Genehmigung der Stände verändert werden könnte. Und endlich am 9. März 1810 erschien eine Verordnung, in welcher bestimmt wurde, was in Hinsicht der Presse als strafbar anzusehen wäre, wie darüber bei den Kämners=Gerichten der Stände verfahren werden sollte. Dabei wurde der Grundsatz an=

*) Siehe den ersten Artikel in Nr. XVII. S. 237.

genommen, baß nur der Verfasser für die Uebertretung büßen
sollte; doch da es auch erlaubt war eine Schrift herauszugeben,
ohne sich zu nennen, so sollte der Verfasser dem Buchdrucker alle=
mal einen versiegelten Namenzettel zustellen, und sobald der Buch=
drucker diesen Zettel an das Gericht abgab, sollte er selbst von
aller Verantwortung frei seyn. Aber da diese Namenszettel nur
im Falle eines so schweren Verbrechens, daß es mit Gelde nicht
gebüßt werden konnte, erbrochen werden durften, so kam es, daß
man bei den meisten Klagen, die wegen Uebertretung der Preß=Ver=
ordnung veranlaßt wurden, niemand zu belangen fand. Daher
wurde am 16. Juli 1812 bei dem Reichstage in Oerebro die
Veränderung getroffen, daß der von dem Buchdrucker abgelieferte
Namenszettel allemal, wenn eine Klage anfing, erbrochen und
der in demselben genannte Verfasser zur Verantwortung gezogen
werden sollte. Doch beschloß man zugleich, daß bei Zeitungen
und periodischen Schriften keine solchen Umstände und keine Vor=
ladung ans Gericht nöthig wären, sondern daß der Hof=Canzler
völlig nach Gutachten und Belieben die Fortsetzung einer Zeitung
untersagen könnte. Endlich auf dem Reichstage zu Stockholm im
Jahre 1815 haben die Stände des Reichs bestimmt, daß die
Kämners=Gerichte, in Fragen die Preß=Freiheit betreffend, nur
die Untersuchung vornehmen, das Urtheil von einer Jury, beste=
hend aus neun von dem Kläger, dem Beklagten und dem Ge=
richt ausgewählten Personen, gefällt werden sollte. Nach dieser
Verfügung ist sehr selten jemand wegen gedruckter Aeußerungen
bestraft worden.

Neue Einrichtungen zur Beförderung der wissenschaftlichen
Cultur sind in dieser spätern Periode eigentlich nicht gemacht
worden, außer daß im Sommer 1809 die Canzler=Gilde auf=
gehoben wurde, welcher bisher die Sorge für das Schulwesen ob=
lag. Im Jahre 1812 wurde auf den Vorschlag des damaligen
Schul=Rectors, nunmehrigen Canzlei=Raths und Pfarrers G. A.
Silversstolpe, eine Comité des öffentlichen Erziehungswesens
angeordnet, welche ein Verzeichniß aller in Schweden herausge=
kommenen Erziehungs= und Schul=Schriften, durch L. Ham=
marsköld ausarbeiten und bekannt machen ließ, eine neue Orga=
nisation der Schul=Anstalten zuwegebrachte, eine neue Schul=
Ordnung, am 16. December 1820 vom Könige sanctionirt, her=
ausgab und die Bell=Lancaster'sche Unterrichts=Methode, weil wir
Schweden doch alle Moden der Ausländer nachahmen müssen,
allgemein einführte. — Sodann wurde am 28. Januar 1812
von dem damaligen Kron=Prinzen eine Akademie der Landwirth=
schaft (Landtbrucks Academien) feierlich eröffnet, welche
durch Schriften, auszutheilende Preise und angeschaffte Modelle

so wie bessere und zweckmäßigere Werkzeuge den Ackerbau in Schweden ermuntern und zu höherer Vollkommenheit bringen sollte. In
dieser Absicht gibt die Akademie jährlich zwei Bände, sogenannte
Annalen heraus. Auch sind, als Filial=Einrichtungen der Akademie, Lehn=Haushaltungs=Gesellschaften (Lans Hushältnings
Sällskaper) in allen Gouvernements des Reichs gestiftet worden,
welche bisweilen auch kleine Sammlungen von Abhandlungen,
vorzüglich aus prunkenden Reden der Lehns=Hauptmänner bestehend, drucken lassen.

Dagegen dauern noch, in unabgebrochener Wirksamkeit, die
älteren schon vorher angegebenen Akademien fort, von welchen die
der Wissenschaften im Jahre 1820 eine neue Einrichtung und
veränderte Statuten bekommen hat. Diesen zufolge, soll die
Akademie aus 100 einheimischen und 75 ausländischen Mitgliedern bestehen, die in acht Classen eingetheilt sind: 1) für die
reine Mathematik, 2) für die angewandte, 3) für die Physik,
4) für die Chemie und Mineralogie, 5) für die Naturgeschichte,
6) für die Arzneikunde, 7) für die Oekonomie und 8) für
sogenannte allgemeine Gelehrsamkeit.

Die Geschäftsführer der Akademie sind: ein Präses, der für
jedes Jahr nur unter den in Stockholm wohnhaften gewählt werden darf; ein beständiger Secretair; eine Geschäfts=Comité (For-
waltnings-Utshott), die, den Kämmerer und den Anwalt (Om-
budsman) unter sich begreifend, die ökonomischen Angelegenheiten zu besorgen hat; eine Inspections=Comité, die zusehen soll,
daß die Beschlüsse der Akademie, in Hinsicht der wissenschaftlichen
Einrichtungen, ausgeführt werden, und zu welcher die angestellten Lehrer, Intendanten und Künstler gehören; zuletzt eine Re-
dactions=Comité, welche die Memoiren der Akademie zum Drucke
zu befördern hat. Uebrigens soll diese Akademie alle Fragen, welche
der König oder die Reichs=Collegien an sie verweisen, erörtern und
beantworten; sie soll eingesandte wissenschaftliche Abhandlungen
beurtheilen; Reisen durch Schweden, in botanischer, zoologischer,
geognostischer oder geographischer Hinsicht, unterstützen; die innerhalb eines jeden Jahres in Schweden herausgekommenen Schriften über wissenschaftliche Gegenstände ihrer Kritik unterwerfen
und den Verfasser der vorzüglichsten, obgleich er das Urtheil
der Akademie niemals begehrt, mit einer goldenen Medaille beloh-
nen. — Also hat die schwedische Akademie der Wissenschaften
augenscheinlich bezweckt, sich eine vollkommen zunftmäßige Einrichtung zu geben und sich eines wahren Despotismus im Bezirke
der Wissenschaften angemaßt; daher auch eines ihrer vorzüglichsten, geistreichsten und edelsten älteren Mitglieder, der
Graf Fr. B. von Schwerin, nachdem er vergebens alles versucht

hatte, die Annahme diefer neuen unwiffenfchaftlichen Grundgefetze
zu verhindern, fein Diplom zurückgefchickt hat und aus der Akade=
mie ausgetreten ift.

Die Akademie der fchönen Wiffenfchaften und die fchwedifche
Akademie haben dagegen ihre Einrichtung noch ganz unverändert
und fahren mit Preis=Aufgaben und Preis=Austheilungen in
ihrer alten Weife fort; doch hat das Anfehen der letzten, wel=
ches ehedem fo groß war, daß eine Belohnung von ihr zu erhalten,
ein ficheres Mittel zu Beförderungen war, fehr abgenommen,
fo daß die Akademie und ihre Preife nunmehr eine Zielfcheibe
des allgemeinen Spottes find. Diefes ift eine Folge der Verän=
derungen in der literarifchen Cultur Schwedens, zu deren Erklä=
rung wir ein Paar Schritte zurückgehen müffen, um etwas von
etlichen literarifchen Gefellfchaften, welche in diefer Komödie auch
Rollen mitgefpielt haben, berichten zu können.

Um das Jahr 1803 gefchah es zufälliger Weife in Upfala,
daß einige Jünglinge, von dem Reize der Dichtkunft angelockt
und mit redlichem Ernft, einmal etwas Tüchtiges in ihrem Kreife
zu leiften, fich verbanden, um durch gemeinfchaftliche Mittheilun=
gen und Uebungen fich wechfelfeitig zu unterrichten. Diefe Gefell=
fchaft nannte fich Freunde der fchönen Wiffenfchaften (Vitterhetens
Vänner) und erweiterte fich zuletzt bis auf zwei und zwanzig Perfo=
nen, unter welchen mehrere, z. B. P. D. A. Atterbom, P. F. Blid=
berg, L. Hammarfköld, S. Fr. Lidman, Cl. Livyn und C. W. Wad=
ftröm fich fpäterhin einen Namen in der fchwedifchen Literatur
erwarben und von welchen nachher ein mehres zu fagen feyn
wird. — Da es ihnen vorzüglich darum zu thun war, fichere
Grundfätze zur Beurtheilung dichterifcher Productionen zu erwer=
ben, wurden fie zu den Schriften der fpätern deutfchen Kritiker
und Theoretiker, namentlich der Gebrüder Schlegel geführt. Da=
mit ging in diefen jungen Köpfen ein neues unerwartetes Licht
auf. Diefe Kunft=Richter priefen vorzüglich die griechifchen und
italienifchen Dichter, Shakfpeare unter den Engländern und
Göthe, Schiller und Tieck unter den Deutfchen, als die höchften
und wahreften Mufter; diefe wollte man alfo kennen lernen.
Aber die Theoretiker zeigten auch auf die Philofophie als den
nothwendigen Weg, welchen man, um zur wahren Kenntniß des
Schönen zu gelangen, betreten müßte; die Luft, den großen deut=
fchen Denkern, Kant, Fichte und Schelling in ihren tieffinnigen
Speculationen zu folgen, wurde alfo geweckt und durch die Auf=
munterungen und Vorlefungen des gefeierten und geliebten Hoyer
nur mehr genährt. Die Bekanntfchaft mit diefen Dichtern und
Philofophen fchärfte die Blicke ihrer Bewunderer, als fie fie nun
auf die fchwedifche Literatur richteten. Von ihren erften Lehrern

wurden sie zur Geringschätzung der Franzosen geführt: wie tief mußten sie also nicht die unbehülflichen Nachahmer dieser Franzosen verachten? Daß die schönen Wissenschaften in Schweden sich im tiefsten Verfall befanden, daß die langen moralisirenden Reimereien, welche die schwedische Akademie mit Gold belohnte, nur ein Cento von Plattheiten waren, und daß die stolzen Akademiker, welche sich selbst „Herzens-Philosophen" nannten, aber die alten und ächten Muster weder kannten noch verstehen konnten, weder Dichter noch Denker seyen, das wurde bald ein Glaubensartikel unter den Genossen des literarischen Bundes, und man trieb sogar den jugendlichen Muthwillen so weit, in satyrischen Preisschriften dieses der Akademie gerade unter die Augen zu sagen. — Mit dem Jahre 1805 wurden die Freunde der schönen Wissenschaften getrennt, da die thätigsten Mitglieder der Gesellschaft von Upsala weggingen. Aber da im Jahre 1808 Atterbom wieder nach der Universität zurückkehrte, stiftete er unter seinen Altersgenossen, nach dem Vorbilde des alten Bundes, eine neue Gesellschaft, Aurora Förbundet genannt, wo man sich an die romantischen Versuche der Deutschen durch fleißiges Studium und Nachbilden noch näher anschloß. Indessen hörte auch diese Gesellschaft von selbst auf, noch ehe sie die Zeitschrift: Phosphoros herausgeben konnte, wozu zwei ihrer Mitglieder sich eine Buchdruckerei in Upsala angekauft hatten. Recht öffentlich literarisch thätig und also auch bekannt wurden diese beiden Gesellschaften erst in der zweiten Periode der literarischen Cultur des Jahrhunderts, und also, nachdem sie aufgehört hatten als förmliche Gesellschaften zu existiren.

Dagegen trat im Jahre 1811 eine dritte Gesellschaft: der gothische Bund (göthisha Förbundet) auf. Sie wurde zufälligerweise in Stockholm gestiftet, anfangs nur als ein freundschaftliches Trink-Gelag; nachdem aber Geyer eingetreten war, nahm sie eine literarische Tendenz an, wohl nicht ohne die Absicht, als eine dritte höhere, die schon vorhandenen Parteien in den schönen Wissenschaften Schwedens zu vernichten und zu überglänzen, indem es eine ihrer ersten Grundregeln war, daß keiner, der sich schon literarisch bekannt gemacht hatte, unter ihnen zugelassen werden sollte. Auch hat diese Gesellschaft vorzüglich mitgewirkt, den altskandinavischen Ton in der schwedischen Dichtkunst anzugeben, wie sie auch das Interesse für die Alterthumskunde des Vaterlandes mächtig geweckt und befördert hat. Sie besteht noch in fortwährender Wirksamkeit, hat eine nicht unbeträchtliche Sammlung von Büchern, Manuscripten und Alterthümern, und hat auch Preise ausgesetzt für Versuche, die eddischen Mythen malerisch darzustellen.

Zwischen den Jahren 1809 und 1822 hat die schwedische Literatur folgende Schriftsteller und Künstler verloren.

Daniel Boëthius, Professor der praktischen Philosophie zu Upsala, und am 10. März 1810 daselbst gestorben. Als eifriger und scharfsinniger Moralphilosoph, im Geiste des Helvetius und der übrigen Encyklopädisten, durch seinen Entwurf zu Vorlesungen über die natürliche Sittenlehre (Utkosttill Föreläsningar i den naturliga Sedoläran. Upsala, 1782. 8.) berühmt, wurde durch seine Liebe zur Wahrheit von den Untersuchungen Kant's so angezogen, daß er nachher einer der eifrigsten Schüler des königsberger Philosophen wurde und dessen Grundsätze durch Uebersetzungen und durch eigene Schriften: Versuch eines Lehrbuchs des Naturrechts (Försök till en Lärobok i Natur. Rätten. Upsala 1799. 8.) — und Anweisung zur Sittenlehre als Wissenschaft (Anwisning till Sedoläran säsom Wetenskap. Upsala 1802. 8.), wovon wir schon im vorhergehenden etwas gesprochen zu entwickeln, mit tiefsinnigem Ernste sich bemühete.

Daniel Melanderhjelm, Professor der Sternkunde zu Upsala und Canzleirath, († am 8. Junius 1810,) behauptet immer einen sehr ausgezeichneten Namen unter den mathematisch gelehrten Astronomen seines Jahrhunderts. Diesen Ruhm erwarb er sich zuerst durch seinen zu Parma 1769 gedruckten Commentarius de Theoria Lunae, nachher durch seine, von der kön. schwedischen Akademie der Wissenschaften zum Drucke beförderte Astronomi. Del. 1, 2. Stockholm. 1795. 8.; — durch eine vermehrte neue Bearbeitung in schwedischer Sprache von seinem Conspectus praelectionum academicarum, continens fundamenta Astronomiae, Upsaliae 1760. 8. neue Auflage zu Stockholm 1779. 8. Auch hat er zwei Reden über wissenschaftliche Gegenstände in der Akademie der Wissenschaften gehalten und drei in der Akademie der Alterthumskunde und Geschichte, unter welchen eine über den Nutzen der Astronomie in der Geschichte (Om. Astronomiens Nytta i Historien) vorzüglich wichtig und durch scharfen Beobachtungsgeist ausgezeichnet ist. — Ferner hat er zwei kleine aber gelehrte und geschätzte Aufsätze, während seines Aufenthalts in Italien herausgegeben, namentlich: Litterae de Atmosphaera Veneris. Mediolani 1771, und Meditationes de machina hujus mundi, Sienae 1773. 8.

Nils Landerbeck, Professor der niedern Mathematik zu Upsala, † 1810, ein sehr fleißiger und geschickter Analytiker, welcher vorzüglich seine Bemerkungen in akademischen Dissertationen und Memoiren niedergelegt hat, aber auch ein paar nicht unwichtige Abhandlungen in schwedischer Sprache: von der allge=

meinſten mathematiſchen Methoden — zu Stockholm, 1786. 8.
und von den Fortſchritten der mathematiſchen Gelehrſamkeit auf
der upſaliſchen Univerſität — daſelbſt im Jahre 1799. 8. her=
ausgegeben hat.

Ludwig Masrelier, Hof=Intendant und Decorationsma=
ler, † 1810. Ein Mann von ſehr ausgebreiteten Kunſtkenntniſ=
ſen und bewunderungswürdiger Geſchicklichkeit, durch äußerſt reine
und correcte Zeichnung die gefälligſten Formen hervorzuzaubern,
aber ganz und gar ohne Sinn für Colorit, ſo daß er öfters be=
hauptet hat, dann erſt würde die Malerei ihre rechte Höhe errei=
chen, wenn man nur Grau in Grau malen wollte. Auch ſieht
das trefflich componirte und gezeichnete Altarblatt in der Maria
Magdalenenkirche zu Stockholm — das größte Werk, welches
Masrelier ausgeführt hat — beinahe ſo aus, als wenn es mehr
mit Staub als mit Farben gemalt wäre.

Anders Schönberg, Reichs=Hiſtoriograph und Kanzleirath,
Ritter des Nordſternordens, † am 6. April 1811. Noch ſehr
jung zog er die Aufmerkſamkeit ſeiner Partei — der in der ſchwe=
diſchen Reichstagsgeſchichte bekannten Hüte (Hattarne) — durch
ſeine ungewöhnliche Geſchicklichkeit auf ſich, da er erſt verglichene
Geſchichten der Helden nach der Weiſe des Baron Holberg (Hjel=
tars sammanliknade Historie pa Baron Holbergs sält.
Del. 1. 2. Stockholm 1756. 8.), nachher ſeine Einleitung zu
dem natürlichen Geſetz und zur Sittenlehre (Inledning till den
naturliga Lagen och Sedoläran. Del. 1. Stockholm. 1759.
8.) und ſeine Briefe von Menalcas — Stockholm 1760. 8.
herausgab. Um ſeinem Geiſte einen größern Kreis zu nütz=
licher Wirkſamkeit zu verſchaffen, erwählten ihn die Stände
zum Reichs=Hiſtoriographen; und um ſich dafür dankbar zu zei=
gen, hat er eine Menge Schriften, nicht nur die Geſchichtskunde
Schwedens betreffend, ſondern auch über die politiſchen und ökono=
miſchen Angelegenheiten des Tages, wie auch über philoſophiſch=
ſpeculative Gegenſtände herausgegeben. Durch ſeine Briefe von
Menalcas erwarb er ſich den Ruhm, das erſte Muſter einer
echten epiſtolariſchen Schreibart in der ſchwediſchen Literatur ge=
geben zu haben, und zugleich das Verdienſt, die Philoſophie in ei=
nem gefälligern Vortrage, als die damalige trockene Schuldogmatik
der Wolfianer bisher erlaubt hatte, zu behandeln. Die Haupt=
grundſätze ſeiner Philoſophie waren: daß alle unſere Begriffe
durch die materiellen Dinge vermittelſt der äußeren Sinne er=
worben werden, daß wir aber unmöglich die Begriffe zur Deut=
lichkeit und Klarheit bringen könnten, wenn nicht die Seele eine
eigene innere Kraft zu empfinden hätte, durch welches Vermögen
alles, was in unſerer Seele geſchieht, zu unſerm Bewußtſeyn ge=

19

langt. Alle unsere Begriffe werden also durch die Empfindung
aufgefaßt, entweder durch die äußeren Sinne, oder durch das innere Empfindungsvermögen der Seele. Aber eine Erkenntniß, durch
die Empfindung erworben, heißt Erfahrung, und also ist die Erfahrung der sichere aber auch einzige Grund alles menschlichen
Wissens. — Von dem jetzigen Standpunct der Philosophie aus
betrachtet, kann die Speculation Schönbergs nicht mehr viel gelten, und da auch eines Theils die staatsökonomischen Fragen, die
vorzüglich in den Jahren 1760 — 1775 die Aufmerksamkeit beschäftigten, vielfach durchgestritten und ausgeglichen sind, anderntheils
seine Verdienste um die stylistische Ausbildung der schwedischen Prosa
unter den Leistungen anderer fast verschollen sind: so würde wohl
schon längst die Nacht der Vergessenheit den früher wohlverdienten
Ruhm Schönbergs überdeckt haben, wenn er ihn nicht vertheidigt
und fest begründet hätte durch ein classisches Werk: seine Briefe
über die Staatsverfassung Schwedens (Samling af Historiska
Bref om det svenska Regerings, sältet i äldre och nyare
tider. Flock 2. 3. Stockholm 1777, 1778. 8.), die sich durch
eine gründlich tiefe Geschichtsforschung, eine besonnene und
würdige Freimüthigkeit in Ansichten und Urtheilen und durch
eine fließende, schön gebildete und männliche, wenn auch bisweilen
allzu skeptisch raisonnirende Schreibart rühmlichst auszeichnen.
Schade nur, daß sie nicht mehr als die ältern Zeiten, vom Anfange des Reichs, bis auf die Regierung Karls XI., umfassen,
weil der König Gustav III., unzufrieden mit den weltbürgerlichen
Ansichten des Verfassers, die Fortsetzung, wie auch den ersten
Theil seines Werks — der die Grundzüge des schwedischen Staatsrechts enthalten sollte — unterdrücken ließ. Durch diese Krän-
kung der freien Forschung tief verletzt, zog Schönberg sich auf
sein Landgut in Gestrikland, unweit Gefle zurück, wo er nachher
seine Tage in philosophischer Ruhe, aber auch in schriftstellerischer
Unthätigkeit verlebte.

Carl Christoffer Gjörwell, titulirter kön. Bibliothekar
und Assessor in dem Canzlei-Collegio, † am 26. Aug. 1811.
Sehr treffend hat sein Freund Liden ihn charakterisirt durch die
Inschrift, welche er aus dem Diario Wazstenensi genommen
und unter sein in Kupfer gestochenes Bildniß setzte: Hic magnae
literaturae fuit et magnae reputationis in studio, fuit bonus
homo et valentissimus laborator in arte sua et fidelis. —
In der Zeit auftretend, da die schwedische Literatur einiges Ansehen
im Auslande zu erwerben anfing, bemühete er sich nicht nur den
literarischen Ruhm seines Vaterlandes zu erweitern, sondern auch
zu Hause die wissenschaftliche Cultur zu befördern und sie mit
den Fortschritten der Ausländer in Verbindung zu setzen. In

dieſer Abſicht fing er mit dem Jahre 1755 an, eine kritiſche Zeitſchrift: der ſchwediſche Merkur, herauszugeben, die er, mit
einer Unterbrechung von zwei Jahren, bis 1765 fortſetzte. Dieſes
Journal machte Epoche in der ſchwediſchen Literatur, wo ſich früher kein Werk durch ſo vielſeitige Kenntniß und Kritik, durch ſo
reife Urtheile und ſolchen Eifer für die Gelehrſamkeit auszeichnete.
Weniger Glück machten die übrigen literariſchen Journale, die Gjörwell ſpäterhin herausgab, als z. B. das ſchwediſche Magazin,
Stockholm 1766; die Zeitung der kön. Bibliothek für gelehrte Sachen, Thl. 1—3 Stockholm 1767, 1768 u. a. m., die
auch von geringerm Werthe waren. Er konnte nicht mehr ſo gute
Mitarbeiter als ehedem finden, und ſelbſt ohne gründlich claſſiſche
und tiefeindringende philoſophiſche Bildung, wie auch ohne ſchär-
feren Geiſt und Genialität, konnte er mit der Zeit nicht gleichen
Schritt halten. Auch war er eigentlich nicht Verfaſſer, ſondern
nur Sammler von Materialien der Literatur, beſonders für den
Geſchichtſchreiber. Darum machen ſolche Sammlungen und anna-
liſtiſche Bemerkungen den größten Theil ſeiner vielen Schriften
aus. Das letzte, womit er ſich, als einer Unterhaltung in ſeinem
hohen Alter, beſchäftigte, war ſein meiſtens nur ſehr unbedeu-
tender Briefwechſel (Brefwexling Bd. 1—6. Stockholm 1798
—1800. 12.).

Olof Åkerrehn, Berg-Mechaniker, † 1812. Dieſer ſehr
geſchickte und wiſſenſchaftlich gebildete Maſchinenmeiſter, deſſen ge-
ſchätztes Werk über die Geſchichte der ſchwediſchen Gebläſe ſchon
oben genannt iſt, hat auch zuvor eine lehrreiche Abhandlung über
den Waſſerbau (Utkast till en practisk Abhandling om
Wattenwerk. Oerebro 1788. 4.), ſpäterhin aber eine über Gewehre und die Schießkunſt (Om Gewär och Skjutkonst, Stockholm, 1812. 8.) herausgegeben, die ohne Zweifel eine der wich-
tigſten iſt, welche im Fache des Kriegsweſens in Schweden herausgekommen ſind. Der Verfaſſer beſchäftigt ſich eigentlich mit
den Handgewehren oder Musqueten, und von dem Grundſatze
ausgehend, daß eine Musquete alsdann gut zu nennen iſt, wenn
ſie ſicher und weit ſchießt, wenn ſie zugleich leicht und ſtark, auch
bequem zu handhaben und zu reinigen iſt, unterſucht er alles, was
die Gewehre betrifft: die Form, Dimenſion und übrigen Eigenſchaften der Flinten-Röhre und Schlöſſer, und wie man laden,
richten und ſchießen ſoll. Dabei gibt er alles an, was man bei
einer Factorei beobachten muß, um ſicher auf gute Gewehre rechnen zu können, und dieſes erläutert er mit Prüfungen der ſämmtlichen ſchwediſchen Factoreien. Von ganz anderer Beſchaffenheit iſt eine zweite kleine Schrift von Åkerrehn, — aber auch
ganz außer ſeinem Fache liegend — nämlich ſeine Gedanken

über die Landwirthschaft (Tankar óm Jordbruk. Stockholm 1813. 8.) und nach dem Tode des Verfassers herausgegeben. Sie enthält nur die erbärmlichste und aberwitzigste Projectmacherei.

Carl Gustaf Nordin, Doctor der Theologie, Bischof zu Hernösand, und Mitglied des Nordsternordens, † am 14. Mai 1812. Als Geschichtsforscher ist er bekannt durch seine nach Hardouin angenommene Meinung von der Unächtheit der mehresten altclassischen Autoren, weil er mehre, die für zuverlässige Documente des Mittelalters ausgegeben wurden, für untergeschoben erkannte. Als Schriftsteller hat er sich nur ausgezeichnet, durch seine jährlich der schwedischen Akademie überlieferten Lebensbeschreibungen mehrerer merkwürdiger Männer Schwedens, die, in einem fließenden und lebendigen, aber ungediegenen Style verfaßt, nicht als Muster der Biographien gelten können. Gesammelt kamen sie zu Stockholm 1820 heraus.

Carl Benjamin Heinrich Höyer, Professor der theoretischen Philosophie zu Upsala, † am 13. Juni 1812. Er erwarb sich einen hohen Rang unter den Denkern des Jahrhunderts, durch seine Abhandlungen: Ueber die Entstehung der kritischen Philosophie (Om Anledningen till den kritiska Philosophiens Upkomst); über die Frage: was ist Sensus communis? (Hwad är Sensus communis?) Von einer pragmatischen Darstellungsmethode in der Geschichte (Om ett pragmatisk Foreställningssätt i Historien), und noch mehr durch sein vortreffliches Buch über die philosophische Construction (Om den philosophiska Constructionem. Stockholm 1799. 8., was schon von Schelling mit sehr ausgezeichneten Lobsprüchen anerkannt wurde *). Die Grundaufgabe der Philosophie ist — nach Höyer — die Möglichkeit der Objectivität der Vorstellungen zu erklären. Die Objectivität ist uns von der Erfahrung gegeben; in dem Begriffe von Objectivität integrirt wieder Nothwendigkeit; von dieser äußerlich hervortretend, folgt Realität, die sich als Individualität offenbart, und da ein jedes Individuum etwas Begränztes ist, so setzt die Individualität die allgemeinsten aller Gränzen oder Zeit und Raum voraus. Und wenn zu diesen Eigenschaften, welche nur die Form der Objectivität gibt, die Zufälligkeit hinzukommt, so haben wir endlich das Objective in voller Wirklichkeit, d. h. die äußere Welt, als Substrat der Erfahrung. Damit sind wohl Objecte der Vorstellung angegeben, aber noch nicht die Objectivität der Vorstellungen erwiesen.

---

*) Krit. Journal der Philosophie, herausgegeben von Schelling und Hegel. B. 1. St. 3. S. 26—61.

Darum muß man bis zum Unwillkürlichen, bis an das Absolute, das in sich und ohne alle Relationen Wesentliche, hinzudringen suchen. Der Charakter des Absoluten ist Identität zwischen zwei absolut Entgegengesetzten, also zwischen Objectivität und Subjectivität. Das Absolute kann also weder als ein Object, noch als ein Subject betrachtet werden, und also auch weder als Substanz noch Accidens, sondern wie eine reine Handlung der Vernunft, von allen Modificationen entkleidet. Die reine Handlung kann also nicht einerlei seyn mit demjenigen, was Fichte als das Ich bezeichnete, weil das Ich nur eine Modification meiner selbst ist, nur vom Objecte zum Subject bestimmt wird, wie andererseits das Object von dem Subjecte, und also, da keines das andere erklärt, wird nothwendig ein höherer Erklärungsgrund vorausgesetzt. Dieser Grund ist die reine ursprüngliche Handlung, von welcher das Ich eben sowohl, als die Objecte, abhängig ist. Diese Handlung oder dieses Absolute ist nur der intellectuellen Anschauung faßlich, aber als gedacht und vorgestellt, wird es zu etwas Relativem verwandelt, und so wird es von vier subjectiven Formen offenbart: 1) der allgemeinen Empfindung oder dem Glauben als dem Grunde der relativen Erkenntniß; 2) der Religion; 3) der Poesie oder schönen Kunst überhaupt, und 4) der Moralität, welchen vier objectiven Formen des Absoluten entsprechen, namentlich: 1) das Universum; 2) Gott; 3) das Schöne, und 4) die vollkommene Menschengesellschaft oder der Rechtszustand. — Wir haben jedoch hier nur, mit Anführung dieser eigensten Ideen Höyers, eine Probe der Art seiner Philosophie, nicht eine erschöpfende Charakteristik derselben geben wollen. Dieses um so viel weniger, als er seine Speculation vollständig und vielseitig in systematischer Entwickelung auszuführen, zuerst durch den niederdrückenden Argwohn der Regierung und zuletzt durch den frühen Tod gehindert wurde.

Shering Rosenhane, Staatssecretair und Ritter des Nordstern=Ordens, † 6. Nov. 1812. Mit warmer Liebe für die Geschichtsforschung und mit genauerem, unermüdetem Sammlerfleiß begabt, aber ohne tiefere Genialität und höheren Geistesschwung, sind seine vielfältigen Annotationen und Bemerkungen von dem künftigen Historiker nur als Verificationen und Anweisungen zu gebrauchen, und unter ihnen sind eigentlich seine Abhandlungen von den schwedischen Reichsräthen (Afhandling om Svea Rikes Råd, dess upphof, Ämbete, Tidehwarf och Öden. Stockholm, 1791. 4.) und von den fünf hohen Reichsämtern in Schweden (Afhandling om de Fem höga Riks Ämbeten i Swerige, nemligen Riks Drotzet, Riks Marsken, Riks Amiralen, Riks Canzleren, och

Riks Skattmästaren, jemte bifogad Berättelse om Riks Marskalks Ämbetet. Stockholm, 1799. 8.) aber vorzüglich seine Bemerkungen zur Geschichte der kön. schwedischen Akademie der Wissenschaften (Anteckningar hörande till kgl. Vetenskaps Akademiens Historia. Stockholm 1811. 8.), wodurch er eine beträchtliche Lücke in der Literaturgeschichte Schwedens ausgefüllt hat, nützlich und verdienstlich.

Anders Swanberg, Professor der morgenländischen Literatur zu Upsala, † am 26. Dec. 1812. Was er zur Erweiterung der Kenntnisse der arabischen Sprache in seinem Vaterlande gethan, ist schon oben berichtet. Aber auch dem Auslande hat er nützlich zu werden gesucht, als Mitarbeiter an der allgemeinen Bibliothek der biblischen Literatur J. G. Eichhorn's.

Johan Elers, Canzleirath und Ritter des Nordstern=Ordens, † im drei und achtzigsten Jahre seines Alters am 13. Nov. 1813. — Im Schweiße seines Angesichts wollte er Anfangs sich den Dichternamen erarbeiten und gab daher eine Sammlung der herz = und geistlosesten Reimereien unter dem Titel: meine Versuche (Mina Försök. Del. 1—4. Stockholm, 1755.—1759. 8.) heraus, gelangte auch zuletzt dahin, daß die Akademie der schönen Wissenschaften ihm einen poetischen Preis ertheilte. Nachher wurde er von der Genialität und dem Ruhme des bewunderungswürdigen Bellmän so überwältiget, daß er ihm in seinem Style nacheifern wollte, und gab in Stockholm 1789 seine fröhlichen Gesänge (Glada Qväden 8.) heraus, die, obgleich von hübschen und leichtfließenden Melodien begleitet, nur eine sehr kurze Lebensdauer genossen. Nun nahm er von den gegen ihn so spröden Musen Abschied und beschloß seine Laufbahn als Schriftsteller mit einer Beschreibung Stockholms, in vier Theilen, die wohl die Verdienste der Genauigkeit und Vollständigkeit besitzt, der es dagegen an leichter Ordnung und Lebendigkeit der Darstellung leider gänzlich gebricht.

Tobias Sergell, Ober=Intendant, Ritter des Wasa = und Nordstern=Ordens, † 1814. Dieser würdige Nebenbuhler Canova's hat es gewiß nur seinem Aufenthalte im hohen Norden zuzuschreiben, daß sein Name nicht den an den Stapelplätzen der europäischen Kunst prangenden Römer weit überstrahlt. Von dem Franzosen l'Archeveque zuerst in die Kunst eingeführt, hatte er im Anfange etwas von dem Manierirten der französischen Schule, wovon sein sterbender Othryades und selbst seine gepriesene Gruppe Amor und Psyche nicht ganz frei sind. Aber ganz in reinem antiken Geiste ist sein liegender Faun: ein ewiges Symbol des Rausches und der Begierde, wie auch sein Diomedes mit dem Palladium, obgleich er nicht in Marmor ausgeführt ist. Auch nur in Gips

ist sein Haut=Relief in der Adolph=Friedrichskirche zu Stockholm,
die Auferstehung Christi vorstellend, vielleicht das schönste und herr=
lichste seiner Werke, wie auch die zwei Engel vor dem Altarblatt
in der St. Clarakirche zu Stockholm. In Blei gegossen ist dagegen
das geistreich erfundene Denkmal des Des Cartes, und in Bronze die
apollinarische Statue Gustavs III. In Marmor noch hat er aus=
geführt — erstgenannte Bilder ungerechnet — eine Gruppe Ve=
nus und Mars, eine halbcolossale Kallipygos und die Büsten Gu=
stav Wasas, Gustavs II. Adolphs, Carl Gustavs, Luisen Ulrikens
und Gustavs IV. Adolphs nebst seiner Gemahlin. Das Ausge=
zeichnete dieser Werke ist eine kräftig großartige Grazie, eine leben=
dige Charakteristik und eine bewunderungswürdige weiche und ma=
nierfreie Behandlung der Gewänder. Nur durch eine vielleicht
allzuweit getriebene gezierte Subtilität in diesen vortrefflichen Kunster=
zeugnissen, in Vergleichung mit den Antiken, offenbart sich der mo=
derne Künstler. — Auch in mehreren Medaillons in Gips hat
Sergell die Profile der vorzüglichsten Männer seiner Zeit trefflich
bewahrt. Besonders sind hier seine Portraits von Gjörwell und
den beiden Dichtern, Bellman und Kellgren zu nennen.

Haquin Sjögren, Archi=Präpositus der Kathedralkirche
und Vice=Präses des Consistorii zu Wexiö, Ritter des Nordstern=
Ordens, † am 20. März 1815. — Um die Schulliteratur Schwe=
dens hat er sich große Verdienste durch mehrere sehr tüchtige und
brauchbare Arbeiten erworben, unter welchen besonders erwähnt
zu werden verdient sein Lexicon Manuale Latino-Svecanum,
zum ersten Male zu Stockholm 1775 gedruckt und zum dritten
Male erweitert und verbessert daselbst 1814. 8., und seine Ex-
plicatio paraphrastico-exegetica L. L. S. S. novi Foede-
ris. Tom. I—III. Junecopiae 1802. 8., die von gründlicher
Gelehrsamkeit, wenn auch nicht von tiefdringendem Scharfsinn und
philosophischer Erklärungsgabe zeugt.

Samuel Liljeblad, Professor der praktischen Oekonomie
zu Upsala, † am 1. April 1815. Ohne jemals gleichen Ruhm
mit seinen gleichzeitigen Landsleuten Thunberg, Swarz und Acha=
rius zu genießen, hat er doch mehr als sie gethan, um die allge=
meine Kenntniß seiner geliebten Wissenschaft, die Kräuterkunde,
auszubreiten, vorzüglich durch seine schwedische Flora, zuerst zu
Upsala, 1793 in 8. gedruckt, und in einer neuen Auflage 1798.
8. In diesem Lehrbuche hat er die Kräuter Schwedens, zweck=
mäßig genug, in 16. Classen, aber übrigens nach den Grundsätzen
des Linneischen Systems eingetheilt und beschrieben. Unter ih=
nen ist die letzte Classe von den Kryptogamen am unvollständigsten
bearbeitet; auch hat man ihm vorgeworfen, daß seine Beschrei=

bungen, in welchen er immer nur schwedische Termen gebraucht, nicht die sichersten und bestimmtesten seyn sollen.

Carl Magnus Blom, Assessor und Provincial=Medicus in Dalekarlien, † im Mai 1815. Als wissenschaftlicher Arzt und theoretischer Forscher ist er im Auslande bekannter, als in Schweden, durch seine gelehrten Abhandlungen in den Acten der Acad. Naturae curiosorum und der naturforschenden Gesellschaft zu Basel. Im Vaterlande hat er nur etliche von langer Erfahrung und sicherem Beobachtungsgeist zeugende praktische Abhandlungen herausgegeben, von welchen eine schon oben genannt ist.

Carl Lindegren, kön. Secretair, † im Jahre 1815. Von den Schriften dieses unglücklichen Dichters haben wir bei der vorigen Periode gesprochen und da seinen Dichterwerth zu bestimmen versucht. Beiläufig darf hier nur angemerkt werden, daß, als Lindegren schon unter sich selbst tief gesunken war, er von seinen gewiß nicht wohlwollenden Freunden im Jahr 1810 gereizt wurde, gegen die damals erst emporkeimende neue Dichter=schule zu Felde zu ziehen. Da er aber dem Streite nicht gewachsen war, wurde er vom bittersten Hohngelächter unbarmherzig zu Boden geworfen und sein Name dem Spotte preisgegeben, welches seine letzten trübseligen Tage noch mehr verbitterte.

Hilleström, Director der Akademie der freien Künste, † im Jahre 1815. Aus einem Gobelinsweber wurde er ein Maler und berühmt durch seine Bambocciaden und Caricaturgemälde, alle durch lebendigen Witz ausgezeichnet. In seinem Alter fing er an ernsthafte Gegenstände aus der Geschichte des Vaterlandes zu behandeln, aber damit büßte auch sein unsicherer Pinsel allen seinen Ruhm ein.

Pehr Hörberg, Hofmaler, † am 10. Febr. 1816, Sohn eines armen Bauers aus Småland, und als Knabe, gleichwie der alte Giotto, genöthigt, um sein Leben zu fristen, das Vieh zu hüten, wurde er von seiner unbezwinglichen Begeisterung, oder wie der fromme Mann selbst am liebsten sagte, von Gott zum Maler berufen. Zuerst als Knabe zeichnete er mit Kohle und hob die Figuren durch Farben, die er aus Kräutern und Beeren gepreßt hatte. Nachher kam er bei einem Zunftmaler zu Wexiö in die Lehre, und erst in seinem männlichen Alter, schon als Gatte und Vater, konnte er, mit Noth und Mühseligkeit nach Stockholm kommen und da, nur für seine Kunst lebend, ungefähr ein Jahr sich aufhalten. Mit dieser sehr dürftigen Bildung war er doch ein Künstler vom ersten Range und hat eine große Menge Gemälde, meistens hohe Altarblätter, producirt, unter welchen die vorzüglichsten einen jeden Zuschauer hinreißen durch einnehmende Naturwahrheit, durchdringende Energie in der Ausführung, durch

unerschöpflichen Reichthum der Composition und den reinsten Aus=
druck von religiösem Ernst und frommem Enthusiasmus. — Sein
Leben hat Hörberg mit der ihm eigenen schönen Gemüthlichkeit selbst
beschrieben, und nach seiner Handschrift hat Atterbom 1817 zu
Upsala diese Autobiographie in schwedischer Sprache herausgegeben,
und Professor Schildener sie ins Deutsche übersetzt unter dem Titel:
Des schwedischen Bauers und Malers Pehr Hör=
bergs Lebensbeschreibung. Greifswalde 1819. 8. Auch der
gelehrte Däne Chr. Molbech hat seinem Andenken eine Abhandlung
in deutscher Sprache gewidmet *).

J. L. Odhelius, Medicinalrath, † am 23. August 1816.
Von den Verdiensten dieses berühmten Augenarztes ist etwas oben
gesagt bei Erwähnung seiner Schriften. Aber da er, mit seinem
wissenschaftlichen Ruhme sich nicht begnügend, auch als Uebersetzer
von Gedichten glänzen wollte, ohne dazu weder den erforderlichen
feineren Sinn, noch das Ohr zu haben, zog er sich eine Lächer=
lichkeit zu, die in spätern Jahren sein Ansehen unter seinen Lands=
leuten sehr verringerte.

Axel Gabriel Silverstolpe, Kammerherr und Secretair
am Ritterhause, Ritter des Nordstern=Ordens, † am 5. Sept.
1816. Von seinen oben charakterisirten Gedichten gab er im J.
1814 eine neue, vermehrte Auflage heraus. Aber nicht nur als
Dichter hat er versucht in der Literatur seines Vaterlandes zu
wirken, sondern theils durch mehre Gedächtnißreden, theils durch
eine fleißig ausgearbeitete, aber trockne Uebersetzung der Lebens=
beschreibung Agricola's nach dem Tacitus. Vorzüglich aber wid=
mete er, mit seinem kahlen, etwas dürren Verstande in den un=
erfreulichen Abstractionen der französischen Ideologen befangen, sich
der Pädagogik, in welcher er alles nach den Ansichten einer ober=
flächlichen, todten Regelmäßigkeit gemodelt haben wollte. So gab
er im Jahre 1811 zu Stockholm einen Versuch einer grundrichti=
gen Buchstabirungstheorie der schwedischen Sprache (Försök till
en enkel, grundrigtig och derigenom oföränderlig Bok-
stafverings Theorie för svenska Språket. 8.) heraus, wodurch
er eine Menge neuer Buchstaben und Accente einzuführen vor=
schlug, um damit einen jeden Laut in der Sprache bestimmt be=
zeichnen zu können. Von reellerem Werthe ist dagegen der Ver=
such Silverstolpe's, die Hauptgründe der allgemeinen Sprachlehre
zu entwickeln (Försök till en ny Uppfattning af Hufvud-
grunderna för allmänna Språkläran. Stockholm 1814. 8.);
wohl nur ein Kind der empirischen Analyse, doch mit ernstlicher

*) Leben und Kunst des schwedischen Malers Peter Hörberg. Ko=
penhagen 1819. 8.

Consequenz vorgenommen und durchgeführt. Die Bestandtheile der Rede, sagt Silverstolpe, sind 1) das Empfindungswort, die Interjection, und 2) die Gedankenwörter. Diese theilt er ferner in Nothwendigkeitswörter, welche erfunden sind, um das Verlangen des Verstandes nach Klarheit zu befriedigen, und Bequemlichkeitswörter, welche erfunden sind, weil das menschliche Gemüth Kürze in der Fassung begehrt. Die Nothwendigkeitswörter sind: 1) Dingwörter (Substantive), dem Subjecte der Logik entsprechend; 2) Umstandswörter (Attributive, Adjective, der Artikel und das Adverb), welche das Prädicat der Logik ausdrücken, und 3) Verbindungswörter, von der nämlichen Natur, wie die Copula in der Denklehre. — Sonst erzählt der Verf., daß er, um seine allgemeinen grammatikalischen Grundsätze aufzufinden, drei weitläufige französische Schriften ins Schwedische, und nachher seine schwedische Uebersetzung wieder ins Französische übersetzt habe; und daß er ein solches Mittel nicht nur zu ersinnen, sondern auch mit solcher Geduld ins Werk zu bringen im Stande war, ist wohl hinreichend, den Geist des Mannes darzustellen. Sein größtes Verdienst ist ohne Zweifel der thätige Antheil, welchen er bei der Abfassung der jetzigen schwedischen Constitution gehabt hat.

Erich Michael Fant, Doctor der Theol., Professor der Geschichte zu Upsala, Ritter des Nordstern-Ordens, † im Jahre 1817. Als Verfasser der kurzgefaßten Geschichte Gustav Adolphs (Kort Utkast till Kon. Gustaf Adolphs Historia intill 1630. Stockholm 1784. 8.); Entwurf zu Vorlesungen über die allgemeine Geschichte (Utkast till Föreläsningar öfver allmänna Historien ifrån 16 Seculi Början. St. 1—7. Upsala 1788 —1793. 8.) und Entwurf zu Vorlesungen über die schwedische Geschichte (Utkast till Föreläsningar öfver svenska Historien. St. 1—5. Stockholm 1801—1804. 8.) hat er sich unwidersprechlich als den schlechtesten historischen Schriftsteller des neueren Europa bewährt: denn die genannten Schriften strotzen von logischen und grammatikalischen Misgriffen, schleppender Diction, Unordnung und Plattheit in der Darstellung, und von den niedrigsten Ansichten in seinem Pragmatismus, ohne doch in ihren Angaben ganz zuverlässig zu seyn. Auch als Sammler und Herausgeber von historischen Acten ist er nicht sehr zu rühmen, denn er war allzubequem und oberflächlich, um genau zu seyn.

Anna Maria Lenngren, geborne Malmstedt, † im J. 1817. Die angenehme Leichtigkeit, mit welcher sie im Anfange der Regierung Gustavs III. ein Paar nach dem Französischen übersetzte Operetten versificirte, und die vertraute Freundschaft Kellgrens verschafften dieser Verfasserin früh genug einen ausgezeichneten Namen. In ihrem wahren Dichterberufe trat sie jedoch eigentlich erst hervor in dem letzten Decennium des 18. Jahrhunderts, da sie in der von ihrem Manne redigirten Stockholms-Post fleißig kleine Gedichte mittheilte. Nun flog bald ihr von Gyllenborg, Leopold, Franzen u. a. gefeierter Ruhm durch das ganze Land. Es war also Befriedigung eines allgemeinen Wunsches, als man 1820 eine kleine Sammlung ihrer Gedichte herausgab. Unter ihnen sind ihre drei im vossischen Geiste gesungenen Idyllen vortrefflich. Einige Gedichte in einer eignen satyrisch-komischen Manier zeichnen sich durch spielenden Witz und derbe Spaßhaftigkeit aus. Uebrigens vermißt man hier alles, was man weibliches Zartgefühl nennt, höheren Sinn der Versification, jeden Schatten von poetischer, religiöser oder sittlicher Begeisterung und jede erhebende Ansicht des Lebens; weshalb auch ihre Romanzen, Psalmen, kurz alle Versuche einer höheren Dichtung ganz und gar misglückt sind.

Johann Gabriel Oxenstjerna, Graf, Reichsmarschall, Ritter und Commandeur der sämmtlichen königlichen Orden und Ritter des Ordens Carls XIII., † am 29. Jul. 1818. Von der Sammlung seiner Gedichte und von seinen wahren poetischen Anlagen, einer äußerst weichen Empfindung, einer glänzenden, aber weder reichen noch tiefen Einbildungskraft und einem sehr harmonischen und feinen Ohr, ist im Vorhergehenden gesprochen. Als Nachtrag mag hier erinnert werden, daß Se. Excellenz im Jahre 1815 die vaterländische Literatur mit einer metrischen Uebersetzung des verlornen Paradieses von Milton bereicherte, die, obgleich eine der schönsten ihrer Art, welche die schwedische Sprache aufzuweisen hat, doch Zeugniß gibt, daß, wie es einem Reichen schwer ist, ins Reich Gottes zu kommen, eben so ist es einem Vornehmen schwer, in den Bezirk der echten Poesie zu gelangen.

Olof Swartz, Professor der Naturkunde bei dem medico-chirurgischen Institut zu Stockholm, † am 19. Sept. 1818. Unter den Botanikern des ganzen Europa war sein Name berühmt durch mehre sehr verdienstliche und in Deutschland theils zu Erlangen, theils zu Göttingen gedruckte Schriften, unter welchen vorzüglich zu nennen sind: seine Flora Indiae occidentalis, Tom. I—III. Erlangae 1797—1806. 8.; seine Synopsis Filicum. Kilon. 1806. 8.; seine Lichenes Americani, Fasc. I. Norimb. 1811. 8. u. a. Was er späterhin in schwedischer Sprache herausgab, wie seine Principien der Thier- und Kräuterkunde (Grunderna till Läran om Djur och Wäxter. Stockholm 1813. 8.) ist dagegen ein oberflächliches Machwerk ohne Bestimmtheit, Styl und Ordnung.

Gudmund Jöran Adlerbeth, Freiherr, Staatsrath, Ritter und Commandeur aller königl. Orden und Ritter des Or-

bens Carls XIII., † am 7. October 1818. Von der Sammlung
seiner poetischen Schriften und von seiner Uebersetzung des Virgi=
lius haben wir schon gesprochen. In dieser späteren Periode hat
er auch eine Uebersetzung des Horatius, nicht nur von den Saty=
ren und Episteln, (Stockholm 1814. 8.), sondern auch von den
Oden und Epoden (daselbst 1817. 8.) ausgearbeitet, und auch in
ihnen die nämliche Treue, fließende Leichtigkeit, antike Anmuth
und musterhafte Versification, wie in den ältern, gezeigt. Kurz
vor seinem Tode hatte er zuletzt eine Uebersetzung der Metamor=
phosen Ovids vollendet, die nachher, mit einer Vorrede von dem
lieblichen Dichter Franzen, von seinem Sohne herausgegeben wor=
den ist (Stockholm 1820. 8.). — In seinen übrigen, unversifi=
cirten Schriften, einigen archäologischen Abhandlungen oder Ge=
dächtnißreden, von Zufälligkeiten hervorgerufen, hat der Freiherr
von Adlerbeth nichts sonderlich Erhebliches geleistet.

     Carl Friedrich von Breda, Professor, Ritter des Wasa=
Ordens, geadelt, † am 1. Dec. 1818. Zum Maler durch eigne
Neigung, angebornen Beruf und väterliche Ermunterung bestimmt,
entwickelte er sich unter der Anleitung Paschens in Stockholm und
Joshua Reynolds in London zum vortrefflichsten und größten Por=
traitmaler, den Schweden hervorgebracht hat. Wohl herrscht in
seinen Gemälden etwas Prunk, und von seinem letzteren Lehrer
nahm er die Manier an, seine Figuren sehr unbestimmt zu con=
touriren und dagegen vermittelst eines röthlich schimmernden Hin=
tergrundes zu heben. Von dieser schwebenden, undulirten Ma=
nier aber entfernte er sich allmälig in den spätern Jahren,
so daß man bis zu seinem Tode bei ihm eine unaufhörlich
steigende Kunstfertigkeit bemerken konnte. Immer hat er doch
verstanden, durch die individuellen Züge die Idee einer gegebe=
nen Person auszudrücken, die sich in ihrem Charakter, ihren
Neigungen und ihrer Lebensweise offenbart. Immer dachte er sich
nämlich seine durch frisches, harmonisches Colorit ausgezeichnete
Darstellung als Theil einer historischen Composition, und daher
das Lebendige und — wenn ich so sagen darf — Bewegliche in
seinen Stellungen. — Er hat eine große Menge Portraits ver=
fertigt. Unter diesen dürfen besonders die vier großen Gemälde:
die Redner der Stände beim Reichstage zu Oerebro im J. 1810,
die er für den König verfertigt hat, genannt werden. Sie waren
seine letzten, aber auch seine vorzüglichsten und von unnennbarer
Schönheit. Dagegen hinderten ihn erst neidische Cabalen und
dann der Tod, ein noch größeres Meisterwerk zu vollenden: die
Krönung König Carls XIII., in welchem er durch eine sinnvolle
Composition das Vorzüglichste der einheimischen Mitwelt des Kö=
nigs in sprechenden Portraits darzustellen gedacht hatte. Die

Gruppe des Königs war ganz vollendet, einige andere zur Hälfte
angelegt, die mehrſten nur ſkizzirt, als er das Attelier, welches
ihm zur Vollendung dieſes Gemäldes eingeräumt worden war,
verlaſſen und das große Gemälde zuſammenrollen mußte; und ſo
liegt es noch jetzt, ein trauriges Monument deſſen, was die ſchwe=
diſche Kunſt hätte leiſten können, wenn Neid und übelverſtandene
Sparſamkeit es nicht gehindert hätten. — Trauer darüber, ſeine
ſchönſte Idee nicht ausführen zu können, brachte den wackern Künſt=
ler im neunundfunfzigſten Jahre ſeines Alters zur Ruhe im Grabe.

Jakob Axel Lindblom, Erzbiſchof und Commandeur des
Nordſtern=Ordens, † am 16. Febr. 1819. — Als Profeſſor
Skyttianus zu Upſala hat er ein lateiniſches Wörterbuch unter
ſeinem Namen — doch von andern Perſonen ausgearbeitet —
oder das Lexicon Upsaliense, 1790 in 4. mit großer typo=
graphiſcher Pracht herausgegeben, ohne daß der innere Werth ſei=
nem ſchönen Aeußern entſpräche. Nachher hat er mehre Predigten,
Reden und Vorreden mit phraſeologiſchem Pomp verfertigt. In
den letzteren hat er beſonders bewieſen, daß ſeine Kritik die un=
ſicherſte von der Welt war. Uebrigens ſind durch ſeinen eifrigen
Betrieb und unter ſeiner Aufſicht die neue Liturgie, der neue Ka=
techismus und das neue, von dem Doctor der Theologie Wallin
redigirte Geſangbuch der ſchwediſchen Kirche, zwiſchen den Jahren
1811 und 1820 herausgegeben.

Guſtaf Regner, erſter Expeditions=Secretair im Depar=
tement der auswärtigen Angelegenheiten, † am 22. März 1819.
Was er durch ſeine metriſchen Ueberſetzungen zur Ausbildung der
Metrik und der wahren Ueberſetzungstheorie in Schweden ausge=
richtet hat, haben wir bereits oben erwähnt. Aber auch vorher
hatte er ſeine Liebe zu den ſchönen Wiſſenſchaften bewieſen, nicht
nur durch Herausgabe eines Journals: der ſchwediſche Parnaß
(Stockholm 1784—1786. 8.), ſondern auch durch mehre, jedoch
ziemlich proſaiſche Gedichte, theils Ueberſetzungen, theils Originale,
die er in einer Sammlung gedruckt und herausgegeben hat unter
dem Titel: Vitterhets Nöjen. Del. 1, 2. Stockholm 1815,
1817. 8. Uebrigens hat er einige Schulbücher verfertigt, unter
welchen die erſten Gründe der nöthigſten Wiſſenſchaften (Första
Begreppen af de nödigaste Wetenskaperne till tjenst för
svenska Barn. Stockholm 1780. 8.) ſo beliebt geworden ſind,
daß ſie elf Auflagen erfahren haben. Zuletzt mag erinnert werden,
daß Regner allein unter allen Literatoren Schwedens die Ehre
genoß, ein eigenhändiges Schreiben von Preußens Friedrich II.
zu empfangen, in welchem der König ſein Wohlgefallen über eine
von Regner ausgearbeitete Ueberſetzung einer ſeiner Schriften ihm
bezeugte.

Gustaf d'Albedyhll, Freiherr, Kammerherr und ehedem schwedischer Minister zu Kopenhagen, † am 11. August 1819. Politischer Verhältnisse wegen von seinem Gesandtschaftsposten abberufen, hat er nachher einige Memoiren zur Geschichte seiner Zeit herausgegeben, als: Pièces authentiques, qui servent à éclaircir la conduite du Baron d'Albedyhll, dans l'affaire qui se passa à Copenhague au commencement de l'année 1789. S. l. et a. 4. — Recueil de mémoires et autres pièces authentiques relatives aux affaires de l'Europe, et particulièrement celles du Nord pendant la dernière partie du 18me siècle. Tom. 1. 2. Stockholm 1798. 1811. 8. — Nouveau mémoire ou pièces historiques sur l'association de Puissances neutres, connue sous le nom de la Neutralité armée, avec des pièces justificatives. Stockholm 1798. 8. und Skrifter af blandadt dock mäst politiskt och historiskt, innehäll. Dell. 1. 2. Nyköping 1799. 1810. 8. Sie sind wahre literarische Seltenheiten, weil die schwedische Regierung sie nicht in den Buchhandel kommen ließ.

Samuel Gustaf Hermelin, Freiherr, Bergrath und Ritter des Nordstern-Ordens, † am 4. März 1820. Dieser hochverdiente und verehrungswürdige Patriot — der, um treffliche Charten über sein Vaterland herausgeben zu können, 30,000 Thaler aufopferte, und um eine lappländische Einöde zur fruchtbaren Landschaft mit metallreichen Gruben umzuschaffen, noch weit mehr verwendet hat, so daß er in seinem hohen Alter alle seine Habe und Gut an seine Creditoren abtreten und selbst Gnadenbrot annehmen mußte — hat auch sehr schätzbare mineralogische Schriften herausgegeben, als eine Abhandlung über das Schmelzen der Kupferarten (Om Kopparslagens smältande efter Rostning. Stockholm 1766. 8.); von den in der Haushaltung nützlichen schwedischen Steinarten (Om de i Hushällningen nyttige svenska Stenarter. Stockholm 1771. 8.) und Versuch einer Mineralgeschichte von Lappland und West-Bothnien (Försök till en Mineral Historia öfver Lappland och Westerbotten. Stockholm 1804. 8.). Am Reichstage zu Norrköping im Jahre 1800 ließ der schwedische Adel eine Medaille auf dieses sein würdiges Mitglied prägen.

Johan Lundblad, Eloquent. et Poes. Professor zu Lund, Doctor der Theologie und Ritter des Nordstern-Ordens, † am 18. Jun. 1820. Bei mehren Gelegenheiten hat er aus den römischen Dichtern geborgte Phrasen in lateinische heroische, elegische oder lyrische Verse zusammengeknüpft, und diese sogenannten Poemata hat sein Sohn nachher gesammelt und in Hamburg mit typographischer Eleganz, 1821. 8., drucken lassen.

Unter ihnen befindet sich ein didaktisches Gedicht: De arte oratoria, in zwei Gesängen; alle übrigen sind nur Gelegenheitsgedichte.

Matthäus Fremling, Professor der theoretischen Philosophie zu Lund, † am 20. Jul. 1820. Außer neunundneunzig akademischen Dissertationen hat er nichts mehr herausgegeben, als Versuch einer Prüfung der kantischen Principien der Unsterblichkeits- und Gottes-Lehre (Försök till en Grannskning af Kantiske Grunderna för Odödlighet och en Gud. Stockholm 1798. 8.) und einen Brief an B—t, von der kantischen Philosophie, gedruckt mit ausgewählten Stücken zur Erklärung der kantischen Philosophie (Valda Stycken till Upplysning i den Kantiska Philosophien. Stockholm 1798. 8.), durch welchen er genugsam bewiesen hat, wie wahr ihn der treffliche Höyer beurtheilte, da er, mit Anspielung auf seinen Namen, von ihm sagte, daß er ein Fremdling in der Philosophie wäre. Doch wurde die erste dieser Schriften mit dem Kreuze des Nordstern-Ordens belohnt; es ist nicht zu leugnen, daß es mit sehr wenigem Aufwande verdient war.

Anders Sparman, Professor und Assessor im Collegio medico, † am 9. Aug. 1820. — Im Jahre 1765 machte er mit einem schwedischen Schiffe von Gothenburg eine Reise nach China. Ins Vaterland zurückgekehrt, bestand er das medicinische Candidaten-Examen; nachher ging er, im Jahre 1772, abermals nach dem Cap, begleitete den Capitain Cook auf seiner Reise nach den südlichen Polarkreisen, stieg noch einmal am Cap ans Land (1775), unternahm eine achtmonatliche Reise in die von Hottentotten und Kaffern bevölkerten Gegenden und begab sich im J. 1776 wieder nach Schweden. Von swedenborgischen, mystisch-religiösen Meinungen eingenommen, theilte er die Einbildungen der Swedenborgianer, welche erwarteten, daß sich das neue Jerusalem in den Einöden Africa's vom Himmel herabsenken würde, und folgte daher sehr gern den vierzig schwedischen Familien, die im Jahre 1787 nach Senegal absegelten, um sich ein Stück Land zu verschaffen, sich da anzusiedeln und sich nach swedenborgischen Grundsätzen regieren zu lassen. Die ganze Expedition mißglückte jedoch, und Sparman kehrte nochmals nach Stockholm zurück. In der gelehrten Welt hat er sich kein geringes Ansehen durch die Beschreibung seiner Reisen (Resa till goda Hoppsudden, södra Polkretsen och omkring Jordklotet, samt till Hottentot- och Caffer-Landet ären 1772—1776. Del. 1. 2. Stockholm 1783. 1800. 8.) erworben und durch sein Museum Carlsonianum. Fascic. I—IV. Holmiae 1786—1789. fol. noch fester gegründet, bis er selbst, durch seine Sammlung von allge-

mein nützlichen und neuen Erfahrungen in der Medicin, Phar=
macie, Chemie ꝛc. Th. 1. 2. Stockholm 1797—1802. 8. und
seinen Brief über Prediger=Medicin und thierischen Magnetismus
(Bref om Prest Medicin och Animal Magnetism, med
Kopparstick, utgifvet af några Vetenskaps och Sannings
älskare. Stockholm 1815. 8.) seinem Ruhm einen solchen Stoß
gab, daß er ihn nicht durch seine, von uns schon oben erwähnte
schwedische Ornithologie, Heft I—X. Stockholm 1806—1817. 4.
wiederherzustellen vermochte.

Abraham Niclas Edelcranz, Präsident des Commerz=
Collegiums, Commandeur des Nordstern=Ordens. Ursprünglich
nicht von Adel, Clewberg genannt, wurde er bei der Universität
zu Åbo angestellt, und, um die Aufmerksamkeit seines kunstlieben=
den Königs auf sich zu ziehen, trat er zwischen den Jahren 1780
und 1786 mit einigen Gedichten auf, unter welchen die Ode an
das schwedische Volk besonders großes Aufsehen erregte. Nun
wurde er in die Canzlei versetzt, als Geschäftsmann vielfältig ge=
braucht und in den adelichen, zuletzt freiherrlichen Stand erhoben.
Aber damit nahm er auch von den freien Künsten Abschied und
widmete sich den mechanischen, für welche er eine Lehranstalt in
Stockholm stiftete. Uebrigens hat er die ersten Telegraphen in
Schweden errichtet, eine Feuer= und Dampfmühle in Stockholm
erbaut, eine neue Spinnmaschine erfunden und viel beigetragen
zur Stiftung der Akademie der Landwirthschaftskunde, deren erster
Präsident er auch gewesen ist.

Anders Johann Retzius, Botaniker und Oekonom, Pro=
fessor zu Lund, im Jahre 1821 gestorben. Als unmittelbarer
Schüler des großen Linné widmete er sich mit Eifer den natur=
historischen Wissenschaften und hat vorzüglich für die Bereicherung
der Botanik, besonders für ihre Anwendung im Landbau und in
der Medicin sehr viel geleistet. Dagegen hat er sein gelehrtes An=
sehen nicht im mindesten vermehrt durch seinen Versuch, das Mi=
neralreich aufzustellen (Försök till Mineral Rikets Uppställ=
ning, i en Hand-Bok att nyttja vid Föreläsningar. Lund
1795.) in welchem er, nach dem Urtheile eines bewährten Ken=
ners, sich einen Weg zur Originalität in der Confusion gebahnt
hat. Doch von diesem Buche ist schon oben gesprochen worden.

Nils Lorenz Sjöberg, Expeditions=Secretair, im An=
fange des Jahres 1822 gestorben. In der Gesellschaft Utile
dulci zum Reimer gebildet, hat er den ersten poetischen Preis
der schwedischen Akademie gewonnen und wurde bald nachher zum
Mitgliede dieser Akademie aufgenommen. Im Jahre 1796 gab
er eine Sammlung seiner Gedichte heraus, und eine neue Auflage
im Jahre 1820. Damit hat er sich in den Augen eines Jeden,

der dieſe Reimereien durchzuleſen vermocht hat; ein Monument als ſchlechteſter Dichter geſetzt, ſofern Geiſtloſigkeit, Mangel an Phantaſie und Gefühl, an kritiſcher Ausbildung und Sinn für ein idealiſches Ziel der Poeſie, in ſchwerfälligen, alles Tonmaaßes beraubten Verſen ausgeſprochen, zu dieſem Titel berechtigen. Es iſt wahrhaftig für den Geſchmack der ältern, franzöſirenden akademiſchen Periode unſrer Literatur charakteriſtiſch, daß Sjöberg bei dieſem allen doch einen Namen erwerben konnte.

Nachdem wir ſo die Verluſte angeführt haben, welche die ſchwediſche Literatur binnen dieſen Jahren erlitten hat, wollen wir die jüngern Schriftſteller aufzählen, die hinzugekommen ſind, gleichſam um die abgegangenen zu erſetzen. Dieſe ſind folgende:

Jakob Adlerbeth, Baron und Protokoll-Secretair, Sohn des obengenannten Dichters. Von einem glühenden Eifer für die nordiſche Alterthumskunde beſeelt, iſt er das eigentliche Lebensprincip des gothiſchen Bundes, wie auch Redacteur der Iduna, des Journals deſſelben. Im vierten Hefte dieſer Zeitſchrift lieſt man auch eine Abhandlung von ihm über das alte, in den nordiſchen Sagen ſo vielfältig beſprochene Biarmaland, die von unermüdetem Fleiße, Gelehrſamkeit und combinatoriſchem Forſchungsgeiſt, aber weder von Genialität, noch von ſicherer Urtheilskraft zeugt.

Arvid Auguſt Afzelius, Hofprediger und Pfarrer zu Enköping. Ohne einen großen, tiefen oder reichhaltigen Geiſt, und ohne eigentlicher Gelehrter zu ſeyn, hat er für die Literatur ſo viel, als wenige andere, gethan. Auf ſeine Koſten und durch ſeine Vorſorge ſind die beiden Eddas: die poetiſche von Saemund Frode, und die proſaiſche Sturleſons in isländiſcher Originalſprache herausgegeben worden. Die alten, wunderlichen Volksromanzen hat er mit edlem Fleiß und Geduld geſammelt, redigirt — obſchon nicht ganz dem echten Kenner genügend — und, in Verbindung mit den alten urſprünglichen Melodien, zum Drucke befördert (Svenska Folk Visor, Samlade och Utgifna af *E. G. Geyer* och *A. A. Afzelius.* Del. 1—3. Stockholm 1814—1816. 8.). Ferner gab er die Hervara-Saga in einer neuen Ueberſetzung (Stockholm 1812. 8.) heraus, hat mit glücklichem Sinn, treffender Eigenthümlichkeit und fließender Leichtigkeit die poetiſche Edda ins Schwediſche überſetzt, und nebenbei für die Bildung ſeiner Amtsbrüder zu ſorgen verſucht durch die Zeitſchrift: Lecture für die Freunde der Religion (Läsning för Religionens Vänner. Häft 1. 2. Stockholm 1817. 1818. 8.) und die Zeitung der ſchwediſchen Gemeinden (Svensk Församlings Tidning. Stockholm 1820. 4.) Auch als Dichter hat er ſich mit Recht einen beliebten Namen erworben durch ſeine herrliche Romanze Necken, wie er auch einige andere ſehr artige

20

Liederchen gedichtet hat, die wenigstens viele poetische Gewandtheit
verrathen, wenn er poetischen Geist und poetische Kraft, im eigentlich-
sten Sinne des Worts, auch nicht besitzt. Am wenigsten ist er als
christlich-religiöser Sänger glücklich.

Carl Adolph Agardh, Professor der Botanik und Oekonomie zu Lund. Zuerst trat er auf als wissenschaftlicher Bearbeiter und Verkündiger der pestalozzischen Erziehungstheorie und
fing mit seinem Freunde Bruzelius an, die Schriften des
schweizer Pädagogen schwedisch herauszugeben (Lund 1812.
Th. 1. 8.), welchen Agardh einige Abhandlungen als Einleitung
voranschickte, um den innern Sinn und die Tendenz der Methode
zu entwickeln. Hier hat er in einem guten, gebildeten Style
mehre sehr tiefe und treffende Ideen ausgesprochen, welche andeu-
ten, daß die Natur ihn zum eigentlichen Denker bestimmt hatte.
Aber nachher hat er sich ausschließend der Botanik gewidmet und
besonders seine Aufmerksamkeit auf die bis jetzt am wenigsten bekannten kryptogamischen Arten: Algen, Conferven u. a. gerichtet und
sich als ein entschiedener Anhänger der generatio aequivoca
gezeigt. Zuletzt ist er auf den wunderlichen Einfall gerathen,
sich den Preis der schwedischen Akademie ertheilen zu lassen für
ein Ehrengedächtniß Linnés, in welchem dieser Vater der neuern
Botanik nicht viel besser, als ein wissenschaftlicher Stümper, nur
als Schattenseite gegen die in allem alles übertreffenden Franzosen
in rhetorischen Floskeln dargestellt wird.

Eleonore Charlotte d'Albedyhll, geborne Gräfin von
Wrangel, Gemahlin des oben genannten Freiherrn d'Albedyhll.
Sie trat auf einmal im Jahre 1814 als Dichterin auf, um nachher, wie zuvor, ganz stumm zu bleiben. Außer einem Paar nicht
sehr beträchtlichen lyrischen Gedichten, die in Atterboms Kalender
für das Jahr 1815 abgedruckt sind, hat sie eine Art von mystisch-
epischem Gedicht in vier Gesängen: Gefion. Upsala 1814. 4.
herausgegeben. Es ist in sehr gebildeten und klangvollen Hexa-
metern abgefaßt und hat einige sehr schöne Zeilen: aber das Ganze
zeugt mehr von einem ernstlichen Streben, als von wahrem Beruf zur Dichtkunst; und der Charakter des kleinen Epos ist weder
heroisch, noch romantisch, gnomisch, religiös oder idyllisch, sondern
hochadelich, um die Familie der Verfasserin durch einen mythischen
Ursprung zu preisen; und alle Handlungen der vorkommenden Personen bestehen eigentlich darin, daß sie nach hergebrachter Cere-
monie einander Visiten machen. Der Ruhm dieses Gedichts ist
daher auch bald verschollen, obschon gleich nach seinem Hervortreten ein junges Fräulein Rudbeck in einem artigen Sonett ihm
ein ewiges Leben versprach.

Lowe Carlsson Almqvist, Canzlist in der Expedition

der kirchlichen Angelegenheiten. Ein junger Schriftſteller von ei=
nem ſehr merkwürdigen Charakter: von außerordentlicher Ideen=
tiefe, aber mit ſehr eingeſchränkter und genirter Darſtellungsgabe.
Von der Natur zum nachſinnenden Forſcher und Philoſophen be=
rufen, will er ſeiner Beſtimmung zum Trotze bildender Künſtler
werden, und erſcheint daher oft affectirt, oft platt oder lächerlich.
Im innerſten Herzen religiös, iſt ſein ganzes intellectuelles Weſen
im Chriſtenthume centraliſirt, welches er, in der Tiefe der Seele
ergriffen, als das Gebäude allgemeiner Menſchheit auf dem
Grunde der Individualität glaubt aufrichten zu können. Chriſtus
iſt ihm nicht nur das vom Tode und von den Sünden erlöſende
Ideal unſres höchſten Strebens, ſondern zugleich die ideal=reale
Einheit aller menſchlichen Individualitäten, in und durch welche
die Nothwendigkeit in das Reich und in das Element der Freiheit
hinübergeht und ſomit das lebendige, perſonificirte Symbol der
Vorſehung iſt, das die Menſchen in das rechte Verhältniß zu
Gott wieder bringt oder ſie zum Leben des Uranismus erhebt, wel=
ches das einzige und höchſte Ziel der ganzen Welterziehung iſt.
Dieſes Leben der reinſten Unſchuld wird durch das romantiſche
Leben repräſentirt, oder durch das Verhältniß des Weibes zum
Manne. Das Weib iſt nämlich, ſagt Almqviſt, die in der Zeit
geoffenbarte Schönheit, die Muſik in Figur geſetzt; und die Liebe
des Mannes zum Weibe iſt ſein erſter Schritt über ſeine Selbſt=
heit hinaus, iſt die anfangende Vertreibung ſeines Egoismus, wo=
mit er beginnt in und für das Namenloſe, Unendliche zu leben,
zu lieben und zu wirken. Die unendliche Einheit aber des ro=
mantiſchen Lebens, das Verhältniß zwiſchen Mann und Weib,
iſt der Grund des Familienlebens. Die uraniſche Einheit wiederum
in dem Verhältniſſe zwiſchen Gott und den Menſchen iſt der Grund
des ewigen Lebens. Eine zwiſchen beiden ſchwebende Vermittlung
iſt der Staat: ein Gerüſt über dem Familienverhältniſſe aufge=
richtet in der Abſicht, den einzelnen Menſchen in einen ſolchen
Zuſtand zu ſetzen, daß er für das Ewige erzogen werden kann. —
Ungefähr dieſe hohen, halbmyſtiſchen Ideen, nach verſchiedenen
Richtungen modificirt, machen den Kern aller almqviſtiſchen Pro=
ductionen aus, die in verſchiedenartigen Einkleidungen immer ſich
um das nämliche Centrum drehen: bald in Form der polemiſiren=
den Didaktik in der kleinen Schrift: was iſt Liebe? (Hvad är
Kärlek? Stockholm 1817. 8.); bald in dem mehr zurückge=
haltenen Style der Novelle: Parjoumauf. Stockholm 1818. 12.:
bald in allegoriſcher Tracht, wie in den beiden Mährchen: „Der
güldene Vogel im Paradieſe“ und „Die Flügel der Anmuth“ (in
dem unpoetiſchen Kalender, Heft 1. und 2. abgedruckt). Am
reinſten treten ſie hervor in dem Projecte zum neuen Organismus

des Manhems Bundes (Handlingar till Upplysning af Manhems Förbundets Historia. Stockholm 1820. 8.) und am
wunderbarsten in Amorina (Stockholm 1823. 8.), einem merk=
würdigen Versuche, das Epos und die Tragödie ganz organisch
zusammenzuschmelzen und einander durchdringen zu lassen, so daß
das Ganze weder Epos noch Drama bleibt, aber doch die Eigen=
heiten des Wesens und der Darstellung beider Kunstarten sich hier
wiederfinden.   Die Theorie dieser neuen Dichtungsart, die der
Verfasser poetische Fuga genannt haben will, hat er in einer be=
sondern Abhandlung mit tiefem Scharffinn und hellen Blicken in
das Wesen der Kunst im Allgemeinen entwickelt: aber er hatte
leider nicht bildende Kraft genug, um auf eine hinreißende Weise
praktisch zu zeigen, was er mit philosophischem Tiefsinn theore=
tisch geahnet hatte.

Carl Magnus Arrhenius, Protokoll=Secretair. —
Außer daß er Schellings Vorlesungen über das akademische Stu=
dium ins Schwedische übersetzt und ein Paar Recensionen in der
schwedischen Literaturzeitung geschrieben hat, gab er gegen die
Präsidial=Rede des Professors Svanberg, über den Begriff der
Natur=Philosophie, eine wissenschaftlich=polemische Schrift: Von
der falschen analytischen Construction in der Mathematik (Stock=
holm 1814. 8.) heraus, in welcher er nicht nur behauptet, daß
die Analytik das höhere Wissenschaftliche in der Mathematik ganz
zerstört habe, sondern auch, daß die Algebra, als eine leere me=
chanische Abstraction, zu keiner Evidenz führen könne, da sie so=
wohl eine negative als positive Antwort auf vorkommende Fragen
gebe.   Auch deutet er an, daß die newtonianischen Ansichten der
Optik keine Zuverlässigkeit oder Wahrheit haben, sondern nur
empirische Expedienten sind, sich im Nothfalle zu behelfen.   Alle
schwedische Mathematiker von Profession haben sich als seine Geg=
ner erklärt.

Erik Jakob Arrhèn von Kapfelman, ein junger Mu=
fiker, der eine Sammlung Melodien zu den niedlichen Gedichten
Atterboms, die Blumen genannt, im Jahre 1820, wie auch ein
Paar andere Liedermelodien componirt und herausgegeben hat.
Diese zeugen von sicherer Kenntniß der Harmonie=Lehre und Ge=
wandtheit, das Instrument zu behandeln, aber von weniger Ori=
ginalität und Empfindungsgabe; auch hat er den Charakter der
verschiedenen Stücke fast durchgängig verfehlt.   Jedoch behaupten
seine Freunde, daß Arrhèn von Kapfelman mehre noch nicht pu=
blicirte Mufikalien geschrieben habe, die das höchste Lob verdienen.

Johan Christoffer Askelöf, Protokoll=Secretair und
Anwalt der königl. Magazins=Direction.   Als Herausgeber der
Zeitung Polyfem, womit der erste ordentliche Angriff ge=

gen den literariſchen Despotismus, die leeren Anmaßungen und
falſchen Anſichten der ſchwediſchen akademiſchen Partei gemacht
wurde, iſt er allgemein und rühmlich bekannt.   Auch redigirte er
nachher eine andere Zeitſchrift, das Leben und der Tod (Lifvet
och Döden) genannt, und in allen Aufſätzen in dieſen Tageblättern, die er ſelbſt geſchrieben, herrſcht ſicheres Urtheil, klarer
Verſtand, treffender Witz, vielſeitige Kenntniß, lebendige Darſtellung und eine ſehr gebildete Diction.   Man konnte alſo hoffen,
in Askelöf einen vollendeten und claſſiſchen Proſaiker zu gewinnen:
aber er wurde in das Geſchäftsleben hineingezogen und verließ die
Literatur ganz.   Nachher hat man von ihm ein Paar kleine Abhandlungen unter den vermiſchten Abhandlungen zur Beförderung
allgemeiner bürgerlicher Kenntniſſe   (Läsning till utbredande
af allmänna medborgerliga Kunskaper) aufgenommen, die
nur Zeugniſſe ſind von dem eignen Talente des Verfaſſers, auch
über reines Nichts anmuthig und mit Schein von Gründlichkeit
zu raiſonniren.

Da v i d A s p e l i n, ein Geiſtlicher aus dem Stifte Wexiö,
im Jahre 1822 geſtorben.   Als Docent auf der Univerſität zu
Lund ein Amtsbruder T e g n e r s, wurde er von ſeinem Beiſpiel
angeregt, auch ſich mit dem Verſemachen abzugeben.   Da er nachher verſchiedene Preiſe von der ſchwediſchen Akademie erhalten, gab
er zuletzt im Jahre 1819 den erſten Theil ſeiner Gedichte heraus,
die nur eine elende Nachäfferei der tegneriſchen Manier waren.

P e h r A m a d e u s A t t e r b o m, Magiſter der Phil. und Docent der allgemeinen Geſchichte zu Upſala.   Bald nach dem Anfange
der Herausgabe des Polyfem ſchloß er ſich an Askelöf an, um
gemeinſchaftlich mit ihm die alte aufgeblaſene und intolerante proſaiſche Plattheit zu bekämpfen, und beſonders machten die bekannten Xe-
nien, das kleine Drama: D e r R e i m e r = B u n d und das Flo-
rilegium Svecano-academicum, von Atterbom verfaßt, große
Wirkung und Aufſehen.   Nachher trat er als Hauptredacteur
der Monatsſchrift Phosphoros, dann des poetiſchen Kalen-
ders auf, in welchen beiden Zeitſchriften, die lange der Vereinigungs-
punct der jüngeren Dichter waren, Atterboms meiſte und vorzüg-
lichſte Gedichte erſchienen.   Er wurde nicht nur, ſowohl von Freunden als Feinden, als Wortführer der neuen Schule oder der Phos-
phoriſten — wie die jungen Literatoren bald allgemein genannt
wurden — anerkannt, ſondern auch, zwar auf der einen Seite von
der akademiſchen Partei oder den Journaliſten geſcholten und verhöhnt,
doch von ſeinen Anhängern vielfältig gefeiert und von allen unparteii-
ſchen, gefühlvollen Freunden des Schönen mit warmer Liebe umfaßt, beſonders ſeitdem er ſeine Gedichte: D i e B l u m e n (Blom-
marna), herausgab: denn bis jetzt hatte kein Dichter einen ſo

herrlichen lyrischen Kranz in die Locken der schwedischen Muse geflochten. Als er aber späterhin, von seiner Reise nach Deutschland und Italien zurückkehrend, zum Lehrer des Kronprinzen in
der deutschen Sprache erwählt wurde und sich die Zuneigung des
jungen Fürsten in hohem Grade erwarb, hat Neid und Verdruß
bei manchem die vorige Liebe verdrängt; und nun ist es unter
diesen ein beliebtes Modethema geworden, von der metaphysischen
Dunkelheit, der kränkelnden Melancholie und der sclavischen Nachahmung deutsch = romantischer Formen in den Gedichten Atterboms
zu schwatzen. Und doch, welche milde, rein = poetische Heiterkeit
herrscht nicht in dem Fragmente seines lieblichen Drama's: „Der
blaue Vogel," in mehren seiner Wanderungs = Erinnerungen,
seiner Serenade, seinem Schmetterling, seinem neuen Blondel und
so vielen andern seiner Gedichte, durch welche er die ersten Proben
einer tief = romantischen Lyrik und einer reich abwechselnden melodischen und bedeutungsvollen Versification in der schwedischen Literatur aufgestellt hat! Und wenn man ein Paar Stücke, wie die
Lebens = Ansichten, die Elegie Diokles und Heliodora und wenige
andere ausnimmt, die von bestimmter didaktischer Tendenz sind,
wo herrscht wohl in der Poesie Atterboms diese überwiegende Metaphysik, über welche man klagt, wenn man nicht jeden tiefern
Blick in das Grundwesen der Dinge, der doch der Muse eigen
ist, so nennen will? — Doch kann nicht geleugnet werden, daß
Atterbom wohl nicht das geleistet hat, was man sich von ihm bei
seinem ersten Auftreten versprach. Er wurde von seinen Freunden und Bewunderern verzärtelt und von seinen Gegnern in lange Streitigkeiten verwickelt, die sein Gemüth zerrissen und erbitterten und die von ihm die Ruhe verscheuchten, welche ihm nöthig
war, wenn er größere dichterische Werke vollenden sollte. Darüber
sich immer betrübend, wurde sein Geist noch mehr, als sein Körper, kränkelnd, und darum zog er sich immer mehr und mehr
von den Menschen und dem thätigen Leben in sich selbst zurück;
da aber in Folge dessen die Welt in seiner Brust bald erschöpft
war, repetirte er sich selbst, und um nicht durch ein immer wie-
derkehrendes Einerlei ermüdend zu werden, suchte er anderswoher
Hülfe und erwärmte sich an fremdem Feuer. Daher ist er nicht
immer in Erfindungen selbständig und originell. Auch ist seine
Diction nicht ganz klar und bestimmt, da er sehr die Umschreibungen liebt und sich oft zu schwebenden Symbolen verleiten läßt
durch den Reim, den er wohl auch mitunter mehr erzwingt, als
leicht und natürlich hervorruft. Er hat auch einige recht herzlich
schlechte Gedichte hervorgebracht, besonders sind seine patriotischen
Gelegenheits = Gesänge im höchsten Grade mißlungen. — Was
dagegen seine Prosa betrifft, so hat Atterbom sie allmälig ver-

borben, weil er sie in den spätern Jahren allzuviel durchgearbei=
tet hat, indem er sich nicht auf gewöhnliche Art ausdrücken,
sondern immer und überall prachtvoll und sinnreich erscheinen
wollte. Darum wird öfters sein prosaischer Styl steif, ermüdend
und unklar. — Alles dieses ist wohl wahr, doch vergesse man
nicht, dankbar zu erkennen, daß Atterbom die ersten echt roman=
tischen Töne anschlug; daß er den melodischen Liebesklang und
den energischen Wohllaut der schwedischen Sprache in seiner Rein=
heit ertönen ließ; daß er zuerst mehre der schönsten metrischen
Formen in der schwedischen Dichtkunst eingeführt hat, und daß
viele von seinen tief empfundenen Liedern und Dichtungen in al=
len Zeiten und Umständen, wegen ihrer hohen Trefflichkeit und
Schönheit, geschätzt werden müssen.

Carl von Becker, Landrichter in Westgothland, ein Zög=
ling der schwedischen Akademie, der, obgleich schon in Jah=
ren, mit mehren Gedichten um den großen und kleinen Preis
derselben gerungen hat. Nachdem er mehrmals als Sieger ge=
krönt worden, gab er eine Sammlung seiner Reime (Skalde-
stycken af Carl von Becker. Stockholm 1820. 8.) heraus,
die aber alle so trivial und geistlos sind, daß nicht einmal die
akademisch=orthodoxen Kritiker, weder Hr. Wallmark noch Hr.
Lindeberg, ihn zu loben sich unterstanden.

Charlotte Berger, geborne Gräfin von Cronhielm. Diese
sehr, obgleich eigentlich nur im französischen Geiste und nach fran=
zösischen Mustern gebildete Frau, hat einige moralisch=pathetische
Romane: die französischen Kriegsgefangenen in Schweden (de
franska Krigsfångame i Sverige. Stockholm 1814. 8.), die
Zauberhöhle (Trollgrottan. Stockholm 1816. 8.) die Ruinen
von Brahehus (Ruinerna vid Brahehus. Linköping 1816. 8.)
und Albert und Luise (Stockholm 1817. 8.) geschrieben, deren
Erfindung wohl nicht sehr glücklich ist und in welchen man das
Romantische gänzlich vermißt, die aber in einer leichtfließenden,
anmuthigen Diction erzählt sind. Und sie sind immer in der
schwedischen Literatur von einiger Bedeutung, da diese bis jetzt
so arm im Fache der Romane gewesen ist.

P. Berggren, ein junger vielversprechender Maler, Schüler
Westins, dessen weiche Manier und hellen Farbenton er besitzt.
Das vorzüglichste Gemälde Berggrens ist jetzt der Götterwächter
Heimdall, am Bifrost sitzend, eine sehr liebliche Darstellung: —
denn sein hübsches Altarblatt in der Skeppsholms=Kirche zu Stock.
holm ist unglücklicher Weise mit der Kirche vom Feuer verzehrt
worden.

Johan Friedrich Berwall, königl. Concertmeister und
Vorsteher der Capelle. Er hat mehre schwedische Volks=Melodien

mit Variationen und neulich einen Prolog zur spontinischen Oper, die Vestalin, ausgearbeitet und dabei viel Kunstfertigkeit und Sinn bewiesen.

Frans Berwall, Kammer=Musikus, ist dagegen mit größern Compositionen, namentlich mit einem Concerte, einer Symphonie und einem Quartett hervorgetreten, in welchen er, von Beethoven hingerissen und irregeführt, im Streben nach den Effecten der Harmonie, beinahe alle Melodien aus seinen Compositionen verdrängt, und aus einer Dissonanz in die andere fallend, nur Armuth an Ideen und Erfindungsgabe offenbart hat.

Bernhard Beskow, Protokoll=Secretair. Die Sammlung seiner Dichter=Versuche (Witterhets Försök. Heft 1, 2. Stockholm 1818, 1819. 8) ist interessant wahrhaftig minder durch das, was er geleistet, als durch das, was er versprochen hat, nämlich nicht ein großes, tiefes, weitumfassendes Genie, aber ein edles und liebliches Talent, das nicht einen der ersten Plätze unter den hohen Dichtern fordern, aber wohl nicht der letzten einen in Zierlichkeit und Anmuth behaupten kann. Ideen=Reichthum hat die Natur ihm nicht geschenkt, und seine Bildung scheint er eher von den schwächlich=correcten, von Matthisson, Salis, Ingemann u. s. f., als von den kräftig originalen Geistern empfangen zu haben. Die Phantasie Beskow's ist nicht mannichfaltig, aber sie ist geregelt; sein Gefühl ist nicht energisch glühend, aber wahr und warm fürs Vaterland, Tugend und alles Schöne. Auch in seiner Sprache ist er nicht Meister; und daß die Versification etwas mehr als das äußere Unterscheidungs=Merkmal der Poesie von der Prosa, daß sie der nothwendige, genuine Ausdruck der Gefühle, diese — wie die Falten der Gewänder am Bilde — durch ihre immer variirenden Nuancirungen schattiren soll, scheint er nicht geahnet zu haben. Seine Versification, obgleich ziemlich fließend, ist also weder correct noch bedeutend, wohl aber nicht selten trivial. Am besten sind ihm seine patriotischen Lieder und elegisch=lyrischen Gesänge gelungen. Für alle tieferen Ansichten der Natur und der Verhältnisse des Lebens ist sein Blick allzu dunkel, und am schlechtesten sind seine Romanzen, wo man nur in einem hüpfenden Takt von holprichten Daktylen ein kindisches Haschen nach Effect bemerkt.

Carl Emanuel Bexell, Schloß=Prediger zu Jönköping, trat im Jahre 1813 mit ein Paar Predigten hervor, mit welchen er die Hoffnung erregte, daß er mit der Zeit ein guter geistlicher Redner werden möchte; und diese Erwartung verstärkte er noch mehr durch seine Preisschrift: wie das Uebermaß im Gebrauche des Branntweins eingeschränkt werden könnte (Stockholm 1814. 8.), ob er gleich darin einen etwas beschränkten Ideenkreis verrieth.

Aber da im Jahre 1817 der Profeſſör Tegnèr ſeine Jubelrede
herausgab, wurde der Nachahmungsgeiſt des armen Bexell
davon ſo überwältigt, daß er, in der Begierde dieſem rhetoriſchen
Guckkäſtchen nachzuahmen, nachher in mehren Gedächtnißreden
ſich in Anhäufung von widerſinnigen Bildern und in Zuſammen-
ſtellen gezwungener Phraſen ſo verirrte, daß er ſich in verfehltem
Streben nach Genialität bis zum Unſinn überbot. Nur in dieſem Sinne iſt Bexell eine Merkwürdigkeit, die ihn berechtigt, hier
genannt zu werden: denn die Beobachtung eines ſolchen complet-
ten Unſinns iſt, wenigſtens in pſychologiſcher Hinſicht, lehrreich.

Pehr Friedrich Blidberg, Protokoll-Secretair. Ein
Muſiker von reichem, originellem und poetiſchem Geiſte, wenn auch
nicht ganz feſt und ſicher in dem Mechaniſchen der Harmonie, wie
er durch ſeine Lieder aus dem poetiſchen Kalender (Stockholm 1819.
Fol.) und andere in Steindruck herausgegebene Melodien gezeigt hat.

Ludwig Borgſtröm, Apotheker zu Karlſtadt, hat die
ſchwediſche Literatur ſehr bereichert durch mehre mit vielem reinen Sinne und meiſterhafter Geſchicklichkeit ausgeführte poetiſche
Ueberſetzungen, wie mit den Tragödien Hakon Järl von Oehlenſchläger (Upſala 1817. 8.), Iphigenie auf Tauris, von Göthe
(Upſala 1818. 12.), die Schuld, von Müllner (Upſala 1818. 8.)
und Aladin von Oehlenſchläger (Upſala 1819. 1820. 8.). In
ſeinen eigenen kleinen Gedichten hat er ſich als einen geübten
Verskünſtler bewährt, aber er beſitzt nicht Selbſtändigkeit und Ideen-
Reichthum genug, um als Original-Dichter glänzen zu können.

John Breda, Conducteur am ſchwediſchen Muſeum, Sohn
des oben genannten großen Malers, welcher ihn, im Fache des
Portraits, vielleicht übertreffen wird. Mit der eigenen Gabe ſeines Vaters, den innerſten Charakter einer Perſon zu ergreifen
und idealiſirend, aber doch wahr, in allen Zügen ausdrucksvoll
darzuſtellen, verbindet John Breda eine ſichere und feſt beſtimmte
Zeichnung, wie auch einen vortrefflichen Farbenton und Verſchmelzung. Man hat von ihm auch einige hiſtoriſche Gemälde, und
ſein Beliſarius iſt unſtreitig ein ſchönes Stück, wenn auch etwas
dürftig in der Compoſition.

Guſtaf Broling, Bergrath und Ritter des Waſa-Or-
dens. Auf Koſten des Eiſen-Comptoirs hat er eine Reiſe durch
Schweden gemacht, um die Methoden der Stahlveredlung zu
unterſuchen. Von dieſer Reiſe hat er eine reichhaltige Beſchreibung (Stockholm Th. 1—3, 1811—1817. 8. mit Pl.) herausgegeben. Beſonders iſt der dritte Theil, in welchem er die
Reſultate der Forſchungen ſeinem eigentlichen Zwecke gemäß aufbewahrt, höchſt ſchätzbar.

C. G. Brunius, Akademie-Adjunct zu Lund. Er hat

seine Stärke in der lateinischen Sprache und ihrer Prosodie, und
seine Gewandtheit, die Phrasen und Redewendungen ihrer Dichter
zu gebrauchen, in einem lateinischen Gedicht über das letzte luthe=
rische Jubelfest und in einem die Metamorphosen des Ovid nach=
ahmenden größeren Gedicht: de Diis Arctois. Holmiae 1822. 8.
gezeigt. Auch hat er archäologische Abhandlungen herausgegeben.

Magnus Bruzelius, Adjunct der Akademie und Lehrer
an der Schule zu Lund. Auch ein warmer Freund der nordischen
Alterthümer, wovon er mehre Proben in der Zeitschrift Iduna
gegeben hat. Auch hat er zwei Theile von einem gutgeschriebenen
Lesebuch über die schwedische Geschichte herausgegeben.

Johan Börjeson, königl. Hof=Prediger, nicht nur als
vorzüglicher Kanzel=Redner, sondern auch als Dichter bekannt.
Außer verschiedenen kleinen Liedern in dem atterbomschen Kalen=
der, von einem sehr milden, warmen und oftmals ächt naiven,
bisweilen jedoch etwas affectirten Tone, hat er ein größeres Ge=
dicht: die Schöpfung (Skapelsen i Sänger. Upsala 1820. 8.)
herausgegeben. Es ist das Product einer lyrischen, ja wohl dithy=
rambischen Begeisterung, und hat viele Stellen von der höchsten
Schönheit; das Ganze aber kann doch nicht anders als mislungen
genannt werden: denn es mangelt ihm correcte Reife und eine
durchaus richtige und anmuthige Behandlung der Sprache.

Friedrich Cederborgh, Protocoll=Secretair. Als Schrift=
steller ist er bekannt durch eine von ihm selbst erfundene Art Ro=
mane, wo Bedienter, dumme, liederliche Mädchen, Spieler und
Taugenichtse in ihrer Erbärmlichkeit und Charakterlosigkeit sich
brüstend, die Hauptrollen spielen. Da dieses gänzliche Verkennen
der wahren Natur des Romans, die niedrigsten und plattesten
Ansichten und eine durchaus verdorbene Phantasie verräth, so sollte
in der Literatur=Geschichte von diesem Schriftsteller gewiß keine
Rede seyn, wenn er nicht in seinen beiden Romanen, „Herr von
Trasenberg." Del. 1—3. Strengnäs, 1809. 8. (nachher
zweimal aufgelegt) und Ottar Trällings Lefnads Målning.
Del. 1—4. Stockholm 1813—1818. 8., eine witzige Com=
binations=Gabe, treffende Wahrheit im Zeichnen der drolligen, oft=
mals die Gränzen der Anständigkeit überschreitenden Auftritte,
rasche Umwechselung, Leben und Leichtigkeit der Erzählung, und
eine durchaus bezaubernde Geschicklichkeit, mit heiterer, rührender
Naivetät das Stillleben der schwedischen Natur zu malen, offen=
barte: Eigenschaften, die ihn zum Liebling der meisten Leser und
sein Beispiel verführerisch machten. Dagegen ist keine dieser Schön=
heiten, wohl aber alle seine Unarten in verstärkter Zahl und noch
häßlicherer Gestalt in der platten Farce zu bemerken, welche in

Spielhäuſern und Bierſchenken ſpielt: der Ritter Candidat (Riddar Candidaten. Fars i tre Acter. Stockholm 1816. 8.).

Friedrich Cederſchjöld, Profeſſor der praktiſchen Philoſophie zu Lund. Neulich hat er eine Einleitung in die natürliche Rechtslehre (Inledning till den aprioriska Rättsläran. Lund 1820. 8.) verfaßt, in welcher er als ein durchaus ſcholaſtiſcher Logiker hervortritt, nur aus Abſtractionen in Abſtractionen hinein ſich windend und immer die Begriffe theilend und wieder theilend. Auch ſein höchſter moraliſcher Grundſatz iſt nur logiſch, namentlich der allbekannte Satz des Widerſpruchs, den er ſo zum ſittlichen Imperativ mobificirt hat, daß er heißt: Hüte dich in deinen Handlungen dir ſelbſt zu widerſprechen. Um dieſem Widerſpruch auszuweichen, muß man, ſagt Hr. Cederſchjöld, dem Geſetze gehorchen, und die Kraft, dem Geſetze gemäß zu handeln, iſt Freiheit. Da es nun ſowohl theoretiſche als praktiſche Geſetze gibt, ſcheidet unſer Denker die theoretiſche von der praktiſchen Freiheit. Dieſe Art wird weiter in techniſche und moraliſche Freiheit getheilt, und die letzte dieſer Unterarten definirt er als ein Vermögen, etwas dem moraliſchen Geſetze zufolge zu erzwingen, oder etwas nach dem moraliſchen Geſetze zu bewerkſtelligen. — Es wäre verlorne Mühe, die Nichtigkeit dieſer rationaliſtiſch-dogmatiſchen Anſicht beweiſen zu wollen; aber wenn auch hiernach dem Profeſſor Cederſchjöld der Ehrenname eines geiſtreichen Philoſophen nicht beigelegt werden kann, ſo muß man doch billig ſeinen Scharfſinn und ſeine ausgebreitete Gelehrſamkeit dankbar anerkennen.

Pehr Guſtaf Cederſchjöld, Profeſſor der Entbindungs-Kunde zu Stockholm und Bruder des Vorigen, aber von ungleich höherer, mehr lebendiger und fruchtbringender Genialität, obſchon er ſich nur einer Erfahrungs-Wiſſenſchaft, der Medicin, gewidmet hat. Und dieſen ſeinen ſcharfen, tiefeindringenden Geiſt hat er daneben durch eine gründliche Gelehrſamkeit und ausgebreitete Beleſenheit auch in den älteren Autoren ſeines Faches genährt und entwickelt. Die Wahrheit dieſes Urtheils hat er ehrenvoll bewährt, zuvörderſt durch ſeine Einleitung in die genauere Kenntniß der ſogenannten ausgearteten veneriſchen Krankheiten und ihre ehemalige Behandlung durch die Hunger-Cur (Inledning till närmare Kännedom om de så kallade urartade veneriska Sjukdomarne och deras fordom brukliga Behandling medelst Svält Kur. Stockholm 1814. 8.), in welcher er behauptet, daß durch den Namen der ausgearteten veneriſchen Krankheiten ſolche verſtanden werden, die in keinem nothwendigen Zuſammenhange mit der eigentlichen veneriſchen Krankheit (Syphilis) ſtehen; von der einen dieſer unrichtig veneriſch genannten Krankheiten, dem Salzfluß oder der Radesyge — wie ſie in Schweden heißt — beweist er, daß sie nichts anderes ist, als die etwas geschwächte Lepra der Alten; eine andere aber ist nur eine aus dem unklugen und unwissenschaftlichen Gebrauche des Quecksilbers gegen wirkliche Syphilis entstandene Merkurial = Krankheit, und zu ihrer Heilung ist das Guajacum, in Vereinigung mit der Hunger = Cur, schon im 15. Jahrhundert glücklich angewandt worden. Sodann durch sein Handbuch für Hebammen (Handbok för Barnmorskar. Stockholm 1822. 8.), und durch etliche Abhandlungen und Recensionen in den Schriften der Gesellschaft schwedischer Aerzte, welche sich, wie alle Schriften Cederschjölds, durch eine sehr lebendige, schöne, und doch ächt wissenschaftliche Schreibart auszeichnen. Auch hat er das Verdienst, durch sehr genaue Prüfungen und Beobachtungen die Aufmerksamkeit des schwedischen Publicums wieder auf den thierischen Magnetismus zu lenken, in seinem: Journal für thierischen Magnetismus 1—6 Hefte. Stockholm 1815—1821. 8.

Hans Samuel Collin, der Rechte Doctor und Adjunct der juristischen Facultät zu Upsala, hat eine ausführliche Abhandlung über die Einkünfte des Staats (Abhandling om Stats Inkomsterna. Lund 1816. 8.), wie er in der Zueignung an Se. Excellenz Graf von Engeström selbst sagt — auf den unwiderstehlichen Befehl der Natur geschrieben, in welcher Schrift er den Grundsatz aufstellt, daß die Einkünfte des Staats nicht mehr und nicht weniger betragen müssen, als nöthig ist, um den, in Hinsicht des Vermögens und der Bildung des Volks, vollkommensten Zustand herbeiführen zu können.

Carl Samuel Collnér, Magister der Philosophie und unglücklicher Weise in Wahnsinn verfallen, so daß er im Irrenhause zu Danwiken bei Stockholm untergebracht worden ist. Früher gab er zwei Schriften über die schwedische Sprache: Försök i svenska Spräkläran. Stockholm 1812. 8. und Lärobok i svenska Spräket för Begynnare. Stockholm 1815. 8. heraus, die unter allen schwedischen Grammatiken sich durch Tiefe und genaue Kenntniß der Sprache in allen ihren Entwickelungs = Perioden, wenn auch nicht durch die lichtvollste und leichteste Methode auszeichnen. Auch hat Collnér eine kleine Zeitschrift: Journal för Svenskar. 1—4 Heft. Upsala 1814. 8. herausgegeben, eigentlich nur pädagogische Abhandlungen enthaltend, in welchen er sich als einen warmen Bewunderer und eifrigen Anhänger Pestalozzis gezeigt hat.

Bernhard Crusell, Kammer = Musikus an der königl. Capelle. Durch mehre sehr schöne Compositionen als vorzüglicher Tonkünstler rühmlichst bekannt, doch mehr in Deutschland, als in Schweden.

Karl Dalgren, Adjunct bei einer Kirche zu Stockholm. Einer der geistreichsten und originellsten Dichter der neuen Schule. Den ersten Grund seines Ruhmes hat er theils durch die Zeit= schrift Phosphoros, theils in dem poetischen Kalender, durch mehre sinnvolle und anmuthig eingekleidete Allegorien gelegt. Bald aber hat er seine eigenthümliche Dichtungsart gefunden und selbst erschaffen. Wohl hat er eine entfernte Aehnlichkeit mit der bacchantischen Humoristik Bellmans, aber durch ein noch mehr phantastisches Leben geadelt. Die tiefe rührende Elegik, die zur Unterlage der bellmanischen Bambocciaden dienen, tritt nicht bei Dalgren so hervor, der mehr Komiker ist; und die hinreißenden Naturbeschreibungen Bellmans haben sich in den Gedichten Dal= grens zum dramatischen Handeln und Reden der Natur=Geister und anderer phantastischen Gestalten gesteigert. Aber gleich man= nichfaltig im Erfinden und in der Versification, gleich bezaubernd natürlich in seinen Dichtungen und gleich national wie sein gro= ßes Muster, ist auch dieser junge Dichter, der in seinen mollber= gischen Episteln (Mollbergs Epistlar 1. 2. Heft. Stockholm 1819, 1820. 8.), in dem Tode Ulla Winblads, in der Ro= senfeste und in mehren andern kleinen Gedichten — in dem un= poetischen Kalender für das Jahr 1822 — einen unerschöpflichen Reichthum von poetischen Schönheiten entfaltet hat. Dalgren besitzt ein ausgezeichnetes Talent, den Zufälligkeiten des Tages eine komische Seite abzugewinnen und sie in ächte Vaudevilles zu bringen. Bei allen diesen Vorzügen läßt sich Dalgren doch zuweilen von der Leichtigkeit und Fülle seines Talents allzusehr hinreißen. Sein einziger Versuch im Fache des Romans: Au= rora oder das norwegische Mädchen (Aurora, eller den nor= ska Flickan. Del. 1. 2. Stockholm 1815. 8.) ist gänzlich miß= lungen. In Hinsicht der Versification muß man auch seine Vor= liebe für die Baïsinen tadeln, wie sie von älteren schwedischen Dichtern: Spegel, Frese, Dalin u. a. aus der ältern Periode, vor Gustav III. gebraucht wurden.

E. W. Djurström, Acteur bei einer wandernden Schau= spielergesellschaft, würde in keiner andern Literatur einen Namen behaupten können, da er als Original=Schriftsteller nur etliche flüchtige Gelegenheits=Gedichte hervorgebracht hat: aber in einer Literatur, welche, wie die schwedische, erst im Werden ist, können so treue, leicht und schön ausgeführte Uebersetzungen, wie die Djurströmischen von der Ahnfrau nach Grillparzer und dem At= tila nach Werner, nicht ungenannt bleiben.

Dorothea Dunckel, geborne Altén, eine von jenen Schrift= stellerinnen, welche über ihren Beruf zum Dichten gänzlich im Irrthume sind. Frau Pfarrerin Dunckel hat dies durch zwei

Gedichte: Resan till Rösersberg. Stockholm 1822. 4. und
Johannes Huss. Stockholm 1822. 8. bewiesen, welche unter die
allerelendesten Reimereien gerechnet werden können.

Friedrich Ehrenhejm, Baron, ehemaliger Canzlei = Prä=
sident und Commandeur des Nordstern = Ordens. Erst in spätern
Jahren, nach dem Abtreten von seinen mit Ehre geführten di=
plomatischen Aemtern, widmete er sich wie ein zweiter Baco de Ve-
rulam ganz den Wissenschaften und trat zuerst als Schriftsteller
auf mit einem biographischen Werke: Tessin und Tessiniana
(Stockholm 1809. 8.), in welchem er die Lebens = Umstände
und den Charakter des schwedischen Reichs = Raths Grafen C. G.
Tessins, als Mensch und Minister darstellt. Ohne Zweifel hat
die Bewunderung seines Helden ihn hier etwas zu weit geführt,
indem er, den gutmüthigen und talentvollen, aber weder genialen
noch gemüthsstarken Tessin durchaus für einen großen Mann
und für ein Muster aller Staatsmänner erklärt. Des Verfs.
politische Ansichten, nach welchen eine festgegründete Aristokratie,
wie sie die schwedische Constitution vom Jahre 1720 aufstellte,
als die vorzüglichste aller Regierungsformen gepriesen wird, sind
einseitig und vielleicht nicht völlig richtig. Allein in allem übrigen
und besonders in Absicht auf Gediegenheit und Reinheit der
Sprache ist seine Schrift in der schwedischen Literatur ein classisches
Buch, das auf die Ausbildung der schwedischen Prosa immerwährend
Einfluß behaupten wird. — Damit hat der Freiherr von Ehren=
hejm seine literarischen Verdienste nicht beschlossen, sondern uns
vor kurzem ein großes Werk über die Geschichte der Natur = Phi=
losophie geschenkt, welches durch tiefsinnige Forschungen, freie An=
sichten und sichere Beurtheilung, wie durch eine ausgebreitete Gelehr=
samkeit ausgezeichnet ist. In diesen Abhandlungen zur allgemeinen
Naturlehre (Samlingar i allmän Physik. Stockholm 1822. 8.)
in zwei Abtheilungen: Bruchstücke der Geschichte der Natur=Phi=
losophie und der Meteorologie, bestehend; sucht er zu zeigen, wie
nur durch eine innerliche Vereinigung und gegenseitige Hülfe der
empirischen und der speculativen Untersuchungen einst eine wahre
Natur=Philosophie entstehen kann, durch welche die Physik auf
die Stelle der ehemaligen Metaphysik erhoben werden soll. Bis
jetzt, behauptet der Freiherr von Ehrenhejm, ist es ein Fehler in
unsern Experimenten, daß sie nicht genug nach dem Synthetischen
gerichtet worden, mehr die Natura naturata als die Natura
naturans zum Gegenstande haben, oder sich mehr an die in den
Producten ruhende, als an die producirende, lebendige, active und
universelle Natur halten. Er spricht die große Idee aus, daß die
höchste Natur=Philosophie die wäre, in welcher die Natur=Philo=
sophen selbst als Materialien betrachtet und wo alle Systeme,

Meinungen, Sitten, Staatsformen und der allgemeine Lebens=
genuß der ganzen Menſchheit in ein großes Ganze vereint wür=
den, und ein ganzes Seculum als ein einziges Phänomen, Pro=
duct der großen Naturgeſetze, hervorträte.

Pehr Elgſtröm, Copiſt in der Expedition der kirchlichen
Angelegenheiten, ſtarb in den beſten Jahren ſeines Alters zu
Stockholm 1810. Auch er iſt merkwürdiger durch die Erwartun=
gen, welche er erregte, als durch ſeine wirklichen Leiſtungen.
Seine Gedichte und proſaiſchen Aufſätze ſind zwar noch ſehr un=
reif, aber von ſolchem Ideen=Reichthum, und in einer ſo
blühenden Sprache und leichten Verſification, daß wir in Elgſtröm einen philoſophiſchen Dichter vom erſten Range zu hof=
fen hatten, wenn die Natur ihm ein längeres Leben gegönnt
hätte. — Die vorzüglichſten ſeiner Schriften ſind in der Zeit=
ſchrift Phosphoros und in Atterbom's Muſen=Almanach ab=
gedruckt.

Lars Magnus Enberg, Lector der Philoſophie am neu=
geſtifteten Gymnaſium zu Stockholm. Durch zwei Gedächtniß=
Reden auf die Feldmarſchälle Johan Baner und Magnus Sten=
bock, ohne allen hiſtoriſchen Inhalt und leer an Gedanken, aber
von thomaſiſch=lehnbergiſchen Phraſen ſtrotzend, hat er zwei
Preis=Medaillen der ſchwediſchen Akademie erobert. Und nachher
eine dritte, durch eine Unterſuchung des Zuſammenhanges zwiſchen
dem richtigen Geſchmack und der richtigen Verſtandes=Cultur
(Afhandling om Sambandet emellan en rätt Smak och
en rätt Förſtånds Odling. Sv. Akad. Handl. Del. 7.
Stockholm 1820. 8.), in welcher er lehrt, daß der Geſchmack
in Sachen der Kunſt in einer edleren Art der Empfindung oder
in einem Vermögen beſtehe, von der Schönheit der Dinge ohne
ſinnlichen Zweck gerührt zu werden und an bloßer Anſchauung
der Formen Gefallen zu finden, ohne an ihrer Materie zu haf=
ten. Dieſer Geſchmack iſt entweder fein, wenn er unter Fehlern
eine Schönheit entdeckt, oder richtig, wenn ein Fehler unter den
größten Schönheiten ihm nicht entgeht. Um aber eine Schönheit
durch die Kunſt hervorzubringen, muß man die Natur wahr und
kräftig darſtellen, aber ſie erſt dem Zweck der Kunſt gemäß auf=
faſſen. Und darum iſt es bei Bildung eines ſchönen Kunſtwerks
nothwendige Bedingung, die allgemein anerkannten Forderungen
des ſittlichen Gefühls und des Geſchmacks nicht zu verletzen. —
So muß man raiſonniren, um den „Herzens=Philoſophen" in der
ſchwediſchen Akademie zu gefallen! —

Euphroſyne. Ich nenne die liebliche Dichterin mit dem
Namen, unter welchem ſie durch ganz Schweden gekannt und
geſchätzt wird; doch heißt ſie eigentlich Chriſtine Julie Nyberg,

geborne Svårdström. — Auch in Schweden haben zu verschiede=
nen Zeiten einige Frauen um den schönen Dichterkranz gerungen,
aber keine hat ihn mit so anerkanntem Rechte davongetragen, als
sie, wenn er nämlich durch reiche Phantasie, warmes Gefühl, frische
Lebendigkeit, Zartheit und Lieblichkeit der Sprache gewonnen
werden soll. Man sieht an den Gedichten Euphrosynens, daß sie
ein Zögling der neuen Schule und ihre Muse mit Atterboms
Muse nahe verwandt ist. Doch sind ihre Dichtungen immer ori=
ginell, sowohl in Erfindung als in der Behandlung. Sie singt
rein nur aus ihrem Herzen, und ist darum ganz von der affec=
tirten Romantik frei, die so viele der jüngern Dichter verunstaltet.
Und wenn auch ihre Dichtungen nicht die sinnvolle Tiefe oder
die reiche formelle Ausbildung haben, wie die ihres Freundes At=
terbom, so sind sie dagegen frischer, lebendiger, wärmer und natür=
licher. Besonders ist die Lyrik Euphrosynens in der Sammlung
ihrer Gedichte (Dikter of Euphrosyne. Forsta Bandet. Up=
sala, 1822. 8.) unübertrefflich schön, wenn sie die zarten und
frohen Mysterien des Liebesgenusses in freundlich=lächelnden Sym=
bolen aus der Vögel= und Blumenwelt ausspricht. Einen noch
höheren Schwung hat sie genommen in der dramatischen Bear=
beitung einer Legende, St. Christophorus genannt, die in dem at=
terbomschen Musenalmanache auf das Jahr 1822 zu lesen ist.

    Bengt Erland Fogelberg, ein junger Bildhauer, jetzt
in Rom sich aufhaltend, von regem Gefühle, Kraft der Phantasie
und genialer Begeisterung. Wohl hat man in Schweden von ihm
bis jetzt nur Jugendversuche und Lehrlingsarbeiten gesehen, von
welchen aber die mehrsten, wie Philoktetes, seine drei altnordi=
schen Gottheiten: Thor, Odin und Frey u. a. einen künftigen
Meister versprechen. Charakteristische Strenge und tiefe Bedeu=
tung strebt er durch sichere technische Gewandtheit und anatomische
Kenntniß, mit lebendiger Fülle in seinen männlich=sublimen Göt=
ter= und Heroenbildern zu vereinen. In Rom soll er mit einer
Psyche beschäftigt seyn.

    Elias Magnus Fries, nach Wahlenberg der zweite
schwedische Botaniker, welcher nach Linné der Kräuterkunde eine
tief eingreifende Erweiterung gegeben hat. Besonders hat er seine
Forschungen der Mycologie gewidmet, und diese ehedem sehr un=
vollständig bearbeitete Abtheilung der Gewächse systematisch auf=
gestellt. Die Schriften, durch welche er sich selbst und die Uni=
versität zu Lund — an welcher er als botanischer Adjunct ange=
stellt ist — eine wahre und bleibende Ehre gemacht hat, sind —
außer mehren Abhandlungen in den Acten der schwedischen Aka=
demie der Wissenschaften — Novitiae Florae Suecicae. P.I—

VI. Londini Gothor. 1814. 1817. 1819. 4.; Flora Hollan-
dica ibid. 1816. 1817. 4.; Observationes mycologicae.
P. I. II. Hafn. 1815. 1818. 8.; Dianome Lichenum nova.
Lond. Gothor. 1817. 4; Lichenes Sueciae exsiccati.
Fascic. I. II. ibid. 1818. 4.; Systema mycologicum
Vol. I. II. ibid. 1821. 1822. 8.; Scleromyceti Sueciae.
Del. I—XXX. ibid. 1819 — 1822. 4. Läsning för All-
mogen i Kronobergs Län i ämnen, som röra Landthus-
hållningen. Lund. 1821. 8.

Anders Fryxell, Lehrer an der Schule zu Stockholm.
Bei der Armuth der ſchwediſchen Literatur an originellen dramatiſchen Producten, verdient er genannt zu werden, als Verfaſſer
eines kleinen idylliſchen Dramas, das wermländiſche Mädchen
(Wermlands Flickan. Skådespel. i 3 Acter), das wenigſtens
einige niedliche Geſänge hat und ganz von patriotiſchem Geiſte
beſeelt iſt.

Erik Guſtaf Geyer, Profeſſor der Geſchichte zu Upſala
und Hiſtoriograph der königlichen Orden. — Mit dieſem Namen
haben wir einen der merkwürdigſten unter den jetzt lebenden Gelehrten Schwedens genannt. — Durch ein Paar geiſtreiche Sonaten
fürs Pianoforte hat er ſich den Freunden der Tonkunſt werth gemacht. Als Mitglied des gothiſchen Bundes, gab er deſſen Zeitſchrift Iduna zuerſt Leben und Anſehen und erweckte einen ganz
neuen Ton in der vaterländiſchen Dichtkunſt durch mehre Geſänge, die von rein nationalem Geiſte beſeelt, durch die Tiefe eines kräftigen Gemüths und Klarheit der Darſtellung, obgleich
nicht ohne Kälte und Härte der Diction, die Leſer hinreißen, ſo
daß die vorzüglichſten dieſer Gedichte — zum Theil mit trefflichen
Melodien von Geyer ſelbſt ausgeſtattet, wie der Wiking, Man-
hem, der letzte Skalde, Carl XII, der Hüttner, der Köhlerknabe
u. a. — ſogleich durch ganz Schweden erklangen, ja an den Küſten
St. Barthelemys ertönten. — Auch hat er einige kleine vortreffliche ſatyriſch-humoriſtiſche Gedichte in ſeines Freundes Atterbom poetiſchen Kalender geliefert, wie er auch das erſte ſhak-
ſpeariſche Stück: Macbeth (Upſala 1813. 8.) ins Schwediſche,
doch etwas nachläſſig, überſetzt hat. — Uebrigens hat er eine kleine
Schrift über die wahre und falſche Aufklärung in der Religion
(Om falsk och sann Upplysning med afseende på Religion. Stockholm 1811. 8.) herausgegeben, bemerkend: „daß das,
was man Glaube nennt, Wahrheit für das Gefühl iſt; daß Wiſſenſchaft in Anſchauung beſteht; daß gemeiner Menſchenverſtand ein
Fürwahrhalten iſt, welches ganz auf dem Gefühle beruht, und ſolange dieſes Gefühl rein iſt, auch geſund und in ſeiner Sphäre
zuverläſſig iſt. Der gewöhnliche geſunde Menſchenverſtand kann

also über rein wissenschaftliche Gegenstände nur Meinungen, aber kein Urtheil haben und ist, wenn er über solche mitsprechen will, außer seinem Kreise und nicht mehr gesund, sondern verstockt. Und nun stellt Geyer den Satz auf, daß es zwei Arten wahrer Auf= klärung gibt: die erste ist die Aufklärung des gesunden Verstan= des, welche, sich auf eine Thatsache des Gefühls gründend, also nur Erfahrung ist, die durch keine Gelehrsamkeit erworben werden kann. Die zweite ist die Aufklärung der wissenschaftlichen Ver= nunft, wo der Gedanke erst selbständig wird. Die falsche aber entsteht dadurch, daß man sich vorstellt, durch eine Art von Wis= senschaft Erfahrung gewinnen, oder das rein Praktische in Theorie setzen zu können. Dies war nun das Kriterium der Aufklärung der Neologen und ihrer Geistesverwandten, der Philanthropen oder basedowischen Pädagogen. — Bald nachher gab Geyer eine andere philosophische Schrift heraus: über das wahre Verhältniß der Religion und der Moral, (Om rätta förhällandet mellan Religion och Moralitet. Upsala 1812. 8.) — der Ten= denz nach eine Polemik gegen den Professor Grubbe — in wel= cher er behauptet: das Leben könne nur als Organismus begrif= fen werden, d. i. als eine ursprüngliche, sich selbst hervorbringende und in sich selbst zurückkehrende Wirksamkeit oder Reflexion. Diese wird jedoch nur in dem höchsten Organismus, in dem Menschen zur Reflexion über sich selbst. Es ist also erst im Menschen, daß das Leben sich selbst vernimmt oder Vernunft wird. Doch kann das Leben nur durch die Beschränkung Object werden, und diese zum Bewußtseyn kommende Beschränkung der Wirksamkeit ist Ge= fühl. Das Begränzende kann aber nicht ein bloßes Aeußeres oder ein Eindruck seyn. Unsere innere Wirksamkeit kann die Be= gränzung nur insofern vernehmen, als sie selbst mit der Einschrän= kung Eins ist und zugleich die Gränze überschreitet. Also ist diese Thätigkeit sich selbst einschränkend, selbstbestimmend, und um sich ganz selbstbestimmend zu finden, muß sie zugleich eingeschränkt und uneingeschränkt seyn. Dieses ist jedoch nicht möglich, und eben in dieser Unmöglichkeit und in der dadurch fortwährend hervorgebrach= ten neuen Wirksamkeit oder Bewegung hat das Leben seinen Grund. Das unaufhörlich erneuerte Streben, die äußere Gränze in Selbstbegränzung zu verwandeln, ist der ursprüngliche Trieb des Lebens, und eben die Empfindung dieses Triebes ist Lebensgefühl, das Gefühl in allen Gefühlen, ein Grundgefühl. Im Gefühl herrscht jedoch nothwendig, wesentlich verbunden, Passivität und Activität. In ersterer Hinsicht ist Empfindung einer nie aufge= hobenen äußeren Einschränkung: Empfindung der Nothwendigkeit; — in letzterer aber ist sie Empfindung der gehobenen Einschrän= kung: Empfindung der Selbstbestimmung oder Freiheit. Die Har=

monie beider macht das Gemeinſame des Gefühls aus, und
die Wahrnehmung dieſer Harmonie, dieſer Freiheit des Lebens in
ſeiner Nothwendigkeit, iſt daher der rechte Ausdruck des Grund-
gefühls, der alſo ins Bewußtſeyn nur als eigentliches Gefühl kommen kann, da er nicht nur Empfindung, ſondern auch Begriff iſt,
oder eigentlicher, die Differenz beider — alſo Anſchauung. Doch
von dieſem Grundgefühle, dieſer Einheit des menſchlichen Weſens
gibt es keine Erfahrung, ſondern es wird durch die Veränderungen aller Empfindungen als geahnete Einheit gefühlt, und iſt re-
ligiöſes Gefühl, weil die Harmonie, die alle Modulationen der
Empfindung durchdringt, Ausdruck eines Abſoluten, ein Ausdruck
Gottes iſt. Die Wahrnehmung aber dieſer abſoluten Einheit offenbart ſich entweder als Empfindung eines Bandes des Lebens
in überwiegender Activität: als Gefühl der innern Nothwendigkeit
in der Freiheit; oder als Empfindung des nämlichen Bandes in
überwiegender Paſſivität: als Gefühl der Freiheit in der Nothwendigkeit. Die erſte nennt Geyer Moralität, die letztere Religion, und
da dieſes Uebergewicht immer wechſelnd iſt, ſchließt er, daß das
Verhältniß der Religion und Moralität ein Verhältniß gegenſei-
tiger Subordination ſeyn müſſe. — In einer ſpätern Schrift:
Thorild; — nebenbei ein philoſophiſches oder unphiloſophiſches Bekenntniß (Thorild. Tillika en philoſophisk eller ophiloso-
phisk Bekännelse. Upsala 1820. 8.), — die eigentlich nur eine
Charakteriſtik Thorilds, als Schriftſteller, ſeyn ſollte, aber zu einer Unterſuchung der Gränzen des Philoſophirens geworden iſt, — hat er
eine neue Modification ſeiner philoſophiſchen Anſichten mitgetheilt.
Hier iſt ihm die Philoſophie ein Kind des abſtracten Denkens,
eine Reinigung des Organs der Erkenntniß, alſo nur eine Vorbereitung zur wirklichen lebendigen Erkenntniß. Iſt dieſer Rei-
nigungsproceß zu Ende gebracht, ſo tritt erſt das Verlangen nach
wirklicher Erkenntniß ein, die zwei große Gegenſtände hat: die
menſchlichen und die göttlichen Dinge, oder die Reiche der Natur
und der Gnade. Die wirkliche Erkenntniß entſteht durch die Kraft,
dieſe beiden Reiche zu faſſen. Alle Faſſung iſt aber urſprüngli-
cherweiſe gegenſeitig, ſo daß der Menſch weder die Natur noch die
Offenbarung faſſen kann, ohne von ihnen wieder erfaßt zu werden. Die Erkenntniß ſetzt alſo, um möglich zu ſeyn, eine gegebene Einheit zwiſchen dem Menſchen einerſeits, und der Natur
und der Offenbarung andererſeits voraus. Zu dieſer Einheit kann
uns daher nicht die todte Erkenntniß der Philoſophie, ſondern nur
die lebende der Erfahrung bringen. Die Erfahrung iſt nämlich
Product des die Einheit ganz auffaſſenden Sinnes, d. i. die vollſtändige Vorſtellungskraft, oder der Begriff, in Vereinigung mit
dem Gefühle der Luſt oder Unluſt; — alſo ungefähr das Nämliche,

was Geyer ehedem Anschauung oder die Differenz des Gefühls und des Begriffs genannt hat. Hieraus folgt, daß die Reinigung dieses Erkenntnißorgans, welche die Philosophie bezweckt, nicht nur theoretisch seyn kann, sondern auch eine praktische Angelegenheit; weshalb die Philosophie, in ihrer Aechtheit, nicht blos Lehre, sondern auch Leben seyn muß. Das Streben darf auch nicht allein auf Erfahrung gerichtet seyn, sondern auch darauf, das Leben nach den Vorschriften des Rechten und Guten zu ordnen. Da die Kraft, sein Leben so oder so einzurichten, volle Freiheit sich selbst zu bestimmen voraussetzt; da aber andererseits die Forderung, daß diese Einrichtung nach den Regeln des Rechts geschehen soll, zwingende Nothwendigkeit hat, so tritt hier ein Gegensatz hervor, zu welchem eine gegenseitige Einheit gesucht werden muß, insofern das Postulat erfüllt werden soll. Da aber die Philosophie der Möglichkeit entbehrt, aus sich selbst das Göttliche zu erklären, und also zum Gewähren der erforderlichen Einheit insolvent ist, so ist es nur die Religion, welche den sittlichen Ideen Wirklichkeit bereiten kann. Diese sittliche Wirklichkeit kann nämlich nicht gegeben werden ohne Anschauung des vollkommen göttlichen Menschen, der nichts anders ist, als der im Fleische offenbarte Gott, welcher die Sühnung zuwege gebracht hat, von welcher die Religion lehrt. Darum ist die verwirklichte Philosophie auch Religion. — Man wird bei Prüfung dieser Ansichten und Ideen sich nicht verbergen können, daß der Charakter der geyerschen Philosophie etwas chaotisches hat. Das Vermögen einer klaren, zusammenhängenden und consequenten Deduction hat dieser Denker nicht. Das suchende, forschende, philosophische Element wird bei ihm von dem bildenden poetischen Elemente bedeutend überwogen. Man trifft einen Reichthum glänzender Ideen, die oft in concentrirter poetischer Form hervortreten, die sich aber nicht in Begriffe auflösen und logisch construiren lassen. Eine solche gegenseitige Nivellirung — wenn ich so sagen darf — der beiden Elemente, des poetischen und philosophischen, mit einem leisen Uebergewicht des ersten, ist ja eben, was den großen vollendeten Historiker ausmacht; und so hat gewiß neuerdings unser Geyer sehr richtig die Geschichte zu seinem Berufe erwählt. Doch in diesem Fache haben wir noch keine Frucht seines Fleißes und Geistes gesehen, wenigstens nicht in der historischen Erzählung, wenn auch in der historischen Forschung. Dahin muß man nämlich wohl die Abhandlung über Republikanismus und Feudalismus — in der Zeitschrift S v e a — rechnen, die ein langer trockner Aufsatz ist, meistens aus Savary, Mably und Adam Müller zusammengelesen, ohne noch zu einem Resultate gelangt zu seyn. Dagegen ist seine Abhandlung über den Nutzen der Geschichte und vorzüglich die Ge=

fchichte der alten Bundesverfaffungen des fchwedifchen Reichs — in
der Zeitfchrift Jd una von ungleich höherem Werthe.

Anders Grafftröm, Lector der Gefchichte an der Mili-
tairfchule zu Carlberg. Vor etlichen Jahren gewann er einen
nicht geringen Ruhm als Dichter, der aber bald wieder erlofch,
da man bemerkte, daß fich in feinem Gedichte nur eine elegant
vollendete Mittelmäßigkeit ausfprach, die mehr von finnvollem Studium der beften Dichter, als von wahrem dichterifchen Genie zeugte.

Elias Chriftoffer Grenander, Profeffor extraord.
und Adjunct der Philofophie zu Upfala. Weil er auch dazu bei=
getragen hat, den fpeculativen Geift unter feinen Landsleuten zu
erwecken und die Erkenntniß der Nothwendigkeit der Philofophie
zu befördern, verdient er mit Achtung genannt zu werden. Zu
diefem Zwecke hat er nicht nur mehre Ueberfetzungen, fondern
auch eine kleine Originalfchrift: Vorbereitende Reflexionen zur
Propädeutik der Rechtslehre (Förberedande Reflexioner i
Rättslärans Propedeutik. Upsala 1820. 8.) nach fichtefchen
Grundfätzen ausgearbeitet. Hier definirt er die Philofophie als
ein Bemühen, einen letzten Grund aller Erkenntniffe und aller
Handlungen zu finden. Diefer Grund, fagt er, ift das felbftän=
dig=reelle Urprincip, welches uns, wenn wir uns folches angeeig=
net haben, Sicherheit im Beurtheilen gibt, zur lebendigen Ueber=
zeugung in unfer Bewußtfeyn übergeht und Idee genannt wird,
welche eine zur Anfchauung und Erkenntniß im Bewußtfeyn ge=
kommene Vernunftnothwendigkeit ift. Von folchen Ideen gibt
es in Hinficht des höheren Strebens der Menfchen vier Haupt=
arten: die religiöfen, moralifchen, juridifchen und äfthetifchen
Ideen, und die Gränzen zwifchen den moralifchen und den juri=
difchen Ideen genau zu beftimmen, ift die eigentliche Aufgabe Gre=
nanders in diefer Abhandlung.

Samuel Grubbe, Profeffor der theoretifchen Philofophie
zu Upfala. Amtes wegen hat er mehre akademifche Differta=
tionen in lateinifcher Sprache herausgegeben; dagegen ift er ein
fehr fparfamer fchwedifcher Schriftfteller gewefen. Seine wichtigfte
Schrift, worin er feine eigenen Anfichten dargelegt, ift eine Abhand=
lung: Ueber das Verhältniß zwifchen Religion und Moralität.
(Om Förhållandet mellan Religion och Moralitet. Upsala
1812. 8.). — In Hinficht der menfchlichen Ausbildung zur
Moralität und Religiofität, gibt es, behauptet er, zwei Stand=
puncte: einen tieferen und einen höheren. Auf dem erfteren fte=
hend, muß uns die abfolute Freiheit nur als ein kategorifcher Im=
perativ erfcheinen, und der daraus abzuleitende reine Wille nimmt
im Bewußtfeyn die Form einer Vorftellung von Pflicht an. Auf
diefem tieferen Standpuncte ift die Moralität alfo nur negativ,

weil der kategorische Imperativ nur die Bestimmung des Willens
durch die Begierden untersagt und verbietet. Die Religiosität
aber tritt hier auf nur in Form eines Gefühls, nur als Sehnsucht, die weder in Willen noch in Handlung übergehen kann,
weil es ihr sowohl an Object als an Causalität mangelt. Das
Verhältniß zwischen Moralität und Religion ist zufolge dessen auf
diesem tieferen Standpuncte nur das der Coordination, nicht der
Subordination, und steht insofern in einem Gegensatze, als die
Religiosität und die Moralität sich zu einander, wie Gefühl und
Wille, d. h. wie ein Streben ohne und eine Wirksamkeit mit
Causalität, verhalten. — Auf dem höheren Standpuncte dagegen hebt sich die Freiheit durch ihren höchsten Act, als Willkür,
selbst auf, um dagegen absolut zu werden. Da nun also die
Freiheit des Willens zugleich Nothwendigkeit ist, kann hier kein
Schweben zwischen Gutem und Bösem, kein Streit zwischen Pflicht
und Begierde statt haben. Hier herrscht also erst positive Moralität, die zugleich ein religiöser Gemüthszustand ist, in welchem
die religiöse Empfindung wahre Religion wird. Die wahre Moralität ist nämlich nichts anders als das Zusammenschmelzen des
menschlichen Willens mit dem göttlichen, und auf diesem Standpuncte kann man Moralität und Religion nur insofern unterscheiden, daß man unter dieser selbst das Bewußtseyn von dieser
Einheit mit Gott und die Liebe gegen ihn versteht, als einen
allgemeinen Ausdruck des moralisch-religiösen Gemüthszustandes;
mit jener aber die nämliche Liebe zu Gott, als einen bestimmten,
in Handlung übergehenden Willen. Die bestimmte Rationalität der
philosophischen Ansichten Grubbes, die sich schon in diesen Sätzen
andeutet, tritt noch deutlicher hervor in einem noch unvollende-
ten Aufsatze in der Zeitschrift Svea, über die neuern Evolutionen
des philosophischen Wissens in Deutschland, wo er doch hauptsächlich nur als Historiker referirt. Dieser Aufsatz gibt neue Veranlassung, zu bedauern, daß Grubbe nur so selten als Schriftsteller unter seinen Landsleuten auftritt: denn hier zeigt er, in welchem hohen Grade er mit Scharfsinn und gründlicher Gelehrsamkeit
eine eindringende Klarheit vereinigt und diese selbst über die tiefsin-
nigsten und abstractesten Erörterungen verbreitet, wodurch er auf
die Bildung seiner Nation so viel und so vortheilhaft wirken könnte.

　　Lorenz Hammarsköld, Amanuensis an der königlichen
Bibliothek zu Stockholm, trat zwar als Schriftsteller schon in
der ersten Periode der neuen schwedischen Literatur hervor: aber
da er als ein eifriger Anhänger der neuen Schule und als ein
immer schlagfertiger Verfechter ihrer Grundsätze sich bekannt gemacht hat, war es schicklich, ihn erst hier zu nennen. Auch ist
er ein sehr rüstiger Schriftsteller, so daß er allein viel mehr ge-

drucktes Papier geliefert hat, als alle ſeine Geiſtesverwandten zu-
ſammen. Die ihn eigentlich charakteriſirenden unter ſeinen Schriften ſind: die Kritik über Fr. Schiller, als Dichter, Hiſtoriker
und Philoſoph betrachtet (Kritik öfver Fr. Schiller, betragtad
som Poet, Häfdatecknare och Philosoph. Stockholm 1807.
8.); kritiſche Briefe über die Schriften C. G. von Leopolds (Kritiska Bref öfver C. G. af Leopolds Samlade Skrifter.
Christianstad 1810. 8.); poetiſche Studien (Poetiska Stu-
dier. Stockholm 1813. 8.); Briefe über das philoſophiſche
Lehrgebäude Plotins (Bref öfver Plotins philosophiska Läro-
byggnad. 1. Hft. Stockholm 1814. 8.); Vorleſungen
über die Geſchichte der freien Künſte (De bildande Konsternas
Historia, i Föreläsningar. Stockholm 1817. 8.); die ſchöne
Literatur Schwedens (Svenska Vitterheten. Historiska Anteckningar. Del. 1. 2. Stockholm 1818. 1819. 8.); und
hiſtoriſche Bemerkungen über die Entſtehung und den Fortgang
des philoſophiſchen Studiums in Schweden (Historiska Anteckningar om uppkomsten, fortgången och tillwäxten af det
philosophiska Studium i Sverige. Stockholm 1820. 8.).
Uebrigens hat er die poetiſchen Schriften Stjernhjelms, die Joms-
vikinga Saga, nach der Redaction Magnus Adlerſtams und anderen Handſchriften aus der königlichen Bibliothek herausgegeben,
wie auch beinahe in allen periodiſchen Schriften und Zeitungen,
die in den ſpätern Jahren in Schweden herauskamen, Theil genommen; ſo daß ihm ſogar in dem Allmänna Journal, ge-
gen welches er ſelbſt ſeine häufigſten Angriffe gerichtet, und deſſen
Redacteur er einen beſondern Ehrenkranz geflochten hat, wenigſtens ein bibliographiſcher Artikel vergönnt worden iſt.

Guſtav Erik Haſſelgren, kön. Hofmaler und Profeſſor
der Zeichenkunſt an der Akademie der freien Künſte. Im Jahre
1816 von Rom zurückgekommen, hat er mehre hiſtoriſche Gemälde geliefert, die zwar mit Verſtand componirt und im Allgemeinen gut gezeichnet ſind, übrigens aber ohne Leben und Mannichfaltigkeit, im Perſönlichen ohne gefälligen Farbenton und per-
ſpectiviſche Haltung ſind. Seine Heroen gleichen einander, da
ſie alle wie ſchwermüthige Einfaltspinſel ausſehen; ſeine Figuren
liegen ohne Rundung und Erhebung platt auf dem Tuche, wie
die bunten Zeichnungen der Spielkarten; die Bewegungen ſind
ſchwerfällig und alle, wie bei Marionnetten, durch Schnüre hervorgebracht. Das Colorit iſt matt, grau und ohne Verſchmelzung.
Auch ſeine Gewänder ſind eintönig, immer gelbe Leibröcke mit
hellblauen Borten und grauen Matroſenhoſen, ſo daß man auch
unter den Göttern in Walhalla — an ſeinem großen Gemälde

Ragnar Lodbrok in der Schlangengrube — diese Art von Tracht wiederfindet.

Samuel Hedborn, kön. Hofprediger und Pfarrer zu Askeryd und Bredstad, einem Kirchsprengel im Stifte Linköping. Mit seinem Freund Atterbom trat er gemeinschaftlich in der Zeitung Phosphoros und in dem poetischen Kalender auf, und gewann bald Anerkennung seines zwar nicht tiefen und weitumfassenden, aber doch ächten innern Dichtertalents. Seine Lieder: Liebe und Frühling, der Regenfluß, Schwanengesang und andere lyrische Gedichte, sind von einer so gefühlvollen und heitern Stimmung, einer solchen milden Lieblichkeit im Tone und von so sprechender Natürlichkeit des Ausdrucks, daß sie mit Recht allgemein geschätzt werden. Auch seine geistlichen Lieder, die er in zwei kleinen Sammlungen 1812 und 1814 herausgegeben hat, und von welchen einige, doch nicht gerade die schönsten, in dem neuen schwedischen Kirchengesangbuche aufgenommen wurden, sind warm und innig. Als prosaischer Schriftsteller hingegen kann Hedborn nicht glänzen, da er immer mehr fühlt als denkt und auch keine eigentliche gelehrte Bildung besitzt.

Johann Jakob Hedrén, kön. Hofprediger, Pfarrer am St. Jakob zu Stockholm und Ritter des Nordstern-Ordens. Er hat im J. 1820 eine Sammlung Predigten, wie auch vorher einzelne Amtsreden herausgegeben, in welchen er — wie der Graf von Schwerin gesagt hat *) — sich eigentlich als ein schreibender Wohlredner, doch mit Tact und Gewandtheit gezeigt hat.

Pehr Lagerhielm, Assessor im Bergcollegio und Mitglied der Akademie der Wissenschaften, hat auch in mehren Abhandlungen über technologische oder mechanische Gegenstände, in der von Berzelius herausgegebenen Sammlung von Schriften über Mechanik, Physik und Mineralogie, vorzüglich aber in der Darstellung der in Fahlun angestellten hydraulischen Versuche, seine gründlichen mathematisch-physikalischen Kenntnisse und seine große Gewandtheit zu calculiren bewährt. Als staatsökonomischer Schriftsteller hat er sich nicht gleiches Lob erworben.

J. P. Lefrén, Obrist, Gouverneur der Kriegsakademie zu Carlberg. Nach dem er in den Memoiren der Kriegswissenschafts-Akademie mehre kleine Abhandlungen geliefert, die von ausgebreiteten Kenntnissen in seinem Fache zeugen, hat er sich durch seine Vorlesungen über die Kriegswissenschaft (Föreläsningar i Krigs-

---

*) „Wenn das Volk nicht mehr hören will oder kann, oder nicht zu hören duldet, kann der Geistliche nicht länger Prediger Gottes seyn; auch er wird dann ein schreibender Wohlredner." — Beiträge zur Charakteristik der Redekunst.

Wetenskapen. Del. 1 — 3. Stockholm 1818. 1819. 8.)
zum ersten Range unter den schwedischen Militair = Schriftstellern
emporgeschwungen. Das Hauptziel dieser Vorlesungen ist, eine
Vermittlung zwischen der Tiefe bei der Aufstellung griechischer und
römischer Heere und der dreilinigen Anordnung der Neueren zu=
wege zu bringen — und das leitende Princip des Verfassers ist:
den Feind mit vereinter Stärke in seiner Schwäche anzugreifen.
— Uebrigens behauptet er, daß die Hauptwaffen der Infanterie
die Pike und die Büchse, und bei Cavallerie die Lanzen seyen;
daß im Gefechte das Musquetenfeuer niemals Hauptsache seyn,
sondern daß man, sobald als möglich, den Kampf mit blan=
kem Gewehre zu führen suchen müsse; daß die Befestigungskunst
ihr Problem gelöset hat, wenn der Vertheidiger mit gleicher Stärke
den Angriffen des Feindes begegnen und ihm größere Verluste
verursachen kann, als der Vertheidiger selbst erleidet. — Und zu
diesen Resultaten führt er seine Zuhörer und Leser durch eine
sehr zweckmäßig angeordnete Uebersicht der Kriegsgeschichte, die
nicht minder als die rein theoretische Abtheilung von tiefer Sach=
kenntniß zeugt. Auch sein Vortrag ist lobenswerth: immer wis=
senschaftlich bestimmt und doch von männlichem Patriotismus
durchglüht.

Johan Gustav Liljegren, titulirter Professor und Ac=
tuarius am Reichs=Archivum. Ohne genialer Denker zu seyn,
ist er durch Fleiß und regen Eifer ein tüchtiger Geschichtsken=
ner geworden und hat für die bisher sehr vernachlässigte nordische
Archäologie viel geleistet, da er sich, frei von allen rudbeckisch=
göransonischen Vorurtheilen und ohne sich an weithinschwebende
etymologische Hypothesen zu hängen, als unermüdeter Sammler, ge=
nauer Beschreiber und treuer Herausgeber der archäologischen
Gegenstände bewährt hat. So hat er eine Sammlung aus
dem Isländischen übersetzter nordischer Heldensagen (Nordiska
Fornälderns Hjelte-Sagar. Del. 1. 2. Stockholm 1817, 1819.
8), mit beigefügten sehr schätzbaren Notizen über die Sitten und
Gebräuche der alten Skandinavier; und nordische Alterthümer
(Nordiska Fornlemningar. Heft. 1—12. Stockholm 1819—
1822. 8. mit Kpf.) ans Licht gestellt, und auch eine Abhandlung
über die alten Runenverse in die Sammlung der Schriften der
skandinavischen Literaturgesellschaft zu Kopenhagen geliefert.

Pehr Henrik Ling, Director des gymnastischen Centralinsti=
tuts zu Stockholm. Dieser Ausbilder einer neuen eigenthümlichen
schwedischen Fechtkunst und Einführer des Turnwesens in seinem
Vaterlande, hat auch als Dichter, wenigstens einige Jahre lang,
großes Ansehen behauptet und verdient die Vergessenheit nicht, in
welche sein Name und seine Werke nunmehr versunken sind. Von

glühendem Enthusiasmus und kräftiger lyrischer Begeisterung durch=
drungen, hätte er ein schwedischer Pindar werden können, wenn
er seinen eigentlichen Beruf erkannt und seine Anlagen zweckmä=
ßig entwickelt hätte. Aber Oden und Lieder schienen ihm zu ge=
ring: ob ihm gleich alle Fähigkeit abgeht, Menschen zu beobach=
ten und die feinen Schattirungen der Individualität aufzufaf=
fen, wollte er doch durchaus — wie er selbst gesagt hat — ein
Dichter en ·gros seyn und nur epische und dramatische Gedichte
hervorbringen. So trat er im Jahre 1814 mit einem langen
Gedichte, Gylfe genannt, auf, das ein allegorisches Epos seyn
sollte, in welchem er, unter dem Namen Gylfe das ganze schwe=
dische Volk bezeichnen und dessen Unglück unter dem Könige Gu=
stav IV. Adolph und die Trennung von Finnland — der Prin=
zessin Aura — besingen wollte. Es hat dieses Gedicht den näm=
lichen Grundfehler wie alle andere solche allegorische Zurüstungen:
es mangelt an Individualität und persönlichem Leben. Aber es
ist von jugendlicher Wärme durchglühet, und die oft vorkommen=
den lyrisch=beschreibenden Partien und die lyrisch=ausgeführten my=
thologischen Episoden sind so schön, daß man doch den langen und
breiten Gylfe nicht ohne Vergnügen anschauen kann. — In
der zweiten Epopöe: Asarne. Stockholm 1817. 8., von wel=
cher nur der erste Theil, aus sechs Gesängen bestehend, heraus=
gekommen ist, tritt nicht nur die nämliche Maschinerie, sondern
auch die nämlichen Ansichten und oftmals auch die nämlichen
Gemälde uns wieder entgegen und werden durch ihre schon be=
kannte Einförmigkeit ermüdend. — Daneben hat er die schwe=
dische Literatur mit mehren tragischen Versuchen beschenkt, wie
Agne. Lund 1812. 8.; Eylif den gothiske. Stockholm
1814 8.; Riksdagen år 1527. Stockholm 1807 8.; Denhe-
liga Birgitta. Stockholm 1818. 8., und Engelbrecht. Stockholm 1819. 8., unter welchen Agne, eine Art fatalistischen Dramas
in Form des griechisch=antiken Trauerspiels, mit einer Menge der herr=
lichsten Gesänge durchflochten, das beste; wie dagegen Eylif der
Gothe, ein Trauerspiel nach französischem Geschmack und in schwer=
fälligen Alexandrinern, das schlechteste ist. Uebrigens haben alle die
nämlichen Grundfehler, daß man keine Charakterzeichnung, kein dra=
matisches Leben, keinen wahren Dialog und keine tiefere Bedeutung,
wohl aber eine rauhe, provincielle Diction wiederfindet. Dage=
gen sind ein paar lyrisch=allegorische Stücke in der Zeitschrift Ly=
ceum auch ein kleines dramatisirtes Idyllion: die Liebe (Kärle-
ken. Stockholm 1817. 8.) von vorzüglicher Schönheit. Auch
hat er den ersten Theil seiner Erklärung der Edda=Lehre (Eddor-
nas Sinnebildslära. Stockholm 1819· 8.) herausgegeben,
worin er zuerst die nordische Mythologie, nach gründlicher Ver=

gleichung der ächten Quellen, als ein zusammenhängendes Ganze mit philosophischem Scharffinn dargestellt hat. Es ist zu wünschen, daß er dieses lehrreiche Werk bald vollenden möge.

Anders Lindeberg, Titular=Capitain, ein Mann ohne alles, was man Geist und Kenntnisse nennen kann, aber mit einer gewissen Leichtigkeit zu schreiben, mit welcher er auch in mehren Broschüren und Tageblättern und jetzt als Herausgeber der Stockholmpost gewuchert hat. Bedeutendes hat er nichts geleistet: denn auch seine schwedische Biographie (Svensk Biografi. Första Delen, innehållande Medeltidens märkwärdigaste Personer. Stockholm 1818. 8.) ist nur ein erbärmliches Machwerk, ohne Fleiß, ohne Sinn und ohne Leben. Als leerer und platter Reimer aber in der schwedisch=akademischen Manier, ist er auch mit einem Preise für eine in Alexandrinern verfaßte sinnlose Tragödie, die Königin Blanca (Stockholm 1821. 8.), belohnt worden, und hat sich aus Dankbarkeit, unter den Widersachern der sogenannten neuen Schule hervorzudrängen gesucht.

Anders Otto Lindfors, Professor der Geschichte zu Lund, ein Mann von sehr ausgebreiteter Gelehrsamkeit, die er in seinem Handbuche der römischen Alterthümer (Handbok i romerska Antiquiteterna. Lund 1814. 8.) und in seinem schwedisch=lateinischen Lexikon (Fullständigt svenskt och latinskt Lexicon. Förra Delen. Lund 1815. still und anspruchslos dargelegt hat.

C. L. Lithander, Lieutenant im Fortificationscorps und Instructeur an der Militairakademie zu Carlberg, hat etliche Schriften über die Elemente der Mathematik herausgegeben, in welchen er, mit völlig unwissenschaftlichem Geiste, die geometrische Anschauung zur idealen Abstraction zu erheben suchte.

Claes Livijn, Justitiarius bei dem kön. Kriegs=Hofgericht zu Stockholm. Als Schriftsteller ist er bekannt geworden, indem er mit dem Grafen von Schwerin und dem Protocoll=Secretair Askelöf, als Mitherausgeber der Abhandlungen zur Verbreitung allgemeiner mitbürgerlicher Kenntnisse auftrat. Von ihm sind darunter zwei Abhandlungen, die, obgleich schlecht geschrieben, doch von sehr ausgebreiteter Gelehrsamkeit in seinem Fache und vorzüglich von gründlichen Einsichten in die ältere Gesetzgebung zeugen. Doch ist Livijn, mit seiner reichen Phantasie, seinem scharfen, kaustischen Witze, seinem männlich ernsten Gefühle und seinem Talent, sich aller Formen zu bemächtigen, wenn auch nicht immer sie mit anmuthsvoller Leichtigkeit zu brauchen, vielleicht mehr zum Dichter als zum gelehrten Forscher von der Natur berufen, da es ihm an Scharffinn, an logischer Disciplin und an Ausdauer fehlt. Er hat auch, doch immer anonym, sich als Dichter versucht, in

Beiträgen zu den Zeitschriften Polyfem, Phosphoros, Lifvet och Döden u. a.; in einer für Schweden localisirten Bearbeitung des gestiefelten Katers, von Tieck (Mästerkatten eler Katten i Stöflor. Upsala 1811. 8.) die, obschon eine Jugendarbeit und lange nicht sein Vorbild erreichend, doch mit den scharfen Waffen der Satyre sicher und derb trifft — endlich im Anfange eines Romans: Axel Siegfriedson. 1 Th. (Stockholm 1817. 8.), welcher ohne Zweifel einer der vorzüglichsten seiner Art seyn würde, wenn der Verfasser ihn in gleichem Geiste und Tone vollenden wollte. Dagegen hat er zwei Novellen in dem unpoetischen Kalender fürs Jahr 1822 drucken lassen. In der einen: die Phantasie des Gewissens (Samvelets Phantasie), werden die Gefühle des Lesers mit beinahe unbarmherziger Kraft und in einem classischen Vortrage erschüttert. Es herrscht darin, wie in dem obengenannten Romane, eine finstere Ansicht des Lebens, welche nur Stacheln, nicht Rosen, im Gemüthe des Lesers zurückläßt und dasselbe mehr in sich entzweiet, als beruhigt.

Sven Lundblad, Adjunct des Gymnasiums zu Stockholm, hat mit Treue und Leichtigkeit Ingemanns Hirten von Tolosa (Upsala 1819. 8.) und Shakspeares König Lear (Upsala 1819. 8.), metrisch ins Schwedische übersetzt. Auch hat man ihm ein Lexikon aller dänischen Wörter, die von den schwedischen abweichen, zu danken.

Hjalmar Mörner, Lieutenant im småländischen Dragoner-Regiment, jetzt in Rom, wo er sich zu einem sehr geschickten Zeichner und Componisten, in der Art der Bambocciaden, ausgebildet hat. Hievon hat er in seiner großen Suite von Zeichnungen über das römische Carneval einen ehrenvollen Beweis abgelegt.

August Nicander, noch Studirender an der Universität zu Upsala und doch schon als Dichter gekannt und geschätzt: nicht sowohl wegen seiner Beiträge in dem Kalender für Damen 1818, noch wegen der unter dem prahlenden Titel: Schmetterlinge vom Pindus (Fjärillar från Pinden. Stockholm 1822. 12.) herausgegebenen Sammlung lyrischer Gedichte, sondern wegen seines dramatischen Gedichts: das Runenschwert (Rune Svärdet. Sorgespel i fem Acter. Upsala 1820. 8.). Der Inhalt schildert die erste Einführung des Christenthums in Schweden, das Entgegenstreben der Heiden und ihre Ansichten von der neuen Lehre; und ist ganz Erfindung des Verfassers. Von historischem Gehalt kann dabei nicht die Rede seyn, und die hervortretenden Personen sind mehr Repräsentanten von Begriffen, als charakteristische Individuen. Das Runenschwert machte ein verdientes Glück durch gute Erfindung, blühende Versification und seine warme, religiöse Begeisterung. Auch hat Nicander, von

der königl. Theater=Direction aufgefordert, den Othello Shak=
ſpeares für das ſchwediſche Theater bearbeitet; bis jetzt aber hat
man ihn weder auf der Schaubühne, noch im Druck geſehen.

Sven Nilſſon, Profeſſor Extra=Ordinarius und Adjunct
der Natur=Geſchichte an der Univerſität zu Lund. Einer der
ausgezeichnetſten Gelehrten dieſer hohen Schule, deſſen Schriften
von ſtets regem Beobachtungs=Geiſte zeugen. Es ſind: Orni-
thologia Svecica. Vol. 1. 2. Hafn. 1816. 1821. und
ſchwediſche Fauna. Lund 1820, ingleichen mehre Abhandlungen
in den Schriften der Akademie der Wiſſenſchaften. Und da er
noch in ſeinen beſten Jahren und voll Eifers für ſeine Wiſ=
ſenſchaft iſt, ſo darf ſich Schweden noch viel von ihm ver=
ſprechen.

Nordblom, ein würdiger Zögling Haffners, der drei Hefte
mit lieblichen Melodien zu verſchiedenen neuen ſchwediſchen Lie=
dern herausgegeben hat.

Wilhelm Friedrik Palmblad, akademiſcher Buch=
drucker und Lehrer der allgemeinen Weltgeſchichte an der Univer=
ſität zu Upſala. Geſchätzt als genauer, beſonders metriſch ſcru=
pulöſer Ueberſetzer des Prometheus von Aſchylos, des geißelfüh=
renden Ajax und der Elektra von Sophokles; und als Verfaſſer
einer ſchwediſchen Metrik (Svensk Verslära) voll tiefer frucht=
bringender Forſchungen und Beobachtungen. Seine Novellen:
Amala, eine indiſche Geſchichte, die Areskuta und die Inſel in
dem See Dall, ſind gut erfunden und fließend erzählt. In ſpä=
teren Zeiten hat er ſich ausſchließend den gelehrten althiſtoriſchen
und geographiſchen Unterſuchungen gewidmet, und hat in ſeinen
Abhandlungen über Indien und Tibet — in der Zeitſchrift
Svea — und über Perſien — in der ſchwediſchen Zeitſchrift
Hermes — ſeinen Landsleuten eine Bekanntſchaft mit dieſen
merkwürdigen Ländern verſchafft, welche bis dahin nur ſehr we=
nigen unter ihnen zugänglich war. Die Darſtellung iſt freilich
faſt allzugelehrt und trocken. — In der ſchwediſchen Literatur=
Zeitung hat er eine große Zahl lehrreicher und vortrefflich ge=
ſchriebener Recenſionen geliefert, wenn man auch nicht ganz ab=
leugnen kann, daß ſeine äſthetiſche Kritik zuweilen etwas einſeitig
und befangen iſt.

Magnus Mårten af Pontin, königlicher Leibarzt
und Ritter des Waſa=Ordens. Ihm, einem Schüler des be=
rühmten Afzelius zu Upſala, wurde von dem Sanitäts=Collegio,
im Jahre 1813, eine neue, mehr ausführliche Bearbeitung der
Haus= und Reiſe=Apotheke von dem alten N. Roſen von Ro=
ſenſtein übertragen. Da dieſes Buch für ein Meiſterwerk gehal=
ten wird, ſo war dieſer Auftrag ſehr ehrenvoll für Pontik. Er

hat sich dessen würdig gezeigt, durch seine Anweisung zur Wahl der Arznei-Mittel (Anwisning till Walet af Läkemedel för allmänna Sjukwärden. Stokholm 1816. 8.), die wohl noch reichhaltiger an mannichfachen Erfahrungen und neueren Entdeckungen ist, als sein Vorbild, aber gewiß nicht so genau im Ausdrucke und bestimmt in Beschreibungen und Anweisungen, daher auch nicht so zuverlässig brauchbar. Außerdem hat er einige kleinere medicinische Abhandlungen in periodische Schriften geliefert, unter welchen besonders sein Aufsatz über Hydrocephalus gerühmt wird. Er ist in den adelichen Stand erhoben worden.

Rickert, Expeditions-Secretair und Landrichter in Westgothland. Als Mitglied der Comité, die eine neue Redaction des schwedischen Gesetzbuchs ausarbeiten soll, hat er sehr großen Antheil an diesem Werke gehabt, und man wird in den als Entwurf bekanntgemachten Abtheilungen desselben wohl gewahr, daß es das Werk eines jungen, sich noch weiter fortbildenden Rechtsgelehrten ist, indem man die Spuren seiner erweiterten Studien und veränderten Ansichten ziemlich genau nachweisen kann. Im J. 1821 hat er eine eigne kleine Schrift gegen die akademische Jurisdiction herausgegeben, und dies Buch hat zwar mit seinen zuversichtlichen Behauptungen und seinem Anstrich von Gelehrsamkeit manchen imponirt: die genaue Untersuchung entdeckte aber bald, daß das Raisonnement minder bündig und die Beweise — alle hauptsächlichst auf die oft berufenen Aussagen des sogenannten Geistes der Zeit sich stützend — minder unzweifelhaft sind, als sein Ton vornehm, höhnend und absprechend ist.

Carl Friedrich Rothlieb, Expeditions-Secretair und Kammerjunker, hat mehre schätzbare Vorarbeiten für einen künftigen Geschichtschreiber Schwedens geliefert, sowohl in seiner Matrikel des schwedischen Adels (Stockholm 1818. 4.), als in seinen Beschreibungen des gräflich braheschen Ritterguts Skokloster (Stockholm 1819. 8.) und der Ritterholms Kirche zu Stockholm, (Stockholm 1822. 4.). Freilich zeigt er sich in diesen Schriften weder als tiefen Denker, noch als vorzüglichen Stylisten, aber als unermüdeten Sammler und genauen Kenner besonders genealogischer und heraldischer Gegenstände. Und seines Fleißes darf ja, nach Lessing, ein jeder sich rühmen.

Friedrich Rudberg, Magister der Philosophie. Ist zwar bis jetzt nur als Verfasser mehrer Memoiren in den Schriften der Akademie der Wissenschaften aufgetreten, aber verdient um so mehr einen besondern Artikel, als er beinahe der einzige unter den jüngeren schwedischen Gelehrten ist, welcher mit ausgezeichnetem Glück in die Fußtapfen der älteren großen Mathematiker zu treten scheint. Er hat sich nicht geringen Ruhm durch Entdeckung der

Formel erworben, durch welche die Erscheinung erklärt wird; daß ein Wasserstrahl, aus einer engen Oeffnung gedrängt, erst sich ausdehnt, dann verringert, aber zuletzt wieder breiter wird.

Gustav Sandberg, Professor an der Akademie der schönen Künste und einer der vorzüglichsten jetzt lebenden Maler Schwedens. Eigentlich ist Geschichts-Malerei sein Fach, wie er besonders durch ein großes und schönes Altar-Blatt, das Leiden Christi im Kräuter-Garten vorstellend, durch die Gemälde der drei Walkürien, und durch ein drittes: Gustav Adolf bei Stums-dorf, rühmlichst bewährt hat. Auch als Portrait-Maler ist Sandberg sehr glücklich und wenigstens kann er das Portrait seiner Mutter einem der schönsten von van Dyck an die Seite setzen, so wie er auch eine Landschaft von großer Schönheit gemalt hat. In allen seinen Gemälden spricht sich eine tiefe, innige Empfindung, durch poetisch gruppirte Composition, kräftig charakteristische Zeichnung und ein warmes und klares, wenn auch nicht ganz harmonisch vollendetes Colorit aus.

Georg Scheutz, ehedem Auditeur bei dem Svea-Artillerie-Regiment, jetzt Buchdrucker zu Stockholm. Ihm verdanken die Schweden eine sehr gute Uebersetzung zweier Stücke Shakspeares: Julius-Cäsar (Stockholm 1815. 8.) und des Kaufmanns von Venedig (Stockholm 1820. 8.). Auch hat er die Söhne des Thales von Werner und Eginhard und Emma von de la Motte Fouqué übersetzt. Um aber nicht durch Uebersetzung solcher Werke als ein Jünger der neuen Schule zu erscheinen und es dadurch mit der alten zu verderben, hat er seinen Julius Cäsar mit einer Vorrede ausgeschmückt, worin er die Phrasen so hin und her brechselt, bis es beinahe so heißen könnte, daß Shakspeare doch nur ein dramatischer Stümper sey, und die Uebersetzung zum Beweis davon dienen solle. Noch merkwürdiger ist die Vorrede der Uebersetzung von dem wernerschen Gedichte. Diese fängt er mit der Behauptung an, daß die neue deutsche Literatur und die Philosophie Schellings im besonderen, nur ein Gewebe von verschleierten Listen und Ränken der Jesuiten sey, in der Absicht ausgedacht, alles Licht und alle Aufklärung auszulöschen und die Völker Europas wieder in die Fesseln des Papstthums zu legen. Diese Behauptung will Scheutz durch abgerissene Stellen, Phrasen und Ausdrücke, theils aus späteren schwedischen Schriften, theils aus der magischen Abhandlung Wellings und — seltsam genug — theils auch aus den Werken W. Jones über Indien, beweisen. Als die schädlichste Frucht dieses jesuitischen Strebens giebt er das Drama Werners an, und um seine Landsleute vor diesem Gift zu hüten, übersetzt er eben dieses Drama, doch ein wenig nachlässig, ins Schwedische! — Als Original-Dichter ist

er mit einer kleinen sehr gut versificirten und nicht übel erfunde=
nen komischen Epopöe hervorgetreten, die auch so künstlich ange=
legt ist, daß die beiden Parteien der schwedischen Literatur den
Verfasser sich zueignen könnten. Zuletzt hat Scheuz, als Mit=
Redacteur der Zeitung Argus, seine ästhetischen Grundsätze rein
ausgesprochen und indem er die Productionen der Dichtkunst in
zwei große Classen, in Staats = Poesie und Volks = Poesie, ein=
theilt, die beiden Parteien auf einmal aus der Schanze zu
schlagen versucht; das Streben der neuen Schule hält er für
nichtig, weil sie weder Staats = Poesie noch Volks = Poesie sey;
das Streben der alten Schule aber für nicht minder ver=
werflich, weil sie nur Staats = Poesie sey. Damit hat er es na=
türlich bei beiden gänzlich verdorben.

Johan Heinrich Schröder, Amanuensis an der Bib=
liothek und Vorsteher des Münz = Cabinets zu Upsala, hat
durch mehre Abhandlungen in den Zeitschriften Svea und
Iduna über archäologische Gegenstände, vorzüglich über die in
skandinavischer Erde gefundenen Gold = Bracteaten und über den
Verkehr der altnordischen Völker mit den Küsten von Nord=Ame=
rika, sich als fleißiger Sammler und Beobachter ausgezeichnet.

Erik Sjöberg, unter dem Namen Vitalis bekannt,
ein Studirender zu Upsala, der in den zwei herausgekommenen
Heften seiner Gedichte ein bedeutendes Talent zu komisch = saty=
rischen Darstellungen gezeigt hat. Seine ernstern Lieder sind nicht
ohne Geist, aber ohne tiefeindringendes Gefühl und Originalität.
Auch seinen satyrischen Gedichten fehlt es noch sehr an Menschen=
und Weltkenntniß und sie sind also ziemlich leer und einförmig.

Pehr Adolf Sonden, Adjunctus Pastoris an der
Adolf Friedrichs = Kirche in Stockholm. Als ein Verwandter
Atterboms wurde er von seiner Genialität hingerissen, die Dich=
terbahn zu betreten. Er hat auch eine ungewöhnliche Gewandtheit
im Technischen der Poesie, aber das innere, tiefgefühlte und scharf
eingreifende Leben der Erfindung und der Darstellung fehlt bei=
nahe ganz. Indessen war auch das Dichten bei ihm nur Nebenbe=
schäftigung seiner jüngeren Jahre. Größere Verdienste um die schwe=
dische Literatur hat er sich durch seine gelehrten Bemühungen um
lateinische Philologie erworben: besonders ist seine Ausgabe des
Sallustius, welche er mit tiefem Sinn und sicherer Kritik besorgt
hat, die beste, welche von irgend einem Classiker in Schweden
veranstaltet worden ist. Er ist auch außerdem ein gründlicher
Kenner der alten schwedischen Dichtkunst und gegenwärtig beschäf=
tigt, in Verbindung mit Hammarskölds, eine Anthologie ihrer
vorzüglichsten Productionen herauszugeben.

Erik Johan Stagnelius, Canzlist in der Expedition

der kirchlichen Angelegenheiten starb plötzlich, 31 Jahr alt, im April 1822. — Wenn es auch vielleicht zu viel gesagt wäre, daß Stagnelius der tiefste und reichste unter allen schwedischen Dichtern sey, so ist doch gewiß, daß er bis jetzt die größten und vollendetsten Dichterwerke hervorgebracht hat, und daß sein christliches Trauerspiel, die Märtyrer, das einzige der höheren Gattung ist, was wir fremden Meisterwerken an die Seite setzen können. Doch ist es nicht sein einziges. Schon im Jahre 1814 trat er mit einem epischen Gedichte in vier Gesängen auf: Wladimir der Große, welches, obgleich eine Jugendarbeit, doch schon durch einen kunstreichen, tiefdurchdachten Plan, durch die lieblichsten Episoden, durch eine über das Ganze mit beinahe mystischem Glanze verbreitete religiöse Begeisterung, durch lebendig-blühenden Ausdruck und eine sehr harmonische Versification sich auszeichnet. Nachher gab Stagnelius eine kleine Sammlung lyrischer Gedichte unter dem Titel: Liljor i Saaron. Stockholm 1821. 8. heraus, welche ungetheilten Beifall fand. Eine so mächtig hinreißende Kraft, ein solches bis in den tiefsten Grund des Herzens dringendes Gefühl und eine solche, auf gewaltigen sonnenbeglänzten Fittigen emporschwebende, schöpferische Phantasie hatte man in schwedischen Gedichten noch nicht gesehen. Die Einförmigkeit dieser Gedichte, welche alle nur einen Gegenstand darstellen: die Verzweiflung der Seele, in körperlichen Banden unter der Herrschaft der Sünde und des Todes gefangen zu seyn, wurde durch so große Vorzüge ganz verdunkelt. Auch ist nicht zu leugnen, daß in vielen Stellen nur nackte gnostische Metaphysik für Poesie gegeben wird; aber im Allgemeinen sind sie von so reinem, hinreißendem, melancholisch-lieblichem Tone, daß ich mich nicht enthalten kann, die Uebersetzung einiger Zeilen zu versuchen. — Sie machen den Schluß von einem Gedichte aus, das Mysterium der Seufzer genannt, und lauten, im nämlichen Metrum, ohngefähr so:

„Sieh das Meer! — Sieh, wie es kommt mit Eile,
Will mit blauen, sehnsuchtsvollen Armen,
Bei dem Glanz der Himmelslichter, drücken
An die Brust die blumbekränzte Erde. —
Sieh, es kommt! Sieh, wie sein Busen wallet! —
Doch vergebens. Unterm Monde wird kein
Wunsch erfüllet. Auch des Mondes Vollglanz
Währt nur Stunden. — Mit betrogner Hoffnung
Sinkt das Meer, und seine stolzen Wellen
Fliehen seufzend wieder von dem Strande.
　　Hörst den Wind! — die hohen Pappelkronen

22

In dem Walde säuselnd überschwebt er.
Hörst, wie brünstig seine Seufzer girren,
Einen Körper heiß verlangend, um sich
Mit des Sommers Flora zu vermählen.
Doch die Töne schweigen schon. — Der Blätter
Aeols = Harfe klingt nun leiser, leiser,
Bis zuletzt erstirbt des Schwanes Klage.
          Was ist Frühling? — Seufzer aus der Erde
Brust nur, die den Himmels = König fragen:
Wann der Maitag Edens wieder aufgeht. —
Was die Lerche wohl, der Eos Liebling? —
Was die Nachtigall, der Schatten Freundin? —
Seufzer nur in wechselnden Gestalten.

In dem letzten Theile seiner Lilien aus Saaron ist das oben ge=
nannte Trauerspiel mit abgedruckt, welches das Märtyrerthum der
Felicitas und Perpetua und der übrigen africanischen Christen,
unter dem Proconsul Hilarianus, zum Gegenstande hat. —
Nachher gab Stagnelius noch ein dramatisches Gedicht: Die
Bacchanten (Stockholm 1822. 8.), worin er den Tod des thra=
cischen Orpheus darstellt, und das ein würdiges Seitenstück zu
den Märtyrern ist, obgleich mit ihnen nicht vergleichbar. Die erste
Hälfte ist vortrefflich, aber die letztere ist etwas matt, da die
kurze Handlung allzubald erschöpft wird. — Uebrigens bekannte
sich der allzufrüh verstorbene Dichter zu keiner Schule der schwe=
dischen Literatur, sondern ging seinen Weg und ist von beiden
Theilen mit gleicher Liebe und Bewunderung aufgenommen worden.
    Johan Magnus Stjernstolpe, Expeditions = Secretair
im Departement für die militairischen Angelegenheiten der schwe=
dischen Canzlei. Als Schriftsteller ist er ganz ein Zögling der
schwedischen Akademie und obschon ohne originalen Geist, Tief=
sinn und eigenthümliche Phantasie, besitzt er doch große Gewandt=
heit, entlehnte Gedanken in wohlklingende Verse einzukleiden.
Sein vornehmstes Verdienst sind metrische Uebersetzungen der tra=
vestirten Aeneis von Blumauer (Stockholm 1814 .8.), des Oberon
von Wieland, einiger Gedichte Voltaires, vor allen aber eine
vollständige Uebersetzung des Don Quixote, obgleich er gewiß
nicht die künstlerische, vollendete Rundung des Ausdrucks und Pe=
riodenbaus erreicht, auch wohl nicht immer den Sinn des Origi=
nals genau wiedergegeben hat. Auch hat er ein Paar Mährchen:
die goldgelockte Prinzessin (Stockholm 1818. 8.) und die Zauber=
handschuhe (Stockholm. 1820. 8.) in französischer Manier versi=
ficirt, die zwar etwas gedehnt und oberflächlich sind, sich aber
doch des leichtfließenden Tons wegen, ganz leidlich lesen lassen.

Anders Magnus Strindholm, ein Name, den man nicht ohne Rührung und Achtung nennen kann: denn mit verzweifelter Armuth ringend und von Gläubigern verfolgt, hat er, seinem Genius vertrauend, sich zu einem ehrenwerthen und besonders in Schweden sehr vorzüglichen Historiker ausgebildet, wozu ihm keine der nöthigen Eigenschaften gebräche, wenn ihm philosophischer Scharfblick, die Menschenbrust und die Welthändel zu durchschauen, in höherm Grade gegönnt wäre. Die Vorzüge seiner Historiographie bestehen in einer genauen, unermüdeten Forschung, in parteiloser Wahrheitsliebe, in guter Anordnung der Erzählung und in einem warmen männlichen Vortrage; die Fehler hingegen in dem Mangel einer tiefeindringenden Entwickelung der Begebenheiten und der Gabe, sich zu beschränken. Dieses Urtheil wird durch die Schriften: Lebensbeschreibung des Generals Stenbock (Stockholm 1821. 8. mit Portr.) und die bis jetzt erschienenen beiden Theile von der schwedischen Geschichte unter der Regierung des Hauses Wasa (Svenska Historien under Konungarne af Wasahuset. Del. 1. 2. Stockholm 1817 u. 1820. 8.) bestätiget.

Johan Peter Theorell, in der Expedition des Hof-Canzlers angestellt und nunmehr Vorsteher der öffentlichen Bücher-Auctionen. Er erwarb den großen Preis der schwedischen Akademie durch einen sehr trockenen Aufsatz über die Streitigkeiten der Häuser York und Lancaster, die wahrscheinlich kein Mensch durchgelesen hat. Daher ist Theorell dem Publicum eigentlich nur bekannt und interessant geworden, als sein älterer Bruder, der Landrichter Sven Theorell, in Bezug auf die in Schweden so merkwürdige wermdöische Mordgeschichte, eine Schrift herausgab: Versuch, die allgemeinen Meinungen zu berichtigen (Stockholm 1819. 8.), und als diese von den Behörden in Beschlag genommen worden war, der jüngere Theorell eine andere, unter dem etwas widersinnigen und gesuchten Titel schrieb: Versuch an die allgemeine Meinung zu Touromatten (Försök att Touromatta på allmänna Opinion. Stockholm 1819. 8.). Diese beiden in einem witzelnden Styl geschriebenen Dialogen und etliche oberflächliche und populäre Sätze über Gesetzpflegung und mitbürgerliche Rechte enthaltend, die nunmehr ganz vergessen sind, machten damals ein großes Aufsehen und brachten den Namen Theorells auf die Lippen aller Menschen. Dieser Ruhm hat sich noch mehr verbreitet, da die beiden Brüder die Zeitung: der stockholmische Courier, mit dem Jahre 1820, herauszugeben anfingen. Nunmehr ist er doch ein wenig verschollen, da man, mit aller Achtung, die man dem uneigennützigen ernstlichen Eifer für das Rechte schuldig ist, bemerkt hat, daß die Ansichten der beiden

Brüder ziemlich beschränkt sind und sich immer nur um einen Punct drehen, und daß auch der Styl ihrer nur Rechtssachen behandelnden Aufsätze über die Gebühr trocken und schleppend ist.

Pehr Wilhelm Tholander, Schulmeister zu Ulricsdal bei Stockholm und einer der gelehrtesten, wenigstens sprachkundigsten Männer Schwedens, im Jahre 1815 gestorben. In der Zeitschrift Jduna sind von ihm eine Uebersetzung des isländischen Liedes Solarlioth und andere Abhandlungen über antiquarische Gegenstände. Dann hat er ein Paar bibliographische Aufsätze in den Druck gegeben und auch mehre Recensionen in der schwedischen Literatur-Zeitung geliefert. Die meisten Früchte seiner reichhaltigen literarischen Forschungen liegen jedoch noch handschriftlich unter seinen, dem gothischen Bunde vermachten Papieren. Unter ihnen befindet sich auch eine versuchte Dechiffrirung der persepolitanischen Keilschrift, und da Tholander darin einen ganz eigenen Weg gegangen ist, glaube ich diesem Aufsatze ein eigenes Interesse zu geben, wenn ich, durch die Uebersetzung der Grundzüge seiner Theorie — in einem Briefe mitgetheilt — die Aufmerksamkeit der Gelehrten auf sie lenke. — — Er schreibt: „Bei Niebuhr (seiner Reise 2. Theil. Tab. XXIV.) kommen „mehre Arten von Keilschriften vor, zu deren Entzifferung keine „der bis jetzt bekannten Alphabete beim ersten Anblick passen. — „Sie scheinen alle zu Inscriptionen in und auf Steine sehr dien„lich zu seyn, aber ganz und gar nicht zur gewöhnlichen Schrift. „Eben dieses veranlaßte mich, mit gewöhnlichen Schriftzügen, die „Keil-Figuren — die Niebuhr nachgezeichnet hat — zusammen „zu stellen, da ich mit Erstaunen drei Alphabete wiederfand, die „ich mit mehren bis dahin als Mönchs-Dichtung aus der mitt„leren Zeit abgeurtheilt hatte, und deren Alterthum der tiefge„lehrte dänische Professor Bangius in Coelo Orientis so bün„dig zu widerlegen gesucht. Diese Alphabete, die beinahe in allen „älteren Sammlungen vorkommen, sind unter dem Namen Al„phabetum Coeleste, Scriptura transitus fluvii und Scrip„tura Malachim bekannt. Der Vergleichung wegen hiervon „eine Probe:

Perſepolitaniſche Schrift.		Scriptura transitus fluvii.	Scriptura coelestis.	Bedeutung.
In Keilform.	Verbunden.			

				Guttural.
				B.
				D.
				H.
				Z.
				Ch, germ.
				T.
				Guttural.
				Tz.
				K.
				R.
				S.
				T. etc.

„Die Oeffnungen der offenen Puncte, die die meiſten Buchſtaben „dieſer Alphabete an dem Ende haben, ſcheinen auch etwas keil= „förmiges anzudeuten, da ſie zu Steinſchrift gebraucht werden. — „Die Inſchriften, die bei Niebuhr Tab. XXIV. C. u. E. vor= „kommen, ſcheint man durch die Scriptura Malachim bechiffri= „ren zu dürfen. Aber die Buchſtaben betreffend, die man „auf einem Steine aus Bagdad antrifft (bei Millin, Monum. „Ant. T. I. p. 58.), ſo glaube ich, daß die nämliche Ver= „ſchiedenheit unter ihnen und der perſepolitaniſchen obwalte, als „unter den gewöhnlichen Runen und den aus Helſingland, na= „mentlich die Wegnahme oder Zuſetzung der Stäbe. — Mit „Rückſicht auf dieſe Entdeckung, wodurch die Echtheit dieſer alten „Alphabete vertheidigt zu werden ſcheint, bin ich auf den Gedan= „ken gerathen: daß, da die Schreibkunſt im Alterthume wie ein „unmittelbares Geſchenk Gottes geſchätzt wurde, worin die Engel „die Lehrer der Menſchen geweſen, daher die Benennung Alphabe-

„tum coeleste und Scriptura Malachim entstanden und per
„traditionem beibehalten worden. Die Denomination Scriptura
„transitus fluvii betreffend, wage ich nicht länger ihrer Richtigkeit
„zu widersprechen, um so weniger, da es mir unzweifelhaft scheint,
„daß die Schreibkunst viel älter ist, als die von Moses erzählte
„allgemeine Flut. Daß sie vorher unter den Aegyptiern bekannt
„gewesen, sieht man aus den daselbst in spätern Zeiten entdeckten
„Zodiaken. Auch die Hindus haben ja ganz unverfälschte astro=
„nomische Tafeln seit 760 Jahren vor der oben genannten großen
„Flut. Kaum ist es also glaublich, daß ihre Nachbaren, die
„Perser, ohne Bekanntschaft mit dieser edlen Kunst gewesen.
„Mit unbedeutenden Kenntnissen der persischen Sprache, habe ich
„doch, däucht mir, entdeckt, daß die persepolitanischen Inschriften
„in einer Sprache abgefaßt sind, die eine vera mater linguae
„illius, qua utitur Zend - Avesta, und sehr einsilbig ist.“ —
So weit Tholander.

Michael von Törne, Landhauptmann und Ritter des
Wasa=Ordens, gab im Jahre 1809 eine Gedächtnißrede auf
A. Oxenstjerna heraus, die aber kein Aufsehen erregte und bald
vergessen wurde. Mehr Glück machten seine Schriften über den
Landbau und die Oekonomie, vorzüglich seine sehr lehrreiche
Schrift: die Landwirthschaft in systematischer Ordnung (Land-
hushållningen i systematisk Ordning. Del. 1. 2. Stock-
holm 1811. 8.)

Bengt Jonasson Törneblad, gestorben im Jahre 1820.
Er hat binnen den Jahren 1810 und 1820 sehr mannichfaltig und
sehr kräftig auf die allgemeine Volksstimmung gewirkt, da er über
die Angelegenheiten des Tages immer fertig war, in Zeitungen
und Flugschriften zu sprechen. Wer durch solche Schriften wir=
ken will, muß sich eines ganz anderen Styls befleißigen, als der
auf einen dauerhafteren Effect rechnende Schriftsteller: er muß so
sprechen, daß er die Aufmerksamkeit weckt und fesselt; also epi=
grammatisch, blühend; er darf auch mitunter paradox und absprê=
chend scheinen. In dieser Hinsicht war der Vortrag Törneblads
— nicht ohne Aehnlichkeit mit der prosaischen Schreibart Tho=
rilds — sehr zweckmäßig und dabei sorgfältig ausgebildet. Tör=
neblad war aber auch in der Hinsicht einer der vorzüglichsten un=
ter diesen Schriftstellern des Tages, daß er nicht blos, wie die
mehrsten dieser Art, mit politischen Gemeinsätzen und trivialen
Kernsprüchen der Sittenlehre oder der Politik um sich warf, son=
dern sich ernstlich um ein würdiges Ziel bemühte und sich von
höheren Ansichten leiten ließ. So sind verschiedene seiner Flug=
schriften, z. B. die Zeit und Bonaparte (Tiden och Bonaparte.
Stockholm 1813. 8.); Wer glaubt unserer Predigt? oder von

dem Repräsentations-Rechte der Geistlichkeit (Ho tror vår Predikan? Stockholm 1815. 8.); das goldne Kalb der Israeliten (Den israelitiska Guldkalfven. Stockholm 1815. 8.); der Alte mit dem Kasten (Gubben med skåpet. Hft. 1. 2. Stockholm 1819. 8.); über das stockholmische Polizei-Wesen (Polisen i Stockholm. Stockholm 1819. 8.) u. s. f. von einem Werthe, welcher auf einem festeren Grunde ruht, als der vorübergehenden Neugierde des Augenblicks. Auch hat Törneblad etliche Schriften nachgelassen von einer tieferen, mehr dauerhaften Tendenz, wie sein Ideal einer echten weiblichen Bildung (Ideal för en ägta Qvinnobildning. Stockholm 1815. 8.) und sein, gegen die falsche Natürlichkeit und Sentimentalität gerichteter Roman: Der Freiherr Dolk (in drei Theilen zu Stockholm 1814, 1815, 8.), die in der schwedischen Literatur, wo die prosaische Schreibart noch so wenig ausgebildet worden, von Bedeutung sind. Auch hat er, zwar nicht ganz fehlerfrei, aber doch im Ganzen recht gut, Schillers: Don Carlos, Jungfrau von Orleans und Wallenstein, metrisch übersetzt und der reimfreien fünffüßigen jambischen Versart in der schwedischen Prosodie Eingang verschafft, wie auch einige liebliche Lieder in wahrem Volkston und Volkssprache gesungen. Mit vielem Unrechte haben also die Schweden den guten Törneblad, der für sie mit so warmem Eifer gearbeitet und sein ökonomisches Glück aufgeopfert hat, so bald vergessen, obgleich er, ohne tieferen philosophischen oder poetischen Geist oder höhere gelehrte Bildung, gewiß nicht auf einen Platz unter den großen und classischen Schriftstellern Anspruch machen konnte.

Carl David af Uhr, Director der Berg-Mechanik, hat in Bezug auf seinen Beruf zwei sehr vorzügliche und nützliche Schriften herausgegeben: Bericht über die in den Jahren 1811, 1812 und 1813 angestellten Kohlungs-Versuche (Berättelse om Kolnings Försök åren 1811, 1812 och 1813, på Bruks Societetens bekostnad anstälde. Stockholm 1814. 8. med Pl.) und Handbuch für Köhler (Handbok för Kolare. Stockholm 1814. 8.), in welchen er nicht nur mit der höchsten wissenschaftlichen Genauigkeit die Theorie dieser wichtigen Handirung entwickelt, sondern auch die praktischen Regeln aus einer vieljährigen Erfahrung hergeleitet und für den mechanischen Ausüber lehrreich und mit Klarheit dargestellt hat.

Carl Gustaf Wahlberg, Notar in dem schwedischen Hofgericht zu Stockholm und da im Jahre 1821 gestorben. Das Aufsehen und der Einfluß auf einen großen Theil des schwedischen Volks, den die Schriften dieses frech pöbelhaften, aber gewiß nicht talentlosen Verfassers gehabt haben, macht es uns zur Pflicht, ihn auch in dieser Uebersicht nicht zu vergessen. In Armuth versunken, aber arbeiten nicht wollend und zu betteln sich schämend, wucherte er mit seiner natürlichen Fertigkeit, immer etwas Neues auf das Papier zu bringen. Auch Reimereien wurden ihm nicht schwer, und daher hat Wahlberg eine Menge Schriften, die im Aeußeren wie Gedichte aussehen, hervorgebracht, z. B. schwedische Kriegs=Lieder (Svenska Fält-Sånger. Stockholm 1812. 12.); Volks=Lieder (Folk-Sånger. Stockholm 1813. 12.) u. s. f. ja sogar ein episches Gedicht in vier Gesängen über die Schlacht bei Dennewitz (Stockholm. 1815. 8.). Doch den Grund seines Ruhmes hat er gelegt, als er in die Fußtapfen Cederborghs trat, um das Spiel= und Bierhäuser=Leben, nach der Natur, in sogenannten Romanen zu schildern. Er hat in dieser Hinsicht auch ein wahrhaftes Wunderding zusammengedrechselt: der Ugglewiks *)=Ball, in vier Theilen (Stockholm 1814. 1815. 8.), wo die schmutzigsten Vorstellungen, Auftritte und Erzählungen in bunter Ordnung einander drängen, und wo das roheste und gemeinste Geschwätz so in gebundener als ungebundener Rede getrieben wird. Nachher hat er eine Menge kleinere Romane dieser Art herausgegeben, aber keiner machte doch solch ein Glück wie der Ugglewiks=Ball, den ein jeder lesen wollte. Indessen hat Wahlberg sich in mehren andern Fächern versucht, bald Vorlesungen über die Wahl einer Gehülfin (Stockholm 1816. 8.), bald eine Geschichte des großen Engelbrecht Engelbrechtsons (Stockholm 1817. 8.) in leiblicher Prosa geschrieben, bald sich in der Tiefe des literarischen Schmutzes, bald mit C. G. Grevesmöhlen, bald mit den Polizei=Behörden zu Stockholm herumgebalgt.

Markus Wallenberg, Bischof zu Linköping, hat sich bekannt gemacht durch eine metrische Uebersetzung der Ilias (Homäros Ilias. Stockholm 1814. 1815. 8.) und der Odyssee (Homäros Odyssäa. Del. 1. 2. Linköping. 8.). Diese schließen sich gewiß sehr treu den Originalen an, aber die Kritiker behaupten, daß, von einer unklaren Ansicht der homerischen Naivetät verführt, Wallenberg, was die Uebersetzung der Ilias betrifft, den alten jonischen Sänger in einer allzugroben ostgothischen Bauerntracht auftreten lasse. In dieser Hinsicht ist gewiß die Uebersetzung der Odyssee um vieles besser, auch in dem Versbaue correcter, obgleich die Metrik Wallenbergs im Allgemeinen sehr nachlässig ist und gegen die Vollkommenheit, die der schwedische Hexameter unter den Händen Adlerbeths erreicht hatte, beinahe

---

*) Ugglewiken, ein Gesundbrunnen in der Nähe Stockholms, der bisjetzt nur von den geringern Volksclassen besucht wird.

in jeder Zeile verstößt.   Leider versichert Wallenberg, daß er mit vollem Bewußtseyn und nach Grundsätzen schlecht versificire.

Johan Wallin, Lector an dem Gymnasium zu Stockholm, erhielt im Jahre 1813 den höchsten Preis der schwedischen Akademie für die sachreiche Ausarbeitung einer Geschichte des ersten Kreuzzuges, die auch in einem sehr anmuthigen Style abgefaßt ist.   Nachher hat er eine Uebersetzung der römischen Geschichte von Goldsmith herausgegeben — warum und wozu? — mag Gott wissen.

Johan Wallman, Magister der Philosophie, hat sich durch eine sehr bereicherte Umarbeitung der schwedischen Flora Liljeblads (Upsala 1816. 8.) als ein kenntnißreicher, genau beobachtender Botaniker bewährt. Nachher hat er sich ganz der nordischen Archäologie gewidmet, in dieser Absicht, auf Kosten seiner königl. Hoheit des Kron = Prinzen Oscar, den südlichen Theil Schwedens bereiset und zuletzt die Resultate seiner Forschungen durch zwei Abhandlungen im neunten Hefte der Zeitschrift Iduna bekannt gemacht, die ihn als einen Antiquarius ganz in dem rudbeckischen Geiste zeigen, abenteuerliche Behauptungen auf etymologische Trugschlüsse erbauend.

Carl von Zeipel, Gutsbesitzer in Upland. Man hat in Deutschland etliche Schriftsteller der spätern Zeiten mit dem Namen After = Romantiker bezeichnet.   Zu dieser Genossenschaft kann mit allem Rechte der gute Zeipel gezählt werden, der zuerst als Uebersetzer der Tragödie Martin Luther, von Werner, hervortrat. Nachher hat er sich aller poetischen Tropen, aller Formeln der Hypergenialitätssucht und aller Versarten der neuen Schule mühsam bemächtigt, um damit in seinen vielfältigen Gedichten den echtpoetischen Geist hervorzuzaubern; aber leider geht es ihm fast wie dem Zauberlehrling bei Göthe — er hat das Wort vergessen, und die leidige Prosa — trotz seiner Bemühungen, sie in einen Raben zu verwandeln *) und von sich zu scheuchen — schlägt doch immer die schweren Fittige über seinem Haupte und seinen Versen zusammen. Man darf nur, um sich davon zu überzeugen, seinen Jesus Christus — eine Behandlung des Lebens des Erlösers, in einer Reihe von Romanzen — ansehen, und wenn man das reimende Elend dieser Compositionen mit ihrem hohen heiligen Namen vergleicht, so muß man es beinahe sacrilegisch finden.

Johan Wilhelm Zetterstedt, außerordentlicher Professor zu Lund, ist erst vor kurzer Zeit, aber mit vielem Ruhme,

---

*) Siehe das Gedicht: der Phönix und der Rabe — im poetischen Kalender für das Jahr 1821.

als Schriftsteller aufgetreten. Er hat nämlich eine Beschreibung der Reise herausgegeben, die er im J. 1821 durch die Lappmarken Schwedens und Norwegens (Resa genom Sveriges och Norriges Lappmarker, år 1821. Del. 1. 2. Lund 1822. 8.) auf Kosten des Hof=Marschalls Baron von Gyllenkrok gemacht hat. Die Reise ging bis an die Stadt Tromsöe und die in Norwegen einschießenden Buchten des Eismeeres. Die Beschreibung gibt, in einem guten gebildeten Style, reichhaltige und vielfältige Notizen zur Statistik, Oekonomie und Naturgeschichte.

G. F. Åkerhjelm, Obrist, Ritter des Schwert=Ordens und Director der königlichen Schauspiele. Er hat sich als Dichter gezeigt mit dem Trauerspiele Engelbrecht Engelbrechtson (Stockholm 1819. 8.), welches dadurch merkwürdig ist, daß es das erste auf dem Theater zu Stockholm gegebene Schauspiel in reimfreien Jamben ist. Uebrigens besteht es fast nur aus langweiligen Declamationen ohne Charakterschilderung, ohne höhere Bedeutung der Composition und fast ohne Handlung. Wie wenig Sinn der Herr Obrist für das echt Tragische besitzt, hat er doch recht eigentlich dargelegt durch die willkürlichen und verkehrten Veränderungen, die er mit der Maria Stuart von Schiller, und dem Hamlet von Shakspeare vorgenommen hat, ehe er sie auf der Bühne erscheinen ließ.

Nils von Åkerstein, ehedem Lieutenant der Artillerie, jetzt bei den smålåndischen Dragonern, und neulich von einer Reise nach Deutschland zurückgekommen. Er hat durch zwei sehr vorzügliche Abhandlungen über taktische Gegenstände zwei Preise von der Akademie der Kriegs=Wissenschaften erworben, und besonders durch die letztere über den Werth der reitenden Artillerie sich als einen der gründlichsten militairischen Schriftsteller Schwedens bewährt.

Eric Samuel Oedmann, Lector des Gymnasii zu Gefle, hat durch eine Geschichte des ersten Kreuzzugs (Del. 1. 2. Stockholm 1815. 8.) durch eine andere, über die Fechterspiele der Römer (Stockholm 1819. 12.) und zuletzt durch eine wohldurchdachte Anweisung zum Lateinisch schreiben (Stockholm 1821. 8.) den gelehrten Ruhm des ödmannischen Namens ehrenvoll behauptet.

———————

Nachdem wir nun das Personal der schwedischen Literatur gemustert haben, müssen wir, unserem Plane zufolge, die wichtigsten literarischen Erscheinungen erwähnen, mit Ausnahme derjenigen, die schon unter dem Namen der Verfasser angegeben worden sind. Wir wollen auch nun eine jede Wissenschaft durchgehen, aber zuerst müssen wir eine Art von Schriften erwähnen,

die binnen den ersten zehen Jahren dieses Jahrhunderts unmög=
lich in Schweden aufkommen oder gedeihen konnten, aber von
welchen wir nachher einen desto größeren Reichthum erhalten ha=
ben — wir meinen Zeitungen und periodische Schriften. Zuerst
wollen wir eigentliche Tageblätter und nachher alle sogenannte
Journale in chronologischer Ordnung aufzählen.

Das Journal für Literatur und Theater (Journal för Lit=
teratur och Theater) von dem königl. Bibliothekar und Canz=
lei=Rathe P. A. Wallmark redigirt, fing im Julius 1809 an,
wurde im April 1813 von dem Hofcanzler eingezogen, aber nach
drei Wochen wieder frei gegeben und unter dem Titel: Allmänna
Journalen bis jetzt fortgesetzt. Es ist von sehr gemischtem In=
halt: politische Neuigkeiten, ökonomische und statistische Abhand=
lungen, Recensionen, Gedichte u. s. f. und wohl diejenige Zei=
tung, welche man unter allen jetzt in Schweden bestehenden am
liebsten liest. In allem Wissenschaftlichen und in der schönen Li=
teratur hat jedoch diese Zeitung, vorzüglich im Anfange, nebst den
größten, unbescheidensten Anmaßungen, eine solche Unwissenheit
und unbehülfliche Bitterkeit gezeigt, daß sie dadurch eine heftige
Gegenwirkung erregte, und so mit zu dem zwölfjährigen Schisma
in der schwedischen Literatur Veranlassung gab. Dabei ist sie
eine hartnäckige, aber meist sehr elende Vertheidigerin der alten
Autoritätsgrundsätze der schwedischen Akademie gewesen, bis sie
mit dem Jahre 1821 sich, wie es scheint, gänzlich von der ei=
gentlichen schönen Literatur und der Philosophie weggewandt hat.

Polyfem, der rüstige Gegner des allgemeinen Journals,
dauerte vom Jahre 1810 bis 1812 fort, von J. Ch. Askelöf
herausgegeben und meistens auch verfaßt. Diese Zeitung war
ausschließend gegen die gemeine Denkart in den schönen Wissen=
schaften und in der Philosophie gerichtet, zuerst in satyrischem
Tone abgefaßt, der doch allmälig auch mitunter in den dogma=
tischen überging, und in beiden mit gleichem Glücke. Tiefsinn,
jugendliche Wärme für alles Edle und Schöne, ausgebreitete
Kenntnisse, sprudelnder Witz und ein vortrefflicher prosaischer Vor=
trag zeichnen diese Zeitung als ein classisches Werk in der schwe=
bischen Literatur aus.

Die neue Post (Nya Posten) von W. J. Törneblad redi=
girt, fing im März 1810 an und wurde bis ins Jahr 1812
fortgesetzt. In der Literatur sollte sie zuerst eine Gehülfin des
allgemeinen Journals seyn in Bestreitung der polyfemischen An=
sichten, ging aber selbst bald zu ihnen über. Auch beschäftigte
sie sich mit den inneren Angelegenheiten des schwedischen Staats
und war mitunter eine sehr strenge Tadlerin öffentlicher Verhand=
lungen, aber gewiß nicht von den gültigsten Principien ausgehend.

Da diefe Zeitung von vielen Mitarbeitern gefchrieben wurde, find ihre Artikel von fehr ungleichem Werthe, und durch das fchlechte gereimte Mährchen, die Füchfe (Räfvarne) gab die neue Poft einen mächtigen Antrieb zu dem an dem Grafen von Ferfen, den 20. Junius 1810 verübten fchrecklichen Morde.

Das Organ der öffentlichen Meinung (Allmänna Opinionens Organ), von dem Protocoll = Secretair Adolph Regnèr gefchrieben, kam bald nach dem 20. Junius 1810 heraus und follte eine Kritik der Staatsverwaltung liefern. Da man hier nicht nur eine Entfchuldigung, fondern fogar eine Lobfchrift auf die Schreckens = Scenen jenes Tages erhielt, machte die Zeitung ein erftaunliches Auffehen, und ihre Fortfetzung wurde nach ein Paar Monaten von den Behörden unterfagt.

Die elegante Zeitung (Elegant-Tidning) wurde ein halbes Jahr hindurch in Upfala von W. Fr. Palmblad und Axel Stenhammar herausgegeben. Sie follte leichtere Gedichte und Auffätze; doch alle nach den höheren Anfichten der neuen Schule, enthalten. Sie konnte aber niemals einen feften Gehalt bekommen. Da nun die Eleganz trotz eines fchwerfälligen Hafchens nach ihr fich nicht finden laffen wollte, gab man die Bemühungen deshalb auf und die Zeitung begnügte fich, entweder trockene Recenfionen, oder eine fehr unelegante Polemik zu geben. Daher war der befte Einfall, den fie je hatte, bald aufzuhören.

Zum Nutzen und Vergnügen (Nytta och Nöje), auch eine Zeitung vom Anfange des Jahres 1811, von C. G. Wahlberg verfucht, die nicht ihr vorher beftimmtes Leben ausdauern konnte. Sie follte nur fchönwiffenfchaftliche Gegenftände umfaffen; ihre kritifchen Principien aber waren fo verkehrt und ihre Gedichte fo platt, daß kein Menfch fich um ihre Exiftenz bekümmerte, da fie dann nach einigen und zwanzig Nummern abftarb.

Allgemeines politifches Journal (Allmän politisk Journal) hatte ein noch kürzeres Leben und brachte feinen Redacteur A. Regnér auf ein halbes Jahr auf die Feftung Warholm, weil er Notizen mitgetheilt hatte, die nicht mittheilbar waren.

Der unparteiifche Kritiker (Oväldige Granskaren) wurde im Laufe des Jahres 1811 zu Wennersborg herausgegeben von einem gewiffen Manderfelt, der ehedem unter der Regierung Guftavs III. ein nicht ganz ehrenvolles politifches und literarifches Leben geführt hatte. Die Zeitung enthielt nur wortreiche, öfters tadelnde Declamationen über ftaatswiffenfchaftliche Gegenftände.

Der Zufchauer (Åskådaren) kam während des Jahrs 1811 heraus, von C. A. Grewesmöhlen beforgt. Sein Inhalt war ausfchließend ftaatswirthfchaftlich, und wenn er auch mitunter nur

rabuliſtiſch war, ſo theilte er doch mehre nützliche Belehrungen
und triftige Bemerkungen in einem geſetzten Style mit.

Zeitung vermiſchten Inhalts (Tidning i blandade Ämnen)
wurde von dem Buchhändler Bruzelius zu Upſala im Jahre 1811
herausgegeben und war ein wahrer Don Ranudo di Colibra-
dos unter Zeitungen. Im Anfange eines jeden Monats kam eine
lange Herzählung aller der Dinge zum Vorſchein, die man in
den folgenden Blättern finden ſollte: aber wenn man genauer nach-
ſah, traf man nur nachläſſige und abgekürzte Ueberſetzungen aus
den gewöhnlichſten deutſchen periodiſchen Schriften oder ſelbſtver-
fertigten Reimereien, in welchen die Plattheit mit der beſcheidenen
Furcht, jemand zu verletzen, in ſchweſterlicher Eintracht wetteiferte.

Die Trompete oder Kriegserklärung gegen alles Böſe (Trom-
peten eller Krigsförklaring mot allt ondt) wurde im Jahre
1812 von C. A. Grewesmöhlen geblaſen, aber in einem ſo matten und jämmerlichen Tone, daß ſie gleich jede Furcht, die
der gewaltige Titel erregt haben möchte, beſänftigte. Doch war dieſe
Zeitung bei der Mannichfaltigkeit ihres Inhalts ein wenig beſſer, als

Der Skandinave und der neue Skandinave (Skandinaven och nya Skandinaven), zwei andere Zeitungen, die
Grewesmöhlen — jene im Jahre 1812, dieſe im Jahre 1813 —
herausgab, und in welchen nur die allerleerſten und trivialſten
Exercitien über moraliſche Gemeinplätze zu finden ſind.

Zeitung der ſchwediſchen Literatur (Svenſk Litteratur Tidning), auf Veranlaſſung des Grafen F. B. von Schwerin und
mit Unterſtützung von mehren Patrioten, von dem Magiſter und
Buchdrucker W. Fr. Palmblad zu Upſala im Jahre 1813 angefangen. Von ihr kommt ein Bogen in jeder Woche heraus und
enthält vorzüglich nur Recenſionen ſchwediſcher Schriften. Doch
muß man nicht darauf rechnen, hier eine Ueberſicht der ganzen
ſchwediſchen Literatur zu finden: denn in den glänzendſten Fächern
derſelben: Mathematik, Phyſik, Chemie u. ſ. w. findet man beinahe keine einzige ausführliche Recenſion.

Zeitung für Freunde des Scherzes (Tidning för Skamtets
Vänner) und die weißen Brüder oder der neue Klubb (Nya
Klubben eller de hvita Bröderna), zwei Zeitungen, die C. G.
Wahlberg einige Monate nach einander im Jahre 1815 heraus-
gab. Sie ſollte ſatyriſch den Thorheiten und Laſtern des gemei-
nen Lebens entgegenwirken, aber ihre Reflexionen waren nur ohne
Leben und Wahrheit; und der Witz, den man zu Hülfe tief,
wollte ſich nicht einfinden.

Die Abend-Poſt (Afton Poſten) fing den 16. Januar 1815
an und hörte den 13. März 1815 auf, ohne von jemand bedauert
zu werden. Sie wurde von einem ehemaligen Juſtitiarius auf

der Insel St. Barthelemy, Namens Erik Bergstedt herausgegeben, sollte von gemischtem, besonders sittenmahlendem und schönwissen-schaftlichem Inhalt seyn, war aber in den schweren Fesseln einer leeren Trockenheit unbehülflich befangen.

Sophrosyne, ein Blatt für Damen, kleine Romane, Anek-doten, ökonomische Bemerkungen, Mode-Neuigkeiten u. s. f. ent-haltend, wurde von A. Regnér redigirt. Diese Zeitung fing mit dem Jahre 1815 an, wurde aber im Sommer 1816 eingezogen, weil der Verfasser etliche verfängliche Notizen über die Frau von Krüdener mitgetheilt hatte.

Memnon, von A. Lindeberg herausgegeben, kam zuerst am 3. Juli 1815 heraus und verhungerte am 7. August des näm-lichen Jahres. Es sollte ein literarisch-politisches Blatt seyn, aber der Verfasser versteht weder etwas von Literatur noch von Politik.

Das Leben und der Tod (Lifvet och Döden), auch eine Geburt vom Jahre 1815 von J. Chr. Askelöf hervorgerufen. Der Inhalt war meist juristisch-literarisch und oftmals in einem Style von höheren Ideen und mit lebendigem Witze meisterhaft ge-schrieben. Doch dauerte dieses Blatt nur vom 6. October 1815 bis zum 16. Mai 1816.

Das Sonntags-Blatt (Söndags Bladet) kam zu Carls-crona im Jahre 1815 heraus und sollte praktisches Christenthum und warme Sittlichkeit befördern; war aber mehr gutmeinend, als zweckmäßig.

Die Zeit (Tiden), ein von A. Regnér mitd em 13. Septem-ber 1815 angefangenes und mit dem 11. Dec. 1815 eingezogenes Blatt, politischen Inhalts. Nur Uebersetzungen aus fremden Zeitungen.

Da nun die Zeit entschlafen war, nahm Regnér sich vor, ihren Geist (Tidens Anda) mit dem 15. Jan. 1816 hervorge-hen zu lassen. Diese Zeitung war vollkommen von gleicher Art, Styl und Beschaffenheit wie die vorige und hatte auch das näm-liche Schicksal wie diese, durch den Hof-Canzler den 28. April 1816 unterdrückt zu werden.

Zeitung für Landwirthschaft (Landtbruks Tidning) kam zu Anfange des Jahres 1815 heraus, dauerte bis in 1819 hinein und wurde von dem Director Sven Brisman redigirt, nur No-tizen, Bemerkungen und Abhandlungen, den Landbau betreffend, enthaltend.

Die Vereinigung (Föreningen), von B. J. Cörneblad her-ausgegeben, fing mit dem 1. Juli 1816 an, wurde aber den 14. März 1817 von den Behörden eingezogen. Dieses im All-gemeinen wohlgeschriebene Blatt enthielt Ansichten und Bemerkun-gen über Literatur, Politik und das gesellschaftliche Leben.

Der Beobachter (Anmärkaren), von Fr. Cederbörgh im Jahre 1816 angefangen; dieſes Blatt wurde zuerſt im Herbſte 1819 eingezogen, wieder erlaubt, noch einmal 1821 unterbro= chen und wieder frei gegeben, was mit keiner andern Zeitung geſchehen iſt. Dieſes Blatt ſollte im Anfange nur drollige Be= merkungen und witzige Einfälle über die Geſchichten des Tages mittheilen und konnte ſich nicht eben eines ſonderlichen Anſehens erfreuen, bis im Jahre 1819, da die Mordgeſchichte auf Wermdö ruchbar ward und dieſe Zeitung das Mittel wurde, durch wel= ches die Rechtsgelehrten ihre verſchiedenen Anſichten über dieſe intereſſanten Ereigniſſe mittheilten. Da aber nachher mehre perio= diſche Schriften hervortraten, der Gegenſtand erſchöpft war und die fremden Mitarbeiter ihren Contingent der Zeitung entzogen, iſt er in ein noch leereres Nichts als zuvor wieder verſunken.

Galathea war unter allen ſchwediſchen Zeitungen von kür= zeſter Dauer. Sie fing mit dem 13. an und hörte von ſelbſt mit dem 27. December 1817 auf. Ihr Inhalt war literariſch und regte eine Menge tiefer Ideen an, aber nichts war ausgeführt oder in gehöriger Form. Beſonders waren die Gedichte Galatheas elend.

Das National=Blatt (National Bladet) kam 1817 her= aus und war von B. J. Törneblad redigirt. Es ſollte vorzüglich patriotiſche Gegenſtände umfaſſen. In Ton und Vortrag war es immer ſehr matt, und wie es ohne Ruhm gelebt, ſchied es hin 1818 ohne Aufſehen.

Le Scandinave, nur allerhand Neuigkeiten des Tages und eben nicht immer die zuverläſſigſten erzählend, wurde franzö= ſiſch von dem Kammerjunker Gyldenpalm herausgegeben. Es fing den 3. Juli 1818 an und dauerte ein halbes Jahr hindurch.

Die neue Extra=Poſt (Nya Extra Posten) trat im Jahre 1819 hervor und hörte auf, da ihr Redacteur, der Buchdrucker Imnelius, im Jahre 1821 für einen aus Finnland mitgetheilten Artikel zur Verhaftung auf der Feſtung Warholm verurtheilt wurde. Die Zeitung ſollte von literariſchem und muſikaliſchem Inhalt ſeyn, blieb aber nur ein oberflächliches leeres Unding.

Der Beobachter (Anmärkarne) wurde von G. Scheutz re= digirt, kam im Jahre 1819 heraus und enthielt nur ſcharfe, bei= nahe unverſchämte, aber oftmals nützliche Bemerkungen über vor= kommende Handlungen der Autoritäten und Beamten.

Die Notizen von dem Fortgange des Evangelii (Underrät= telser om Evangelii Framgäng) theilt nur Auszüge und Ueberſetzungen aus den Berichten der Brüder=Gemeinde über die Fortſchritte ihrer Miſſions=Anſtalten mit. Dieſe Zeitung kommt in Stockholm heraus und nahm im Jahre 1819 ihren Anfang.

Der Freiheits=Freund (Frihets Vänner), von dem Kam=
merjunker Rosensvärd mit dem Anfange des Jahres 1820 her=
ausgegeben, dauerte nicht volle zwei Monate hindurch, dann wurde
seine Fortsetzung, wegen eines Anfalls gegen das Kriegs=Colle=
gium, von dem Hof=Canzler untersagt.

Der stockholmsche Courier (Stockholms Courier) fing mit
dem Jahre 1820, von den Brüdern Theorell redigirt, an, eigent=
lich nur juristische und staatsökonomische Gegenstände berührend.
Er wurde im Anfange des Jahres 1821, nach dem Befehle der
Behörde, abgebrochen; sollte durch eine neue Zeitung, der Courier
(Courieren) fortgesetzt werden; da aber der Hof=Canzler auch
diesen, nach der zweiten Nummer, einzog, so kam der Courier
aus Stockholm (Courieren från Stockholm) an seinen Platz.
Der Ton dieser Zeitungen war ernsthaft und redlich wohlmeinend,
aber bitter und sehr trocken. Die Ansichten ihrer Verfasser erho=
ben sich nicht über die Fläche der Erde und umfaßten nur einen
kleinen Kreis.

Argus, der mit dem Herbste 1820 hervortrat, nannte die
Herren G. Scheutz und Johansson als verantwortliche Redacteurs,
welche bald einen so vornehmen und absprechenden Ton annah=
men, daß mancher davon getäuscht wurde. Zu Anfange des
Jahres 1822 wurde diese Zeitung von der Regierung unterdrückt,
bald aber als Argus der zweite (Argus den andre) fort=
gesetzt, welcher, wie sein Vorgänger, sich als politische, commer=
cielle und literarische Zeitung ankündigte. Die Neuigkeiten des
Tages waren gewöhnlich der Art, daß sie bald widerrufen werden
mußten; die literarischen Ansichten hatten das Unglück, ein wenig
schief, parteiisch und geistlos zu seyn; die Abhandlungen waren
auf einen kleinen Kreis beschränkt, weitläuftig und ermüdend,
und die kleinern Aufsätze, in welchen er witzig seyn wollte, waren
matt und flach. Indessen behauptete der Argus doch eine große
Wichtigkeit, indem er die officiellen Bekanntmachungen der Regie=
rung und Collegien lieferte und nützliche Bemerkungen über die
Rechtspflege und die Staatsverwaltung mittheilte, wodurch er un=
streitig viel Gutes gewirkt hat. Da im December 1822 auch
der Argus der zweite eingezogen wurde, trat Argus der dritte an
seine Stelle. Sein Ton ist etwas leiser, aber doch immer
so redigirt, wie es nöthig ist, um eine Zeitung dem schwedischen
Publicum annehmlich zu machen. Diesen Punct richtig zu treffen,
hat noch keine schwedische Zeitung besser als Argus verstanden.

Der Kritiker (Granskaren), ein erklärter Gegner des Cou=
riers und des Argus, aber ihnen in Hinsicht auf verständige An=
ordnung und interessante Auswahl weit nachstehend. Er wird

von dem Expeditions-Secretair Lindgren herausgegeben und fing im Jahre 1820 an.

Zeitung der schwedischen Kirche (Svensk Församlings Tidning) sollte alle Gegenstände berühren, die nicht nur den gelehrten Theologen, sondern auch den praktischen Geistlichen angehen. Doch die Beförderungs-Neuigkeiten kamen zu spät, um interessant zu seyn, und um Gelehrsamkeit kümmert sich der schwedische Landprediger am allerwenigsten. Die Zeitung dauerte also nur das Jahr 1820 hindurch und wurde von A. Afzelius und L. Hammarsköld redigirt.

Das Conversations-Blatt (Conversations Bladet), von dem Feld-Secretair Münster herausgegeben, zu Anfange des Jahres 1822. Es sollte mit den Neuigkeiten des Tages eine unterhaltende Lecture verbinden. Diese Aufgabe löste es durch Erzählungen, aus deutschen Journalen übersetzt.

Die unbekannteste und am wenigsten gelesene schwedische Zeitung war Lycurgus, von A. Regnèr mit dem ersten April 1822 angefangen. Bald trat er auch in sein Nichts zurück. Er sollte theoretische Betrachtungen über politisch-statistische Gegenstände enthalten, hatte aber weder in den Ansichten noch in der Darstellung etwas Anziehendes, obgleich seine Grundsätze im Allgemeinen sehr gesund waren.

Der aufmerkende Skandinave (den uppmärksamme Skandinaven) wurde in Gothenburg von einem Magister Thorlejörnson herausgegeben. Er suchte dem Argus nachzueifern, ohne doch sein Ansehen und seine Popularität erlangen zu können. Nach einigen Monaten wurde seine Fortsetzung im October 1822 untersagt, weil der Verfasser über die regierenden Dynastien Europas gar zu ungeschickt zu raisonniren sich nicht entblödet hatte.

Wochenblatt für Kinder (Weckoskrift för Barn) wollte zur Bildung des sittlichen Gefühls der Kinder auf eine unterhaltende Weise mitwirken: aber der einfältige Pädagog ermüdete seine Leser mit Mord- und Diebes-Geschichten.

Die Lust, die Einkünfte des Argus zu theilen, indem man sein Ansehen verringerte, rief im Januar 1823 eine Gegen-Zeitung hervor: Argus der vierte (Argus den fjerde) genannt. Allein es fehlte dem Herausgeber das Talent, seine liberalen Ansichten mit einigem Interesse vorzutragen, und so ist diese Zeitung allgemein verschmäht und so wenig gelesen worden, daß sie noch unbekannter ist, als das Conservations-Blatt (Conservations Bladet), das der fallirte Buchdrucker Imnelius herausgibt, um mit Zusammenfegung alter halbvermoderter Brocken ein ärmliches Leben zu fristen.

Wenn man nun diesen genannten und erst seit dem Jahre

1809 hervorgetretenen Zeitungen die älteren Inrikes Tidningar,
Stockholms Post Tidningar, Stockholms Posten, Handels
Tidningen und Dagligt Allehanda, so wie die verschiedenen
Anzeige=Blätter, welche in einer jeden Landschaft und nur für
ihre Bewohner herauskommen, hinzufügt, so hat man eine voll=
ständige Uebersicht der eigentlichen Tagesblätter=Literatur Schwe=
dens. Der Journale und Monatsschriften sind so viele nicht, und
verschiedene unter ihnen sind für specielle Wissenschaften bestimmt
und gehören also in die Berichte, welche denselben besonders ge=
widmet sind. Daher haben wir nun hier nur die von einer
allgemeineren Richtung zu nennen.

Lyceum, zwei Hefte, zu Stockholm gedruckt in den Jahren
1810 und 1811. Weil der schon im Herbste 1809 bekannt ge=
machte Prospect dieser Zeitschrift, welcher in der wallmarkischen
Zeitung auf eine unwürdige Weise parodirt wurde, den Anlaß
zum Erscheinen des Polysem gab, so kann man wohl das Ly=
ceum als die erste Regung des neuen Lebens in der schwedischen
Literatur ansehen. Der Geist dieser Zeitschrift, deren Herausgeber
C. B. H. Höyer, Berzelius, Agardh und Hammarsköld waren,
strebte nach vollkommener Parteilosigkeit, wissenschaftlichem Ernst
und Gründlichkeit. Man liest auch hier etliche ausführliche Re=
censionen schwedischer und ausländischer neuer Schriften, eine
Abhandlung über das pestalozzische Erziehungswesen, von Agardh,
eine andere über die Fortschritte der elektro=chemischen Theorie,
von Berzelius, und eine über die Möglichkeit der Entstehung und
der Entwickelungsweise der schönen Kunst, von Höyer. Leider
sind aber diese beiden vortrefflichen letzteren Abhandlungen nicht
vollendet, weil der Tod Höyers die Fortsetzung der Zeitschrift un=
terbrach. — Auch hat Ling sich hier zuerst seinen Landsleuten
als Dichter gezeigt.

Phosphoros, drei Jahrgänge, kam zu Upsala 1810 —
1812 heraus, eigentlich von Atterbom und Palmblad redigirt.
Diese Monats = nachher Quartalsschrift, die den Anhängern der
sogenannten neuen Schule ihren schwedischen Spottnamen (Phos=
phoristen) zuzog, hat zuerst die Gedichte Atterboms, Elgströms
und anderer junger Dichter mitgetheilt. Uebrigens enthält das
Journal nicht nur mehre sehr ausführliche Recensionen über
bedeutende schönwissenschaftliche Erscheinungen, sondern auch Ab=
handlungen, wie die Vergleichung der griechischen und französi=
schen Tragödie, von Hammarsköld, die Lebensbeschreibung C. B.
H. Höyers von demselben, die schwedische Verslehre und einen
Dialog über den Roman, von Palmblad; ferner philosophische
Aphorismen, Präliminarien einer Poetik, und entwickelnde Kritik
der Kunstansichten Ehrensvärds, von Atterbom, u. s. f. Auch trifft

man hier Uebersetzungen von größeren griechischen Werken, der Einnahme Trojas von Tryphiodor und des Prometheus von Aeschylus, beide von Palmblad; zwei Abhandlungen: über das Schöne und über das Ideal=schöne von Plotinos, mit Anmerkungen von Hammarsköld u. s. w. Es kann also nicht geleugnet werden, daß die Herausgeber sich ernstlich bemühet haben ihren Landsleuten nützlich zu werden.

Minerva, eine sogenannte historische Monatsschrift, aber von sehr gemischtem Inhalt, kam in Oerebro in den Jahren 1811— 1815 heraus, und enthielt nur Uebersetzungen aus ausländischen Monatsschriften über die Gegenstände des Tages. Dieses oberflächliche Journal, das von dem Hofcanzler eingezogen wurde, ist mit sehr schlechten Kupferstichen ausgeschmückt.

Iduna, dieses von dem gothischen Bunde herausgegebene Journal, wurde erstens „eine Schrift für die Liebhaber des nordischen Alterthums" genannt, aber mit dem vierten Hefte fiel dieser Zusatz des Titels weg, ohne daß jedoch die Einrichtung oder der Gegenstand des Journals verändert wurde. In dieser sehr beliebten Schrift liest man die herrlichen Lieder: der Wiking, der letzte Skalde, Carl XII., die Harfe Brages, der Bergmann u. a. von Geyer; das vortreffliche Gedicht Frithiof von Tegnér; die Uebersetzungen der Voluspa und des Sonnengesangs von Afzelius und Tholander, wie auch mehre lehrreiche und wohl ausgearbeitete prosaische Abhandlungen, unter welchen: Ueber die Verhältnisse der Geschichte zur Religion, Tradition und Mythologie; über die Nutzbarkeit der Geschichte; über die Anwendbarkeit der nordischen Mythologie in den bildenden Künsten; über die Föderativ= Verfassung Schwedens u. a. von Geyer; über Biarmaland, von Adlerbeth; Alterthümer in Nubien von Sv. Fr. Lidman *) über die in Schweden gefundenen Gold=Bracteaten, von J. H. Schröder, u. s. f. die vorzüglichsten sind: — der Beschreibungen mehrer Gegenstände der nordischen Archäologie nicht zu gedenken.

Der Sammler, eine sogenannte schönwissenschaftliche Zeitschrift, von C. M. Stjernstolpe und Fr. Cederborgh herausgegeben zu Stockholm 1814, 1815, brachte sein Leben nur auf drei Hefte; sie enthalten meistens nur, was die Franzosen Poésies fugitives nennen.

---

*) Sv. Fr. Lidman, jetzt Lector der morgenländischen Sprachen zu Linköping, ehedem Legationsprediger zu Constantinopel, machte im Jahre 1815 eine Reise durch Aegypten in Nubien hinein, von welcher Reise dieser obengenannte Aufsatz das einzige bis jetzt bekannte Resultat ist. Er enthält mehre sehr interessante Berichtigungen der Länderkunde und bestimmt zuerst mit unwidersprechlichen Gründen die Lage der alten Stadt Pselkis.

Journal für Künste, Moden und Sitten (Journal för Konster, Moder och Seder) Heft 1—2. Stockholm, 1815 von Granberg herausgegeben, besteht meistens nur aus Uebersetzungen von flüchtig gewählten und oberflächlich geschriebenen Aufsätzen oder aus sehr matten Originalgedichten.

Klio, eine historische Monatsschrift, Heft 1—6. Stockholm 1815. 1816. 8. besteht nur aus Uebersetzungen nach deutschen Abhandlungen.

Schriften zur Verbreitung allgemeiner mitbürgerlicher Kenntnisse (Läsning till utbredande af allmänna medborgerliga kunskaper) Heft 1—3. Stockholm, 1816, 1817. 8. von dem Grafen F. B. von Schwerin, J. Ch. Askelöf und C. Livijn geschrieben. Mit größtem Enthusiasmus wurde diese vortreffliche Schrift von dem schwedischen Publicum aufgenommen, so daß nur der Eigensinn der Herausgeber das baldige Aufhören des Journals verursachte. Dieses ist sehr zu bedauern: denn Abhandlungen, wie der Blick auf die Umrisse Schwedens, von dem Grafen von Schwerin, waren für die schwedische Literatur unschätzbar.

Svea, Zeitschrift für Kunst und Wissenschaft, kommt in Upsala heraus und wird von den vorzüglichsten Gelehrten geschrieben. Schon sind von 1818 bis jetzt sechs Hefte erschienen, die mit Recht mit der wärmsten Theilnahme aufgenommen worden sind. Besonders müssen solche gründlich durchgedachte und ausgeführte Abhandlungen, wie die über die Bildung der schwedischen Erde und über Linné von Wahlenberg; über die Vorgeschichte Indiens und über Tibet, von Palmblad; über den gegenwärtigen Zustand der Philosophie, von Grubbe; vom Gelde, von dem Grafen von Schwerin; die Vorbereitungen einer Aesthetik, von Atterbom, u. s. f. immer erfreulich seyn. Aber zu bedauern ist, daß alle diese Aufsätze, vielleicht nur mit Ausnahme der Abhandlung des Grafen von Schwerin, in einem solchen schleppenden und trocknen Vortrage geschrieben sind, vorzüglich die von Geyer, über Republicanismus und Feudalismus, daß die Belehrung nicht ohne Ermüdung erlangt werden kann.

Magazin der Kunst und der Neuigkeiten (Konst och Nyhets Magazin), eine Monatsschrift, von dem Baron und Kammerherrn Fr. Boye seit 1818 herausgegeben. Jedes Heft besteht aus vier Zeichnungen und einem halben Bogen Text flüchtiger und süßlicher Erklärungen.

Hermes, eine Sammlung von vermischten Abhandlungen, Heft 1. 2. Stockholm, 1821. 8. Da diese Schrift weder mit bestimmter Bogenzahl, noch in bestimmten Zeiten erscheinen sollte, wollten die Herausgeber ihn nicht als periodisch angesehen haben; da aber der Hofcanzler, ihrer Protestation zum Trotze, ihn dafür

erklärte und damit — den fchwedifchen Druckgefeßen zufolge —
feine Exiftenz vom Willen des Hofcanzlers abhängig machte, fanden
die Herausgeber für gut, diefe Schrift nicht weiter fortzufeßen. —
Diefe zwei Hefte enthalten einige bedeutende Abhandlungen, wie
die geniale Rede des Grafen von Schwerin, die Charakteriftik der
Redefprache bezeichnend; über die Behandlung der Miffethäter,
und über die innern Verhältniffe des Epos und des Drama von
Almquift, und die teleologifchen Betrachtungen über die Weltge=
fchichte von Hammarfköld, in welchen er, mit Beachtung des ge=
genwärtigen Zuftandes der europäifchen Cultur, in Vergleichung
mit dem Gange der Weltbegebenheiten, den bald bevorftehenden
Verfall Europas, fowohl in politifcher als literarifcher und fittli=
cher Hinficht, prophezeiht.

Zu diefen periodifchen Schriften gemifchten Inhalts, kann
man auch in gewiffem Betracht, die Acten unferer Akademien
und gelehrten Gefellfchaften rechnen.

Die königl. Akademie der Wiffenfchaften hatte unter dem
Titel: neue Acten (kgl. Vetenskaps Akademiens nya Handlingar), feit dem Jahre 1780, die Herausgabe ihrer Memoiren,
in vier Heften jährlich fortgefeßt, fo daß im Jahre 1820 vierzig
Bände diefer Suite herausgekommen waren, die aber nicht ganz
denfelben Ruhm und Anfehen genoffen, wie die alte. Vorzüglich
enthielten fie Skiagraphien neuer Pflanzen oder Infecten; Krank=
heitsgefchichten, analytifche Meffungen von Curven, Spiralen u.
dgl. und hatten auch für den Gelehrten von Profeffion beinahe
alles Intereffe verloren. Nach den neuen Statuten der Akademie
follen die Acten im Jahre 1821 mit einer neuen Suite anfan=
gen, jedes Jahr ein Band in zwei Heften erfcheinen, und nicht
nur wiffenfchaftliche Abhandlungen, fondern auch Lebensabriffe
verftorbener Mitglieder und Berichte über die Unterfuchungen lie=
fern, welche die Akademie mit naturhiftorifchen Gegenftänden
anftellt. — Außer diefen eigentlichen Acten foll nunmehr jedes
Jahr, an dem Stiftungstage den 31. März, ein Bericht von den
jährlichen Fortfchritten der Wiffenfchaften (Års Berättelser om
Vetenskapernas Framsteg) vorgelefen werden, und drei folche
Berichte für die Jahre 1820, 1821 und 1822 find bereits er=
fchienen: über Chemie und Phyfik, von Berzelius; über Aftronomie
und Mathematik von S. Cronftrand; über Zoologie von Dahlman;
über Botanik von Wikftröm und über Technologie von Schwarß.
Diefe Berichte umfaffen mehr die gelehrten Arbeiten und Ent=
deckungen der Ausländer, als der Schweden.

Die Societät der Wiffenfchaften zu Upfala hat in den Jah=
ren 1815, 1821 und 1823 den fiebenten, achten und neunten
Theil ihrer Verhandlungen (Nova Acta reg. Societatis Scien-

tiarum Upsaliensis, Vol. VII, VIII et IX.) nach einer mehr=
jährigen Unterbrechung herausgegeben.

Die Geſellſchaft der gelehrten und ſchönen Wiſſenſchaften
zu Gothenburg hat vier Theile ihrer neuen Acten, welche Suite
mit dem Jahre 1810 angefangen hat, herausgegeben.

Dagegen hat die Akademie der ſchönen Wiſſenſchaften, der
Geſchichte und der Antiquitäten nur zwei Theile, den zehnten im
Jahre 1816 und den eilften im Jahre 1822, dem gelehrten Pu=
blicum mitgetheilt. Sie enthalten außer zwei Preisſchriften, vor=
züglich nur Inaugurationsreden neuerer Mitglieder und Gedächt=
nißreden über Verſtorbene.

Fleißiger iſt die, auch viel reichere, ſchwediſche Akademie geweſen
und hat binnen den Jahren 1810 und 1823 ſechs Theile edirt,
ſo daß nunmehr neun Theile ihrer neuen Memoiren, oder der
Suite vom Jahre 1796, herausgekommen ſind. Wie bekannt, ſind
dieſe gewöhnlich ſehr ſtarken Bände nicht blos mit den eigenen
Schriften der Mitglieder angefüllt.

Die Akademie der Kriegswiſſenſchaften hat erſt im Laufe die=
ſer ſpäteren Periode der ſchwediſchen Literatur angefangen, ihre
etwas magern Acten herauszugeben, die auch Ueberſetzungen fran=
zöſiſcher und deutſcher Originale enthalten. Von dieſen ſind bis jetzt
neun Theile und der letzte im Jahre 1822 gedruckt.

Im Jahre 1810 fing die Geſellſchaft der ſchwediſchen Aerzte
an, ihre bis zu neun Theilen angewachſenen Acten herauszugeben,
die immer in drei Abtheilungen zerfallen: 1) Krankheitsberichte
aus der eigenen Praxis der Mitglieder; 2) Originalabhandlun=
gen der Mitglieder und 3) Recenſionen merkwürdiger aus= und
inländiſcher Bücher. Auch hat der Secretair der Geſellſchaft im=
mer einen Jahresbericht von den Arbeiten der Societät (Ársbe-
rättelse om svenska Läkaresällskapets Arbeten) dem Pu=
blicum mitgetheilt.

Die Memoiren der Akademie der Landwirthſchaftskunde ha=
ben beſtändig nicht nur die Einrichtung, ſondern auch den Namen
eines Journals (Landtbruks Akademiens Annaler) gehabt, und
von ihnen ſind ſchon funfzehn Theile erſchienen. *)

_____

*) Nr. XXII oder das 2te Heft des Hermes für 1824, wird den Schluß
dieſer kritiſch=hiſtoriſchen Ueberſicht des Zuſtandes der ſchwediſchen. Litera=
tur enthalten.   D. Red.

Lightning Source UK Ltd.
Milton Keynes UK
UKHW012019200119
335903UK00007B/129/P

9 780266 698708